Avril 2010

A ma belle amie

Merci d'être dans ma vie
J'espère pour très longtemps
encore !!

La fureur
et l'enchantement

Du même auteur

Un minou fait comme un rat, Leméac, 1982.

Croquenote, La Courte Échelle, 1984.

De Laval à Bangkok, Québec/Amérique, 1987.

Guy Lafleur. L'Ombre et la lumière, Art Global et Libre Expression, 1990.

Christophe Colomb. Naufrage sur les côtes du paradis, Québec/ Amérique, 1991.

Le Moulin Fleming, LaSalle et ministère des Affaires culturelles, 1991.

Québec-Québec, Art Global, 1992.

Inuit. Les Peuples du froid, Libre Expression et Musée canadien des civilisations, 1995.

Le Génie québécois. Histoire d'une conquête, Libre Expression et Ordre des ingénieurs du Québec, 1996.

Souvenirs de Monica, Libre Expression, 1997, réédité sous le titre *Monica la Mitraille*, 2004.

Céline, Libre Expression, 1997.

Le Château, Art Global, 2001.

Les Coureurs des bois. La Saga des Indiens blancs, Libre Expression et Musée canadien des civilisations, 2003.

Thérèse Dion. La vie est un beau voyage, Libre Expression, 2006.

L'Homme au déficient manteau, Libre Expression, 2007.

Un musée dans la ville, Musée des beaux-arts de Montréal, 2007.

René Angélil. Le Maître du jeu, Libre Expression, 2009.

Georges-Hébert GERMAIN

La fureur et l'enchantement

Roman

Libre Expression

Une compagnie de Quebecor Media

Catalogage avant publication de Bibliothèque et Archives nationales du Québec et
Bibliothèque et Archives Canada

Germain, Georges-Hébert, 1944-

    La fureur et l'enchantement
    ISBN 978-2-7648-0426-1
    I. Titre.

PS8563.E677F87 2010   C843'.54   C2009-942660-9
PS9563.E677F87 2010

Édition : ANDRÉ BASTIEN
Direction littéraire : ROMY SNAUWAERT
Révision linguistique : FRANÇOISE LE GRAND
Correction d'épreuves : ANNIE GOULET
Couverture et grille graphique intérieure : CHANTAL BOYER
Mise en pages : JESSICA LAROCHE
Photo de l'auteur : JACQUES MIGNEAULT
Illustration de couverture (portrait) : *Young Woman with Mandolin* de Harrington Mann (1864-1937)
Private Collection/ © The Bridgeman Art Library

L'extrait de la chanson *Katak* reproduite à la page 463 est publié avec l'aimable autorisation des Éditions
Mushku Music et de l'auteur Florent Vollant.

Remerciements
Les Éditions Libre Expression reconnaissent l'aide financière du gouvernement du Canada par l'entremise
du Programme d'aide au développement de l'industrie de l'édition (PADIÉ) pour leurs activités d'édition.
Nous remercions le Conseil des Arts du Canada et la Société de développement des entreprises culturelles
du Québec (SODEC) du soutien accordé à notre programme de publication. Gouvernement du Québec –
Programme de crédit d'impôt pour l'édition de livres – gestion SODEC.

Les Éditions Libre Expression
Groupe Librex inc.
Une compagnie de Quebecor Media
La Tourelle
1055, boul. René-Lévesque Est
Bureau 800
Montréal (Québec) H2L 4S5
Tél. : 514 849-5259
Téléc. : 514 849-1388
www.edlibreexpression.com

Dépôt légal – Bibliothèque et Archives nationales du Québec et Bibliothèque et Archives Canada, 2010

ISBN : 978-2-7648-0426-1

Distribution au Canada
Messageries ADP
2315, rue de la Province
Longueuil (Québec) J4G 1G4
Tél. : 450 640-1234
Sans frais : 1 800 771-3022
www.messageries-adp.com

Diffusion hors Canada
Interforum
Immeuble Paryseine
3, allée de la Seine
F-94854 Ivry-sur-Seine Cedex
Tél. : 33 (0)1 49 59 10 10
www.interforum.fr

À André Bastien, mon éditeur

Prologue

La goélette était déjà loin au large quand Laurence réalisa qu'elle partait peut-être pour toujours et qu'elle ne reviendrait sans doute jamais vivre à La Malbaie. Cette pensée ajoutait à son bonheur. Désormais tout serait neuf dans sa vie.

La mer était couverte de haillons d'écume blanche que le vent agitait en tous sens et qu'il lançait en longues effilochures contre le ciel gris. Devant Tadoussac, les eaux douces du fleuve et celles du Saguenay, grossies par les crues printanières, butaient contre la lourde marée qui montait du golfe, roulant devant elle d'énormes vagues chargées d'embruns. Quand la goélette vira de bord pour entrer dans le fjord, la grand-voile claqua comme un coup de canon, la coque frémit ; tous les regards se tournèrent, inquiets, vers le grand mât. Puis vers Thomas Simard, à la barre.

Thomas eut un mouvement d'humeur en voyant tous ces visages effarés. Il détestait qu'on s'abandonne ainsi à la peur, qui selon lui empêchait les gens de vivre et d'être heureux. Il aimait le danger, lui, comme d'autres aiment la prière ou la boisson. Cinquante fois au moins, il avait failli faire naufrage ; trois fois, il avait réussi. Et à l'entendre, on pouvait penser que c'étaient parmi les plus beaux moments de sa vie. Beaucoup de gens de La Malbaie refusaient de voyager avec lui ; ou alors, ils exigeaient qu'il jure d'être prudent et de ne pas prendre de risques inutiles. Thomas jurait. Une fois en mer, seul maître à bord de sa *Sainte-Marie*, croyant vaguement en Dieu, et pas du tout au diable, il faisait ce qu'il voulait.

Ce jour-là, il avait fort peu de sujets de réjouissance, à part ce mauvais temps et cette mer démontée qui pour le moment l'amusaient, et le fait qu'il emmenait à son garçon François la femme de sa vie. Dans quelques jours, celui-ci allait en effet tenir la belle Laurence dans ses bras. Ils vivraient tous deux un grand bonheur dans ce que beaucoup considéraient comme un océan de malheurs. Depuis deux ans, en effet, sans arrêt, jour après jour, que d'épreuves s'étaient abattues sur Grande-Baie ! Que de morts, de blessés, que d'éclopés on avait ramenés de là-bas… Que d'illusions on avait perdues ! Tellement que Michel, Alphonse, Caille et même Alexis, qui avait été avec Thomas au départ de toute cette aventure, avaient envie depuis quelque temps de ne plus y croire, de tout laisser tomber.

Et c'était ainsi d'un bout à l'autre de ce pays. Partout, les gens se mouraient de peur, dans les villes et les villages comme au plus profond des bois. Ceux qui s'étaient rebellés avaient été défaits, brisés, écrasés. Et personne ne semblait savoir où étaient passées la force, la foi, la joie que tous avaient eues autrefois.

Appuyée contre le bastingage, à la proue de la goélette, Laurence se tourna vers Thomas. Elle lui fit un lumineux sourire, comme si elle avait lu dans ses pensées, comme pour lui signifier que la joie et l'espoir existaient encore et qu'elle n'avait en elle aucune peur.

Été 1837
Dans l'Outaouais

François

Il fut tiré de sa torpeur par des gargouillis et des bruits d'eau qui avaient ranimé sa soif. Il faisait chaud, même si le soleil était encore bas. Ou déjà bas, peut-être. Il n'aurait su le dire. De larges lames de lumière se glissaient dans les interstices du mur situé à sa gauche et tranchaient obliquement l'espace au-dessus de lui. Il n'avait sans doute pas bougé depuis plusieurs heures, étendu, endormi ou inconscient, sur la paille sèche qui jonchait le plancher de madriers grossièrement équarris. Il entendit un cheval hennir et des oiseaux chanter.

Il risqua un œil entre les planches, pour voir d'où venaient ces bruits d'eau. Une femme qui lui faisait dos était penchée au-dessus d'un grand bassin posé sur un établi fixé au mur arrière d'une maison blanchie à la chaux, à une dizaine de pas de lui ; elle avait ramassé dans sa main gauche ses cheveux, de lourds cheveux noirs qu'elle agitait sous l'eau que versait sa main droite. Quand elle se redressa, l'eau ruissela jusqu'au bas de son dos et mouilla le haut de son jupon de coton. Il y avait de l'ombre tout autour d'elle, l'ombre mobile et trouée de taches de soleil d'un grand arbre qu'il ne voyait pas, mais qui devait se trouver tout près de la maison, du côté du soleil levant, car c'était le matin, il en était sûr maintenant, un jour tout neuf qui sentait encore un peu la nuit. Il entendit le cheval s'ébrouer. La femme tourna la tête et parla à la bête d'une voix apaisante et rieuse. Des cloches sonnèrent, les cloches de Carillon ou celles de Pointe-Fortune peut-être, ou de Saint-André.

La femme releva son jupon et y enroula ses cheveux, tout en jetant un regard autour d'elle. Il se souvenait vaguement d'être entré dans cette grange, pendant la nuit. Il s'était laissé choir sur le sol. Et il avait dormi. La femme versait l'eau du bassin dans le petit potager, juste à droite de la maison. Plus loin, derrière un petit champ de blé d'Inde maigrelet, le long duquel était couché un petit canot d'écorce, la rivière brillait au gros soleil, encore affolée par les rapides du Long-Sault, qui devaient se trouver à moins d'un demi-mille en amont. C'étaient donc les cloches de Carillon qu'il avait entendues ! Et alors, il sut qu'il était encore en danger ; il y avait une caserne militaire à Carillon, juste à l'entrée du canal. La femme sortit de son champ de vision, après avoir posé le bassin à l'envers sur l'établi ; les gouttelettes d'eau qui en tombaient s'évaporaient dès qu'elles touchaient le sable chaud, où elles formaient de minuscules cratères. Il entendit caqueter des poules, et le cheval hennir de nouveau. Et la soif le reprit, violente, irrépressible.

Il avait des caillots de sang dans ses cheveux. Ses vêtements étaient enduits de boue séchée. Il avait perdu un mocassin. Il avait mal à une épaule et de la peine à porter son bras droit à sa tête, mal aux genoux aussi, des contusions et des écorchures plein les bras et les jambes, plein le dos. Malgré la soif, la faim, la chaleur, il se laissa aller à dormir encore un peu. Il fit un rêve effrayant qui se passait dans un abattis fraîchement essouché et dans un chemin de charroi, le long de la rivière Madawaska, puis dans un camp de bûcherons qu'il connaissait bien. Cette fois, ce fut un cri qui le réveilla, son cri à lui qui résonnait encore à son oreille quand il s'assit, haletant, couvert de sueur. Il jeta un œil, par un interstice, du côté de la maison. La femme n'était plus là. Elle n'avait peut-être jamais été là. Il avait peut-être rêvé ça aussi. Il lui fallait se reposer, attendre la nuit, et reprendre la route. Mais avant de partir, il devait à tout prix boire et manger.

S'il y avait une femme dans cette maison et qu'elle était seule, il lui demanderait de l'aide. Les femmes ont toujours aimé soigner les hommes blessés. Il était sûr et certain de cela. Et si jamais celle-ci ne le voulait pas, il utiliserait la force, pour qu'elle le soigne et qu'elle lui donne à boire et à manger. La force ? « Mais quelle force, pauvre toi ? T'en as vraiment plus beaucoup. » Il scruta la pénombre autour de lui. « T'as plus ton fusil non plus. » Avant de repartir, il faudrait non seulement boire et manger, mais aussi se refaire des forces. Se trouver une arme. Et quelque chose à se mettre aux pieds.

Il y eut un fracas de lumière. Un flot de soleil écrasant, suffocant, déboulait sur lui par la porte de la grange, dont les deux battants venaient soudainement de s'ouvrir. Il put distinguer, après un moment, se découpant contre le jour trop blanc où dansait la poussière, la silhouette immobile d'une femme tenant un fusil à la main, un Hawken à baril octogonal, calibre .55, une belle arme, légère, puissante. Il constata que cette femme-là savait tenir un fusil et qu'il s'agissait bien de celle qu'il avait vue de dos dans ce qui n'était donc pas un rêve.

« D'où tu sors, toi ? »

Il reconnut la voix, grave et veloutée, qui avait parlé si gentiment au cheval. Il pensa qu'il devrait peut-être, pour être poli, dire quelque chose, tenter d'expliquer comment et pourquoi il était là. Mais ce serait si long. Et il était si fatigué. Il fit un petit sourire qui, espérait-il, amadouerait la dame. Et il ferma les yeux. Pendant un moment, malgré la soif et la douleur, il se sentit presque bien, dans la pénombre chaude qui l'enveloppait.

❧

Quand il revint à lui, une main ferme promenait un linge trempé d'eau froide sur son visage et dans son cou. Il était toujours étendu sur le sol de la petite grange à foin, et la femme était penchée au-dessus de lui, son Hawken posé près d'elle. Quand elle le vit tourner son regard vers l'arme, elle tendit le bras et, d'un geste vigoureux, la fit glisser un peu plus loin sur le plancher de la grange.

« Toi, tu touches pas à ça, mon garçon. »

Elle avait peut-être déjà constaté, elle aussi, qu'il était trop faible pour s'emparer de son arme, trop faible pour se défendre, trop faible pour ne pas s'en remettre entièrement à elle. Elle le fit boire, elle pansa ses plaies, lui donna à manger, un bouillon de poulet, un peu de pain, et plus tard, de la viande de bœuf bouillie avec des patates et des carottes. Et il s'endormit de nouveau. Le jour avait commencé à décliner quand elle revint le voir et le réveilla brusquement.

« Allons, François, réveille-toi. »

Il sentit l'inquiétude et l'urgence dans sa voix. Elle souleva l'un des madriers du plancher et, sans ménagement, le poussa sur le côté. Il se laissa choir sur le sol de terre fraîche et sèche. Elle rabattit le madrier sur lui, et il l'entendit racler la poussière au-dessus de lui et étendre de la paille sur le plancher. Même s'il n'avait pas tous ses esprits, il avait compris que cette femme voulait l'aider.

Il entendit des voix dans la cour : deux hommes qui parlaient fort. Ils entrèrent dans la maison, puis dans la grange sous laquelle il se trouvait. Ils semblaient de bonne humeur. L'un d'eux était fort intéressé par la dame. Ayant compris qu'elle était seule, il lui offrit, pour rire, ses services de garde. Elle lui dit qu'elle attendait son mari, qui n'allait pas tarder. Et l'homme dit qu'elle lui brisait le cœur.

« Qu'est-ce que vous cherchez ? demanda-t-elle.

— Un gars qu'on trouvera jamais vivant, peut-être même pas mort, répondit l'un des deux hommes. Il s'est noyé, c'est sûr. »

∽

Quand les miliciens furent partis, la femme vint poser près de François un bassin d'eau chaude, un savon, un linge propre, un rasoir. Elle le laissa un moment pendant qu'il faisait sa toilette. Puis elle lui apporta des vêtements d'homme : un pantalon de toile, une chemise de coton léger qu'elle l'aida à enfiler, des mocassins en peau d'orignal. Elle lui donna encore à boire et à manger. La blessure au cuir chevelu n'était pas profonde, mais elle dut lui couper les cheveux au ras de la nuque pour le panser correctement.

« Qui vous a dit que je m'appelais François ?

— Toi, dix fois au moins dans ton sommeil : "Vous direz au gros Peter Aylen qu'il va avoir affaire à moi, François Simard." »

Après un silence, elle demanda ce qui lui était arrivé.

« T'as sauté les rapides ?

— J'avais pas le choix.

— Où tu vas comme ça ?

— Chez nous, à La Malbaie.

— Tu sais que c'est pas une bonne idée de voyager par les temps qui courent.

— J'ai pas le choix, je vous l'ai dit. »

Elle avait les yeux aussi noirs que ses cheveux, le teint hâlé, la peau mate. Il se demandait si elle n'était pas sauvagesse. Mais elle parlait un peu comme une maîtresse d'école ou comme ces Français qu'il avait quelquefois rencontrés à Québec et du côté de Kamouraska ou de Port-Joly. Deux ou trois fois, pendant qu'elle le soignait ou qu'elle le regardait manger, leurs yeux se croisèrent. Et chaque fois, il crut voir naître sur ses lèvres un petit sourire narquois, un sourire pour elle-même, comme si elle se moquait gentiment de lui.

Il dormit encore toute une nuit. Le lendemain, il se sentait déjà beaucoup mieux. Pendant qu'elle changeait ses pansements, à genoux près de lui, les premières images qu'il avait d'elle lui revinrent soudain en mémoire. Il la revoyait très nettement, penchée au-dessus de la bassine, puis se redressant après avoir lavé et rincé ses cheveux ; il revit son dos nu tout ruisselant d'eau, ses bras ramassant ses cheveux pour les sécher, ses beaux bras pleins, fermes, aux muscles bien définis, relevant ensuite son jupon sur ses jambes nues, et découvrant sa nuque d'un geste lent. Et alors, le désir qu'il n'avait pas ressenti deux jours plus tôt, parce qu'il était blessé, fatigué et inquiet, le submergea. Il leva les yeux vers elle, posa une main sur son bras.

« Et vous, c'est quoi, votre nom ?

– Marie Auger, veuve, sans enfants. »

Elle le poussa très délicatement sur le dos, prenant soin de ne pas toucher ses blessures à la tête. Elle se pencha sur lui pour refaire ses pansements. Il sentit ses cheveux, son souffle, ses lèvres dans son cou, ses seins contre sa poitrine. Et un cœur qui battait très fort. « Le sien ou le mien ? » Elle posa ses lèvres sur les siennes, doucement, ses mains sur son ventre. Elle ouvrit sa chemise. Elle lui enleva les vêtements qu'elle l'avait aidé à passer. Et elle s'assit à califourchon sur lui. Pendant qu'elle le chevauchait, elle avait encore ce sourire moqueur, ce regard vainqueur, possessif. Comme si elle savait tout de lui et ne le prenait pas au sérieux, comme s'il n'était qu'un jouet entre ses mains, son prisonnier.

Ce soir-là et les nuits suivantes, ils dormirent ensemble dans le lit de Marie, qui se trouvait dans la grande chambre du bas, du côté de la rivière et du soleil levant. La fenêtre aux rideaux de dentelle donnait sur de vastes champs bordés tout au fond par une belle forêt contre laquelle courait un étroit chemin.

À part son « D'où tu sors, toi ? » et son « Où tu vas comme ça ? » de la première journée, elle ne lui avait pratiquement pas posé de questions. Elle n'en avait nullement besoin. Comme tout le monde dans la Gatineau et le long de la rivière des Outaouais, Marie Auger savait que, depuis l'hiver, depuis presque un an, en fait, de violentes bagarres avaient constamment opposé les lumberjacks et les raftmans irlandais, les sanguinaires Shiners, aux bûcherons et aux draveurs canadiens ; tous se disputaient les terres à bois et se volaient des chevaux et des voitures, des outils et même du bois couché, équarri et scié. Il y avait déjà eu beaucoup de dégâts, des camps saccagés et incendiés, des estacades et des glissoires démolies, beaucoup de blessés et même des morts, disait-on.

Les fiers-à-bras de Peter Aylen, le magnat irlandais du bois qui prétendait avoir des droits sur toutes les forêts de l'Outaouais, ou plutôt ne pas en avoir besoin pour les exploiter, recherchaient les bûcherons canadiens, qu'ils soupçonnaient de s'être trop bien défendus, d'avoir détruit des installations à eux ou d'avoir blessé gravement certains des leurs. Et Aylen avait l'indéfectible appui des policiers, des soldats britanniques et des volontaires loyalistes qui depuis le début de l'été patrouillaient dans la région, comme ils patrouillaient dans pratiquement tout le Bas-Canada où, disait-on, un soulèvement populaire était imminent, où grondait de plus en plus fort la colère des patriotes, qu'il serait bientôt impossible de contenir.

Marie Auger devait bien se douter que François Simard n'était pas un enfant de chœur. Il avait sans doute fait quelques mauvais coups là-haut; de plus, les miliciens qui le recherchaient avaient raconté qu'il avait battu et blessé gravement les deux policiers qui surveillaient l'amont des rapides et du canal. Il était donc en danger. En fait, partout dans le Bas-Canada, tout le monde, en ces temps troublés, les jeunes surtout, était en très grand danger. Or François restait, du moins en apparence, parfaitement insouciant; il mangeait comme un ogre, dormait comme un bébé, faisait l'amour chaque fois que Marie en avait envie; et il savait la laisser seule quand elle en sentait le besoin; elle lisait ou elle s'assoyait au piano, ou elle dessinait pendant des heures des paysages, des animaux. Il sortait alors s'étendre sous le gros chêne, il écoutait la musique qu'elle faisait ou il parlait à Prince, le cheval de Marie, une grande bête noire, mince et musclée, qui venait profiter elle aussi de l'ombre du grand chêne et s'abreuver à la citerne que François remplissait plusieurs fois par jour de l'eau qu'il tirait de la rivière.

La maison où vivait Marie était remplie de livres, plus que François n'en avait jamais vu, même chez le curé de La Malbaie, et de piles de journaux français et anglais, de tableaux accrochés aux murs, dans lesquels il découvrait des paysages inconnus, avec des charmilles et des ruines, de hautes montagnes où couraient des chèvres, « des images des vieux pays », pensait-il, et des portraits d'hommes et de femmes d'autrefois; et sur les étagères et les meubles, des bibelots, des statuettes, des figurines qu'il devinait précieuses et fragiles.

Il regardait tous ces objets, mais n'y touchait jamais ; il lisait les titres des livres sans jamais en ouvrir un seul. Puis il sortait, il sellait Prince et allait courir les bois avec lui, ou il descendait marcher le long de la rivière, se jetait parfois à l'eau pour échapper à la chaleur.

« Tu devrais te cacher, lui dit Marie. Qu'est-ce que tu vas faire si la police arrive ? »

Il prit le temps de mettre lui aussi un sourire moqueur et vainqueur sur son visage encore tuméfié avant de lui répondre :

« Tu les as entendus, ils pensent que je suis mort, personne ne va venir. Personne se donne la peine de courir après un mort. »

La vague de chaleur, la première de cet été qui tirait à sa fin et qui avait été jusque-là horriblement pluvieux, semblait s'amplifier chaque jour. Ils restaient jour et nuit à demi nus tous les deux. Marie laissait François raconter et mimer dans le menu détail les bagarres auxquelles il avait été mêlé. Il décrivait ses adversaires tombant les uns après les autres sous ses coups, le nez en sang, les dents cassées, les yeux hagards. Elle souriait, de ce sourire qui à la fois le rassurait et l'agaçait. Pourquoi souriait-elle ? À quoi pensait-elle ? Elle se levait, le prenait par la main, l'entraînait dans la maison, dans son lit, dans la grange, dans les herbes folles. L'idée de lui résister ne lui serait jamais venue à l'esprit.

Même s'il était arrivé chez Marie à l'improviste et qu'elle le logeait, le nourrissait, le soignait depuis une semaine, François ne semblait jamais se demander comment il la dédommagerait, jusqu'à quand il resterait chez elle, ni même s'il la dérangeait. « T'es un vrai sauvage », lui dit-elle un jour, ce qu'il reçut comme un aimable compliment. Un sauvage blond, aux yeux bleus, grand et solide, au visage carré, avec deux petites cicatrices, l'une à l'arcade sourcilière gauche, l'autre sur la lèvre supérieure, tout près de la commissure. Chose étonnante, il avait toutes ses dents.

« Si j'ai pas les dents cassées, expliquait-il, c'est à cause de mon grand-père Ange, qui m'a appris à me battre. Et à me protéger quand je me bats. Il me faisait soulever des poches de patates ou de petits pois avec mes dents. Pour leur donner plus de racine. C'est pour ça qu'elles tiennent aujourd'hui. J'ai vu des gars se déchirer les jointures sur ma gueule. » Elle le couvrait de baisers. Avec, toujours, ce sourire amusé aux lèvres.

« Quel âge as-tu ?

– J'aurai vingt ans le 2 octobre. Je suis né la même date que mon grand-père Ange, qui en aura quatre-vingt-deux. Et je veux fêter ça chez nous, à La Malbaie. »

Il lui parlait encore et encore de son grand-père Ange Simard. Et du projet qu'il avait de se faire un jour une terre à lui dans la seigneurie de Murray Bay, entre la montagne et la mer. Il aurait des animaux, de la forêt, de la prairie, un gros ruisseau, une femme et des enfants. Une goélette aussi, comme son père et son grand-père. Et il serait toute sa vie un homme libre. Il ne travaillerait plus jamais dans les chantiers, ni pour les Anglais ni même pour les Canadiens. François Simard semblait vraiment ne douter de rien, même si Marie ne cessait de lui répéter qu'il n'y avait plus de terre nulle part dans ce pays pour des gars comme lui. Et qu'il faudrait, pour qu'il y en ait, renverser le gouvernement impérial ou au moins le forcer à en ouvrir de nouvelles, et obliger les communautés religieuses et les grandes compagnies à rendre celles qui leur avaient été injustement données.

« Même chez toi, à La Malbaie, si jamais tu réussis à t'y rendre sain et sauf, tu ne trouveras pas de quoi t'établir, répétait Marie. Lis les journaux, tu verras. »

François Simard ne lisait jamais les journaux ; les aurait-il lus qu'il ne les aurait pas crus. Comment les gens de Québec et de Montréal qui les rédigeaient pouvaient-ils savoir ce qui se passait vraiment dans le monde et dans le cœur des gens ? D'ailleurs, il n'avait jamais vu l'ombre d'un seul journaliste à La Malbaie, ni dans l'Outaouais, et encore moins chez les Sauvages du Saguenay, où il avait passé une bonne partie des étés de son enfance. Il répétait à Marie que personne au monde ne pourrait l'empêcher de faire sa vie comme il l'entendait.

Il était maintenant tout à fait guéri, il avait retrouvé ses forces, il était correctement vêtu, et Marie lui prêterait bien une arme. Dans quelques jours, il serait prêt à partir. « Je serai à La Malbaie dans trois semaines », disait-il. Elle souriait, toujours. Parfois, cependant, quand il parlait de partir, un léger nuage passait dans son regard. Et le sourire semblait mourir sur ses lèvres.

Québec

Peter McLeod

L'homme qui, ce matin-là, se présenta devant les bureaux des entreprises William Price pouvait difficilement passer inaperçu où qu'il aille. Remarquablement grand, très large d'épaules, très droit, d'une élégance un peu raide, un peu fruste, il était de toute évidence un étranger dans cette bonne vieille ville de Québec. Il n'en manifestait pas moins, par sa démarche et son attitude, une assurance peu commune. Quand Warren Barron, le secrétaire particulier du richissime entrepreneur forestier, le vit devant l'entrée de la rue Saint-Pierre, il sut tout de suite à qui il avait affaire, même s'il ne l'avait jamais rencontré, même s'il distinguait mal son visage que dissimulait un chapeau à large bord d'où dégoulinait de l'eau de pluie. C'était Peter McLeod, sûr et certain. De ses longs doigts osseux, Warren ajusta sur son nez en bec d'aigle ses lunettes à monture dorée dont semblaient déborder ses grands yeux pâles.

« Qui êtes-vous ? » demanda-t-il.

McLeod se tenait debout sous la pluie, sans que cela semble l'incommoder le moins du monde. Le fragile Warren songea que sans doute rien ni personne sur terre ne pouvait troubler ou ébranler un tel homme.

« Je suis venu voir M. Price.

– Il ne vous attend pas, que je sache. »

Or, même s'il n'attendait pas McLeod, William Price n'allait certainement pas refuser de le recevoir. Warren le savait pertinemment. Pour réaliser les plans qu'il avait ourdis avec ses associés, son patron avait en effet le plus grand besoin du Métis de Rivière-Noire. En plus d'assurer la gérance de trois vieux moulins à scier que les Entreprises Price possédaient sur la Côte du Nord et des établissements forestiers que lui avait légués son père, celui-ci était le représentant de la Compagnie de la Baie d'Hudson au Saguenay. Un entrepreneur comme William Price, qui voulait exploiter les richesses de cet immense territoire, avait tout intérêt à s'en faire un allié.

Fils d'un Écossais et d'une Sauvagesse, parlant couramment anglais, français et montagnais, se disant par conséquent « à moitié sauvage, à moitié anglais, à moitié canadien », McLeod était un fort bel homme d'environ trente ans, très brun, aux yeux d'un bleu profond. On disait qu'il pouvait boire en une journée autant de whisky qu'il en fallait pour embaumer un bœuf. De Baie-Saint-Paul aux Escoumins, de Tadoussac à Métabetchouan, il avait fait battre bien des cœurs de Sauvagesses et de Blanches. Grâce à la bande de fiers-à-bras qu'il avait constituée, il faisait également régner dans les chantiers dont il avait la responsabilité ou dans ceux qu'il voulait s'approprier un véritable régime de terreur.

Ses hommes, on les appelait les Chiens. Eux-mêmes se nommaient ainsi. Ils étaient durs, sans pitié, fiers du respect et de la peur qu'ils inspiraient, satisfaits du mal qu'ils faisaient là où le patron leur demandait d'en faire. McLeod les avait recrutés un à un parmi les trappeurs et les chasseurs de la Compagnie de la Baie d'Hudson et les boulés des chantiers dont William Price lui avait confié la gérance. Il ne refusait pas les repris de justice qui voulaient se joindre à sa meute, pourvu qu'ils soient bien bâtis, n'aient pas froid aux yeux et acceptent de lui obéir en toutes choses.

Quand ils ne savaient où exercer leur rage, les Chiens se battaient souvent entre eux. Quelques-uns, sans doute aveuglés par l'alcool, osaient parfois défier le patron en combat singulier. McLeod les écrasait tous, mais un jour, une brute sans nom eut nettement le dessus sur lui, l'envoyant au sol à trois reprises, l'assommant presque, devant plusieurs témoins. La légende qui par la suite se répandit voulait que, lorsqu'il fut remis de ses blessures et de ses émotions, McLeod fit mander son vainqueur, lui donna 50 livres et l'ordre d'aller se faire voir ailleurs. « J'ai une entreprise à diriger, lui avait-il dit. Et ça ne peut se faire que si je suis le plus fort. Alors disparais. » On ne revit jamais la brute sans nom, ni à Rivière-Noire, ni au Saguenay, ni à La Malbaie. Ainsi, quand ce n'était pas par la force physique et la peur, c'était par sa richesse, avérée et affichée ou prétendue, que McLeod établissait son incontestable pouvoir et nourrissait sa légende d'invincible géant.

Ignorant Warren, il poussa la porte et entra. Il enleva son chapeau, lissa de la main ses longs cheveux et, laissant derrière lui de grandes flaques d'eau et des traces de boue, se dirigea d'un pas ferme vers une grande salle où il trouva William Price en train d'écrire, assis à une petite table de pin verni, près d'une large fenêtre qui donnait sur le quai Finlay, où on finissait d'amarrer la goélette à bord de laquelle Peter McLeod avait voyagé.

William Price le gratifia d'un large sourire. Il posa sa plume dans l'encrier, coucha un buvard sur la longue feuille qu'il avait presque entièrement couverte de son écriture et se leva pour lui tendre la main.

« Je sais ce que tu es venu me dire, McLeod. Assieds-toi, tu me donnes le vertige.

– Moi, je sais ce que vous allez me dire, rétorqua le Métis. Et je suis pas d'accord. »

McLeod avait reçu quelques jours plus tôt une note de son patron, George Simpson, le tout-puissant gouverneur de la Compagnie de la Baie d'Hudson, l'informant qu'il devait renoncer à tout projet d'établissement permanent au Saguenay et refiler à un groupe d'habitants de La Malbaie la licence de coupe de bois que la Couronne lui avait cédée quelques mois plus tôt. McLeod verrait ainsi une petite fortune lui passer sous le nez. Et, tout aussi intolérable, ses plus beaux rêves, dont celui de fonder et de posséder un village dont il aurait le contrôle absolu, seraient réalisés à leur profit par d'exécrables papistes.

« Je suis pas d'accord », répéta-t-il. Il regardait derrière l'entrepreneur, au-delà des quais animés, les goélettes cherchant sur le fleuve le vent que la lourde pluie avait fait tomber.

« Je vais t'expliquer, dit Price. Je te connais. Tu vas comprendre. »

Le secrétaire Warren, qui avait assisté à la scène, se ravisa et pensa que quelqu'un sur terre était bien capable d'ébranler le géant de Rivière-Noire : son patron William Price.

Celui-ci était le plus important producteur et exportateur de bois d'œuvre des deux Canada. Bon an, mal an, il expédiait en Angleterre une centaine de navires chargés de pièces de mâture, de billots grossièrement équarris et de madriers manufacturés destinés principalement à l'Amirauté britannique pour la construction de ses navires et de ses installations portuaires. Les billots étaient acheminés au printemps depuis les lieux de coupe appartenant à Price jusqu'à ses quais de chargement, où ils étaient triés, asséchés, minutieusement inspectés, disposés avec grand soin par des maîtres arrimeurs dans les cales des gros transports de son entreprise. Les expéditions commençaient vers la mi-juin. Et jusqu'à ce que prennent les glaces, à la fin de l'automne, quatre ou cinq navires quittaient chaque semaine les rades de l'anse Hadlow et de New Liverpool, en face de Québec, et les ports du bas du fleuve, entre Montmagny et Cap-Chat, où Price avait acquis une dizaine de moulins à scier et d'importantes concessions forestières.

Chaque semaine, de juin à novembre, depuis vingt-sept ans qu'il vivait à Québec, William Price écrivait à son frère David de longues lettres qu'il confiait aux capitaines des navires en partance pour Londres. Cet exercice lui permettait de faire le point, de réfléchir à ses affaires, de confier ses angoisses et ses espoirs et de parler de ses projets à ce grand frère intelligent et attentif, en qui il avait une confiance aveugle et pour qui il éprouvait toujours une profonde et presque filiale affection même si depuis plus d'un quart de siècle ils s'étaient vus fort peu. Depuis la mort de leur père, David était toujours resté en contact avec chacun de ses frères, qu'il avait pris soin d'établir en affaires, à Londres, à Québec, à Lisbonne et à Rio, et à qui il donnait de judicieux conseils, excitant leur ambition et les ramenant toujours aux grands principes fondamentaux de la réussite.

En 1810, lorsqu'il avait débarqué à Québec, comme commis de la maison d'import-export Christopher Idle, à 135 livres de gages par année, William Price espérait être nommé un jour éclaireur et acheteur par son employeur londonien ; puis, avec un peu de chance, il accéderait après quelques années de bons et loyaux services au poste de gérant de la succursale canadienne. C'était ainsi qu'il voyait sa vie, sans histoire, simple, honnête. La première lettre que lui avait fait parvenir son grand frère avait changé à jamais sa vision des choses et du monde. « Si tu ne retires que ton salaire de ce séjour à Québec, écrivait David, considère que ce déplacement aura été inutile. Évite tout engagement qui n'est pas de nature à faire de toi un gagnant et un conquérant. Travaille d'abord pour toi. Agis en vainqueur, tu vaincras. »

Depuis vingt-sept ans, William Price avait suivi les conseils de son frère dans la conduite de ses affaires, et n'avait jamais eu à s'en repentir. Il était un entrepreneur respecté, parce qu'il connaissait son affaire et qu'il était à l'aise autant sur le terrain, sinon plus, que dans les bureaux. Pendant des années, hiver comme été, il avait parcouru sans relâche les forêts qu'il avait en concession, tenant à choisir lui-même les pièces de mâture, les responsables de chantier, le tracé des chemins de charroi, l'emplacement des moulins et des quais de chargement, surveillant les opérations d'équarrissage, de charroyage, d'arrimage. Il avait maintenant des hommes de confiance un peu partout, sur les deux rives du Saint-Laurent, dans la Mauricie, le Richelieu, jusqu'au Vermont, et dans l'Outaouais et le Haut-Canada. Contrairement à ses compétiteurs, qui faisaient généralement appel à des hommes de chez eux, Écossais, Anglais ou Irlandais, pour diriger leurs chantiers, Price avait pris l'habitude de s'associer à des Canadiens, comme Peter McLeod ou comme Joseph Duchesne, à Rivière-du-Loup, ou Alexis Tremblay à La Malbaie et dans le Bas-Saguenay.

À trente-six ans, il avait épousé Jane Stewart, dont le père était simple inspecteur des douanes à Québec. Price se souciait cependant d'entretenir avec lui, comme avec tous les fonctionnaires du Bureau des douanes, de bons rapports, non dans le but de se soustraire au paiement des droits et des taxes, mais afin d'activer et de simplifier les procédures administratives.

Peu après son mariage, il avait acheté l'une des plus somptueuses résidences de Québec, et même de tout le Bas-Canada, la maison Wolfesfield, sur la Grande Allée. C'était une massive construction de pierre et de bois ornée de lucarnes et de tourelles, entourée de nombreux bâtiments tout blancs, en planches debout. Des allées de gravier couraient le long des fines pelouses et des haies de chèvrefeuille et de thuya. Des sentiers se glissaient dans les bois voisins, serpentaient le long du cap Diamant, au-dessus du fleuve, et descendaient en été sur la grève de l'anse au Foulon. Depuis les larges vérandas de la maison, la vue portait au nord comme au sud vers les grandes forêts qui déboulaient des montagnes. On avait, à Wolfesfield, l'enivrante impression de dominer le monde.

En 1837, Price dirigeait un empire commercial lui assurant des revenus personnels plusieurs milliers de fois supérieurs à ceux qu'il aurait touchés s'il était resté commis ou même s'il était devenu gérant chez Christopher Idle. Il ne faisait pas de politique, ne votait jamais, mais il avait ses entrées et des gens en place dans tous les bureaux, comme dans tous les chantiers. Il savait donc parfaitement ce que McLeod était venu lui dire, ce matin-là, à Québec. Et il avait un plan à lui proposer, une offre que le Métis, il en était sûr, ne pourrait refuser.

Au printemps, ayant fait le bilan des nombreux obstacles qui s'opposaient à l'exploitation des forêts du Saguenay, il s'était rendu à Lachine pour rencontrer George Simpson, le truculent, très coloré, richissime gouverneur de la Compagnie de la Baie d'Hudson. Les deux hommes, qui avaient le même âge, à quelques mois près, s'étaient connus à Londres du temps de leur prime jeunesse. Price venait alors d'entrer chez Christopher Idle; Simpson était commis dans une maison de courtage en sucre qui appartenait à son oncle. Ils rêvaient tous deux de faire fortune en Amérique; pour l'un et l'autre, le rêve était devenu réalité. Ils avaient bâti de colossales fortunes: Simpson dans la fourrure, qui avait dominé l'économie nord-américaine jusqu'alors; Price dans le bois, dont toute l'Europe était maintenant assoiffée, plus que de toute autre denrée provenant du Nouveau Monde. Price était un homme austère, discret et raisonnable, très religieux, très attaché aux valeurs familiales, à la patrie, aux traditions; son ami Simpson était un être flamboyant, un libre penseur, un bon vivant.

Brillant administrateur et infatigable aventurier, Simpson était aux commandes de la Compagnie de la Baie d'Hudson depuis près de vingt ans. Il avait maintes fois parcouru le continent d'un océan à l'autre, traversant les Prairies à cheval et en canot, franchissant les Rocheuses, aller et retour, en raquettes et à pied. Depuis la fusion des grandes compagnies de traite, la Nor'West et la Hudson's Bay, qu'il avait réalisée, il régnait tel un souverain sur un empire plus grand que toute l'Europe. Pendant des années, il avait vécu par choix parmi les Sang-Mêlé de la rivière Rouge, comme eux, même après qu'il se fut marié à une fille de la haute bourgeoisie anglaise. N'ayant pas du tout apprécié l'existence rude et dangereuse qu'il lui avait fait mener en Amérique, la pauvre était partie se reposer dans sa famille quatre ans plus tôt, en 1833; elle n'était toujours pas de retour au pays. Simpson ne semblait pas souffrir le moindrement de l'absence de sa femme; libre, indépendant de fortune et d'amour, il menait la grande vie dans son domaine de Lachine, où il donnait des banquets somptueux auxquels il conviait, à la même table, et les notables de Montréal et ceux des villages sauvages d'Oka et de Kanawake.

Quatre ans plus tôt, prévoyant l'épuisement prochain des grandes pinèdes de l'Outaouais auxquelles il avait accès et afin de répondre à la demande pressante de l'Amirauté britannique, qui lui réclamait soixante mille billots de pin blanc, Price avait convaincu Simpson de demander à la Couronne une licence de coupe de bois au Saguenay, territoire affermé à la Compagnie de la Baie d'Hudson. Il savait pertinemment que celle-ci, ayant pratiquement vidé les forêts de ce territoire de tout gibier à poil, s'en désintéressait de plus en plus, d'autant plus que le cours des fourrures était en baisse constante depuis plusieurs années. La licence avait été accordée. Et Simpson avait confié la direction des chantiers à Peter McLeod. Or, au cours de la dernière année, maints obstacles étaient apparus qui rendaient ce projet terriblement hasardeux. Et Simpson avait signifié à Price son intention de céder la licence de coupe de bois au Saguenay à une autre entreprise. « On est des trappeurs et des chasseurs, disait-il, pas des bûcherons. »

Price avait souri. Il savait fort bien que ce n'était pas que le manque de savoir-faire qui avait motivé la décision de Simpson. Au cours de l'hiver précédent, des rebelles montagnais avaient harcelé et terrorisé les travailleurs forestiers de la Compagnie de la Baie d'Hudson, qui n'étaient pourtant pas des enfants de chœur ; ils avaient saccagé les installations de l'anse Saint-Jean et de l'anse au Cheval. Pour des raisons inconnues, les Sauvages du Saguenay, restés dociles et serviles pendant plus d'un demi-siècle, s'étaient brusquement révoltés. Ils ne voulaient plus voir de Blancs sur leur territoire. Et il ne semblait pas y avoir d'entente possible. Il faudrait donc se battre contre ces Sauvages, les chasser ou les exterminer. Ou renoncer aux soixante mille billots promis à l'Amirauté. *« Not an issue »*, avait laissé tomber William Price.

Quant à Simpson, il voulait bien vendre au plus offrant la licence de coupe de bois qu'il détenait, mais il maintiendrait l'interdiction de faire, où que ce soit au Saguenay, le moindre établissement permanent. Tout ce territoire devrait rester la chasse gardée de la Compagnie de la Baie d'Hudson. Dans dix ans, dans vingt ans, le marché des fourrures reprendrait ; le Saguenay, où le gibier se serait régénéré, redeviendrait alors un lieu de chasse et de trappe facilement accessible, proche des installations portuaires et des grands marchés.

Or, des gens de La Malbaie s'étaient mis dans la tête de s'emparer du Saguenay pour y faire de la terre et y fonder des villages. Ils signaient pétition sur pétition. Drolet, leur député, rappelait année après année à la Chambre d'Assemblée du Bas-Canada réunie à Québec que le Saguenay était la terre promise des gens de La Malbaie, qui considéraient, non sans raison, qu'ils avaient des droits sur ce territoire et surtout qu'ils en avaient un urgent besoin.

Le peuple canadien était en colère. Les habitants n'avaient plus de terre où s'établir. Les vieux seigneurs du Régime français refusaient de céder les leurs. Quand, ce matin-là, McLeod était entré dans ses bureaux de la rue Saint-Pierre, William Price était justement en train d'écrire à son frère David qu'il n'avait jamais connu de sa vie une classe de gens aussi rétrogrades. « Ils sont restés accrochés à des privilèges dont l'exercice, dans le monde d'aujourd'hui, est devenu tout à fait absurde. » Les communautés religieuses catholiques ou protestantes, qui possédaient également d'immenses domaines, n'étaient pas plus généreuses, ni plus progressistes. Quant à la Compagnie de la Baie d'Hudson, elle disposait de véritables armées qui protégeaient jalousement les territoires qui lui étaient affermés. Résultat : le peuple était coincé sur des terres depuis longtemps défrichées, épuisées, divisées et morcelées de génération en génération. Vu l'état des choses, le gouvernement du Bas-Canada n'oserait jamais attribuer arbitrairement à un entrepreneur comme Price des droits de coupe et des lettres patentes pour les forêts de cette région. Et il ne pourrait bientôt plus, la révolte grondant, refuser aux gens de La Malbaie l'accès aux fertiles terres du Saguenay.

« Je vais proposer à Alexis Tremblay, de La Malbaie, de former une société d'exploitation capable de racheter la licence de coupe, dit Price à McLeod. C'est la seule façon d'avoir la paix. »

McLeod aurait été parfaitement capable, avec son équipe, de livrer en cinq ans, peut-être même quatre, les soixante mille billots de pin blanc du Saguenay que Price avait promis à l'Amirauté britannique. Pourquoi alors lui interdire de le faire et laisser les papistes entrer au Saguenay ?

« C'est à George Simpson que tu dois demander ça, pas à moi, répondit Price. C'est lui qui ne veut pas que la Compagnie qu'il dirige, et à laquelle tu appartiens, gère des chantiers forestiers. Et c'est lui qui ne veut pas qu'il y ait des établissements permanents au Saguenay.

– Les Sauvages non plus en veulent pas.

– Justement. Ton employeur et les Sauvages ont des intérêts communs. Vous pouvez et vous devez travailler ensemble.

– Les habitants de La Malbaie n'ont qu'une idée en tête, vous le savez. Ils veulent faire de la terre et fonder des villages.

– C'est ce que tu veux, toi aussi, pas vrai ? »

Price se leva et chuchota presque à l'oreille de McLeod :

« Ce que tu veux, tu l'auras, McLeod, si tu suis mes conseils. On a besoin l'un de l'autre. Écoute-moi bien. »

Il lui dévoila alors le stratagème qu'il avait imaginé avec Simpson, rencontré au printemps, stratagème qui leur serait certainement profitable à tous trois. McLeod comprit que tôt ou tard il y trouverait son compte et il promit à Price de tout mettre en œuvre pour réaliser leur projet commun.

« J'ai déjà dit au nouveau chef sauvage de venir me voir à Rivière-Noire dans le courant de l'hiver. Je vais en profiter pour arranger tout ça avec lui. »

Il pleuvait toujours des cordes quand McLeod monta à bord de la goélette qui le ramènerait à Rivière-Noire. Une fois à bord, il se tourna vers la façade du bâtiment qui abritait les bureaux des Entreprises Price et salua l'homme d'affaires qui, assis près de sa fenêtre, avait repris la rédaction de sa lettre à son frère David l'informant que Jane attendait leur dixième enfant et qu'il avait enfin trouvé une solution pour mettre la main sur les forêts du Saguenay, qu'il convoitait depuis si longtemps.

❧

La Malbaie

Ange

Ange Simard n'avait vraiment rien d'un ange. À La Malbaie, la moitié des gens en avaient peur. Il n'aimait rien autant que se battre. Il avait cassé dans sa vie plusieurs nez, des dizaines de dents, quelques bras.

Il avait l'habitude de dire à tout un chacun ses quatre vérités. Il n'avait pratiquement pas parlé à son fils Thomas pendant des années parce que celui-ci avait travaillé un temps pour la Compagnie de la Baie d'Hudson, l'ennemie jurée d'Ange Simard. Il ne pouvait voir Alexis Tremblay, l'ami de Thomas, homme de confiance de William Price, le grand magnat du bois d'œuvre, sans lui reprocher de se laisser manger la laine sur le dos par les Anglais. Alexis lui avait cent fois expliqué qu'il fallait passer par eux si on voulait vendre son bois sur les marchés de Montréal, de Boston ou de Londres. Le vieil Ange ne voulait rien entendre. Et ne voulait pas comprendre qu'Alexis, l'ami de son garçon, avait également des liens d'amitié avec Tom Nairn, le fils du seigneur de Murray Bay. Pour lui, les Anglais n'étaient pas du monde. Et ce n'était pas parce qu'ils avaient vaincu un incapable sur les plaines d'Abraham qu'ils avaient des droits sur La Malbaie, sur l'île aux Coudres ou sur le Saguenay, qu'il appelait toujours le Domaine du Roi ou le Royaume, « notre Royaume ».

Ange était grand garçon déjà, huit ou neuf ans, quand les Anglais étaient arrivés dans la seigneurie de Murray Bay, au début des années 1760. Il n'avait jamais oublié, jamais digéré. Il avait grandi et fait sa vie sans jamais établir de liens avec ces étrangers qui voulaient tout régenter. Il ne s'était jamais entendu avec le seigneur de Murray Bay, John Nairn, ni avec Malcolm Fraser, le seigneur de Mount Murray, qui parlait presque parfaitement français, qui avait marié une Canadienne et dont les enfants étaient plus français qu'anglais.

Ange avait eu sept fils et une fille, Constance, qu'il adorait et traitait comme une princesse. Depuis près de quinze ans, Constance Simard, grande et grosse fille ayant coiffé sainte Catherine en toute sérénité, faisait l'école aux enfants de La Malbaie. C'était une femme solide et très douce qui avait le don d'apaiser, de faire tomber les colères, même celles de son père et de ses frères. Ceux-ci aimaient se battre eux aussi, sauf Donat, le benjamin, qui avait, disait-on, manqué d'air à la naissance et qui était resté « tête heureuse », et l'aîné, Alphonse, que tout le monde appelait saint Alphonse ou Sa Sainteté, parce qu'il était pieux et dévot à l'excès, et qu'il passait son temps à faire la morale à tout le monde, même au curé Pouliot, un gros mangeur, qui aimait bien rire et ne détestait pas lever le coude de temps en temps. Sa Sainteté, lui, ne buvait pas, ne jurait pas, ne fumait pas ; on disait qu'il ne touchait pas à sa femme de tout l'avent, ni pendant le carême, ni le vendredi, jour de la mort de notre Seigneur Jésus sur la croix.

Boucher de son métier, Sa Sainteté avait par ailleurs de grandes qualités ; en plus d'être un aiguiseur et un affûteur méticuleux, il était le plus habile ramancheux et le plus savant guérisseur de toute la côte. De partout, d'aussi loin que Baie-Saint-Paul ou Rivière-Noire, on faisait appel à ses services. Il avait maintes fois rafistolé les membres ou cousu les plaies des victimes de son père, Ange, de ses frères Michel et Thomas, de son neveu François. Il connaissait mieux que personne la pharmacopée des Sauvages. Pour soulager son père de ses rhumatismes, il lui préparait des cataplasmes de plantes broyées : séneçon, sureau, véronique, écorce de frêne, qu'il mêlait à de la graisse d'ours. Malgré les grands bienfaits que lui procuraient ces bouillies, Ange Simard avait toujours été à couteaux tirés avec ce fils trop sage, qu'il accusait d'être vieux avant son temps.

En fait, Ange Simard n'avait jamais été en très bons termes avec aucun de ses garçons. Ce ne fut que sur le tard, une fois grand-père, qu'il s'intéressa aux enfants. À ses fils, il préférait son petit-fils François, qu'il avait élevé avec sa vieille après que son garçon Thomas fut devenu prématurément veuf. François était le seul enfant qu'il avait pris dans ses bras, fait sauter sur ses genoux, porté sur ses épaules et sur son dos. Il lui racontait les bagarres auxquelles il avait participé, comment il avait terrassé le grand Michaud de Kamouraska, tenu tête à quatre soldats anglais à La Baleine et tué à coups de poing un chevreuil pris au filet.

À soixante-quinze ans bien sonnés, il avait assommé un agent de la Compagnie de la Baie d'Hudson qui prétendait lui interdire de chasser dans les parages du petit lac Ha ! Ha !. Pendant la guerre qui avait opposé la Compagnie du Nord-Ouest, première occupante du Royaume, et la Compagnie de la Baie d'Hudson, il s'était battu avec un égal plaisir contre l'une et l'autre. Quand les compagnies avaient fusionné, en 1821, il avait continué de braconner avec ses fils aînés sur tout le territoire, n'hésitant pas à désamorcer les pièges des trappeurs de la Compagnie de la Baie d'Hudson, ne manquant jamais l'occasion de soulever contre elle ses amis montagnais. Si finalement une révolte était née au sein du monde sauvage, Ange y était sans doute pour quelque chose.

François avait grandi dans ce climat d'amour et de violence. Il idolâtrait son grand-père, dont il faisait le bonheur. Au grand dam de son père, Thomas, tout le monde à La Malbaie l'appelait « François à Ange ». Il était devenu un enfant terrible, qui faisait parler de lui même quand il n'était pas là. Vingt fois au moins, le croyant perdu au fond des bois ou en mer, le village s'était mobilisé pour le retrouver. À douze ou treize ans, il partait se promener seul jusque dans les hautes gorges de la rivière Malbaie et même un jour, alors qu'il n'avait pas dix ans, en chaloupe sur le fleuve. On racontait qu'à huit ou neuf ans, il était rentré au village avec un petit chevreuil sur le dos. Et certains disaient qu'Ange avait poussé son petit-fils dans les bras d'une Sauvagesse lorsqu'il n'avait que treize ans. Chaque été, il le laissait pendant des semaines chez les Sauvages de la bande des Porcs-Épics, qui occupaient tout le fjord du Saguenay, depuis le grand lac Piékoua-gami jusqu'au fleuve. François adolescent s'était fait de très bons amis parmi eux, Raphaël, Dominique, Gros-Pierre, des gars de son âge qui le considéraient pratiquement comme l'un des leurs. Mais les agents de la Compagnie de la Baie d'Hudson, avec l'appui des prêtres missionnaires, avaient refoulé les Porcs-Épics vers le nord, les coupant du monde blanc chaque fois que c'était possible. Et François était parti vers un autre bout du monde.

Pour ses dix-huit ans, son grand-père lui avait en effet trouvé une noble cause et un intéressant champ de bataille. Depuis quelque temps, Ange était obsédé par les Shiners, qui avaient instauré dans la région de Bytown et dans tout l'Outaouais un véritable régime de terreur, contenant sans peine les forces de police, achetant ou intimidant les juges, écartant sans vergogne les Cana-diens, leur volant de pleins chargements de billots ou des terres de bois debout dûment concédées par la Couronne qu'ils exploi-taient sans permis. De jeunes Canadiens sans terre, las de l'oisi-veté à laquelle ils étaient réduits et trouvant plaisir à se battre contre les Anglais ou s'en faisant un devoir, étaient venus d'un peu partout dans le but de rétablir l'ordre et la justice. Ange maudissait la vieillesse, qui l'empêchait de participer à ces fêtes somptueuses. Quand son petit-fils avait décidé d'y aller, il lui avait donné sa bénédiction. C'est ainsi que François s'était retrouvé à Bytown, un an plus tôt, au plus fort de la guerre du bois. La paix régnait enfin sur les forêts de l'Outaouais. Mais à La Malbaie, on se demandait encore où était passé François Simard.

Chaque fois qu'une goélette se pointait sur le fleuve, le vieil Ange espérait recevoir des nouvelles de son François. Et lorsqu'il en avait l'occasion, il engueulait copieusement ceux qui ne pouvaient lui en donner.

❦

Carillon

Julien

Marie se leva un matin, peu avant l'aube, elle sella Prince et partit au galop du côté de Saint-André et de la rivière du Nord. Resté seul, François fut envahi par une sorte de malaise qu'il ne parvint pas à chasser. Il pensa qu'en se secouant, en bougeant un peu, il s'en débarrasserait facilement. Il sortit, mais il n'osa pas aller marcher à travers champs, où on aurait pu le voir de loin. Il allait mettre le canot à l'eau quand il crut voir bouger les aulnes de l'autre côté de la rivière. Il rentra et monta à l'étage, s'approcha de chaque fenêtre, dont il écarta les rideaux pour regarder au loin, les champs, la forêt, le chemin, la rivière, croyant apercevoir là-bas des soldats, des policiers, des volontaires loyalistes qui sauraient le trouver dans cette maison. Il pensa un moment que Marie était peut-être allée le dénoncer à la police ; et même s'il trouvait cette idée stupide et absurde, il ne parvenait pas à la chasser de son esprit. Il finit par s'avouer qu'il avait peur. Peur qu'on vienne, qu'on l'arrête et qu'on l'enferme, peur que Marie ait raison et qu'on l'empêche de faire sa vie, de fêter ses vingt ans avec son grand-père à La Malbaie. Il resta des heures à attendre, presque immobile.

Marie rentra au milieu du jour. Elle n'avait pas mis pied à terre que par sa seule présence elle avait dissipé les inquiétudes de François. Dans ses bras, il redevint le garçon insouciant et sûr de lui qui croyait fermement que rien ni personne au monde ne pourrait l'empêcher d'aller là où il désirait aller et de faire tout ce qu'il avait envie de faire dans la vie.

Au cours de la nuit suivante, de grands vents du nord-ouest chassèrent la canicule. Et au matin, dès qu'il eut compris que Marie allait encore partir et le laisser seul pendant des heures, François sentit immédiatement l'étrange malaise le gagner de nouveau. Il resta enfermé dans la maison à regarder le vent mauvais agiter les sombres eaux de la rivière et les herbes jaunies et fanées des champs, auxquelles se mêlaient les premières feuilles mortes du grand chêne. Il comprit ce jour-là que, même s'il était tout à fait guéri de ses blessures, il n'oserait sans doute pas partir tout seul pour La Malbaie, pas dans les circonstances, pas dans ce pays au bord de la folie, par ces temps si durs, si incertains.

En même temps qu'elle lui avait redonné ses forces, Marie avait éveillé en lui l'inquiétude et le doute ; et il prenait peu à peu conscience du réel danger qui le guettait, de l'implacable dureté du monde, de la triste condition des gens de son âge. « Il n'y a plus de place sur la terre pour un gars comme moi », se répétait-il. Marie avait raison. Marie était une femme mûre et sage, elle savait, elle avait compris. Ce n'était pas pour rien qu'elle avait toujours ces sourires et ces regards moqueurs quand il lui racontait les bagarres auxquelles il avait été mêlé ou quand il lui disait qu'il n'avait peur de rien ni de personne, et qu'il aurait un jour une terre à lui dans la seigneurie de Murray Bay, entre la montagne et la mer. Elle savait bien que les choses ne pouvaient pas être aussi simples qu'il voulait le croire ou lui faire accroire. Il savait bien lui aussi qu'il y avait des policiers et des miliciens loyalistes partout, sur tous les chemins de terre et d'eau, et qu'ils finiraient sans doute par le retrouver, même s'ils le croyaient mort.

Quelques jours plus tôt, lorsqu'il était faible, blessé, sans arme, rien ne lui faisait peur. Parce que Marie était là, peut-être, et qu'il pouvait s'en remettre à elle entièrement ; elle était la femme forte, nourricière et protectrice, guérisseuse, aimante. Couvert d'ecchymoses et de contusions, il lui faisait alors l'amour jour et nuit. Et puis un soir, guéri de tout, bien nourri, bien reposé, il en fut incapable. Elle le retint dans ses bras, longtemps, tendrement…

Marie Auger, vingt-huit ans, était née à Batiscan, d'un père français et d'une mère algonquine. Celle-ci étant morte peu après sa naissance, son père était retourné vivre en Europe ; sa fille avait étudié dans des couvents français et anglais, elle avait voyagé avec lui en Italie, en Espagne, en Russie. À dix-huit ans, elle avait épousé un jeune notaire et journaliste canadien, Pierre Auger, proche des milieux patriotes, mort quatre ans plus tard des suites d'une chute de cheval survenue à Trois-Rivières.

« Ton mari avait la même taille que moi, dit François.

— Pas vraiment, répondit-elle. Il était presque aussi beau que toi, si tu veux tout savoir, mais nettement moins grand.

— Pourtant, ses vêtements me font parfaitement !

— Ce ne sont pas les vêtements de mon mari que tu portes là. Ce sont ceux de Julien, mon frère. »

Quand, plus tard, François lui demanda ce que faisait son frère dans la vie, elle répondit, avec son inévitable sourire : « Il travaille à faire de la place sur la terre pour des gars comme toi. »

Il ne lui avait jamais demandé où elle allait quand elle partait avec Prince de grand matin ; elle lui avait cependant laissé entendre qu'elle devait informer des gens, porter des messages, transmettre ou donner des ordres. De toute évidence, Marie Auger travaillait avec les fomenteurs de la rébellion, ce soulèvement inévitable et nécessaire, disait-on, qui se préparait dans tout le Bas-Canada et même chez les Orangistes de certaines régions du Haut-Canada. Des hommes en parlaient parfois dans les chantiers de la Gatineau, de l'Outaouais, de la Madawaska, où François avait passé la dernière année. On disait même que des bandes armées se constituaient ici et là à travers tout le pays et que le moment venu, au signal donné, elles se regrouperaient, renverseraient tout ordre et prendraient le pouvoir.

Julien arriva deux nuits plus tard. Trois hommes l'accompagnaient, et une toute jeune femme, Judith, menue, fraîche et ricaneuse. L'un des hommes aida Marie à préparer le repas. Personne ne l'ayant invité à s'asseoir à table, personne ne lui ayant offert de partager la bouteille de rhum qu'ils avaient apportée, Julien l'ayant plutôt froidement salué, François resta à l'écart, se sentant de trop. Julien ressemblait à sa sœur Marie. Il était grand et mince, très brun, avec une large mèche blanche qui traversait sa chevelure comme un éclair, et des yeux noirs très expressifs, qui clignaient sans arrêt. Il avait trente ans environ et parlait beaucoup, d'une voix basse et rauque.

« Il ne veut pas que je l'entende », pensait François.

Il comprenait fort bien de quoi il était question. Il entendait Marie qui, elle, parlait haut et fort pour dire qu'il n'y avait aucune raison de s'inquiéter ou de se méfier, qu'elle répondait de lui autant que d'elle-même. François entendit quelques ricanements, des murmures. Par la fenêtre, il regardait les étoiles qui, dans le ciel pâlissant, s'éteignaient une à une.

« Viens nous aider, tu veux ? »

C'était la voix de Julien. La main de Julien sur son épaule. François le suivit sans dire un mot. Ils rejoignirent les autres hommes, qui avaient déjà quitté la maison. Après être entrés dans la forêt assez profondément pour contourner sans danger la caserne militaire, ils marchèrent pendant près de trois heures le long de la rivière des Outaouais, jusqu'en amont des rapides du Long-Sault. Ils entrèrent à l'aube dans une petite baie au fond de laquelle, parmi les roseaux, ils trouvèrent une grosse barque échouée dont la cale était remplie de marchandise et de vivres. Un baril de mélasse, plusieurs poches de farine de blé, de maïs, de sarrasin, de gros sacs de thé, du tabac, cinq petits barils de poudre et quatre douzaines de fusils, des vieux Kentucky de calibre .40 et .45, des armes détestables au goût de François, beaucoup trop longues. Il y avait aussi des long rifles M. 1795, le vieux mousquet de l'armée américaine, presque aussi lourd et embarrassant que les Kentucky, et plusieurs beaux Hawkens et des imitations de Hawkens, quelques mauvais fusils de traite, quelques armes de poing, une dizaine de dagues, trois baïonnettes rouillées, deux épées, dont l'une était épointée. Même s'il trouvait pour le moins étrange que des vivres, et à plus forte raison des armes et des munitions, arrivent par l'amont de la rivière, François ne posa pas de questions. Ils dormirent tout le jour sous le couvert des arbres. La nuit venue, ils transportèrent sur leurs dos armes, victuailles et bagages, le long du vieux chemin de portage, jusque chez Maric, au pied des rapides. Ils cachèrent les carabines et les fusils, la poudre et les balles sous le plancher de la grange à foin.

Autour de la table qu'avait dressée Marie, Julien voulut savoir si François avait été mêlé à cette fameuse bagarre dans la Madawaska, où un foreman irlandais avait été tué à coups de poing.

« J'étais dans un chantier de la Dumoine quand cet homme-là est mort, dit François, pas sur la Madawaska. Mais les gars d'Aylen ont quand même décidé que c'était moi, parce que j'avais déjà planté quelques-uns d'entre eux.

— S'ils t'avaient trouvé, t'étais un homme mort, dit Julien.

— Pas sûr », répondit François avec un sourire.

À la demande pressante de Julien, il raconta ce qu'il avait vécu au cours de l'été précédent. Après qu'il eut compris que les Shiners lui imputaient la mort de ce foreman, il avait dû se sauver de chantier en chantier, passer de la rivière Dumoine à la rivière Noire, puis à la Coulonge, puis à la Gatineau. Il s'était finalement caché jusqu'au milieu de l'été chez les Algonquins de Maniwaki, qui l'avaient traité comme un des leurs, l'avaient laissé s'amuser avec leurs filles, et lui avaient donné, quand il avait voulu partir, des vêtements et des chaussures, un canot et des vivres, une arme. Les lourdes pluies tombées en abondance pendant presque tout l'été avaient gonflé les eaux de la Gatineau, qui l'avaient porté, en moins de deux jours, de Maniwaki à la rivière des Outaouais. Sur l'Outaouais, il avait pagayé de nuit, longeant au plus près la rive droite, qu'il croyait moins habitée et sans doute moins patrouillée. Il s'était rendu en quatre nuits à la tête des rapides du Long-Sault, où il s'était arrêté un matin, à l'aube, avec l'intention de passer le jour à l'ombre et d'emprunter le sentier de portage le soir même. Prendre le tout nouveau canal de Carillon était tentant, mais il n'aurait pas pagayé dix minutes avant de se faire repérer et arrêter. Il préparait son campement quand deux policiers l'avaient interpellé.

Il était allé vers eux en souriant. Dès qu'ils avaient été à sa portée, il les avait frappés très durement, l'un d'un coup de genou au ventre, l'autre d'un coup de poing en pleine figure ; puis il était revenu au premier, qu'il avait frappé derrière la tête de ses deux mains, réunies en coquille. Ils étaient tombés tous deux comme des masses inertes. François avait poussé son canot à l'eau et s'était lancé dans les rapides. Il avait franchi avec aisance les premiers sauts et avait cru pouvoir maintenir facilement son canot dans le courant jusqu'au bas des rapides. Il n'en était plus qu'à un quart de mille quand le soleil levant l'avait frappé de face, remplissant le lit de la rivière d'éclaboussures de lumière. Ébloui, François avait heurté un rocher et chaviré dans le courant, qui l'avait jeté sur les durs coussins de pierre de la rivière. Il avait perdu son arme, ses vivres, son canot, peut-être même un peu connaissance.

François avait passé plusieurs heures étendu dans la boue parmi les roseaux qui couvraient la grève, au bas des rapides. Le soleil était déjà haut quand il était revenu à lui et avait réalisé qu'il se trouvait sur la rive droite de la rivière, juste en face de la caserne militaire. Il avait songé alors qu'il avait été chanceux de chavirer. S'il s'était rendu en canot, en plein jour, jusqu'au pied des rapides, et qu'il s'était mis à pagayer au milieu de la rivière, on l'aurait vite repéré et arrêté. À travers les joncs et les roseaux, il avait aperçu des hommes en canot et à pied qui longeaient les deux rives, le cherchant sans doute. Il s'était enfoncé dans le bois et n'était revenu vers la rivière qu'à la nuit tombée.

« L'eau était bonne, je me suis laissé porter par le courant. »

Il avait pris pied sur la rive gauche, le plus loin possible de la caserne, et s'était réfugié dans la grange où Marie l'avait trouvé. « Je pouvais pas mieux tomber », conclut-il avec un regard et un sourire à Marie.

Celle-ci, pendant le récit qu'il avait fait de ses aventures, le caressait, l'embrassait dans le cou, prenait son bras dans ses mains et posait ses lèvres dans la saignée de son coude, devant son frère et les autres, le mettant parfois mal à l'aise. Mais le soir, quand ils furent au lit, elle lui demanda : « T'as vu briller les yeux de la petite Judith quand tu racontais ton histoire ? T'as vu comment elle se trémoussait en te regardant ?

– J'ai rien remarqué, non », répondit-il. Il mentait. Il avait bien sûr remarqué que la jeune fille l'écoutait, ravie, avec des oh ! et des ah !, des soupirs, et qu'elle avait les cheveux châtain clair, qu'elle portait une robe cintrée à la taille, une robe à fleurs, très légère, qu'elle avait les yeux bleus et une grande bouche très expressive qu'elle laissait presque toujours entrouverte, des lèvres rose pâle qu'elle mordillait et sur lesquelles elle passait souvent la langue.

Il avait remarqué également que Julien avait lui aussi été très impressionné par son récit. Dans les chantiers, personne ne se serait étonné qu'un gars ait assommé un policier ou même deux, ait descendu en pleine nuit des rivières semées de cailloux, ni même qu'il ait sauté des rapides en canot. Mais aux yeux d'un homme comme Julien, c'étaient là, semblait-il, de remarquables prouesses.

Deux nuits plus tard, ils portagèrent la lourde barque au bas des rapides du Long-Sault, du côté de Pointe-Fortune, de manière à éviter la caserne. Ils la cachèrent contre la berge, près de chez Marie. Et les trois hommes de Julien partirent, l'un après l'autre et chacun de son côté. Julien retint François sur la galerie, qui donnait du côté de la rivière et du soleil levant. Il lui dit qu'il cherchait quelqu'un comme lui, qu'il avait besoin de lui. « Tu comprends ce qu'on fait ? »

Sans attendre la réponse de François, Julien précisa qu'il s'agissait d'organiser la lutte armée que les patriotes s'apprêtaient à mener contre le gouvernement britannique, qui exploitait depuis trop longtemps le peuple canadien. Son rôle à lui consistait à collecter des fonds, à quémander ou à réquisitionner des vivres, des armes, à approvisionner les camps patriotes de la région, à convaincre les gens, les jeunes hommes surtout, de se joindre aux forces insurrectionnelles.

« Si tu veux, tu travailles avec nous. Et tu habites chez nous, nourri, logé. » Il ajouta, avec un grand sourire : « Et puis aimé par ma sœur, en plus. »

Rester ? François voulait bien. Pas trop longtemps, cependant. Quelques semaines, deux mois peut-être. Il tenait toujours à être à La Malbaie avant l'hiver, et à retrouver le vieil Ange, son grand-père bien-aimé, sa grand-mère et son père, Thomas, qui devait s'inquiéter lui aussi. Il accepta toutefois l'offre de Julien. « Si je peux être utile, je resterai, lui dit-il. Je partirai avec les derniers cageux qui descendront la rivière, fin octobre, début novembre. »

Être aimé ? Il le voulait bien aussi. Mais pas trop, pas sérieusement. En passant seulement. Quelque chose qu'il n'aurait su définir l'inquiétait et par moments l'irritait dans l'attitude très enveloppante de Marie à son égard.

Peu après ce fameux soir où il avait raconté avoir passé une partie de l'été chez les Algonquins de Maniwaki, elle lui avait demandé comment était l'amour avec les Sauvagesses, s'il en avait aimé plusieurs, s'il avait déjà fait l'amour avec deux ou plusieurs en même temps, si elles étaient fidèles. François ne comprenait pas qu'on puisse parler de ces choses. Et surtout, il n'en voyait pas l'utilité. Ou plutôt, il comprenait que ce que Marie voulait, au fond, c'était qu'il lui dise que l'amour était meilleur avec elle qu'avec toutes les autres, qu'il lui dise enfin ce qu'il n'avait jamais dit, ni même pensé dire, à aucune autre femme : qu'il l'aimait, elle. Ça ne lui semblait pas nécessaire, et c'était un tout autre jeu, auquel il ne voulait pas jouer, auquel il ne savait pas jouer.

Cependant, l'aventure que lui proposait Julien le passionnait au plus haut point. Julien ne lui avait pas caché qu'il y aurait du danger, peut-être même beaucoup de violence ; mais il y avait aussi ce fraternel esprit de conjuration et de conspiration qu'il avait ressenti au cours de ces nuits de portage, qui avait calmé toutes ses peurs et éveillé en lui une joie radieuse, la joie que donne l'action directe et qu'exacerbe la proximité du danger. Surtout, il y avait ce but, ce projet auquel il se devait de donner un peu de son temps, un peu de ses forces : faire de la place dans ce monde, comme le disait Marie, pour des gars comme lui.

Lac des Deux-Montagnes

Judith

L'eau de la rivière des Outaouais était encore presque tiède. Mais cette nuit de septembre était fraîche, heureusement. François et Julien laissèrent filer leur barque dans le courant qui, avec l'aide d'un petit vent d'ouest, les porta en moins d'une heure à l'embouchure de la rivière du Nord. Vers minuit, comme le vent mollissait et que la lune pleine montait dans le ciel, ils contournèrent la longue flèche de sable et l'île basse qui se trouvait à cet endroit et arrivèrent au lac des Deux-Montagnes.

« Tu me laisseras ramer », avait dit François à Julien quelques jours plus tôt, quand ils préparaient cette expédition.

Julien était remarquablement maladroit dans tout ce qui avait trait à la navigation. En fait, il savait faire si peu de choses que François en avait été, au début, presque émerveillé, comme s'il découvrait une nouvelle race de monde. Julien ne savait pas nager, il ne pouvait manier efficacement ni la rame ni l'aviron, non plus que la scie ou le marteau, le fusil ou le couteau, il ne montait pas bien à cheval – il semblait même avoir un peu peur de Prince –, il était incapable de marcher un quart d'heure en forêt sans se perdre, toutes choses que sa propre sœur Marie faisait avec naturel et grand plaisir.

François se demandait d'ailleurs comment la petite Judith, si enjouée, pouvait aimer un homme comme Julien, qui ne savait rien faire de ses dix doigts, qui ne savait certainement pas se battre, qui ne s'était probablement jamais battu de sa vie. Comment pouvait-on bien faire l'amour si on ne savait pas un peu se battre ? Il les imaginait parfois ensemble, Julien et Judith, dans le grand lit à baldaquin de la chambre du haut. Certaines nuits, il entendait les grincements du sommier et les gémissements à peine étouffés de Judith. Malgré lui, il imaginait alors comment elle était durant l'amour. Malgré lui, il avait envie de savoir, envie de la voir nue, d'être couché avec elle, contre elle, qu'il imaginait toujours ricaneuse, même en plein amour. Des pensées, des images qu'il chassait. Il ouvrait les yeux, il voyait Marie, penchée sur lui ; elle avait entendu elle aussi les soupirs de Judith, et elle l'observait, inquiète.

Julien semblait considérer Judith comme une enfant. Il ne lui parlait jamais sérieusement. Par moments, on aurait dit deux étrangers. Elle ne s'intéressait pas le moins du monde à ses idées, elle ne lui posait jamais de questions sur ses activités, sur cette rébellion dont il parlait dans les assemblées avec tant de passion. Quand ils étaient tous les quatre à la maison, elle se tournait souvent vers François, les yeux pétillants et gais, les lèvres mouillées, qu'elle léchait et mordillait tout doucement. Et pour des riens, elle pouffait de rire. Et lui aussi. Marie était assise au piano et jouait des sonates tristes et douces. Julien écrivait ou lisait dans son bureau. François et Judith, laissés à eux-mêmes, rêvaient, riaient, se regardaient.

Julien Auger était ce que François appelait un gars de ville. Quand son père était parti vivre en France avec sa petite sœur Marie, il avait laissé son fils à la garde de son frère, économe du Collège des Sulpiciens de Montréal. Julien y avait poursuivi de brillantes études, puis il avait fait deux ans de médecine à l'Université Laval, à Québec. Pour François, il était normal, concevable en tout cas, qu'un gars de ville, même s'il était né à la campagne, surtout un gars de ville qui avait voulu devenir docteur, ne sache pas ramer comme du monde. S'ils voulaient être à la pointe Calumet avant le coucher de la lune et le lever du soleil, il faisait mieux de s'en occuper lui-même.

« Tu me diras quand tu seras fatigué, avait dit Julien.

– Je serai pas fatigué. »

Il se sentait bien, il avait vite trouvé son rythme, sa chaleur, son souffle. Ils suivirent la rive nord du lac, traversant d'une pointe à l'autre les baies les plus profondes. La montagne d'Oka se gonflait doucement sous la lumière opalescente de la lune.

François comprenait mal ce qui pouvait motiver Julien, il ne voyait pas les raisons pour lesquelles il voulait tant faire cette guerre, alors qu'il ne savait pas vraiment se battre, ni tenir correctement un fusil. Que ferait-il d'une terre, lui qui ne savait ni manier la hache et la bêche, ni soigner un cochon, ni même lever des œufs de poule ? Il se dépensait sans compter, parlait dans toutes les assemblées, toujours passionné, exalté, répétant aux jeunes patriotes qu'ils devaient se mobiliser dans le but de renverser le gouvernement et de vivre un jour librement sur des terres dont ils seraient les légitimes et incontestables propriétaires. Il leur disait et leur répétait, dans tous ses discours, qu'il était prêt à mourir pour cette cause. Il aimait rappeler mot à mot ce que son ami, le docteur Jean-Olivier Chénier, avait dit lors d'une assemblée patriote qui s'était tenue à Sainte-Scholastique au début de l'été : après avoir été élu membre du comité permanent chargé de donner suite aux travaux de cette assemblée, au cours de laquelle on avait convenu de prendre les armes contre le gouvernement, Chénier avait déclaré solennellement aux Fils de la Liberté : « Ce que je dis, je le pense et je le ferai. Suivez-moi, et je vous permets de me tuer si jamais vous me voyez fuir. »

Julien avait, de toute évidence, autant de détermination que Chénier ; il irait jusqu'au bout, lui aussi, sûr et certain, il était prêt à mourir, il désirait donner sa vie pour la cause patriote. Et il disait qu'on ne pouvait gagner cette lutte que si chacun était prêt à mourir. Comme si la mort seule pouvait apporter la victoire. François aurait bien aimé adopter cette attitude ; il en était incapable. Il ne parvenait pas à se convaincre, comme Julien et comme les plus fervents patriotes qui l'entouraient, qu'il fallait à tout prix aller jusqu'au bout et ne voir son salut, ne voir la victoire, que dans la mort. Il avait clairement dit à Julien qu'il ne faisait que passer, qu'il partirait avec les derniers cageux. Cette guerre qu'il préparait n'était donc pas la sienne. Il aimait bien, cependant, les missions que lui confiait Julien.

Ils aperçurent tout au fond de la nuit les feux du village iroquois de Lac-des-Deux-Montagnes. « Faudrait pas qu'ils nous voient », dit Julien, pour qui les Iroquois étaient des ennemis honnis, serviles devant les seigneurs, les communautés religieuses et le gouvernement britannique, ne rendant jamais service aux patriotes, qu'ils considéraient comme des fauteurs de troubles et des apostats. Le mois précédent, quand il était devenu évident qu'un soulèvement se préparait dans la région, ils avaient fait savoir qu'ils resteraient neutres, ce qui, selon Julien, voulait dire qu'ils se rangeaient du côté de l'ordre et du pouvoir. Et s'ils avaient su que cette barque qui passait devant chez eux, au clair de lune, était chargée d'une demi-tonne de bœuf salé et d'une douzaine et demie de long rifles destinés au camp patriote de Saint-Eustache, ils se seraient sans doute fait un plaisir d'en informer les bureaucrates du parti du gouverneur. « On peut quand même pas éteindre la lune », conclut François, qui continua de ramer.

Une heure plus tard, ils entraient dans la rivière des Mille-Îles.

« Tu devrais apercevoir le signal, dit François.

— Je vois rien, répondit Julien.

— Ça se peut pas. »

Il se retourna et il vit, lui, sur la rive, droit devant eux, une petite flamme dansante vers laquelle il dirigea l'embarcation, qu'il échoua délicatement sur la grève de galets. La lune s'était couchée. La barre du jour paraissait à l'horizon.

Un homme les attendait en haut de la grève, un gros et grand homme à la mine renfrognée. Julien fit les présentations sans nommer ni François ni le gros homme taciturne. Il dit seulement à ce dernier, en désignant François : « À partir de maintenant, c'est lui seul qui viendra. Tu le diras aux autres. » Sans qu'un autre mot ait été échangé, ils tirèrent la barque tout au fond d'une petite crique bordée d'aulnes, jusqu'à un chemin de terre où attendait un vieux cheval attelé à une charrette dans laquelle ils transportèrent la viande, les balles, la poudre et les armes. Puis l'homme les salua en hochant la tête. Il émit un bref grognement, le cheval secoua la tête et la voiture disparut au bout de l'étroit chemin.

Il faisait grand jour déjà quand Julien et François s'étendirent au fond de la barque et se recouvrirent de la bâche cirée. Ils parlèrent un moment de Marie qui, à cette heure, devait quitter la maison de ses amis de Saint-Benoît, où elle avait passé la nuit. Avant midi, elle aurait couvert à cheval la distance entre le Grand-Brûlé et Saint-Eustache, où elle contacterait le patriote Joseph Dorion, qu'elle mettrait en contact avec le gros homme taciturne, lequel livrerait le bœuf salé et les armes, qui seraient ensuite acheminés au cœur du village par la rivière du Chêne et entreposés chez Dorion, en face de l'église, à deux pas du manoir seigneurial. Puis Marie rencontrerait Jean-Olivier Chénier et les principaux coordonnateurs des réseaux de résistance. Elle rentrerait dans quelques jours à Carillon, après s'être arrêtée en divers endroits, à Saint-Hermas, à Sainte-Scholastique, pour prendre et donner des directives, et pour donner et prendre des nouvelles.

« Il y a encore beaucoup à faire », disait souvent Julien. Il fallait convaincre tous les jeunes de la région de se mobiliser, de prendre les armes, il fallait leur instiller la confiance, leur répéter jusqu'à ce qu'ils en aient la certitude absolue que beaucoup d'autres jeunes faisaient de même dans tous les villages et toutes les villes du pays. Tous, ils attendaient ce moment. Dans quelques semaines, au signal donné, le peuple tout entier allait se soulever, partout, en même temps. Et reprendre possession de ses terres, de ses richesses, de sa liberté. C'était ce que voulait Julien, ce qu'il croyait, ce qu'il disait. Et François n'avait aucune raison de ne pas le croire.

Sous la bâche qui les protégeait du grand jour, il fit un rêve. Il était dans une toute petite cabane surchauffée ; une femme nue, dont il ne pouvait voir le visage, s'accrochait à son cou.

Quand il se réveilla, il pensait à Judith, à sa bouche pâle, à sa taille fine et souple, à son rire.

Grand-Brûlé

Les Fils de la Liberté

François était touché de la confiance que lui portait Julien, mais il ne s'en étonnait pas vraiment. Il prenait seulement conscience, à son contact et à celui de ses amis qui préparaient avec lui la rébellion, de sa valeur et de ses capacités. Il se disait que Julien et ses hommes auraient grand besoin de gars comme lui quand le temps serait enfin venu de se battre. Il connaissait mieux que la plupart d'entre eux les bois, les rivières, les chevaux et les canots, le maniement des outils et des armes à feu ; et il avait de surcroît l'habitude du monde sauvage.

Au cours des semaines suivantes, seul ou avec Julien, il devrait parcourir, en canot ou en voiture, à pied parfois, toute la région comprise entre la rivière du Nord et la rivière des Mille-Îles, depuis Sainte-Thérèse et Sainte-Rose, à l'est, jusqu'au lac des Deux-Montagnes. Or si le canot de Marie avait été bien entretenu et si Prince était une belle grande bête dans la force de l'âge, la voiture, une grosse charrette rouge à quatre roues sans ressort, était en très mauvais état. François entreprit de consolider l'essieu avant, qui menaçait de céder, il graissa les moyeux, remplaça une bonne partie des rayons de roues et l'une des menoires, rafraîchit et huila les cuirs de l'attelage. Un après-midi, la petite Judith vint le regarder travailler. Elle s'assit un peu à l'écart, sans dire un mot, se léchant les lèvres comme toujours, et pouffant de rire quand il levait les yeux vers elle. Il riait lui aussi. Quand Marie sortit de la maison et vint vers eux, Judith se leva et partit. Marie prit sa place.

« Je veux te regarder, moi aussi. »

Elle était en colère, visiblement. Il pensa : « Elle veut pas juste me regarder, elle veut me garder, comme on garde un enfant ou un oiseau en cage. »

Ce soir-là, on aperçut sur la rivière un long convoi de radeaux faits de centaine de billots, ce qu'on appelait une cage, qu'escortait une bande de joyeux drilles, ceux-là mêmes parmi lesquels François avait vécu au cours de la dernière année. Il sauta dans le canot et alla les retrouver avec de brutales effusions de joie, coups de poing affectueux dans les côtes, jambettes, grandes claques derrière la tête. Il fit un bout de chemin avec eux, pour le plaisir. Le soir, à table, il informa Julien qu'il avait fait dire aux gens de La Malbaie que tout allait bien pour lui et qu'il rentrerait peu avant les fêtes, avec la dernière cage, qui devait passer dans deux ou trois semaines.

« Vous ne vous rendrez même pas au fleuve, lui dit Marie. Toutes les routes sont surveillées, surtout celles des cageux. Tu seras arrêté au sault du Cheval Blanc ou aux rapides du Crochet. Tu n'arriveras jamais à La Malbaie. »

Le soir, au lit, elle lui dit : « Tu ne t'occupes de rien. C'est moi qui fais tout. » Elle l'enveloppa de caresses et de baisers. Puis elle s'arrêta et s'écarta de lui pour demander : « Tu n'es pas bien avec moi ? » Il voulait qu'elle continue, il fallait qu'elle continue ; alors il dit : « Mais oui, je suis bien avec toi, tu le sais. »

❧

Au cours des jours suivants, François et Julien firent leurs premières incursions dans le comté, laissant les deux filles seules dans la grande maison de Carillon. François était content de partir, soulagé d'échapper pendant un moment à l'emprise de Marie.

Dans la plupart des villages où ils se rendaient, de grandes assemblées avaient été organisées par des groupes de patriotes devant lesquels Julien prononçait des discours enflammés. Les jeunes l'écoutaient avec ferveur, ils l'applaudissaient, ils répétaient bien haut ses phrases les plus percutantes. Ils se proclamaient Fils de la Liberté et prétendaient être la force vive de la rébellion. François, qui s'était toujours voulu, toujours su et ouvertement déclaré un homme libre, se sentait chez lui parmi eux. Julien leur rappelait dans ses harangues qu'ils avaient des frères partout, non seulement dans les villages du comté des Deux-Montagnes, mais à travers tout le Bas-Canada, à Québec et à Montréal, sur la Côte du Sud et dans les municipalités du Haut et du Bas-Richelieu. Et même dans certains comtés du Haut-Canada. Il était allé, lui, plusieurs fois, dans les camps patriotes de la vallée du Richelieu, il avait rencontré presque tous les chefs, il leur avait parlé, il les avait écoutés, Louis-Joseph Papineau, les frères Robert et Wolfred Nelson, Edmund Bailey O'Callaghan, et il était très proche du docteur Jean-Olivier Chénier et du député patriote du comté des Deux-Montagnes, William Henry Scott, qui coordonnaient depuis Saint-Eustache les forces insurrectionnelles au nord de Montréal.

François avait été fort étonné d'apprendre qu'il y avait des Anglais, certains très fervents et très impliqués, parmi les patriotes. Son grand-père Ange lui avait appris que les Canadiens devaient se battre contre les Anglais, qui leur avaient volé leur pays. C'était simple, clair et net ; on ne pouvait pas se tromper de bord. Or, pour les membres du parti patriote et pour les Fils de la Liberté, l'ennemi n'était pas qu'anglais, les Anglais n'étaient pas tous des ennemis et les Français n'étaient pas tous des alliés, bien au contraire. C'était désormais contre les seigneurs du vieux régime français et contre les grandes compagnies qu'il fallait se battre, et contre les communautés religieuses catholiques et protestantes, qui soutenaient le gouvernement britannique et que celui-ci favorisait, auxquelles il concédait des terres, des privilèges et des droits qu'il refusait au peuple. Tout ça, heureusement, ne durerait pas. Des changements étaient attendus, promis, inévitables.

Pendant deux bonnes semaines, François fit, seul ou avec Julien, des cueillettes de vivres et d'armes qu'il livrait dans les deux principaux camps de base qu'occupaient les patriotes au nord de Montréal ; le plus important se trouvait à la confluence de la rivière des Mille-Îles et de la petite rivière du Chêne, à Saint-Eustache, centre social et intellectuel qui n'était alors devancé que par Montréal, Québec et Trois-Rivières. L'autre camp était basé au Grand-Brûlé, dans la paroisse de Saint-Benoît, un peu plus au nord, à la limite de la grande plaine. Les chefs voulaient y stocker, dans des caches sûres, de quoi permettre à un millier d'hommes de tenir tout l'hiver. Tout ça à l'insu des groupes de volontaires loyalistes qui parcouraient encore la région en très grand nombre, bien qu'ils soient partout harcelés par les patriotes.

Les gens étaient parfois réticents à donner. Julien pouvait alors se faire très pressant, voire menaçant, allant jusqu'à rappeler que ceux qui ne se rangeaient pas volontiers du côté des patriotes étaient contre eux et qu'il leur faudrait rendre des comptes quand le gouvernement du peuple aurait pris le pouvoir. Il forçait ainsi de pauvres cultivateurs à faire des dons contre leur gré à la sacro-sainte cause patriote. De la viande salée ou fumée, des poches de pois ou de farine, de patates et de carottes, un cochon, un quartier de veau, des minots de pommes, des vêtements chauds et des armes, que François chargeait et arrimait sur la voiture.

Un jour, dans un rang reculé de Sainte-Monique, une vieille femme protesta et refusa carrément que son mari leur remette un quartier de bœuf. Julien la sermonna longuement et lui expliqua qu'elle devait faire des sacrifices pour que les générations futures puissent vivre mieux.

« Pensez à vos petits-enfants.

– On en a pas, répondit sèchement la femme. Le bon Dieu nous a pas donné d'enfants. Et nous autres, on veut rien vous donner. On a rien. »

Le vieux laissait parler sa femme en roulant des yeux effarés. François n'éprouvait pas beaucoup de sympathie pour cette vieille égoïste et ce vieux pleutre, et il constatait, sans plaisir, que les patriotes, dont il était, inspiraient parfois de la peur. Et que, contrairement à ce que Julien soutenait depuis toujours dans les discours qu'il faisait devant les Fils de la Liberté, tout le monde n'était pas d'accord avec eux.

Une fois qu'on lui eut remis le quartier de bœuf, Julien exigea du vieux qu'il lui donne son fusil.

« J'ai pas de fusil, dit le vieux. Vous savez bien que j'ai pas le droit d'en avoir.

– On vous a vu tirer des perdrix, la semaine dernière. »

La femme intervint de nouveau.

« Il a besoin de son fusil.

– Nous aussi », répondit Julien.

L'approvisionnement en armes à feu posait en effet un très sérieux problème aux patriotes. Quand le pays avait commencé à s'agiter, le gouverneur avait interdit aux habitants d'en posséder. Tous avaient dû remettre carabines et fusils aux miliciens loyalistes qui, au cours de l'été, avaient visité chaque ferme et chaque maison de chaque village, deux ou trois fois plutôt qu'une. Certains habitants avaient cependant caché une arme de chasse qu'ils utilisaient pour éliminer renards, mouffettes, belettes et autres animaux nuisibles, mais aussi et surtout, en cet automne de grande disette, les récoltes ayant été gâtées par les interminables pluies de l'été, pour mettre de la sauvagine et du petit gibier sur la table.

Le vieux alla finalement chercher son fusil, un vieux mousquet remarquablement bien entretenu, mais dont la portée ne devait pas excéder quarante pas. Il prit soin de bien essuyer le canon avant de le remettre, ému, triste, à Julien, à qui la vieille jetait des regards chargés de haine.

« C'est du vol, ce que vous faites, dit-elle.

– Les loyalistes vous volent eux aussi », répondit maladroitement Julien.

Ce à quoi la vieille rétorqua : « Ils ont pris un autre fusil à mon mari, mais ils nous ont jamais volé notre manger, eux autres. »

Julien sortit sans ajouter un mot, il glissa le mousquet sous les ballots de vivres, sans laisser paraître la moindre émotion. Il n'y avait pas, à ses yeux, d'autres causes et d'autres raisons que celles des patriotes. Tous devaient s'investir dans ce projet, corps et âme. Et il fallait être dur, sans cœur, sans regrets.

Automne 1837
Saint-Benoît

Jean-Olivier Chénier

« Cette femme, tu la connais déjà ? demanda Marie.

— De quelle femme tu parles ?

— De cette femme que tu veux marier et avec qui tu auras des enfants et une terre à toi, dans la seigneurie de Murray Bay. »

François ne répondit pas, même s'il comprenait vaguement où elle voulait en venir. Et il n'aimait pas cette enquête, ce sourire aigre-doux, cette intrusion fébrile et inquiète dans sa vie. Il n'aimait pas qu'elle se souvienne, après des mois, de cette petite phrase anodine et qu'elle en fasse toute une histoire. Il voulait une terre, bien sûr, de quoi bien vivre et s'amuser, il avait bien envie d'avoir une femme aussi, mais, certains jours, il n'était pas sûr de vouloir se mettre la corde au cou.

Un peu plus tard, elle lui demanda comment il imaginait cette femme, la mère de ses enfants. Était-elle brune ? ou blonde ? ronde ? timide ? « Dis-moi comment elle est. »

Sa voix tremblait quand elle lui parlait ainsi. Marie n'était plus la femme forte qui l'avait soigné, elle n'avait plus ce sourire moqueur et arrogant des premiers jours, quand il était à sa merci. Si elle voulait savoir comment il imaginait cette femme, c'était sans doute, se disait-il, pour pouvoir lui ressembler. Comme si elle lui avait lancé : « Dis-moi comment tu l'imagines, cette femme, et je serai comme elle, je ferai comme elle, je serai celle que tu cherches, que tu désires. »

« Dis-moi à quoi elle ressemble. »

Il haussa les épaules et fit semblant de rire. Elle resta silencieuse, rêveuse. Le tenant serré, enfermé dans ses bras.

Elle ne lui avait pas reparlé de la petite Judith, mais il voyait bien que celle-ci était toujours à le regarder, à l'écouter, qu'elle riait ou s'extasiait devant ses moindres propos, qu'elle le suivait toujours des yeux. Le soir, quand ils étaient à table tous les quatre, il sentait que Marie les observait. Et quand ils avaient leurs fous rires, son regard s'assombrissait. Et Marie faisait peser sur la maisonnée un lourd silence.

Plus tard, elle allait tourner autour de lui, s'arrangeant pour qu'il aperçoive ses seins sous la chemise entrouverte, relevant furtivement un pan de sa jupe pour qu'il découvre ses cuisses nues, s'approchant de lui pour qu'il hume ses odeurs, sachant qu'il chavirerait, que bientôt il ne pourrait plus détacher les yeux de son corps, il ne pourrait pas retenir ses mains, sa bouche, qu'il ne penserait plus qu'à la prendre dans ses bras et à la lécher, à lécher sa peau, à la mordre, à l'aimer…

Après l'amour, elle voulait toujours le retenir dans ses bras, même quand c'était le jour. Mais lui, après un moment, il ne pensait qu'à en sortir pour marcher à travers champs, ou partir avec Prince ou en canot sur la rivière, ou encore retrouver peut-être la petite Judith et rire avec elle. Et il se disait que Marie savait tout cela parfaitement, qu'elle connaissait tous ses désirs et le retenait quand même dans ses bras, exprès, comme on empêche un oiseau de s'envoler en le tenant enfermé dans ses mains. Il comprenait mal pourtant ce qui pouvait l'attacher à lui. Elle avait ses lectures, ses dessins, sa musique et toutes ces idées de révolution, ces grands projets de changer le monde dont elle parlait tout le temps avec Julien… et rarement, pour ne pas dire jamais, avec lui. Parce qu'ils n'étaient pas du même monde, elle et lui. Il le savait, il le sentait. Que voyait-elle chez lui qu'elle ne trouvait, semblait-il, chez aucun autre ? Quel besoin avait-elle de le posséder et de l'aimer si fort ?

∽

Le dimanche 1er octobre, François eut enfin l'occasion de voir et d'entendre ceux dont tout le monde parlait avec grande admiration parmi les Fils de la Liberté : Jean-Olivier Chénier et William Henry Scott, les deux grands chefs patriotes des camps du nord de Montréal. C'était lors d'une assemblée qui se tenait dans une grange du rang du Grand-Brûlé, à Saint-Benoît, où ils s'étaient rendus tous les quatre, Julien, Marie, Judith et François. Il faisait froid, ce jour-là. Le matin, quand ils avaient quitté Carillon, les champs étaient couverts de frimas. Marie s'était blottie contre François, Judith contre Julien. Ils avaient fait route en silence, traversant un beau pays faiblement ondulé où tout semblait si paisible, si parfaitement ordonné, où les fermes étaient bien entretenues, les grands champs labourés, hersés et engraissés, les vaches et les veaux paissant encore dans les prés. Un peu avant d'atteindre Saint-Benoît, ils s'arrêtèrent devant une grande maison près de laquelle, dans un verger, une femme et deux enfants cueillaient des pommes. La femme leur offrit à boire et à manger. Julien lui ayant demandé de l'avoine pour Prince, elle envoya les enfants lui en chercher, puis ils guidèrent l'animal vers une citerne, où ils le firent boire. C'étaient de beaux enfants et une très belle femme.

Plus tard, après qu'ils eurent emprunté le rang du Grand-Brûlé, où roulaient un grand nombre de voitures remplies de gens surexcités, des jeunes surtout, qui se rendaient à la réunion patriote, Judith dit que cette femme et ces enfants avaient l'air heureux. Julien fit claquer les cordeaux sur la fesse de Prince, comme s'il voulait fuir ces images, ce bonheur, cette beauté.

Chénier était étonnamment petit. Julien et François le dépassaient de presque une tête. Mais on sentait chez lui une force et une détermination à toute épreuve, une irrésistible autorité. Les jeunes l'entouraient, le regardaient avec admiration, avec dévotion. Jean-Olivier Chénier était un vrai brave, un homme qui n'avait peur de rien ni de personne, pas même de la mort. Les Fils de la Liberté l'aimaient passionnément. Plusieurs avaient fait le serment de le suivre jusqu'au bout, jusque dans la mort, s'il le fallait. François, au début, ne comprenait pas vraiment cet engouement, ce pouvoir qu'exerçait ce petit homme qu'il aurait pu terrasser du revers de la main. Mais après que Chénier eut commencé à parler, il fut lui aussi fasciné et emballé, et il se mit à douter de sa propre force, comme si elle ne lui appartenait plus, comme si le jeune chef patriote en avait pris le contrôle. Et quand, plus tard, il se retrouva tout près de Chénier, qui s'entretenait avec Scott et Julien, il comprit qu'il était certainement très difficile de l'affronter, de le contredire, de se battre contre lui, car devant lui on se sentait affaibli et démuni. Marie, elle, semblait parfaitement à l'aise avec Chénier ; après qu'il eut harangué la foule, ils se retrouvèrent, elle et lui, au bas de l'estrade et ils parlèrent et rirent ensemble comme de vieux amis.

Ce jour-là, pour une fois, elle semblait ignorer totalement la présence de François. Et lui ne savait trop comment être, se sentant exclu d'un monde auquel pourtant il n'avait jamais vraiment souhaité appartenir et dans lequel il n'était pas sûr du tout de vouloir entrer. Il chercha Judith des yeux et la trouva finalement à l'arrière de la salle, en joyeuse conversation avec trois jeunes garçons qu'elle semblait connaître. Elle se dirigea vers François dès qu'elle l'aperçut ; mais elle s'arrêta net à quelques pas de lui en haussant les épaules et en jetant un regard impuissant et amusé du côté de Marie. Puis elle retourna vers les trois jeunes garçons.

Scott était monté sur l'estrade et réclamait l'attention de la foule. Il était tout le contraire de Chénier, très grand et sec, presque chauve, bien qu'il ait tout juste trente ans lui aussi. Chénier parlait toujours haut et fort, comme s'il haranguait une très large assemblée, même quand il n'avait devant lui qu'un seul interlocuteur, même quand il parlait à Marie ou à Julien. Scott, lui, dans le discours qu'il prononça ce jour-là devant les Fils de la Liberté, parla d'une voix posée, tout doucement, presque intimement, comme s'il s'adressait, sur le ton de la confidence, à chacun d'entre eux, un à un.

Il était urgent selon lui de renverser le gouvernement ; d'abord de déloger, de déposséder, de ruiner les seigneurs loyalistes et de les priver de tous les privilèges que leur avait injustement accordés le gouvernement impérial britannique. Il rappela que Londres avait jeté de l'huile sur le feu en contredisant les revendications du Parti des patriotes qui, aux dernières élections, en 1834, avait remporté soixante-dix-sept des quatre-vingt-huit comtés du Bas-Canada. Et malgré cette victoire écrasante, l'autorité britannique permettait toujours au gouverneur Gosford d'agir et de dépenser, sans consulter les élus du peuple, sans tenir compte des besoins et des désirs de la population. Scott fustigea les seigneurs français restés accrochés à des privilèges dont l'exercice, en 1837, était tout à fait rétrograde. Il trouvait inadmissible que les communautés religieuses et les grandes compagnies possèdent les plus belles terres du pays, qu'elles ne se donnent même pas la peine de les mettre en valeur et qu'elles en interdisent l'accès aux habitants. Il ajouta que le gouvernement venait de commettre un véritable crime en donnant trois millions d'acres de terre arable au clergé protestant, qui n'en avait nul besoin. Quand il proposa de former un gouvernement provisoire et de déclarer inepte celui de la reine Victoria, il y eut une explosion de cris et de hourras.

Les patriotes votèrent à l'unanimité, ce dimanche 1er octobre 1837, à Saint-Benoît, la formation d'un gouvernement insurrectionnel. Ils décidèrent que tout le territoire qui se trouvait sous le contrôle des deux grands camps du nord de Montréal, Saint-Eustache et Saint-Benoît, était une zone libérée et que la seule assemblée souveraine représentant le peuple était la leur. Ils élurent des juges de paix et déclarèrent nulle l'autorité des milices loyalistes. L'assemblée se termina dans une atmosphère survoltée.

❧◆❧

Sur le fleuve

Ti-Jean

Ti-Jean Tremblay s'était réveillé sérieusement malade de boisson, à bord d'une petite goélette qui descendait vers La Malbaie, sous le gros soleil du plus bel été des Sauvages jamais vu. On l'avait étendu sur la bâche qui recouvrait les sacs de farine, les cruches de rhum et de mélasse, les ballots de tissu, mille choses qu'on rapportait de Québec. De temps en temps, un spasme le soulevait ; il se roulait sur le côté et vomissait par-dessus bord. Le fleuve était si calme et le ciel si clair que Ti-Jean pouvait voir son reflet dans l'eau, ses longs cheveux qui pendaient de chaque côté de sa figure, ses yeux exorbités, sa bouche grande ouverte. Un diable frappait à tour de bras sur une enclume chauffée à blanc, et ça faisait dans sa tête un énorme bruit tout rouge, un bruit d'enfer. De temps en temps, des images de l'incroyable brosse qu'il avait prise avec Philippe remontaient pêle-mêle à la surface.

Ils étaient à l'auberge de l'Albion, avec deux filles à demi nues qui riaient tout le temps, très soûles elles aussi, des « guidounes ». Et lui, Ti-Jean, trop soûl ou pas encore assez, était incapable de faire quoi que ce soit avec elles. L'une était tout le temps après lui. Elle aurait pu être jolie, même si elle avait de vilaines dents. Mais elle avait les mains moites, et elle riait vraiment trop fort. Il pouvait sentir les relents de son parfum qui se dégageaient de sa chemise, de ses cheveux, un parfum de muguet très capiteux qui se mêlait aux odeurs du fleuve, du vomi, de la mélasse, du gros tabac sucré que fumait son père, dont il sentait parfois le regard se poser pesamment sur lui, aux odeurs de fumier aussi, légères mais tenaces. Il avait des bleus partout, un peu de sang sur la tempe, de la terre noire séchée sur sa culotte et sur sa chemise.

Philippe s'était installé contre le plat-bord, dos au soleil. Pas malade, lui. Jamais malade, Philippe. Il lisait tranquillement un livre en anglais, son chapeau rabattu sur les yeux. De temps en temps, il posait son livre, renversait la tête vers le ciel, et restait ainsi un moment, immobile. Puis il redressait la tête et regardait droit vers la belle Odulie, la femme de Résimond Villeneuve, qui tenait la barre. Il lui souriait. Elle lui souriait. Pas gros, pas grand, pas fort, Philippe, mais jamais peur de rien ni de personne, le cœur toujours solidement accroché. Il était bien capable d'avoir fait la passe aux deux filles de l'Albion, la nuit dernière.

Elles étaient blondes toutes les deux, avec plein de frisettes et de bouclettes vertes et jaunes. Celle qui avait les dents gâtées était venue s'asseoir sur les genoux de Ti-Jean. Elle l'avait embrassé dans le cou, sur la bouche, en lui passant les mains partout. Il avait vu ses seins parfaitement, les premiers seins qu'il voyait, à part ceux de sa sœur Henriette, qu'il avait aperçus furtivement une fois alors qu'elle se regardait dans le miroir de la grande chambre à coucher. C'était lui qui avait ouvert la chemise de la fille. Elle était plus vieille que lui, peut-être même plus que Philippe, vingt-cinq ans peut-être. Il était resté sans rien faire. Il n'aimait pas ses frisettes et ses bouclettes, ses mains moites, sa peau trop blanche, son rire. Il n'aimait pas ses dents jaunes, ni son parfum. Quand elle avait voulu lui presser la tête contre ses seins, il s'était éloigné d'elle, troublé, dégoûté. Et puis après ? Il avait dû tomber quelque part et s'endormir. Et dormir jusqu'à ce qu'on le retrouve. Ce matin, on l'avait sans doute porté à bord. Comme les ballots de tissu, comme les barils de mélasse et les sacs de farine.

Et voilà qu'il était encore presque endormi sur la goélette qui glissait lentement sous le ciel bleu, entre les rives tachées de rouge et d'ocre, dans les splendeurs moirées d'une des plus belles journées du monde. Le diable posa finalement son marteau. L'enclume, lentement, refroidissait. Mais tout à coup, Ti-Jean se redressa, horrifié : « Mon violon ! Où est passé mon violon ? » À part son père, tout le monde sur la goélette se tourna vers lui ; Philippe, Résimond et Odulie, qui se trouvaient à la poupe, et le petit Louison, le neveu de Résimond, jouqué sur l'éperon de proue.

« Mon violon ! J'ai perdu mon violon ! »

Il se souvenait d'avoir joué sur la grande galerie de l'Albion, la veille au soir. C'était avant la rencontre avec les deux filles, avant que tout le monde soit fin soûl. Napoléon Aubin était encore là, Louis Plamondon et Guillaume Barthe aussi, tous les amis venus fêter ou pleurer son départ. S'appuyant contre le garde-fou, debout, dos à la rue, Ti-Jean jouait de toute son âme. Et les gars et les filles ne voulaient plus qu'il arrête. Il n'aurait pas pu, de toute façon, emporté lui aussi par la musique, ensorcelé par son violon.

« Il sera resté à l'Albion, ton violon, lui dit Philippe. T'as qu'à écrire à Aubin. Il te le fera envoyer par courrier. »

Ti-Jean regardait de tous bords, tous côtés. Il se disait qu'il pourrait demander à Résimond de le laisser quelque part sur la côte. Mais la marée était au plus bas. On voyait déjà les grandes battures de Montmagny et de l'île aux Ruaux. Pas moyen d'accoster où que ce soit avant Port-Joly, où descendrait Philippe. Et Ti-Jean savait bien que son père ne voudrait jamais le laisser partir, son père venu le chercher à Québec, où il avait passé l'été à travailler dans les chantiers et les bureaux des Entreprises Price, son père qui lui avait dit, deux jours plus tôt, qu'il avait besoin de lui pour réaliser de grands projets, son père qui ce matin devait avoir envie de le frapper.

Il pourrait toujours sauter par-dessus bord, nager jusqu'au cap Saint-Ignace, ou se laisser porter par la marée baissante sur les estrans vaseux ; il marcherait ensuite jusqu'à Montmagny, il se ferait conduire à Lauzon en voiture, puis à Québec en chaloupe, et rentrerait à La Malbaie dans trois jours, par le bateau du jeudi. Avec son violon.

Mais le diable s'était brusquement réveillé lui aussi et le marteau s'abattait de nouveau sur l'enclume, teignant tout en rouge, le fleuve et ses îles, la grande voile, le ciel.

Ti-Jean se recoucha sur la bâche, en sueur, tremblant comme une feuille. Nager ? Il ne ferait pas dix brasses. Il coulerait dans l'eau froide. Ce serait reposant et rafraîchissant, il descendrait le fleuve tête première, entre deux eaux, tout doucement jusqu'à la mer, la face tournée vers le ciel. Il serait bien, lavé enfin de toute souillure, lavé de ses péchés, de ses mauvaises pensées, de toutes ces vomissures.

⤳

Alexis Tremblay n'arrivait pas vraiment à être de mauvaise humeur. Il aurait pu bien sûr, il aurait dû, même, frapper son garçon aller et retour, mais il lui aurait fallu se forcer. Ç'aurait sans doute été plus facile avec l'autre, ce beau fendant de Philippe Aubert de Gaspé. Celui-là, il l'aurait frappé sans grand effort et même avec un certain plaisir. Mais battre ou insulter un fils de seigneur n'est jamais une bonne idée, même quand le seigneur en question est déchu et ruiné et, d'après ce qui se disait à Québec, sur le point d'être arrêté et jeté en prison. Et puis sur le fleuve, ce jour-là, tout était si calme et si beau, si doux.

À Québec, tout le monde ne parlait que de ça, du beau temps sec et chaud trop tard venu. Jusqu'à la mi-août, l'été avait été tellement gris et pluvieux que les récoltes étaient désastreuses. Déjà, on signalait des famines, des épidémies. Déjà, on disait que l'hiver serait terrible. Il n'y avait rien d'étonnant à ce que la révolte gronde partout. L'avenir, dans ce pays, était plus sombre, plus inquiétant que jamais.

La veille au soir, Alexis avait emmené Ti-Jean souper à Wolfesfield, la luxueuse résidence de William Price, qui possédait presque tous les moulins à scier des deux côtes du fleuve, de Trois-Rivières aux Mille-Vaches, de Bécancour à Cacouna. Dans la voiture qui les ramenait à l'hôtel du Quai, où Alexis avait l'habitude de descendre, Ti-Jean avait dit à son père que ses amis lui avaient préparé une fête et qu'il ne pouvait pas ne pas y aller. Alexis était donc rentré seul à l'hôtel. Et ce matin, vers les sept heures, un jeune homme pâle et hirsute était venu au quai Finlay dire à Alexis qu'il avait besoin d'aide pour transporter son garçon. Il l'avait retrouvé ivre mort dans une plate-bande fraîchement binée et fumée, sous la galerie de l'auberge de l'Albion. Et le jeune inconnu avait demandé à Résimond s'il pouvait monter avec eux jusqu'à Port-Joly. Résimond aurait dû répondre qu'il ne voulait faire d'arrêt nulle part entre Québec et La Malbaie, d'autant plus que le vent n'était pas bien vaillant et que la marée serait sur son baissant, et qu'il connaissait mal le chenal du sud. Mais Résimond, trop bon gars, ne savait pas dire non. Sans même savoir à qui il avait affaire, il avait accepté de faire escale à Port-Joly. Ce ne fut que plus tard, au moment du départ, qu'on sut qui était ce jeune homme élégant et négligé, Philippe Aubert de Gaspé, le fils de l'autre, qu'une demi-douzaine de jeunes gens turbulents et rieurs étaient venus saluer. Alexis s'était demandé d'ailleurs comment ils pouvaient bien se trouver là, alors que personne ne savait une heure plus tôt que Résimond accepterait de prendre leur ami à son bord. Et il comprit que tout cela avait été arrangé la veille avec Ti-Jean, sans que Résimond, le principal intéressé, ait été consulté. Manières de seigneurs, qui se croyaient toujours tout permis, qui s'imaginaient encore que le reste du monde n'aspirait qu'à leur rendre service !

Incapables de ranimer Ti-Jean étendu sur sa plate-bande, Philippe et Alexis avaient dû demander l'aide du garçon d'auberge, qui l'avait transporté dans une brouette. Alexis avait honte. Des enfants les avaient escortés en riant. Même le jeune De Gaspé avait semblé trouver ça tout à fait amusant. Les amis riaient beaucoup eux aussi, mais ne paraissaient pas vraiment étonnés. Alexis non plus, finalement.

Quand il était arrivé à Québec, le jeudi précédent, il se doutait bien que Ti-Jean ne serait pas content de rentrer à La Malbaie. Il avait quand même eu un choc en l'apercevant. En quelques mois, Ti-Jean Tremblay était devenu un vrai gars de la ville. Ça se voyait tout de suite à sa manière de se tenir, de se vêtir, de parler. Le lendemain, il guidait son père avec assurance dans les rues de la grande ville, où Alexis se sentait toujours un étranger, un peu perdu, même si depuis plus de dix ans il venait deux ou trois fois par année rencontrer William Price dans ses bureaux de la rue Saint-Pierre. À tout bout de champ, Ti-Jean s'arrêtait pour saluer des connaissances ; ils paraissaient excités, contents de se voir, ils riaient beaucoup. C'étaient des étudiants, des journalistes, des artistes, « des faiseurs de rien », pensait Alexis, qui se sentait devant eux mal à l'aise et inquiet, et prenait malgré lui un air gauche et bourru. Il avait alors compris que son garçon devrait s'arracher le cœur pour rentrer à La Malbaie.

Mais c'était entendu ainsi depuis l'hiver précédent. William Price avait pris Ti-Jean comme apprenti pendant six mois, du 15 avril au 15 octobre. Il l'avait fait travailler dans son entreprise, partout, dans tous les départements, sur les quais, dans les bureaux de la rue Saint-Pierre, dans les magasins et les chantiers de Pointe-Lévis, dans les ateliers, les scieries et les forges de l'anse Hadlow, et à l'anse au Foulon, où on démantelait les cages de chêne rouge et de pin blanc qui, dès le mois de juin, arrivaient de la Mauricie, de l'Outaouais, du Haut-Canada.

Ti-Jean était le septième enfant de la famille. Selon sa mère, Modeste, il devait avoir un don. Elle avait espéré qu'il saurait, comme elle, arrêter le sang, soulager les maux de tête, découvrir des sources cachées et des veines d'eau souterraines. La seule chose qu'elle avait su lui transmettre était son don pour la musique. Ti-Jean n'avait pas dix ans qu'il jouait déjà au violon tous les airs français, écossais, irlandais et anglais qu'elle connaissait. Et il en inventait que personne d'autre ne parvenait à exécuter. Le supérieur du Séminaire de Nicolet, où l'avait placé le curé de La Malbaie, disait de lui qu'il avait tous les dons. Il apprenait en effet avec une étonnante facilité, presque trop vite, disaient ses maîtres, tant les mathématiques que le latin, la géographie, l'histoire ou l'anglais.

À dix-huit ans, Ti-Jean était presque aussi instruit que le notaire et le curé. Et on aurait continué de le faire instruire s'il avait voulu devenir prêtre. Mais depuis deux ans, il ne cessait de répéter qu'il n'avait pas la vocation et qu'il perdait son temps à Nicolet. Quand William Price lui avait proposé de prendre un de ses fils en formation, Alexis Tremblay n'avait donc pas hésité à retirer Ti-Jean du séminaire. Et Ti-Jean avait alors semblé très heureux de cet arrangement.

Alexis rêvait depuis des années de former une entreprise, avec ses fils comme associés, et quelques amis, Thomas Simard, Caille Guay, Onésime Dallaire, Ulysse Brisson et quelques autres, des hommes de La Malbaie, de Pointe-au-Pic, de Cap-à-l'Aigle, des Éboulements, de Baie-Saint-Paul. Ils ouvriraient leurs propres chantiers, ils auraient leurs moulins, peut-être même leurs goélettes, leurs magasins et leurs quais, et des hommes à eux, comme en avaient Price, Gibb ou Campbell, ces riches Anglais qui exploitaient à leur incommensurable profit les forêts du Bas-Canada.

Or, pour une fois, la chose était possible. La Compagnie de la Baie d'Hudson, qui détenait des droits exclusifs sur le Royaume du Saguenay, venait en effet de proposer aux gens de La Malbaie de lui racheter une importante licence de coupe de bois qu'elle était incapable d'honorer ; il s'agissait de sortir des forêts vierges du Royaume, en cinq ans, ou quatre si possible, soixante mille billots de pin blanc destinés en bonne partie à l'Amirauté britannique.

Ce projet, s'il se réalisait, permettrait de résoudre en bonne partie les graves problèmes dont souffrait la petite société de La Malbaie. Les jeunes auraient enfin de quoi s'occuper. De plus, une fois qu'on aurait mis les pieds au Royaume, on pourrait peut-être s'y maintenir et y faire de la terre. Les jeunes pourraient ainsi s'établir, infiniment mieux que sur la côte, déjà trop peuplée. Pendant tout l'été, Alexis s'était fait plaisir en imaginant comment il mènerait cette aventure, avec l'aide, entre autres, de son fils Ti-Jean.

Mais vendredi midi, quand il avait demandé à William Price comment ça s'était passé avec lui, il s'était douté que quelque chose clochait. Non pas que l'entrepreneur ait tenu sur Ti-Jean des propos désobligeants, mais il avait eu une petite hésitation. Alexis avait senti un os. Et il connaissait assez bien William Price pour savoir qu'il avait fait exprès de placer cet os-là dans son discours, de manière à lui faire comprendre que tout ne s'était pas bien passé, même s'il disait presque exactement le contraire.

En affaires, William Price, un typique tory de la vieille école, était généralement d'une effrayante brutalité. Alexis l'avait vu à maintes reprises faire saisir les biens de pauvres habitants incapables de rembourser les dettes qu'il les avait pratiquement forcés à contracter envers lui. Mais dès qu'il s'agissait de la famille, il était d'une délicatesse surprenante. Il n'aurait jamais dit à Alexis que son garçon était paresseux ou maladroit, et qu'il lui arrivait de rentrer au bureau ou à l'atelier avec deux heures de retard le lundi matin parce qu'il était soûl depuis le samedi soir.

William Price avait pour les liens de famille le plus profond respect. Il s'occupait beaucoup de ses enfants, tentant déjà d'intéresser ses deux plus vieux à ses affaires. Il les emmenait partout avec lui. Et il exigeait de leurs précepteurs, pour l'enseignement de l'arithmétique, de l'économie, de la géographie ou même de l'histoire, qu'ils prennent autant que possible leurs exemples dans l'entreprise qu'il avait créée et dirigeait toujours.

Chaque fois qu'il rencontrait Alexis, que ce soit à Québec ou sur un chantier, Price s'informait de sa femme, Modeste, et de ses enfants. Et quand il venait à La Malbaie, il apportait toujours un cadeau à Modeste, un fichu ou un petit bijou, un calendrier, une figurine de porcelaine anglaise. Par la suite, Modeste disait « le fichu de M. Price », « la lampe de M. Price », « le calendrier de M. Price ».

À l'exemple de son patron, Alexis avait pris l'habitude de rapporter un petit quelque chose à sa femme chaque fois qu'il se rendait à Québec. Pendant plusieurs années, il lui avait acheté, au même endroit, du même marchand, un fichu ou un carré de laine, un châle, un mouchoir de tête, une petite écharpe de dentelle, toutes choses que Modeste ne portait à peu près jamais. « C'est trop beau », disait-elle. Elle préférait porter les fichus et les écharpes qu'elle tissait elle-même. Elle créait d'ailleurs, sur son métier, des tissus aux coloris et aux motifs aussi beaux que ceux qu'on trouvait dans les boutiques de Québec. Ti-Jean en avait fait la remarque à son père, lui conseillant de chercher autre chose pour Modeste.

Samedi matin, il avait donc emmené Alexis dans une petite boutique de choses inutiles, rue Saint-Paul, où ils avaient trouvé de quoi étonner sa mère. Elle s'attendait sûrement à un carré de laine ou à un mouchoir de batiste. Mais pour une fois, son homme lui ferait une surprise, en lui apportant un vrai cadeau. Il avait hâte de voir la tête qu'elle ferait quand il lui tendrait le petit paquet joliment emballé et ficelé qu'il avait délicatement placé dans sa grosse sacoche en cuir de vache. Il la regarderait déballer son cadeau, elle resterait sans mot dire un long moment, elle rirait un peu. Et elle voudrait tout savoir : où, quand, comment il avait trouvé ça, où et par qui c'était fabriqué, en quoi c'était fait. Elle serait contente, il en était sûr. Et en plus, il avait fait les commissions dont elle l'avait chargé : deux chapelets, des assiettes et des plats américains, des pièces de casimir, de fléchine et d'indienne pour coudre des robes ou faire des nappes avec ses filles.

Malgré l'angoisse qu'avait fait naître en lui son garçon, Alexis Tremblay était satisfait de ce voyage de trois jours à Québec. William Price s'était montré vivement intéressé au projet qu'il lui avait soumis. Non seulement il s'était engagé à acheter au prix du marché les soixante mille billots de pin blanc qu'on allait tirer des forêts du Royaume, mais il lui avait offert d'aider à financer les opérations si la société que formeraient les gens de La Malbaie n'y arrivait pas toute seule.

Si tout se passait bien avec cette histoire de licence, les gens de La Malbaie auraient bientôt accès aux plus belles forêts du

Bas-Canada, qu'ils pourraient exploiter eux-mêmes, sans avoir l'étranger sur le dos. Et les jeunes penseraient à autre chose qu'à tout renverser et à tout démolir.

La rivière des Outaouais

Les Métis

Le 3 octobre, deux jours après la réunion du Grand-Brûlé au cours de laquelle les patriotes avaient formé un gouvernement provisoire, un coursier à cheval apporta à Julien une missive de Jean-Olivier Chénier et un exemplaire du journal patriote *Le Populaire*, dans lequel se trouvait un compte rendu détaillé de l'assemblée de Saint-Benoît du dimanche précédent, coiffé du titre « La révolution commence ». On y rapportait également, ce qui ne surprit personne, que le gouverneur Gosford avait déclaré illégal le gouvernement formé par les patriotes et incompétents les juges de paix qu'ils avaient élus. Le général Colborne, commandant en chef des forces armées des deux Canada, faisait savoir pour sa part qu'il allait écraser les insurgés. Julien exultait. La rébellion était enfin un fait reconnu, et la révolution réellement en marche.

Au cours du repas du soir, il annonça à ses amis qu'il serait parti pendant une semaine, Chénier lui ayant demandé de participer à une grande assemblée qui réunirait, le 23 octobre, à Saint-Charles-sur-le-Richelieu, tous les chefs patriotes : ceux de Saint-Charles et de Saint-Denis, ceux de Saint-Constant, de Laprairie, de Beauharnois, de Napierville, et ceux d'autres villages près de la frontière américaine.

Un lourd silence tomba sur la maison après qu'il eut ajouté qu'il partirait seul. Il se leva de table, sa tasse de thé à la main, et se retira dans son petit bureau, où il entreprit de mettre de l'ordre dans ses papiers et de préparer le discours qu'il tiendrait devant les autres chefs, pour les informer de ce qui se passait dans les camps patriotes du nord de Montréal. Après un moment, Marie rejoignit son frère, laissant Judith et François seuls à table. Ils l'entendirent demander à Julien pourquoi il n'emmenait pas Judith avec lui. Elle ajouta qu'elle voulait être seule avec François pendant ces quelques jours, qui seraient peut-être les derniers vraiment paisibles avant qu'éclate pour de bon la rébellion. Julien accepta rapidement. « D'accord, je vais l'emmener avec moi. » Marie revint à la table sans un regard ni à François ni à Judith, un petit sourire vainqueur aux lèvres. Elle avait décidé, sans les consulter, de ce que François et Judith vivraient au cours des prochains jours. Et de ce qu'ils ne vivraient pas.

Le lendemain, de bonne heure, Judith et Julien partirent pour Saint-André, où ils s'embarquèrent à bord du bateau à vapeur qui faisait la navette entre l'Outaouais et Montréal. Le temps était redevenu extraordinairement doux. N'eussent été les feuilles mortes du grand chêne qui jonchaient le sol, on se serait cru en plein été.

Plus tard dans la journée, François mit le canot à l'eau. « Je viens avec toi », dit Marie. Bien qu'il soit encore en colère, François ne s'y opposa pas. Ils canotèrent très lentement en direction des rapides du Long-Sault, frôlant la rive droite afin d'échapper aux regards des militaires de la caserne de Carillon, s'attardant dans les anses, frôlant les îles basses, d'où s'envolaient des outardes. Marie s'était assise à l'avant. Elle avait enlevé sa veste, et sa chemise sans manches laissait voir ses beaux bras nus pagayant dans la lumière dorée. Bientôt, n'y tenant plus, François dirigea le canot au fond d'une baie, l'échoua sur une petite plage et culbuta Marie dans les herbes. Il profita d'elle rapidement, sans penser le moindrement à son plaisir à elle, comme il avait l'habitude de le faire. Il retrouva sur son visage ce sourire moqueur qu'elle arborait les premiers jours, quand, blessé, il était à sa merci. Son plaisir et son bonheur étaient ailleurs désormais, pensa-t-il, dans le souverain pouvoir qu'elle exerçait sur lui.

« Reste en moi », dit-elle.

Il resta un long moment dans la douce prison de ses bras, de ses jambes, de son sourire, comblé, repu.

Puis, ils suivirent la berge en canot. Marie parlait de la révolution déjà commencée, qui bientôt mettrait fin à la misère des pauvres gens qui ne parvenaient plus à faire vivre leurs enfants sur des terres qu'ils devaient diviser de génération en génération. Elle disait que le monde allait bientôt changer, qu'on allait vivre mieux. Et tout serait bien et juste. Le peuple, enfin libre, pourrait décider par lui-même de son destin. François l'écoutait. Ils frôlaient toujours les rives et s'attardaient au fond des anses, encore pleines de la chaleur et des parfums de l'été des Sauvages.

Vers le milieu de l'après-midi, ils furent au pied des rapides du Long-Sault et entrèrent dans le bouillonnement et les remous de la rugissante masse liquide. François indiqua à Marie l'endroit, dans les roseaux, où il était resté étendu pendant des heures après avoir chaviré, ce jour, qui lui apparaissait maintenant si lointain, où ils s'étaient connus. Et soudain, ils aperçurent à travers les embruns, juste au-dessus d'eux, masses aveugles, folles, d'énormes billots qui dévalaient les rapides en se frappant sourdement aux rochers. Ils eurent à peine le temps de pousser leur canot dans une petite anse ; les lourdes grumes plongeaient au creux de la rivière et allaient émerger plus bas, en eaux calmes. François riait aux éclats. Ils venaient de tirer le canot sur la grève quand ils entendirent des cris et des rires à travers ce grand fracas. Et ils virent, débouchant de l'étroit chemin de portage, trois cageux, hirsutes, hilares, écorchés et débraillés. Chacun tenait à la main une longue gaffe et portait sur son dos un petit canot sauvage, qu'ils mirent vite à l'eau. Puis ils se lancèrent dans le courant avec des cris de joie, poussant les billots les uns contre les autres. Dès qu'ils en avaient attaché trois ou quatre ensemble, ils montaient dessus, tiraient leurs canots sur ce radeau, consolidaient les attaches, attrapaient les billots un à un au moyen de leurs gaffes. D'autres cageux descendaient le chemin de portage, portant des vivres, des outils, des chaînes qu'ils jetaient dans leurs canots et portaient vers les radeaux. Ils furent bientôt une trentaine au pied des rapides. Ils vinrent vers François et le saluèrent à la manière des cageux, d'une franche accolade, d'une grande claque dans le dos, d'une prise de tête, d'un coup de poing dans les côtes.

En moins d'une heure, ils avaient reconstruit les radeaux qu'ils entreprirent ensuite d'enchaîner les uns aux autres. François avait remis son canot à l'eau pour aller les aider, laissant Marie seule sur la grève, Marie qui le regardait, qui regardait l'homme qu'elle aimait tant, l'homme de sa vie, rempli d'une joie qui ne dépendait pas d'elle, dans laquelle elle n'avait pas sa place. Il se rendit bien compte, plus tard, quand il revint la chercher, qu'elle était blessée et peinée. Quelques mots de lui auraient suffi sans doute à calmer son chagrin. Mais il se refusait à les prononcer. Il savait bien que, tôt ou tard, il ferait terriblement mal à cette femme qui l'aimait trop, d'un amour étouffant. Il souhaitait tant ne pas lui briser le cœur.

Devançant les cageux qui avaient ancré leur lourd esquif pour la nuit, ils se laissèrent porter par le courant, dans la lumière rose et dorée de la fin du jour. Marie restait silencieuse, perdue dans ses pensées. Dès qu'ils furent à la maison, elle se remit à pleurer à gros sanglots. François la garda longtemps dans ses bras et la berça tout doucement. Sans un mot. Peiné lui aussi. Ils burent beaucoup de rhum. Puis François porta Marie endormie dans son lit. Au milieu de la nuit, elle sanglota encore dans son sommeil.

Le lendemain matin, la plus gigantesque cage jamais vue, faite de quatre mille huit cents billots de pin blanc et deux mille six cents billots de chêne rouge, du douze et du seize pieds, assemblés côte à côte en un train flottant de trente-six pieds de largeur par près d'un demi-mille de longueur, flottait sur la rivière des Outaouais, en aval de Carillon. Amarrés les uns aux autres, les radeaux étaient montés de quatre mâts hauts d'une cinquantaine de pieds et alignés obliquement, afin que chaque voile puisse prendre le vent. Trois gouvernails en poupe ; de chaque côté, une douzaine de longues rames, qu'on maniait debout. Une cinquantaine d'hommes manœuvraient la cage.

Sur cet immense train de radeaux, les cageux avaient amarré leurs canots et s'étaient construit des cabanes où ils avaient installé leurs lits, des poêles, des meubles rustiques. Ils avaient des chats, des chiens, leurs violons, leurs scies chantantes et leurs bombardes, toutes leurs provisions, leurs vêtements. Sous l'action des flots et des vents, la surface de la cage était sans cesse en mouvement. Les billots, en frottant et s'entrechoquant, tendant à tout rompre les câbles et les chaînes qui les retenaient, faisaient entendre une étrange musique de gongs, de couinements et de chuintements, de râles, de stridences et de clapotis, qui se mêlaient aux ahans du vent dans les voiles, aux cris et aux jurons des hommes.

Tôt le matin, Marie étant encore endormie, François se rendit en canot retrouver ses amis, qui l'accueillirent avec des hurlements de joie et des bourrades. La cage dérivait tranquillement dans le courant. La rivière étant peu profonde en cet endroit, le maître cageux, un dénommé Perreault, que tous appelaient Forsure, parce qu'il avait le visage rouge et tavelé comme un foie de bœuf, avait fait amener les voiles. On ne les relèverait qu'après avoir doublé la longue flèche de sable que la rivière du Nord enfonçait dans la rivière des Outaouais et être entré, passé la grande île plate qui obstruait l'embouchure de celle-ci, dans le lac des Deux-Montagnes, ce qui devait, selon Forsure, se produire dans la journée du lendemain. En attendant, à part ceux qui étaient de garde aux gouvernails et aux rames, la plupart des gars avaient commencé, plus ou moins à l'insu du maître cageux, à se poncer au rhum.

François retrouvait sur cette cage l'atmosphère rude et joyeuse des chantiers. De tous les bûcherons, de tous les hommes des bois, les raftmans et les cageux étaient les plus téméraires, les plus libertins, les plus drôles et les plus attachants. Ils bûchaient tout l'hiver, faisaient la drave au printemps, puis assemblaient ces cages qu'ils convoyaient pendant l'été et l'automne à Québec, où les billots étaient embarqués, soit entiers, soit en madriers, sur des navires qui les livraient à l'Amirauté britannique. Avant de repartir pour les chantiers, les gars faisaient la fête, démente, excessive. Ruinés mais toujours libres, ils remontaient dans les chantiers au début de l'automne. À trente ans, ceux qui n'avaient pas cassé leur pipe se retiraient. Les uns restaient dans le bas pays, où ils tâchaient de se faire une vie sur la terre de leurs parents ou ce qu'il en restait ; les autres partaient vers les Pays-d'en-Haut, où, disait-on, un homme pouvait vivre plus librement que partout ailleurs dans le monde.

François passa finalement toute la journée parmi eux, aidant, pour le plaisir, à la manœuvre. Il avait retrouvé, à bord du long train de radeaux, quelques amis qu'il s'était faits sur la Dumoine et sur la Madawaska. Il y avait aussi des gars originaires du Richelieu, de la Mauricie et même de la Côte du Sud, des Bastien, des Baril, des Guay, des Berthelet, presque tous des jeunes, ayant de quinze à vingt-cinq ans, sauf Forsure et ses trois contremaîtres, qui frisaient les quarante ans. Il y avait aussi quelques passagers, dont quatre étranges personnages, souriants, parfaitement oisifs et extrêmement volubiles, très bizarrement coiffés et vêtus : un homme d'une quarantaine d'années, sa femme, leurs deux garçons.

L'homme, un Blanc qui disait s'appeler Rémi Blondeau, portait un pantalon de cuir et, malgré la chaleur, une redingote à basques. Les deux garçons, d'un âge autour de celui de François, avaient sur le dos un long paletot de drap bleu par-dessus des chemises de coton à carreaux, et sur la tête un chapeau de feutre plat et rond. Leurs cheveux d'un noir de jais étaient noués en longues tresses qui leur tombaient sur les épaules. La femme, toute petite, la peau bistrée, les yeux bridés, les pommettes saillantes, de toute évidence une pure Sauvagesse, portait une longue jupe également faite de drap bleu, une chemise rouge couverte de broderies, un chapeau rond en forme de cloche, de hautes bottes de cuir sans talons. Le père et les deux garçons avaient chacun un long rifle à la main ; comme la mère, ils avaient accroché des médailles à leur gilet, et plein de breloques et d'amulettes à leur cou ; ils portaient au poignet d'étroits rubans faits de crin de cheval ou de bison, et à la ceinture une corne à poudre, un sac de chevrotine et de balles, une blague à tabac, un couteau de chasse.

Les deux jeunes parlaient un drôle de français. Et, entre eux et avec leur mère, une langue qui était proche de celle des Montagnais et des Cris, et dont François pouvait saisir quelques bribes. Ils se tenaient au milieu des hommes, comme des objets de grande et excitante curiosité, répondant de bonne grâce aux questions qu'on leur posait. Contrairement aux colons, les cageux, c'était bien connu, adoraient les voyageurs et les étrangers, tous gens qui venaient d'ailleurs et qu'ils considéraient, de ce fait, comme des frères. Et plus cet ailleurs était lointain, plus ils reconnaissaient en ceux qui l'avaient fréquenté des proches, des amis. « C'est des Métis », chuchotaient les gars entre eux, tout bas, comme lorsque marchant en forêt on aperçoit des bêtes rares qu'on ne veut pas effaroucher.

La famille Blondeau était montée à bord de la cage à Bytown, à l'invitation du maître cageux, qui visiblement tenait le père, originaire comme lui de Pointe-Claire, en très grande amitié. Parmi les bûcherons et les raftmen que François avait connus dans les chantiers de l'Outaouais, certains étaient allés déjà tout en haut de la rivière des Outaouais et, par la Mattawa, le lac Népissingue et la rivière des Français, jusqu'aux Grands Lacs, et plus loin encore, passé la hauteur des terres, jusque dans ce pays qu'habitait Blondeau. Ils parlaient avec une grande admiration et beaucoup de sympathie de ce peuple issu d'hommes blancs et de Sauvagesses, les Métis, qui vivaient dans la grande prairie herbeuse, où ils chassaient le bison à cheval. Ils les appelaient Bois-Brûlé, Sang-Mêlé, Chicots, Métis. Et eux se disaient hommes libres.

C'était la première fois que François, comme la majorité des jeunes qui se trouvaient ce jour-là sur la cage, voyait en chair et en os des spécimens de ce peuple qu'on disait fort accueillant. Beaucoup de voyageurs qui, comme Blondeau, ne revenaient pas vivre dans la vallée du Saint-Laurent, après s'être promenés à travers tout le continent, choisissaient de s'établir dans cette région, parce qu'ils s'y sentaient bienvenus et tout à fait libres. « Le pays est doux et facile à vivre », disait Blondeau. Et plus ils l'entendaient, plus les cageux se disaient entre eux : « Ça ressemble pas à ici. » Leur pays à eux était dur, inquiet, torturé. Ils le savaient tous, même s'ils sortaient du fin fond des bois. Et, comme s'ils avaient voulu valoriser ou idéaliser davantage le pays dont parlait Blondeau, ils décrivaient le leur comme un lieu de désordre, de violence et d'injustice. Ils en parlaient comme s'ils ne l'aimaient pas beaucoup ou comme s'il ne méritait pas d'être aimé.

Resté à l'écart, François écoutait et regardait distraitement. Il pensait à Marie, qu'il allait bientôt retrouver à Carillon, Marie qu'il devrait quitter tôt ou tard ; alors il lui faudrait affronter cette peine contre laquelle il était sans défense, sa peine qui s'ajouterait aux pénibles désordres de ce pays dont parlaient les cageux. Et il eut soudainement une furieuse et pressante envie d'être ailleurs, dans ce pays doux et facile à vivre qu'évoquaient encore et encore Blondeau et ses fils, la grande plaine où galopaient sous le ciel immense des hordes de bisons et de chevaux sauvages.

« Ça ressemble à quoi, un bison ? » demanda un cageux.

Blondeau et ses fils décrivirent aux hommes réunis autour d'eux ces énormes bêtes qui promenaient par milliers leur masse sombre, leur force aveugle, irrésistible, d'un bout à l'autre de l'océan d'herbe. Ils racontèrent comment ils les chassaient, au printemps et à l'automne, montés sur leurs chevaux, leur fusil à la main, une poire à poudre au cou, et dans la bouche une douzaine de balles. Après avoir repéré le troupeau, les chasseurs y entraient comme on entre sur une mer démontée et se frayaient un chemin parmi les grands mâles. Chacun abattait une première bête d'une balle derrière le garrot ou entre les côtes, une vache de préférence, dont la viande était plus tendre. Toujours au grand galop, il versait une charge de poudre dans le canon de son fusil à âme lisse, y crachait une balle bien enduite de salive, attendait deux ou trois secondes, le temps qu'elle ait glissé jusqu'au fond du canon, puis il épaulait et tirait de nouveau. La charge ne durait que quelques minutes. Mais pendant ce court laps de temps, un bon chasseur pouvait abattre quatre, cinq ou même six bisons. Puis il fallait s'arrêter, les chevaux étant épuisés. Les bisons disparaissaient à l'horizon; et la poussière et le silence retombaient sur la prairie. Les chasseurs revenaient au pas, achevant les bêtes blessées. Les femmes et les enfants, qui avaient assisté de loin à la charge, s'approchaient. On commençait à écorcher et à dépecer les animaux abattus. On prélevait les meilleurs morceaux de viande. Les femmes grattaient l'intérieur des peaux et les mettaient à sécher sur des châssis extensibles. Puis elles les rasaient, les assouplissaient avec de la moelle et de la cervelle pour en faire de belles grandes robes de bison.

Depuis que les bateaux à vapeur remontaient le Missouri jusqu'au fort Pierre, ces robes de bison étaient plus que jamais en demande. Au cours des années précédentes, leur valeur, à Saint-Louis et sur les marchés de l'Est, avait pratiquement décuplé. Or on les payait toujours au même prix aux producteurs, aux chasseurs métis, qui risquaient leur vie pour abattre les bisons, et à leurs femmes, qui se désâmaient à apprêter ces peaux. C'était dans le but de réparer cette injustice que Blondeau descendait au Bas-Canada.

Il avait, bien sûr, l'intention de revoir ses vieux parents et, pendant quelques semaines, les paysages et les visages de son enfance. Mais le but premier de son voyage était de rencontrer le gouverneur de la Compagnie de la Baie d'Hudson, Sir George Simpson, afin de refaire avec lui, en tant que représentant des Métis, de nouvelles ententes au sujet de ces robes de bison.

Il y eut des ricanements à peine contenus parmi les cageux. L'un d'eux crut devoir informer l'ambassadeur métis que le gouverneur Simpson était l'un des hommes les plus importants et les plus riches de tout l'Empire britannique et qu'il ne recevait sûrement pas n'importe qui n'importe quand. Loin de se départir de sa belle assurance, Blondeau répondit que les Métis considéraient Simpson comme l'un des leurs. Il avait vécu chez eux pendant plusieurs années, même après avoir épousé une Blanche. À Pimbina, au Dakota, au fort Gibraltar, sur la rivière Assiniboine, sur la rivière Rouge et sur la Saskatchewan. Il avait commercé, voyagé, chassé, pêché avec eux. Il avait même épousé, dans sa jeunesse, une Sang-Mêlé, à la façon du pays, et il avait eu des enfants avec elle. Et quand il s'en était lassé, il en avait épousé une autre, puis une autre. Il avait eu au moins trois filles et autant sinon plus de garçons, qui vivaient aujourd'hui au sein du peuple métis. L'un des deux jeunes Blondeau qui se trouvaient à bord de la cage disait d'ailleurs, non sans fierté, qu'il était peut-être le fils non pas de celui qu'on disait son père mais de George Simpson, ce qui faisait pouffer tout le monde, y compris ses parents, à qui son frère, ou son demi-frère, répétait dans leur langue ce qu'il venait de dire.

Plus tard, les hommes ayant été requis à la manœuvre par le maître cageux, François se retrouva seul en compagnie des jeunes Métis. N'ayant plus à répondre aux pressantes questions de tous, ils affichaient un silence narquois, portant autour d'eux des regards curieux et amusés. Ils suivirent François vers l'arrière de la cage, près des gouvernails, où se trouvaient une dizaine de canots empilés les uns sur les autres et auxquels ils semblaient porter le plus vif intérêt. Ces embarcations, faites pour naviguer sur des rivières turbulentes, souvent semées de rochers, étaient plus petites que les leurs, mais beaucoup plus solides, et surtout infiniment plus plaisantes à manœuvrer. La Rouge, l'Assiniboine, la Qu'appelle, la Basse-Saskatchewan, que fréquentaient les Métis, étaient, sauf au printemps, des rivières aux eaux tranquilles et aux fonds sablonneux qui traversaient paresseusement la plate plaine. On pouvait y naviguer dans de larges et longs canots, à bord desquels prenait place une famille de sept ou huit personnes, parfois plus, avec armes, vivres, chiens et bagages. Gabriel et Benoît – c'étaient les noms des fils Blondeau – avaient vu déjà ces énormes rabaskas qu'utilisaient les voyageurs qui convoyaient les fourrures à Montréal depuis Fort William ou Michillimakinak, ou même de Chaguamigon. Mais rien ne les fascinait plus que ces petits canots de rivière qu'un homme seul pouvait manier et qui leur apparaissaient comme de merveilleux joujoux.

François choisit dans le tas trois canots qu'ils mirent à l'eau, et ils se lancèrent avec de hauts cris dans le courant de la rivière, qu'ils remontèrent jusqu'aux rapides du Long-Sault. Ils portagèrent leurs canots en amont du premier saut, qu'ils descendirent l'un derrière l'autre, se faufilant parmi les rochers. Trois fois, pour le plaisir, ils refirent sans problème le même manège. La quatrième fois cependant, Benoît, le plus jeune des frères Blondeau, perdit le contrôle de son canot, qui heurta violemment le fond rocheux et fut complètement déchiqueté. Le jeune Métis riait encore quand François le retrouva au pied des rapides, debout dans l'eau jusqu'à la ceinture. Ils récupérèrent son aviron et une partie de l'écorce du canot démantibulé. François prit Benoît à son bord et ils retournèrent à la cage, qui glissait toujours lentement sur les calmes eaux de la rivière des Outaouais, passé Saint-André.

Forsure, lui, ne riait pas du tout. La cage dont il avait la responsabilité devait encore franchir d'importants rapides sur la rivière des Prairies ; ses hommes auraient alors besoin de ce canot. Il menaça François, qu'il tenait pour seul responsable de cette perte, de lui prendre le sien. Un sourire amusé aux lèvres, François se tourna vers ses deux compagnons qui, l'air piteux, tenaient dans leurs bras des retailles d'écorce et quelques membrures, les restes inutilisables du canot qu'avait détruit Benoît. Il fut pris, en les voyant, d'un irrépressible fou rire qui se communiqua aux Métis, puis aux gars qui se trouvaient aux gouvernails, aux voiles et aux rames, à tout le monde à bord. Forsure, lui, qui portait son nom mieux que jamais, ne riait toujours pas ; il vociférait, il hurlait. Il eut peur sans doute de s'attaquer à François, plus grand, plus fort, plus rapide, surtout plus calme que lui. Il allait enfoncer son canot d'un coup de pied quand Gabriel, le frère de Benoît, qui se trouvait tout près de lui, le retint. Forsure fut si estomaqué qu'il ne répliqua pas et finit par se calmer.

Pour réparer son erreur, mais aussi parce qu'il avait grand plaisir à se trouver sur cette cage, François offrit au maître cageux ses services jusqu'au dernier saut avant le fleuve, le Crochet. Il avait un bon canot, il aiderait à la manœuvre. Sa proposition fut d'emblée acceptée. Il trouverait bien à Saint-André quelqu'un de fiable qui pourrait informer Julien de son absence. Et il se reposerait de Marie. Il se trouvait cruel. Mais de toute manière, qu'il soit auprès d'elle ou loin d'elle, il ne pouvait faire autrement que la blesser et la peiner.

Pour le moment cependant, il y avait peu à faire sur la cage portée par le faible courant vers l'embouchure de la rivière des Outaouais. Honteux de son inutile colère, Forsure laissa ses hommes, certains déjà passablement éméchés, prendre un coup. La nuit venue, la cage bien ancrée à l'abri du vent, on fit la fête, comme seuls les cageux savaient la faire.

℘

François dormit sous une bâche, sur le radeau de poupe où campaient également les Métis. À l'aube, quand il s'éveilla, la cage s'avançait lentement vers la longue flèche de sable à l'embouchure de la rivière du Nord. Plusieurs des gars avaient la gueule de bois; ils buvaient leur thé tout en mâchant silencieusement leur tranche de lard enveloppée de gros pain. On entendit tout à coup des cris et des sifflements, des rires. François se retourna et aperçut sur la pointe de la presqu'île sablonneuse, droit devant, une femme montée sur un grand cheval noir. Prince! Marie!

Il n'avait vraiment pas envie de la voir. Il ne voulait surtout pas revivre cette scène de larmes qu'elle lui avait faite l'avant-veille au soir quand elle avait dit, avant de s'endormir: « Ne pars pas. Je t'aime trop. Je ne veux pas vivre sans toi. Je ne peux pas vivre sans toi. » Il s'était retenu de lui dire qu'elle l'avait bien fait pendant vingt-huit ans. Et qu'elle pouvait sans doute faire encore un bout de chemin sans lui. Mais il était désarmé, devant elle. Il avait quelquefois vu des femmes en pleurs, parce qu'elles avaient perdu un enfant, un mari, un parent. Jamais parce qu'elles voulaient qu'un homme les aime davantage ou ne les quitte pas. Comme si elle devinait ses pensées, Marie avait ajouté : « Je peux vivre sans toi, bien sûr. Mais sans toi, je ne peux pas être heureuse. »

Il aurait préféré ne pas savoir que le bonheur de cette femme, ou de n'importe quelle femme, ou de qui que ce soit dans le monde, homme, femme ou enfant, dépendait de lui. Quelques semaines plus tôt, Marie avait dit à Julien et à ses amis, et devant la petite Judith, qu'il était comme son frère, rien de plus. Il croyait alors qu'elle se lasserait vite de lui. Le contraire s'était produit.

Il ne lui avait quand même pas dit l'avant-veille au soir qu'il avait pris la décision de ne plus partir avec les cageux. Il ne voulait pas qu'elle croie qu'il restait à cause d'elle. Il restait parce que ce qui se passait dans ce pays l'excitait désormais au plus haut point et qu'il aimait la grande fraternité des Fils de la Liberté. Il restait pour faire avec eux la rébellion, pour renverser le gouvernement, pour changer les choses. Et un peu aussi – mais cela, il n'aurait pu le dire, il n'osait même pas se l'avouer tout à fait – pour le rire, les regards et la bouche humide, expressive et rose de la petite Judith.

La cage glissait avec une lenteur presque irréelle vers la flèche de sable de la rivière du Nord. Elle n'en était plus qu'à une centaine de brasses quand François vit avec stupéfaction Marie pousser son cheval dans le lit de la rivière. Et Prince, de l'eau jusqu'au poitrail, puis à la nage, s'approcher de la cage. Et Marie qui l'appelait, le suppliait, lui disait devant tous les cageux, qui jetaient sur elles des regards lubriques, qu'elle voulait partir avec lui. Les gars riaient. « Fais quelque chose, François. Ta petite dame est en chaleur. On peut t'aider, si tu veux. » Marie monta sur la cage, noua les rênes sur l'encolure de Prince, elle lui parla doucement à l'oreille, ses mains fourrageant sous la crinière, sa tête collée contre la sienne. Et Prince retourna docilement vers le rivage.

François entraîna Marie vers l'arrière de la cage, dans la cabane où avait dormi le couple Blondeau. Marie pleurait, s'accrochait à lui. Il la déshabilla, mit sa jupe, ses bottes et sa culotte à sécher près du poêle encore chaud. Il se tourna vers elle, la souleva pour lui poser les fesses sur la petite table et la prit debout, brutalement ; il la fit gémir, rire et pleurer, sachant qu'au dehors les cageux devaient être à l'agonie. La plupart d'entre eux n'avaient sans doute pas touché une femme depuis des semaines ou même des mois, sauf quelques-uns peut-être qui avaient eu le bonheur de croiser là-haut des Sauvagesses ou qui s'étaient arrêtés à Bytown, où il y avait toujours des « guidounes ».

« À qui tu penses ? demanda Marie. Tu penses encore à elle, n'est-ce pas ? Dis-moi que tu penses à elle. »

Il eut le temps d'être profondément agacé, mais pas celui de trouver une réponse. On entendit des grincements, des jurons, des rires. Il y eut un long heurt qui secoua la cage, puis tout s'immobilisa. François remonta son pantalon et sortit. Le premier radeau s'était échoué sur la flèche de sable. Forsure frappait à tour de bras les gars hilares et soûls, qui se jetaient à l'eau et essayaient de replacer le radeau dans le courant. Mais tout l'arrière de la cage avait commencé à dériver et, formant une large boucle, venait s'appuyer tout doucement contre la plage de sable, où s'était enlisé le premier radeau.

Marie avait remis ses vêtements. Elle était sortie elle aussi sur la cage et cherchait François des yeux. Il alla vers elle dès qu'il l'aperçut. Il la prit dans ses bras, lui parla comme on parle à un enfant malade. Il aurait tant voulu la consoler. Il aurait tant voulu surtout qu'elle cesse de s'accrocher à lui, qu'elle cesse de penser et de dire que son bonheur ne dépendait que de lui. Alors, pour avoir la paix, il lui dit ce qu'il s'était bien promis de ne pas lui révéler, qu'il n'avait plus l'intention de partir avec les cageux. Et qu'il irait bientôt se joindre au camp patriote de Saint-Eustache, qu'il combattrait aux côtés de Julien, de Chénier, de Scott, de tous les autres. Et tout de suite, il regretta d'avoir parlé ainsi, sachant qu'il lui donnait de faux espoirs et que, tôt ou tard, il devrait la quitter pour de bon, l'abandonner.

De grands cris se firent alors entendre de l'autre bout de la cage, où tous accoururent. Un cageux, tentant sans doute de stopper le mouvement de dérive de la cage, était tombé à l'eau entre deux radeaux que les courants portaient de nouveau l'un contre l'autre. Il tenta de reprendre pied, de saisir les mains qu'on lui tendait, mais il glissa encore sur le billot, dont l'écorce se détachait. Craignant d'être broyé entre les deux radeaux qui se refermaient sur lui comme une formidable mâchoire, il plongea sous l'eau tête première. Mais l'une de ses jambes resta coincée. Une dizaine d'hommes, s'arc-boutant, tentèrent d'écarter les radeaux l'un de l'autre. Le pied du pauvre cageux s'agitait entre les billots, on entendit des clapotis sous la cage, on vit une main apparaître. Puis plus rien. Quand ils réussirent à écarter les deux radeaux, les hommes ne virent que l'eau noire où avait disparu leur compagnon. Ils couraient, impuissants, affolés, d'un bord à l'autre de la cage, dans l'espoir de l'apercevoir. Certains, dans leur désarroi, l'appelaient en criant par son nom, « Marsolais, Marsolais ! », comme s'il avait pu les entendre et leur répondre.

François et Benoît s'étaient jetés à l'eau. Tous à bord se turent et attendirent, immobiles. Après un moment, on aperçut le jeune Métis à bonne distance du canot. Il tentait de remonter le courant tout en maintenant la tête de Marsolais hors de l'eau. Mais il progressait avec peine ; Marsolais, inconscient, botté et tout habillé, était sans doute très lourd. À plusieurs reprises, les deux têtes disparurent ; chaque fois, le Métis refaisait surface pour constater que le courant l'avait davantage éloigné de la cage. Il regardait alors tout autour de lui, prenait une grande inspiration et plongeait de nouveau. Chaque fois, on craignait le pire. Et puis, pendant un long moment, on ne les vit plus. Quand François, qui avait plongé plusieurs fois lui aussi, émergea, les hommes lui indiquèrent le lieu où le Métis et Marsolais venaient de disparaître. Il nagea dans leur direction. Benoît, qui avait refait surface, avait peine à reprendre son souffle. Il cria quelque chose à François, qu'on n'entendit pas de la cage. Mais François plongea encore. On le vit bientôt apparaître à quelques brasses de Benoît, tenant la main de Marsolais, que le Métis put saisir par les cheveux. Alors, ils le tournèrent sur le dos et, chacun ayant passé un bras sous ses épaules, ils nagèrent vers la cage. Des hommes leur tendirent des gaffes. On les hissa à bord tous les trois.

Pendant qu'on travaillait à réanimer Marsolais, Benoît et François se promenaient de long en large sur la cage, reprenant leur souffle, totalement nus devant tous ces hommes, devant Marie et la femme de Blondeau, la mère de Benoît. Quand Marsolais se mit à toussoter et à cracher son eau, ils furent tous deux secoués de rires.

François savait qu'il n'oublierait jamais ce moment. Il avait contribué à sauver la vie d'un homme. Il en était très heureux. De plus, cette complicité qu'il avait eue avec le jeune Métis le ravissait. Rhabillés, réchauffés, ils restèrent ensemble plus d'une heure, pratiquement sans parler, riant encore et encore, heureux.

« Si jamais tu viens chez nous, je te donnerai un cheval, dit Benoît.

– Moi, je t'apporterai un canot. »

Et ils riaient encore. François savait bien que les chances qu'ils se revoient un jour étaient infimes. Le monde était grand. Et il l'était de plus en plus, lui semblait-il. Plus on voyait des étrangers qui venaient de loin, même des étrangers qui étaient comme des frères, plus le monde devenait grand, grand à n'en plus finir.

༄

Marsolais en fut quitte pour la peur et une jambe brisée, que le rebouteux de service immobilisa. Se sentant déchargé de ses devoirs envers Forsure, François fit ses adieux aux Métis et aux cageux, à qui il demanda de faire savoir aux gens de La Malbaie qu'il était sain et sauf et qu'il rentrerait au printemps. Malgré l'incident qui venait de se produire, la bonne humeur régnait de nouveau sur la cage. Et François pensa que la vie que menaient les jeunes hommes qui se trouvaient à bord était infiniment plus simple et plus facile que la sienne.

Il leur faudrait pourtant démanteler la cage, séparer les radeaux, les touer un à un à l'écart de la flèche de sable, les placer dans le courant de la rivière et les rassembler. Ce serait une journée de perdue, au moins. Mais c'était l'atmosphère habituelle des cages. Et en plus, quand passait l'été des Sauvages, plus rien n'avait d'importance, plus personne ne pouvait croire que le temps allait un jour se gâter, qu'il ferait froid, qu'il y aurait la guerre.

François mit son canot à l'eau, et Marie y prit place avec cette souplesse et cette aisance qui l'avaient toujours séduit chez elle. Elle le laissa pagayer ; ils n'échangèrent pas un mot. Prince attendait sur la longue terrasse de sable, sage, patient. Marie lui parla doucement. Elle restait songeuse mais ne pleurait plus. François, lui, était plus que jamais désemparé. Marie monta en selle, il s'approcha d'elle et posa sa tête contre sa cuisse, elle caressa ses cheveux, il sentit sourdre en lui une envie de pleurer. Marie retira sa main et, sans même qu'elle lui ait parlé, Prince partit au galop. François resta tout seul sur la pointe de sable.

Il faisait toujours aussi beau et chaud. Il regarda la cage s'éloigner, disparaître derrière la grosse île plate étendue à l'entrée du lac des Deux-Montagnes. Puis il poussa son canot à l'eau et le pointa vers l'amont de la rivière.

Quand il arriva à Carillon, ce soir-là, il trouva la maison vide. La pensée que Marie n'était pas rentrée dans le seul but qu'il s'inquiète d'elle le mit en colère. C'était encore une façon qu'elle avait d'exercer sur lui une sorte de contrôle, d'occuper ses pensées.

Ce n'est que cinq jours plus tard, quand Julien et Judith rentrèrent de leur voyage dans le Richelieu, que François apprit ce dont il se doutait bien un peu, que Marie se trouvait chez ses amis de Saint-Benoît. Elle lui avait écrit une longue lettre lui disant qu'elle ne reviendrait pas à Carillon, qu'elle souhaitait ne jamais le revoir, pour ne plus souffrir. Les petites boursouflures dont était maculé le papier étaient les traces, à n'en pas douter, de ses larmes. Elle ajoutait qu'elle l'aimerait toujours.

François était bouleversé et peiné, déçu aussi. Tout aurait pu être si simple, et cet amour de Marie aurait pu durer encore, si elle n'avait pas tant voulu qu'il dure toujours.

Quant à Julien, il semblait n'avoir aucune compassion pour sa sœur. Il disait même à François de ne pas s'en faire. Il disait, devant la petite Judith, que le cœur des femmes se nourrissait d'illusions, qu'elles s'attachaient à l'amour plus qu'aux hommes et qu'au fond, Marie n'était privée de rien, puisqu'elle pouvait continuer de l'aimer, comme elle le disait dans sa lettre. « Et c'est tout ce qu'elle veut et c'est tout ce qu'elle mérite, disait-il, aimer et souffrir d'aimer. » Il y avait selon lui mieux à faire en ce monde, il y avait une guerre à mener, un ennemi à abattre. Et pas de temps pour l'amour.

François lui avait parlé de cet homme, Blondeau, et de sa famille sang-mêlé, qu'il avait rencontrés sur la cage. Julien, pour une fois, l'avait écouté avec beaucoup d'attention. Il semblait fasciné par l'expérience humaine que vivaient ces hommes au cœur du continent. Il disait qu'ils avaient formé, avec des femmes sauvages, une nouvelle humanité.

« Il nous faut le courage et l'esprit de ces gens. Ils sont un exemple pour nous. Nous devons, comme eux, apprendre à vivre libres. »

François était maintenant déterminé à faire cette guerre que préparaient Julien et ses amis, car il était plus que jamais persuadé que si le gouvernement n'était pas renversé, si les privilèges des seigneurs, des grandes compagnies et des communautés religieuses n'étaient pas abolis, il n'aurait nulle part où s'établir, où se bâtir, où faire sa vie. Son destin serait celui d'un employé, d'un esclave. Il serait, comme beaucoup de ces gars qu'il avait connus dans la Gatineau, comme ces cageux qui dans quelques jours allaient flamber à Québec la petite fortune qu'ils avaient amassée pendant l'hiver, un homme engagé. Et tant qu'à vivre ainsi, Julien avait raison, mieux valait mourir. Mieux valait en tout cas risquer sa vie qu'attendre et ne rien faire.

Sur le fleuve

Odulie

La goélette de Résimond se trouva vers midi à la hauteur de l'île aux Grues, glissant doucement vers l'île aux Oies. Le vent ne valait toujours pas bien cher, mais s'il se maintenait, on serait à Port-Joly vers le milieu de l'après-midi, débarrassé enfin du petit seigneur Aubert de Gaspé. Celui-ci, toujours son livre à la main, y jetait de temps en temps un coup d'œil, mais il était de plus en plus attentif à Odulie, la femme de Résimond.

Depuis Québec, tout le monde était en chemise sur la goélette, même la trop belle et très appétissante Odulie, qui s'assoyait à califourchon sur son mari et qui l'embrassait en lui chantonnant à l'oreille des choses qui le faisaient rire. Elle était bras nus, pieds nus, et quand elle enfourchait son mari, on voyait ses jambes presque jusqu'à mi-cuisses. C'était affolant. Alexis se dit que Résimond aurait été bien embêté et gêné s'il avait dû se tenir debout devant tout le monde.

Ils n'avaient pas d'enfants, après trois ans de mariage ; quel dommage ! Odulie, si belle et si bien faite ; Résimond, un si bon gars, et si vaillant. Grand, mince et blond, comme tous les Villeneuve. Et elle, très élancée aussi, mais brune, avec de grands yeux noirs, la peau mate, toujours dorée. C'était elle, disait-on, qui ne pouvait pas avoir d'enfants. On chuchotait aussi que Résimond l'avait volée à son père, avec qui elle avait déjà vécu quand elle avait seize ou dix-sept ans, quasiment comme si elle était sa femme. Chose certaine et avérée, la belle Odulie ne pouvait s'empêcher, où qu'elle était, d'agoucer les hommes. C'était plus fort qu'elle, aurait-on dit. Peut-être qu'elle ne s'en apercevait pas. Comme une fleur ne s'aperçoit pas qu'elle embaume. Ou la lumière, qu'elle éclaire !

Le petit Louison, qui devait avoir une douzaine d'années, et qui se prenait pour la figure de proue, se retournait de temps en temps et reluquait lui aussi sa tante avec concupiscence. Blond, grand pour son âge, œil bleu, teint pâle et taches de rousseur, un vrai Villeneuve. Il était très impressionné par Philippe Aubert de Gaspé, qui lui faisait des tours de magie avec des pièces de monnaie, qui disparaissaient et qu'on retrouvait dans les cheveux de Ti-Jean endormi ou dans l'ourlet de la jupe d'Odulie.

Alexis se dit que s'ils n'avaient pas été à bord de cette goélette, lui, son garçon et les autres, Résimond aurait pu, là, en plein milieu du fleuve, devant tous les villages de la côte, prendre Odulie et lui faire l'amour. Il avait beau chasser ces pensées de son esprit, scruter l'horizon du côté des battures, où il avait cru tout à l'heure apercevoir des volées d'oies blanches, elles revenaient sans cesse. Il voyait Odulie à genoux, appuyée contre le plat-bord, sa robe relevée sur les hanches… Odulie qu'il renversait sur les ballots de tissu, la chemise ouverte… et il prenait ses seins à pleines mains…

Alexis se demandait même s'il n'irait pas se confesser au curé Pouliot pour avoir entretenu ces mauvaises pensées. Mais le curé Pouliot était un jeunot ; comment pourrait-il comprendre ce qui troublait un homme de cinquante ans ? Et ce qui était péché et ce qui ne l'était pas ? Et même lui, tout curé qu'il était, il était troublé par Odulie, Alexis en était sûr et certain. Elle devait lui parler de ses péchés à confesse. Ou de ses doutes, de ses désirs. Une fois, Alexis s'était agenouillé dans le confessionnal tout de suite après elle. Elle y avait laissé ses odeurs. Pas de ces parfums fabriqués qui montent à la tête, mais de vraies odeurs troublantes de cheveux et de peau qui prenaient au ventre. Alexis avait remarqué que le curé Pouliot, qui n'était pas fait en bois, était tout remué lui aussi. Il s'était confessé bien vite. Mais le trouble était resté en lui pendant deux ou trois jours. Et voilà que ça lui revenait, fatalement.

C'était la chaleur sans doute, et les feux de l'automne sur les rives, le vent trop doux, le fleuve trop calme. Alexis fit de beaux efforts et poussa ses pensées vers d'autres campagnes, vers ce projet de chantier forestier du Saguenay qui lui tenait tant à cœur. Puis il pensa à ce bel été de sa jeunesse, l'année de la guerre contre les États-Unis. Il était jeune marié. Henriette était née. Augustin était en route. Tom Nairn, le fils du seigneur de Murray Bay, son ami d'enfance, était rentré d'Europe, de Gibraltar, où il était allé rejoindre un régiment d'infanterie. Mais les armées napoléoniennes se trouvaient alors du côté de la Prusse et de la Russie. À Gibraltar, c'était le calme plat, *« this boring peace »*, avait écrit Tom dans ses lettres. Tom était amoureux de la guerre. Il la cherchait partout, comme si la vraie vie ne s'était trouvée que sur les champs de bataille. Il était rentré au pays au moment où avait éclaté ce conflit aux États-Unis. Et en août, malgré les pleurs de sa mère et les colères de son parrain, le vieux John Malcolm Fraser, Tom était parti se battre contre les Américains.

Alexis se souviendrait toujours du dernier jour qu'ils avaient passé ensemble sur le fleuve, à bord d'une petite goélette de même pas vingt pieds de longueur qu'ils avaient empruntée, pour ne pas dire volée, à Ange Simard. Partis avant l'aube, ils étaient allés à Kamouraska d'abord, où ils avaient failli être jetés par des courants fous contre le cap du Diable, qu'ils avaient frôlé d'un peu trop près. Puis ils s'étaient laissé porter par de grands vents chauds jusqu'à l'embouchure du Saguenay. Ils avaient mis près de cinq heures à remonter vents, courants et marées. Ils étaient rentrés fourbus, ils avaient passé la soirée à boire de la bière à l'auberge Chaperon et à parler des femmes.

Le lendemain, Tom était parti rejoindre le 49ᵉ régiment dans le Haut-Canada, au plus fort des combats. C'était en août 1813. À peine dix jours plus tard, le vieux Fraser, le parrain de Tom, était venu frapper tard le soir chez Alexis. Il était resté sur le balcon, dans l'ombre. Il avait dit à Alexis que Tom était mort d'une balle en plein front, lors de la dernière heure de la dernière bataille du dernier jour de la guerre, dans les champs de la Chrysler's Farm, juste au sud de Cornwall.

Il y avait près d'un quart de siècle de cela. Et depuis, chaque fois qu'Alexis se retrouvait sur le fleuve et qu'il y faisait soleil, il pensait à Tom Nairn, le seul ami de cœur qu'il avait eu dans sa jeunesse. À part Thomas, bien sûr, Thomas Simard, qui était resté son ami, son allié, son frère, qui adorait se battre lui aussi, mais qui, contrairement à Tom, ne courait pas après sa mort.

Modeste n'avait pas connu Tom Nairn, mais Alexis lui en avait parlé si souvent qu'elle avait fini par s'attacher à lui. Souvent, elle demandait ce qui avait bien pu le pousser à tant aimer la guerre. Qu'est-ce qu'il pouvait bien être allé chercher là-bas, dans les champs de Cornwall, à part sa mort ? « Les hommes sont fous », disait-elle.

Tom était fou en effet, il avait raté le plus beau de la vie. Il n'avait pas même eu le temps de connaître l'amour et les femmes. Il aurait eu aujourd'hui un peu plus de cinquante ans, comme Alexis, des enfants, quelques petits-enfants sans doute.

Alexis regardait sans trop de sympathie son garçon Ti-Jean, toujours endormi sur la bâche, à l'avant de la goélette. Ils ne se connaissaient pas beaucoup, finalement. Depuis cinq ans, Ti-Jean avait passé près de dix mois par année au séminaire de Nicolet. Et l'été, sous prétexte qu'il avait des lectures ou des études à faire, il était moins souvent aux champs que les autres. Presque tous les matins, il fallait le tirer du lit. Et le soir, il n'était pas couchable. Alexis avait peur qu'il soit flanc-mou. Mais il comprenait que Modeste éprouve pour lui une tendresse particulière. Ti-Jean était différent des autres. Tout le monde disait qu'il était beau garçon et intelligent. Quand il s'en donnait la peine, il pouvait charmer le monde entier. De visage, c'était un Bouliane tout craché. Les yeux très bleus, comme Modeste, d'un bleu marin, profond, le visage carré, les cheveux châtains, qu'il portait toujours très longs, comme son père.

Voilà qu'il semblait sortir des limbes. Son regard s'accrocha un moment à la tête du grand mât, où la girouette en forme de poisson nageait dans le faible vent, la tête pointée vers l'amont du fleuve. Puis il se tourna vers le jeune De Gaspé. Alexis, qui avait suivi le regard de son fils, ne crut pas ce qu'il vit. L'autre avait posé son livre et faisait de l'œil à Odulie, yeux mi-clos, la bouche en cœur. Et Odulie – il était évident qu'elle le faisait exprès – se penchait vers lui pour qu'il voie ses seins flotter sous la chemise. Lorsqu'il se rendit compte qu'il était observé, loin d'être décontenancé, le jeune seigneur fit un grand sourire et un clin d'œil complice à Ti-Jean. Et il replongea son regard dans l'échancrure de la chemise d'Odulie, sans vergogne aucune. Quant à Résimond, resté à la barre, il ne vit rien de ce manège. Ou fit semblant de n'en rien voir. Résimond était, aux dires de tout le monde, un trop bon gars.

Heureusement, on serait bientôt en vue de Port-Joly. Il était temps déjà de prendre le vent sur tribord de manière à quitter le grand chenal pour entrer dans la baie. Résimond était nerveux. Il connaissait mal ces parages, et la marée baissante avait réveillé d'imprévisibles courants qui se tortillaient furieusement autour des îles et le long des battures. Philippe se mêla d'autorité à la manœuvre, dont il semblait connaître les rudiments. Il en profita évidemment pour toucher à deux reprises la main d'Odulie. Et lorsqu'il se rendit l'aider à détendre la voile, il lui posa un furtif baiser sur l'épaule que, dans son mouvement, elle avait laissée se dénuder.

Alexis était en colère. Il avait beau se dire que ça ne le regardait pas vraiment, il trouvait la conduite de ce jeune homme tout à fait inconvenante. Manières de seigneur !

Alexis n'aimait pas cette race d'oisifs que formaient les vieux seigneurs du Régime français. Il pensait, comme William Price, que c'était en bonne partie à cause d'eux que le pays allait si mal depuis quelques années. Ceux-ci refusaient obstinément de comprendre que le monde était en train de changer, que le pouvoir n'était plus là où ils l'avaient toujours exercé, à leur seul profit. À tout prendre, il leur préférait cent fois les seigneurs anglais, comme Nairn ou Fraser, de véritables entrepreneurs, qui s'ingéniaient à mettre en valeur leurs terres et leurs forêts sans trop exploiter les gens.

Le plus enrageant, c'était qu'Alexis se voyait forcé d'admettre qu'il y avait, chez ce jeune homme détestable, une sorte de charme auquel il était difficile de résister. Il n'aurait su dire à quoi cela tenait. Mais lorsque Philippe vint le saluer très gentiment, avant de débarquer, non seulement il n'osa refuser la main tendue, mais il la saisit et la serra avec chaleur. Il s'entendit même lui souhaiter : « Bonne chance, mon garçon. » En fait, il sentait que le garçon en question avait sérieusement besoin de chance, et que derrière ses grands airs et ses propos fanfarons, Philippe Aubert de Gaspé fils cachait une âme inquiète et blessée.

Celui-ci alla parler à Ti-Jean. Il réussit en quelques mots à le sortir un moment de son engourdissement et à le faire rire aux éclats. Puis il tira un livre de son sac et le lui remit. C'était un petit livre à couverture rouge, que Ti-Jean semblait connaître. Son visage s'éclaira et il voulut embrasser Philippe, mais celui-ci le repoussa gentiment avec une moue de dégoût exagérée qui les fit pouffer de rire tous les deux. Puis Philippe salua de la main Résimond et Louison, fit un grand sourire à Odulie, se tourna de nouveau vers Alexis et lui dit : « Bonne chance à vous aussi, monsieur Tremblay. »

Dès que Philippe eut sauté sur le quai, Résimond vira de bord et pointa la goélette vers le mitan du fleuve. Il voulait arriver à La Malbaie avant que marée montante n'inverse le courant et ne complique davantage la navigation, déjà pas facile avec ce faible vent. Alexis cependant avait suivi Philippe des yeux ; il fut alors témoin d'un événement qui le plongea dans un abîme de perplexité. À peine le jeune homme avait-il mis le pied sur le quai qu'un vieillard s'était approché de lui, comme s'il l'attendait, lui avait pris sa malle des mains et l'avait entraîné vers une voiture attelée qui se trouvait en haut de la grève. Ils y étaient montés tous les deux et la voiture avait disparu rapidement dans l'étroit chemin qui fonçait de guingois sur la falaise.

Comment un homme pouvait-il être attendu là où lui-même ignorait qu'il se rendrait quelques heures plus tôt ? Il était tout à fait impossible que Philippe ait prévenu qui que ce soit de son arrivée. Que des amis soient venus le saluer au départ de Québec, Alexis pouvait toujours se l'expliquer. Mais qu'on l'ait attendu ici, voilà une chose qui le dépassait tout à fait et ajoutait au mystère qui se dégageait du jeune seigneur.

On voyait dans le nord de gros éclairs de chaleur. C'était magnifique, mais terriblement inquiétant. L'été avait été très pluvieux, mais depuis plus d'un mois il n'était pas tombé une goutte de pluie. S'il fallait que des incendies de forêt éclatent, ils seraient incontrôlables et terriblement dévastateurs.

La goélette cependant s'était replacée dans le lit du vent. Et on se trouva bientôt entre l'île aux Coudres et les Aulnaies, là où finissait l'eau douce et où commençait la mer. Résimond le sentait, rien qu'à la façon dont la goélette dansait sur le fleuve. Le petit Louison était retourné s'allonger sur le beaupré et criait qu'il voyait des marsouins. Résimond, silencieux, tenait la barre et regardait le ciel. Ti-Jean, qui semblait prendre du mieux, avait entrepris de faire sa toilette. Et Odulie, la trop belle Odulie, était venue s'appuyer contre la lisse, à deux pas d'Alexis. Ils regardaient tous deux vers l'île aux Coudres, où étaient nés Alexis et la mère d'Odulie, une Bouliane, comme Modeste.

« Vous l'avez connue, ma mère ? demanda Odulie.

– Oui, mais j'ai jamais osé l'approcher, répondit en riant Alexis. Elle était laide à faire peur, comme toi. »

Odulie, qui avait une science innée des hommes, savait que c'était là, de la part d'Alexis, une manière de compliment. Elle rit et se trémoussa contre la lisse. Alexis, incapable de supporter ce spectacle, se tourna vers l'avant. L'île semblait monter lentement vers eux, comme une barge très basse, très lourdement chargée de souvenirs d'enfance pour Alexis, de mystères pour Odulie. Celle-ci n'avait pas connu sa mère et savait bien peu de choses d'elle. À part qu'elle était morte à vingt ans. Et n'avait eu qu'une enfant. Mais Alexis ne pouvait quand même pas lui dire que sa mère rendait les hommes fous elle aussi, et qu'elle n'était peut-être pas morte de sa belle mort. Il ne pouvait pas lui dire non plus qu'il pensait qu'elle était la digne fille de sa mère. Et que s'il avait été seul avec elle sur la goélette, il n'aurait peut-être pas eu la force de résister au démon qui ne pensait qu'à le pousser dans ses bras.

Dans quelques heures, il serait couché contre Modeste, chez eux, la fenêtre serait grande ouverte sur le ruisseau des Frênes, avec les effluves et les bruits de la forêt d'automne, de la terre, et ses odeurs à elle, Modeste, sa seule femme, sa vraie femme, depuis vingt-sept ans, plus d'un quart de siècle.

Mais voilà que le vent du fleuve se mit à mollir dangereusement. Les oies qu'on avait aperçues plus tôt dans la journée s'étaient repliées sur les battures de Saint-Denis, du cap aux Oies, de la pointe aux Orignaux, où elles formaient au ras de l'eau de grandes nappes d'une blancheur irréelle. Les quelques nuages qui s'étaient formés dans l'après-midi semblaient s'être dissous dans la lumière rousse du couchant. Et puis tout s'arrêta au point mort, exactement entre flux et jusant, entre jour et nuit, entre l'eau douce et la mer. La voile faseya un court moment, puis se tut. Et Résimond dit : « Je pense qu'on est pas sortis du bois. » À la marée montante le fleuve allait en effet refluer vers l'amont. En panne absolue de vent, on ne pourrait pas entrer avant la prochaine marée à La Malbaie, qu'on aurait dû apercevoir bientôt là-bas, vers le nord, flanquée de la pointe au Pic et du cap à l'Aigle.

On entendit sonner l'angélus du soir. On aurait dit qu'il venait de partout en même temps, de la côte sud, de la côte nord, des îles, du large. Alexis ne connaissait pas bien les choses de la mer, mais il en savait assez long pour comprendre qu'il ne passerait pas la nuit dans les bras de Modeste et que, loin d'être libéré de son mal, il aurait jusqu'à l'aube la troublante Odulie sous les yeux. Tout ça à cause de ce vaurien de Philippe Aubert de Gaspé. Tout ça parce que Résimond, trop bon gars, n'avait jamais appris à dire non.

La goélette resta un long moment sur place, puis se mit de travers dans le lit du fleuve et commença à dériver, de plus en plus lentement, jusqu'à ce que tout semble parfaitement immobile, la mer, le ciel, les côtes. Ti-Jean s'était redressé, intrigué par ce point d'orgue. Ils attendaient que tout reparte dans l'autre sens, vents, courants et marées, que tout bascule tranquillement, tout doucement, du côté de la nuit. Déjà, des lumières scintillaient çà et là sur les côtes ; des ombres lourdes se glissaient furtivement sur le fleuve et venaient se masser tout autour de la goélette. Ti-Jean aurait bien aimé que Philippe voie tout cela. Philippe avait toujours des choses à dire sur tout, tant sur les merveilles que sur les horreurs du monde.

Résimond ne parlait jamais beaucoup. Mais il aimait regarder. Odulie disait qu'il connaissait toutes les étoiles et les constellations par leur nom. Il les nommait au fur et à mesure qu'elles apparaissaient, l'Étoile du berger, Cassiopée, la Grande Ourse, Persée… Il laissa couler l'ancre flottante à trente pieds pour empêcher la goélette d'aller s'échouer sur les battures ou d'être emportée vers l'amont du fleuve. Puis il sortit ses hains, les orna d'un morceau de couenne de lard, les lança à l'eau et demanda au petit Louison d'avoir l'œil sur ses lignes. Il prépara le feu pendant qu'Odulie mettait à bouillir patates et oignons. Louison sortit rapidement deux poissons, des maquereaux. Il était en train de les vider quand on entendit au loin, dans le grand air immobile, tinter un glas.

Tous étaient debout et scrutaient la pénombre. D'où venait ce glas ? De Kamouraska, sur la côte sud ? de La Malbaie ? des Éboulements ? Et pour qui sonnait-il ? Alexis s'était rapproché de Résimond, qui regardait du côté de La Malbaie en faisant un petit signe de tête et des épaules qui signifiait sans équivoque : « Ça vient de chez nous, ça. » Et Ti-Jean confirma, d'une voix blanche : « Quelqu'un est mort à La Malbaie. » Résimond repoussa doucement Odulie, comme si on ne pouvait plus s'embrasser et se cajoler, parce qu'un malheur était arrivé dans la famille. Ou tout près. Mais à qui ? Qui était mort ? Peut-être la vieille Tina Bouchard, qui prétendait avoir passé cent ans ? Ou quelqu'un avait eu un accident ? Les enfants montaient souvent aux chutes de la rivière Malbaie. Et si c'était Modeste ? Elle disait souvent qu'elle avait le cœur fatigué, elle cherchait parfois son souffle.

On mangea en silence, chacun regardant de temps en temps du côté de La Malbaie, dont on voyait, tout bas sur l'horizon, juste au bout de la nuit, les petites lumières frémissantes. Résimond avait allumé des fanaux à la proue et à la poupe de la goélette. De grandes lueurs rouges déchiraient encore le ciel. Mais l'orage passait très loin, derrière le cap Tourmente. Pendant un instant, tout le fleuve et ses côtes, où l'automne avait stocké ses rouilles, ses ocres, ses cramoisis, baignèrent dans une lumière blafarde. « Le feu va finir par prendre quelque part », songea Alexis. Mais il avait trop peur que la mort soit passée dans la journée au ruisseau des Frênes, au fond de la vallée Saint-Étienne, pour s'inquiéter du sort des forêts de la côte. Le feu pouvait bien s'y promener aller et retour si ça lui chantait, pourvu que rien ne soit arrivé à Modeste et aux enfants.

À bord de la goélette, seule Odulie n'avait rien à craindre. Son homme était avec elle. Elle n'avait pas d'enfants, et aucune parenté à La Malbaie. En fait, aucune vraie parenté nulle part. Pas de frères, pas de sœurs, plus de mère, rien qu'un père aux Éboulements, qui pouvait bien crever ; personne ne pleurerait, surtout pas elle.

જ

On entendit soudain des clapotis, puis une voix dans le noir. À l'éclair suivant, on aperçut une chaloupe qui se dirigeait vers la goélette.

« C'est mon père, dit Louison.

– C'est mon frère Basile », confirma Résimond.

Dès qu'il fut à portée de voix, on lui demanda :

« Qui c'est qui est mort ?

102

– C'est Ange », répondit-il.

Ange Simard ! Depuis trois heures qu'on savait que la mort avait frappé à La Malbaie, personne à bord n'avait pensé qu'il pouvait s'agir de lui. Personne ne croyait qu'Ange Simard pourrait mourir un jour.

« Il est mort tout d'un coup ?

– Mort de sa belle mort, oui, après souper. Il se berçait au soleil, en regardant passer le fleuve. Il a pas souffert. Sa vieille l'a appelé. Il a rien répondu. »

Alexis était soulagé et dans son cœur il remerciait le bon Dieu, même si son ami Thomas venait de perdre son père. Basile rangea sa chaloupe contre la goélette. Le fleuve était encore si calme que les embarcations restaient côte à côte sans qu'on ait besoin de les amarrer. Basile s'offrit à hâler Résimond jusqu'à La Malbaie. Résimond hésita, regarda Odulie, refusa, disant que l'orage s'éloignait et que la nuit serait calme. Il attendrait donc la marée du matin.

Alexis cependant enjamba le plat-bord, son sac à la main, et s'installa à l'arrière de la chaloupe.

« Thomas à Ange est rentré ?

– La nuit passée, oui. Quand on s'est levés ce matin, il avait déjà échoué sa goélette dans la baie. Il était là quand son père est mort, tout à l'heure.

– Amène-moi chez eux, tu veux ? » Alexis ne pensait plus à Odulie, ni même à Modeste. Il se tourna vers son garçon : « Ti-Jean, bonyeu, amène tes os. »

Le petit Louison, assis, les pieds ballants, sur la pince de la chaloupe, guida son père dans l'étroit chenal de la rivière Malbaie qui serpentait dans la batture. On aperçut au passage, grosse masse sombre parmi les rochers, la Sainte-Marie de Thomas.

Dès qu'ils mirent pied à terre, Alexis tendit son sac à Ti-Jean : « Tu diras à ta mère que je suis avec Thomas. » Et il se dirigea vers le chemin des Falaises. « Tu lui diras aussi de pas ouvrir mon sac avant que je revienne. »

Résimond avait éteint les fanaux de bord, de sorte qu'ils distinguaient mieux les villages des côtes, dont les lumières formaient de minuscules constellations qu'il connaissait aussi bien que celles du ciel. Odulie était agenouillée contre les ballots de tissu, la jupe relevée sur la croupe. Chaque fois qu'il entrait en elle, Résimond interpellait un à un ces villages : « Cap-aux-Oies, La Baleine, Saint-Irénée, Kamouraska, Les Éboulements », même ceux dont il ne voyait pas les lumières. Quand il les eut tous appelés, jusqu'à Rivière-du-Loup et Rivière-Noire, il leur hurla de toutes ses forces qu'il aimait Odulie.

Port-Joly

Philippe le Vieux

La voiture dans laquelle le jeune Philippe Aubert de Gaspé avait pris place roulait au sommet de la crête rocheuse qui dominait le rivage. Le vieux José avait laissé flotter les rênes, et le cheval trottait gentiment dans l'ombre tiède coulant des érables dorés qui bordaient la route. De temps en temps une trouée s'ouvrait sur le fleuve, par où on pouvait suivre la course de la goélette de Résimond, qui tentait de regagner le chenal du Milieu, mais qu'on vit s'encalminer dès qu'elle eut atteint le large. On distinguait encore ses voiles flasques lorsque la voiture emprunta le petit chemin herbeux qui conduisait au manoir de Gaspé.

À l'entrée du verger, le cheval se mit de lui-même au pas et s'arrêta un peu plus loin, à la hauteur d'un homme vêtu à l'ancienne d'une chemise à manches bouffantes et coiffé d'un chapeau de paille à large bord, bel homme, pas très grand, mais au port altier, à l'œil malicieux, très noir, au nez droit, à la bouche volontaire, Philippe Aubert de Gaspé père.

« Philippe ! laissa-t-il échapper lorsqu'il aperçut son fils.

– Philippe ! » s'écria celui-ci.

Le jeune Philippe Aubert de Gaspé aimait et admirait son père, le seigneur de Port-Joly, plus que toute autre personne au monde. Ils montèrent tous deux derrière José, furieusement excités, le père se tournant vers le fils et demandant, en se frottant les mains :

« Et puis ?

– Et puis voilà ! »

Philippe ouvrit son sac et exhiba fièrement trois exemplaires du petit livre à couverture rouge, le même que celui qu'il avait offert à Ti-Jean. C'était *L'Influence d'un livre ou le Chercheur de trésors*, son livre, fraîchement sorti des presses de William Cowan & Sons et mis en vente l'avant-veille dans les librairies de Québec.

« Le premier roman en français écrit et publié en Amérique », dit-il fièrement.

Son père était déjà tout absorbé par le petit livre, qu'il feuilletait, flattait du plat de la main, humait. Ils n'échangèrent plus un mot jusqu'à ce que la voiture débouche dans la grande cour à l'arrière du manoir. Et alors ce fut une explosion de cris et de rires. Dix des treize enfants Aubert de Gaspé, onze en comptant Philippe, se trouvaient réunis, depuis Suzanne, l'aînée, jusqu'à Philomène dans son berceau. Et le chien, Buff, presque aussi vieux que Philippe. Et Boulasse, la corneille qu'avait apprivoisée Elmire. Et Bill, un cochon de plus de six mois, d'au moins deux cents livres, qu'Édouard et Thomas avaient attelé à une voiturette dans laquelle ils avaient fait monter Atala. Et Foi, Espérance et Charité, les trois canards aux ailes rognées qui servaient d'appeaux pendant la chasse et qu'on servirait aux fêtes, rôtis, aux navets ou en pâté. José qui contemplait la scène, heureux du bonheur des autres. Tinette, la vieille mulâtresse qui, même si l'esclavage était aboli depuis quatre ans, était restée chez les De Gaspé, désormais sa seule famille. La grand-mère Allison, qui ne tenait plus debout. Ne manquaient qu'Adélaïde, maintenant seigneuresse de Soulanges, et Zélie, qui venait d'entrer chez les Ursulines.

Philippe fut entouré, embrassé, chatouillé. Quand il put enfin respirer, il chercha sa mère des yeux ; il ne put réprimer un mouvement d'humeur en constatant qu'elle n'était pas sortie du manoir et n'en sortirait pas tant et aussi longtemps qu'il n'irait pas la saluer. Les choses n'étaient jamais simples avec elle. Il avait beau se dire qu'il fallait bien que quelqu'un exerce une autorité dans cette maison de fous, il n'en trouvait pas moins pénible celle qu'imposait sa mère jusque dans les moindres détails, sans jamais faillir au devoir qu'elle s'était imposé, sans jamais déroger aux lois qu'elle avait elle-même dictées. Il ramassa Anaïs, qui s'accrochait à ses jambes, la mit à cheval sur ses épaules et se dirigea vers le manoir.

Le bâtiment principal, détruit lors de la guerre de la Conquête, avait été rebâti peu après sur le modèle d'une maison qu'avait construite Charles Aubert de la Chesnaye, l'arrière-arrière-grand-père d'Aubert de Gaspé père, dans la basse-ville de Québec. C'était une longue construction ornée de nombreuses fenêtres et flanquée, à chaque extrémité, d'un avant-corps massif formant saillie sur l'alignement de la façade. La toiture, fortement inclinée et recouverte de bardeaux de cèdres, était percée de quatre lucarnes. La grande cour était fermée par les dépendances, le four à pain, un grand hangar, une petite forge. La grange et l'étable se trouvaient un peu à l'écart.

Suzanne Allison s'était levée pour accueillir son fils, qui posa Anaïs par terre et effleura de ses lèvres les joues de sa mère.

« How do you do, Mother ? »

Il s'adressait toujours à elle en anglais, bien qu'elle ait une parfaite maîtrise du français. Il ne lui parlait jamais de ses projets, ni de son travail ou des lectures qui l'occupaient.

« You look tired, young man. Where have you been lately ? »

Elle était toujours ainsi lorsqu'il rentrait après une longue absence. Un reproche d'abord, ou une remarque désobligeante. Puis l'interrogatoire en règle.

S'il lui avait raconté la folle nuit passée à l'Albion, s'il lui avait dit qu'il avait bu une pinte de whisky et couché avec deux filles, elle serait tombée des nues, mais elle aurait été, d'une certaine manière, satisfaite. Parce qu'elle aurait cru savoir pourquoi il était fatigué. Mais en fait, elle n'aurait rien compris. Ça n'avait rien à voir avec la nuit blanche, le whisky et les filles. Il était fatigué parce que le tourbillon dément de la vie, de sa vie, n'arrêtait jamais ; parce qu'il fallait toujours se battre, et toujours penser, écrire, et défendre ce qu'on avait écrit et ce qu'on pensait.

Il aurait aimé pouvoir lui dire : « *I don't only look tired, Mother. It's no illusion. It's real. I'm really tired… tired of life, Mother, tired of writing and fighting.* » Et pour une fois peut-être se laisser aller dans ses bras et dormir un moment sur son épaule.

À vingt-trois ans, Philippe Aubert de Gaspé était l'une des personnalités les plus controversées de Québec et même de tout le Bas-Canada. Son père ayant été déchu de ses droits pour malversation du temps qu'il était shérif de la ville de Québec, le jeune De Gaspé était devenu *ipso facto* le seigneur usufruitier de Port-Joly. Sans être riche, il était pratiquement indépendant de fortune. Mais ses écrits, ses apostrophes, ses déclarations publiques à l'emporte-pièce, surtout les comptes rendus passionnés qu'il faisait des débats de la Chambre d'Assemblée dans les journaux anglais et français de Montréal et de Québec lui avaient déjà valu la prison, des coups et blessures, et une réputation que personne ne lui enviait, même si beaucoup de jeunes gens parmi ses amis, voire parmi ses ennemis, lui enviaient sa plume, son audace et sa franchise.

Son père était fier de lui parce qu'il défendait farouchement ses idées et savait s'opposer avec force et intelligence aux raisonnements spécieux des patriotes, ces destructeurs, ces usurpateurs, ces suppôts de Robespierre et de Satan, qui osaient revendiquer l'abolition sans compensation des droits et des privilèges seigneuriaux. Mme Aubert de Gaspé, elle, avait honte. Elle ne l'aurait jamais dit, mais son garçon le sentait. Pourtant, plus que quiconque, elle abhorrait les patriotes et tous ces libéraux qui étaient en train de renverser le système seigneurial et le bel ordre autrefois établi par la grâce de Dieu. Alors pourquoi cette honte ? Il n'aurait su le dire. Peut-être parce qu'aux yeux de sa mère les luttes qu'il menait étaient vaines, perdues d'avance.

En tout cas, jamais Philippe n'avait éprouvé aussi fortement que devant cette femme le sentiment de sa propre déchéance et la quasi-certitude d'appartenir à un monde bientôt révolu, déclassé, la certitude qu'il n'y avait plus qu'à se résigner, à tout perdre et à disparaître.

La Malbaie

Thomas

Lorsqu'il déboucha sur le chemin des Falaises, au bout du raide sentier qui montait à même le cap depuis la grève, Alexis s'arrêta un moment pour souffler un peu. La maison d'Ange Simard déversait par toutes ses fenêtres des flots de lumière jaunâtre qui donnaient à la nuit un air de fête. Malgré l'heure tardive, des enfants couraient tout autour en riant et en criant. On entendait le doux murmure des prières qu'on récitait à l'intérieur. Au bout du balcon, d'où le regard portait jusqu'aux lumières des villages, de l'autre côté du fleuve, Alexis aperçut une chaise berçante sur laquelle personne n'avait osé s'asseoir, « la chaise où Ange est mort », songea-t-il.

Quelqu'un cria, à l'intention de ceux qui se trouvaient à l'intérieur, qu'Alexis Tremblay était revenu. Et Thomas, son ami, parut à la porte. Un gros rougeaud au regard bleu, tout chauve, à qui Alexis offrit ses condoléances. Puis il serra la main de ses frères, eux aussi gros rougeauds au regard bleu, tout chauves, et il entra se recueillir un moment devant le mort, qu'il trouva fort convenable. Ange souriait dans son cercueil. Des femmes et quelques vieux, qui avaient craint ses foudres toute leur vie, priaient pour le repos de son âme. Alexis se tourna vers Thomas :

« Comment va ta mère ?

— Elle s'y attendait pas.

— Il avait quand même passé quatre-vingts, ton père ?

— Il avait eu quatre-vingt-deux, il y a trois semaines. Il était né l'année du Grand Dérangement, le jour de la fête des Anges gardiens, le 2 octobre, comme mon François. C'est pour ça qu'ils l'avaient appelé Ange. »

Amis depuis l'enfance, ces deux hommes avaient en apparence bien peu en commun. Alexis, austère dans sa mise et dans sa mine, était grand, mince et sec, il avait le visage carré, le cheveu abondant, le sourire plutôt rare. Thomas était tout en rondeurs et en muscles, râblé, lourd, un gars de bois, un homme d'action qui adorait rire, manger lourd, boire et fêter. Son père, qui lui en avait longtemps voulu parce qu'il avait travaillé pour la Compagnie de la Baie d'Hudson, lui avait pardonné après que Thomas eut commencé à chasser, à braconner et à trapper pour son compte, et à commercer avec les Sauvages du Royaume sans toujours passer par les agents de la Compagnie.

Thomas était ce soir-là peiné de la mort de son père et, comme toujours, inquiet pour son garçon François, dont on était sans nouvelles aucune depuis plusieurs semaines. Tout le pays était en train de virer à l'envers. On disait que des bandes armées s'organisaient un peu partout dans la région de Montréal, dans les villages de la vallée de l'Outaouais, du Richelieu, que les patriotes voulaient renverser le gouvernement, que la police arrêtait et incarcérait les jeunes hommes errants, de peur qu'ils ne se joignent aux forces rebelles. Et Thomas se doutait bien que son François était de nature à se mêler à ces rébellions. Il avait demandé à son ami Alexis de s'informer à Québec auprès du curé Hébert, dont le père, Jean-Baptiste, le député de Nicolet, que tout le monde appelait le Bonhomme, était proche des patriotes et avait des yeux et des oreilles partout. Mais Alexis n'avait pas tiré grand-chose du jeune curé, à part qu'un cageux était venu lui dire un mois plus tôt qu'il avait pris un coup avec François Simard au pied des rapides du Long-Sault et que celui-ci faisait dire qu'il serait à La Malbaie début octobre.

« On est rendu fin octobre.

– Je sais ça, mon Thomas. Mais on y peut rien. En ce moment, personne sait où est ton garçon. »

Les deux amis s'étaient retirés au bout du balcon, près du vieux saule, dont les feuilles jaunies jonchaient le sol. Thomas avait apporté à boire. La chienne Fidèle, qui le suivait partout, sur terre et en mer, s'était couchée à leurs pieds.

Depuis qu'il s'était retrouvé veuf, une vingtaine d'années plus tôt, Thomas Simard montait pratiquement chaque hiver dans le bois, où il travaillait de novembre à mars pour son compte ou parfois, malgré les admonestations de son père, pour celui de la Compagnie de la Baie d'Hudson. Ses étés, il les passait sur la *Sainte-Marie*, une goélette à quille de soixante-dix-sept pieds qu'il avait achetée de son oncle Sévère, lequel, brusquement retombé en enfance trois ans plus tôt, n'était plus en état de naviguer. Thomas livrait aux ébénistes de Québec les billots de bois dur, frêne, érable, chêne, hêtre, cerisier et merisier que les habitants de la côte sortaient de leurs chantiers. Six mois dans le bois, six mois en mer, ce n'était pas une vie pour se trouver une femme. Il se consolait avec des Sauvagesses, Montagnaises de Tadoussac, Papinachoises de la Côte du Nord. Des amours vite faites, qu'il confessait au curé, sans oser lui avouer qu'il n'avait pas vraiment le ferme propos de ne plus recommencer. Et qu'il racontait dans le menu détail à ses amis.

Alexis l'écoutait, vaguement envieux parfois, toujours avec un regard un peu réprobateur, pour la forme. Mais cette nuit-là, ce fut lui qui raconta à Thomas qu'il aurait certainement mangé la belle Odulie tout rond et toute crue si, pour son plus grand malheur, le diable lui avait fait la joie de les laisser tous les deux seuls sur la goélette.

Puis Thomas, attendri par le whisky, lui parla encore de son garçon perdu et de son père, qui venait de s'endormir de son dernier sommeil. Deux jours plus tôt, ils étaient allés ensemble tirer des oies sur les battures de la pointe au Pic. Des heures durant, ils avaient erré côte à côte au pied des caps sans échanger un seul mot. Au retour, comme ils traversaient le grand champ des Villeneuve, Fidèle avait levé un lièvre. Thomas avait épaulé. D'un geste d'une étonnante vivacité, Ange avait saisi le canon et le coup était allé se perdre dans le ciel. Le lièvre, immobilisé par la détonation, était resté figé à quelques pas d'eux, les oreilles dressées. « Tire-le pas, avait ordonné Ange. Je pensais à mon François quand je l'ai aperçu. »

« Le lièvre que t'as vu avec ton père était cent fois plus en danger que ton garçon, lui dit Alexis. Et il est encore en vie. Je serais toi, je m'inquiéterais pas. »

Un brusque coup de vent fit claquer la fenêtre derrière eux et souleva des tourbillons de feuilles mortes. Fidèle, tirée de sa rêverie, se mit à japper.

« Doux, doux », murmura Thomas, qui tendit sa main. Et Fidèle vint se coucher à ses pieds.

Le jour allait bientôt se lever. On entendait encore des prières venant du salon, où Ange était exposé. Alexis et Thomas s'installèrent dans la cuisine, où Constance leur prépara à manger : des œufs, du lard, de la compote de citrouille, de pommes, des confitures, du thé. Tous les deux hirsutes et gris, traits tirés, pas rasés.

Il y eut d'autres gros coups de vent. On vit le jour se lever, puis de lourdes brumes monter du fleuve. La température chuta brusquement. Quand Alexis se leva pour rentrer chez lui, l'été des Sauvages était bel et bien fini ; Thomas dut lui prêter la veste à franges en peau de caribou que lui avait donnée sa maîtresse papinachoise.

❦

Port-Joly

Charles Amand

Philippe Aubert de Gaspé père ne put s'empêcher d'éclater de rire quand, ce soir-là, à table, son garçon lui raconta que les gens de La Malbaie avec qui il avait voyagé étaient sur le point de se lancer en affaires avec William Price.

« Ils vont se faire manger tout rond, disait-il. William Price est un loup. Tu sais comment s'appelle le domaine qu'il s'est fait construire sur la Grande Allée ?

– Wolfesfield, je sais, oui. C'est pas pour rien qu'on l'a surnommé le Loup. »

Aubert de Gaspé père avait toujours éprouvé une sorte de mépris pour les gens qui avaient le sens des affaires et travaillaient à édifier une fortune. Il disait souvent que les Canadiens, comme on désignait les habitants francophones du Bas-Canada, n'entendaient rien au commerce. Et que c'était bien ainsi. Ils pouvaient s'occuper l'esprit à autre chose. Pour un peu, il aurait laissé entendre qu'il s'était volontairement ruiné et qu'il s'était acculé avec plaisir à la faillite pour ne pas être associé à ces loups, à ces barbares incultes qui ne pensaient qu'à l'argent et qui, depuis une vingtaine d'années, avaient pris l'habitude de tout mener.

Il aimait rappeler à ses enfants qu'ils étaient par le sang associés aux plus nobles familles qui avaient fait ce pays. Chacun avait fini par connaître par cœur la prestigieuse généalogie des Aubert de Gaspé, tant du côté des hommes que de celui des femmes ; on n'y trouvait que des nobles, de génération en génération, Tarieu de Lanaudière, Coulon de Villiers, Legardeur de Tilly, Juchereau de la Ferté, Le Moyne de Longueuil, Saveuse de Beaujeu… On remontait ainsi jusqu'à Aubert de la Chesnaye, premier ancêtre en terre d'Amérique. Et plus haut encore, jusqu'au légitime roi de France, et de lui jusqu'à Dieu. Philippe Aubert de Gaspé voyait là, et rien que là, de la grandeur, de la vraie et légitime noblesse. Mais il devait bien reconnaître que de nouveaux seigneurs régnaient maintenant sur le pays, de gros commerçants anglais ou écossais sans beaucoup de culture, mais possédant un remarquable sens des affaires et capables de bâtir en moins d'une génération des fortunes colossales. William Price était de ceux-là.

Philippe Aubert de Gaspé père l'avait connu du temps qu'il était shérif de la ville de Québec, peu après la guerre de 1812, contre les États-Unis. À l'époque, Price n'était encore que l'agent à Québec de la Idle de Londres, bien payé, certes, quoique sans aucun pouvoir. Mais il travaillait fort. Toujours célibataire, bien qu'il ait près de trente ans, il parcourait inlassablement le pays, qu'il connaissait mieux que la majorité des Canadiens, se créant dans tous les milieux des contacts qui allaient plus tard lui être infiniment précieux. Il s'était fait tout seul, un self-made man, comme le disait Aubert de Gaspé père, qui ajoutait qu'il n'y avait rien de plus menaçant sur terre, rien de plus ambitieux et de plus dangereusement efficace qu'un self-made man. Quelques années plus tard, en 1822, quand le shérif Aubert de Gaspé avait été destitué de ses fonctions pour malversation et détournements de fonds et que, pour échapper à la justice, il avait dû se réfugier dans ses terres avec sa famille, William Price était devenu un homme d'affaires fort bien établi. Il avait quitté la Idle pour s'associer à de puissants marchands londoniens et montréalais. Il était devenu un bâtisseur, sans doute plus puissant que tous les seigneurs de l'Ancien Régime réunis. Et plus riche qu'eux, certainement. Il faisait partie des quelques happy few qui allaient refaçonner le pays, écartant fermement, irrémédiablement, les tenants du vieil ordre établi.

« Qu'est-ce qu'on dit de moi dans cette bonne ville de Québec ? » demanda le seigneur de Port-Joly à son fils.

Celui-ci hésita.

« On dit que vous serez arrêté et écroué…

– Quand ?

– Peut-être avant les fêtes. C'est ce qu'on dit.

– Qui, "on" ?

– Plein de gens. Mon ami Napoléon Aubin, par exemple, que vous connaissez. Il est toujours journaliste et généralement bien informé. »

Depuis quinze ans, le vieux seigneur vivait dans l'attente, dans la peur et la hâte de cet inévitable moment. Chaque fois qu'une voile inconnue paraissait sur le fleuve, du côté de l'île aux Oies, le vieux José, resté fidèle à la famille malgré les nombreux malheurs qui s'étaient abattus sur elle, allait aux nouvelles. S'il se trouvait au quai cet après-midi-là, ce n'était pas pour accueillir le fils aîné dont personne n'attendait la venue, mais pour voir si ce n'étaient pas les hommes d'Ainslie Young, le chef de police de Québec, qui se trouvaient à bord de cette petite goélette qu'on avait aperçue, dansant doucement sur le fleuve.

Pendant ces quinze années de réclusion forcée à Port-Joly, Philippe Aubert de Gaspé père s'était chargé de l'éducation de ses enfants. Il avait été un précepteur attentif, exigeant, très stimulant. D'octobre à mai, l'aile est du vieux manoir, bien protégée des gros vents d'hiver, était transformée en école. Pendant la belle saison, chacun choisissait dans la nature environnante un lieu d'étude, qui sur les hauteurs, au creux d'un rocher où s'accrochaient d'odorants genévriers, qui sous les saules de la grande cour, qui dans l'herbe grasse, le long du ruisseau de l'Ogre, ou sur la grève, dans le verger ou la tasserie à foin. Et le père, qui connaissait le repaire de chacun, allait de l'un à l'autre, donnant dictées et leçons, faisant répéter, tançant, enseignant, corrigeant.

La vénérable maison était remplie de livres en français, en anglais, en latin. Aubert de Gaspé père se passionnait pour la jeune poésie française et anglaise, pour Hugo, Nodier, Shelley, Byron, mais aussi pour les classiques, pour Shakespeare et

Goethe, ou Walter Scott, dont il avait lu et fait lire les œuvres à ses enfants, dont le héros favori entre tous était le preux Ivanhoé. Chaque soir, après le souper, lorsque tous étaient réunis dans le grand salon, chacun devait réciter et commenter les poèmes qu'il avait étudiés pendant la journée. Tous se donnaient avec beaucoup de cœur à ces exercices. Même Édouard, qui ne pouvait dire son nom ou bonjour sans bégayer affreusement, récitait sans jamais faillir des odes de Shakespeare et des sonnets de Ronsard.

Aubert de Gaspé père s'intéressait depuis toujours aux contes du terroir. On y trouvait selon lui l'expression la plus pure de l'âme profonde d'un peuple. Il avait donc mis ces contes, littérature populaire, au programme d'études de ses enfants, au même titre que les tragédies de Sophocle ou de Racine, que les romans de Voltaire ou de Diderot. Et il avait convaincu Philippe d'en inclure quelques passages dans son roman. Il se passionnait également pour l'alchimie, les histoires de démons et la recherche ésotérique. Les enfants connaissaient, grâce à lui, les vertus cabalistiques de la poule noire et du crapaud galeux, les pouvoirs de la chandelle magique et l'utilité de la Main-de-Gloire, qui est celle d'un pendu qu'on doit couper la nuit suivant la pendaison et conserver sur soi pendant trois jours. Ils savaient par cœur les mésaventures de Rose Latulipe, qui dansa avec le diable, de Rodrigue Bras-de-Fer, qui eut le malheur de ne pas craindre Dieu. Et la chasse-galerie n'avait pas de secrets pour eux. Ils ne seraient donc pas dépaysés en lisant le petit roman qu'avait publié leur frère aîné. Mais celui-ci se demandait avec une certaine inquiétude si les plus âgés n'allaient pas faire des rapprochements auxquels lui-même n'avait pas pensé en écrivant, mais qui lui paraissaient maintenant de plus en plus évidents.

Son héros, Charles Amand, était, comme l'indiquait le sous-titre de l'ouvrage, un chercheur de trésors, un alchimiste. Mais le trésor qu'il espérait trouver n'était pas que matériel. Il voulait bien sûr mettre la main sur la pierre philosophale et transmuer en or pur les plus vils métaux. Mais il recherchait d'abord et avant tout la reconnaissance de ses semblables, qui lui viendrait, espérait-il, grâce à une formule magique, à un charme qui surgirait, imparable, du plus profond de lui, ou à une sorte de remède universel capable d'opérer une véritable transmutation de tout son être. Il obtiendrait alors, devenu enfin quelqu'un, un peu de considération.

Philippe s'était attaché à ce personnage, bien qu'il soit à ses yeux le modèle du pauvre Canadien déchu, méprisé, sans projets, sans avenir et sans génie. Charles Amand était un perdant ; aux yeux de ses contemporains, il avait tort, tous les torts. « Bien sûr, il cherche, disait Philippe, il cherche, il fouille, il travaille. Il sait bien qu'on ne trouve pas un trésor par magie ou par hasard. Et qu'il faut travailler, risquer sa peau, se battre. De ce point de vue, il est pour nous tous un bon exemple. Nous devons travailler, nous aussi, rechercher la considération et l'admiration des autres peuples. Sinon, l'histoire se passera sans nous. Sinon, nous mourrons. Notre passé est fabuleux. Notre présent est fait de honte et d'humiliation, comme celui de Charles Amand. Nous sommes réduits à l'impuissance, nous aussi. Et notre avenir, qui sait de quoi il sera fait ? Qui sait seulement si nous en aurons un ? »

Pour Philippe, qu'un esprit aussi brillant que son père, un homme de la plus haute noblesse, de la plus solide culture, soit réduit à l'impuissance et au silence, était le signe indéniable que la race à laquelle il appartenait se trouvait non seulement en grand danger, mais probablement en voie d'extinction. Il songea un moment avec effroi qu'il avait inconsciemment donné certains traits de son père au héros de son livre ; ce pauvre fou de Charles Amand, comme Philippe Aubert de Gaspé père, aveuglément attaché à un passé fabuleux, était incapable de prendre part aux changements, d'avoir une place réservée ou méritée dans un monde que d'autres, les conquérants, les usurpateurs, les prétendus patriotes comme les plus grossiers hommes d'affaires, étaient en train de façonner à leur convenance.

Elmire et Zoé s'étaient mises au piano et jouaient une valse de Weber, un air d'une telle douceur que Philippe sentit l'émotion monter en lui comme une marée de printemps, un désir de pleurer, d'aimer mieux ces êtres chers dont il était ce soir entouré. Il regarda du côté de son père. Celui-ci, comme s'il avait deviné ses pensées, s'était tourné vers lui et demandait s'il y avait déjà eu quelques réactions à son livre.

« Quelques-unes assez bonnes. Et une très mauvaise », répondit Philippe.

Il tira de sa poche une coupure du *Populaire* qu'il tendit à son père. Celui-ci chaussa ses lunettes et lut en silence, reprenant parfois quelques lignes du texte à mi-voix, scandant sa lecture de jurons et d'injures qui faisait pouffer Philippe.

« C'est un Français de la vieille école, Le Blanc de Marconnay, venu faire le jars chez nous, expliquait Philippe. Il me reproche de faire trop moderne et me conseille de fréquenter La Harpe et Boileau plutôt que Shakespeare et Hugo.

– Tu as l'intention de lui répondre ?

– Je n'ai pas l'habitude de me laisser marcher sur les pieds. »

Deux ans auparavant, lorsque le docteur Edmund Bailey O'Callaghan, député d'Yamaska, membre du Parti des patriotes et proche ami du grand Papineau, avait écrit dans les pages du *Vindicator* que le jeune Aubert de Gaspé, alors correspondant parlementaire du *Canadien* de Montréal et du *Quebec Mercury*, rapportait malhonnêtement les débats de la Chambre de l'Assemblée législative, celui-ci s'était rendu au Parlement, en compagnie de son confrère Napoléon Aubin, de *L'Ami du peuple*, avait fait demander O'Callaghan et, devant le refus de ce dernier de descendre dans la rue, où il prétendait lui casser la gueule, l'avait traité de lâche et publiquement abreuvé d'insultes.

Deux jours plus tard, Philippe Aubert de Gaspé fils avait été arrêté et mis en prison pour injure à un magistrat. Il y était resté un mois, rongeant son frein, préparant avec rage sa vengeance, suivant dans les journaux la polémique qu'il avait déclenchée. Un jour de très grand froid, l'hiver suivant, avec l'aide du fidèle Aubin, il avait jeté une bouteille d'assa-fœtida sur le poêle surchauffé du vestibule du Parlement. L'odeur était si épouvantable que les députés de la Chambre avaient dû quitter les lieux et que les débats avaient été suspendus pendant deux jours. Un mandat d'amener avait été émis contre De Gaspé et Aubin par l'orateur, Louis-Joseph Papineau. Les deux lascars s'étaient alors réfugiés à Port-Joly, où Philippe était resté près d'un an, travaillant, chassant, flânant, étudiant avec son père, écrivant avec lui ce roman, *L'Influence d'un livre*, qui venait enfin de paraître.

Il s'était souvent dit par la suite que cette retraite forcée avait été fructueuse. Mais ce soir-là, il ne savait plus. Était-ce la fatigue ? ou la peine que lui faisait cette méchante critique ? Depuis cet esclandre devant la Chambre d'Assemblée, plus aucun journal, ni à Montréal ni à Québec, n'avait osé l'engager. D'une certaine manière, il était piégé lui aussi, impuissant, écarté de tout pouvoir et de toute tribune, comme son père, comme Charles Amand, son propre héros, comme toute la jeunesse de son pays, qui ne savait quoi faire, qui être, qui devenir.

La Malbaie

Modeste

Donat, l'un des jeunes frères de Thomas, bon garçon, un peu simple, dont on disait qu'il avait manqué d'air à la naissance, ramena Alexis en voiture jusque chez lui, de l'autre côté de la rivière Malbaie, tout en haut de la vallée Saint-Étienne, où se trouvaient les plus belles terres de la région. Alexis n'avait pas dix ans quand son père s'était établi ici. Tout était encore densément boisé, à cette époque. Et rien n'avait de nom. Depuis, on avait tout défriché et tout nommé, affleurements rocheux, ruisseaux, versants, coulées et baissières. Et un bon chemin montait jusqu'au ruisseau des Frênes, jusqu'à la vieille terre que les Tremblay de l'île aux Coudres étaient venus cultiver dans la seigneurie de Mount Murray.

Les bessons finissaient le train du matin pendant qu'Augustin et Joseph commençaient à labourer le grand champ. Alexis constata avec joie que les travaux avaient beaucoup avancé pendant son absence. Depuis que ses deux plus vieux avaient compris qu'ils se partageraient bientôt le bien paternel, ils en prenaient un soin jaloux. Alexis trouva la maîtresse de maison dans la cuisine remplie d'odeurs chaudes d'épices et de fruits. Depuis que les plus jeunes allaient à l'école, Alexis se retrouvait parfois seul à la maison avec sa femme, ce qui l'excitait toujours beaucoup. Il leur était arrivé plusieurs fois, au cours de cette dernière année, de faire l'amour en plein milieu de la matinée ou de l'après-midi. Comme aux premiers temps de leur mariage.

Mais ce matin, ils n'étaient pas vraiment seuls. Ti-Jean devait encore dormir là-haut. Modeste le lui rappela en lui faisant signe de baisser le ton, ce qui faillit le mettre en colère. S'il s'était écouté, il serait monté réveiller Ti-Jean et l'aurait envoyé rejoindre ses frères à l'étable ou aux champs. Mais Modeste s'informait de Thomas et de sa mère, de Constance, de ses frères. Puis de M. Price. Encore une fois, comme toujours, elle imposait à Alexis sa ferme douceur, sa rayonnante bonne humeur. Encore une fois, songea-t-il, impuissant, elle protégeait Ti-Jean, qui s'était soûlé comme un cochon et qui s'arrangerait sûrement pour passer la journée à ne rien faire. Mais après cinq minutes, il avait oublié sa colère et se laissait doucement engourdir par la fatigue pendant que Modeste lui parlait de ce qu'avaient fait les enfants pendant son absence.

Il lui remit le petit cadeau acheté à Québec. En le voyant, elle ne put réprimer un cri, elle rougit, pouffa de rire, faillit pleurer de joie. C'était un bibelot de porcelaine glacée représentant une mère chatte avec ses trois petits. Mais ce n'était pas une chatte ordinaire. Elle ressemblait de façon frappante à Boule, la chatte de la maison, que Modeste aimait d'amour. Mêmes poils longs et ondulés, blanche, avec de grandes bariolures roussâtres et jaunâtres sur le dos. En la voyant, Ti-Jean et Alexis avaient tous les deux pensé à Modeste, à cause de cet air à la fois inquiet et déterminé qu'elle avait, un air de mère chatte qui ne s'en fait pas, mais qui surveille tout et qui semble toujours avoir compris ou deviné des choses qui échappent aux autres. C'était toujours cela, après vingt-sept ans de mariage, qui impressionnait le plus Alexis chez cette femme. Elle avait un don, non seulement pour trouver des sources cachées sous la terre, mais aussi et surtout pour connaître les pensées secrètes de tout le monde. C'était elle, à cause de cette connaissance profonde et innée qu'elle avait des êtres, qui, mine de rien, décidait presque toujours de tout, qui dirigeait et organisait la vie de la famille.

Quand il s'approcha d'elle et l'enlaça, elle lui demanda, un sourire moqueur aux lèvres, si la belle Odulie lui avait donné beaucoup de fil à retordre. Il comprit, en retrouvant sur le visage de sa femme l'air malicieux de la mère chatte, qu'il était inutile de protester. Elle le connaissait comme si elle l'avait tricoté. Elle savait hors de tout doute que la belle Odulie lui faisait de l'effet. Elle savait aussi que son homme devait dormir. Elle ouvrit le lit, tira les rideaux, chassa Boule de la chambre ; elle ferma la porte quand il la rappela.

« Viens te coucher avec moi.

– T'es bon à rien quand t'as bu. Dors. Je viendrai peut-être te réveiller, si tu rêves pas trop à tu sais qui. »

La Malbaie

Laurence

Dès qu'elle avait su que Ti-Jean Tremblay était rentré à La Malbaie, Laurence à Caille s'était mise à chercher divers prétextes pour le rencontrer. Elle avait découvert, en son absence, qu'elle était amoureuse de lui. Ça s'était fait doucement, presque imperceptiblement et, croyait-elle, irrémédiablement. Chaque fois qu'elle ouvrait le piano chez les Fraser, qu'elle touchait l'harmonium à l'église ou qu'elle sortait son violon ou se mettait à lire, elle pensait à lui. Fatalement ! Il lui avait donné ses premières leçons de musique, prêté les premiers livres qu'elle avait vraiment lus, aimés et relus. Grâce aux sœurs Ursulines, chez qui elle avait étudié à Québec, elle pouvait maintenant lire la musique infiniment mieux que lui, et même jouer des choses très modernes et très difficiles, comme certains des *Caprices* de Paganini, qu'il aurait sans doute été incapable de déchiffrer et d'exécuter. Mais Ti-Jean était resté pour elle une sorte de guide ou de maître à penser, même si la musique qu'il pratiquait et affectionnait ne s'écrivait pas. Il lui avait enseigné à mettre son âme dans son jeu, des larmes et des rires, ses joies, ses peines.

Ainsi, au cours de cet été, elle avait pris l'habitude de penser à lui chaque fois qu'elle allait marcher seule au bord de l'eau ou qu'elle prenait le tortueux sentier qui montait au sommet du cap à l'Aigle. Tout le rappelait sans cesse à son cœur : le chant des oiseaux, les interminables pluies, les verges d'or qui en août se mettaient à courir à travers champs, la lune de septembre, le son orchestral des chutes de la rivière. Son journal était rempli de lui. Le soir dans son lit, elle l'imaginait penché sur elle, couché contre elle, leurs cheveux emmêlés, leurs souffles confondus.

Laurence avait eu seize ans quelques semaines plus tôt, à la mi-août. Elle avait de beaux cheveux châtains bouclés, des yeux noisette, un corps souple et fort. Un peu garçon manqué, selon certains, elle montait à cheval comme un homme, passait des heures dans les bois ou sur les grèves, seule ou avec les chiens de son père, François Guay, que tout le monde à La Malbaie appelait Caille, parce qu'il avait été dans sa petite jeunesse rond et replet, gras comme une caille. Il était aujourd'hui, à quarante-trois ans, mince et bien bâti ; mais ce nom de Caille lui était resté. Caille était un rêveur, très attentif aux beautés de la nature. Il avait hérité d'une petite terre d'à peine cinquante arpents, dont le tiers au moins était resté et, s'il n'en tenait qu'à lui, resterait inculte. Heureusement pour lui, sa femme, qui n'avait jamais été forte, ne lui avait donné qu'une enfant. Il n'avait jamais eu besoin de travailler très fort pour vivre bien. Du vivant de sa femme, il avait tenu maison, faisant parfois la lessive et même du repassage et du raccommodage, et presque toujours les repas.

Quand sa mère était morte, au printemps, Laurence, croyant son père désemparé, avait interrompu ses études chez les Ursulines de Québec et était rentrée à la maison dans le but de s'occuper de lui, bien qu'elle ait été elle-même dévastée. Elle avait rapidement découvert qu'il n'était point malheureux du tout. Malgré son potager et ses plates-bandes de fleurs, son cheval Froufrou, ses quatre vaches et ses trois chiens, sa demi-douzaine de cochons et ses deux douzaines de poules, son carré de patates, ses treize pommiers et ses cinq ou six arpents de foin, Caille avait quand même beaucoup de temps libre. Il le passait à ne rien faire, ce qu'on appelait à La Malbaie ne rien faire, c'est-à-dire qu'il flânait en forêt ou en mer, donnait de temps en temps un coup de main aux voisins, montait au printemps pêcher le saumon aux premières chutes de la rivière Malbaie, descendait en automne tirer quelques outardes sur les estrans de Mount Murray. Et parfois il ne faisait vraiment rien, il regardait se coucher le soleil ou passer les nuages en se tournant les pouces. L'été, il fréquentait les villégiateurs de Québec et de Montréal qui venaient, de plus en plus nombreux, passer quelques semaines à La Malbaie. Il prenait même des bains de mer avec eux. À part François à Ange, qu'on n'avait pas revu dans les parages depuis un bon bout de temps, Caille était pratiquement le seul habitant de La Malbaie capable d'apprécier ce genre d'activité.

Laurence avait rapidement compris que son père n'avait pas besoin d'elle. Mais elle était bien avec lui, libre de son temps elle aussi. Septembre était venu ; elle avait décidé de ne pas rentrer au couvent. Le retour attendu de Ti-Jean Tremblay n'était sans doute pas étranger à cette décision.

Le lendemain de la mort d'Ange Simard, elle se rendit à l'église pour préparer avec le curé Pouliot le répertoire des chants du service funèbre. Le curé avait déjà sorti les partitions du *Dies iræ, dies illa* et du *De Profundis*, et il faisait répéter ses trois enfants de chœur. Parmi eux se trouvait le petit Louison Villeneuve, qui racontait à ses amis son voyage à Québec ; c'est ainsi que Laurence apprit que Ti-Jean Tremblay n'était pas beau à voir quand on l'avait porté à bord de la goélette de Résimond. Mais à la seule pensée qu'elle allait tôt ou tard le rencontrer, son esprit se troublait, elle avait peur et hâte, son violon sonnait faux, elle changeait sans cesse de tempo ou de registre, oubliait les paroles, elle avait chaud, sa voix tremblait. Elle réussit malgré tout à suggérer au curé de demander à Ti-Jean de se joindre à eux. Il pourrait les accompagner au violon. Et en plus, il avait une bonne voix de baryton, qui se marierait bien à la sienne et à celle des enfants de chœur. Quand le curé lui proposa d'aller elle-même faire la demande à Ti-Jean au ruisseau des Frênes, elle manqua défaillir, mais elle eut la force de ne pas refuser.

Après dîner, elle sella Froufrou et prit le chemin de la vallée Saint-Étienne, son cœur battant la chamade. Elle ne vit rien des beautés de l'automne. Elle n'entendit pas le chant des oiseaux, ni celui de la rivière. Elle imaginait Ti-Jean venant à sa rencontre, l'aidant à descendre de cheval, lui souriant, lui prenant la main.

Toujours aussi grand et mince et beau, ses yeux plus bleus que jamais plongeant dans les siens.

Mais au ruisseau des Frênes, elle mit pied à terre sans qu'un chevalier servant ne lui tende la main. Personne dans la cour. Elle frappa; pas de réponse. Elle poussa doucement la porte de la cuisine et entra. Des dizaines de pots de marinade sans couvercles étaient rangés sur la table et le comptoir. Une grosse chatte blanche tachetée de brun et de roux vint se frotter contre ses jambes. La maison, plongée dans une douce pénombre, était toute tiède et pleine d'odeurs d'épices et de vin, de fruits cuits. Laurence entendit des chuchotements, puis les craquements du plancher. Modeste entra dans la cuisine, en jaquette, les yeux tout petits, un sourire un peu contraint sur le visage. Laurence cacha mal son étonnement et lui exposa en bafouillant le but de sa visite. Elle fut presque soulagée d'apprendre que Ti-Jean dormait encore. Modeste lui dit que d'après elle il serait content de faire de la musique à l'église. Il n'avait pas son violon, qu'il avait oublié à Québec, mais elle lui prêterait le sien.

Elles restaient plantées là l'une devant l'autre, se souriant, haussant les épaules. Puis, comme si elle venait de comprendre ce qui se passait ou de se souvenir subitement de quelque chose qu'elle aurait oublié, Laurence sursauta, s'excusa, salua et sortit.

⤳

Quand Ti-Jean émergea de son sommeil, sa mère lui avait préparé sa fameuse soupe de l'ivrogne avec du pain et beaucoup d'oignon bien cuit dans un bouillon de poulet très léger. Mais Ti-Jean était déjà remis, frais et dispos. Pas très fier de lui, cependant. Et il s'en voulait terriblement d'avoir oublié, peut-être perdu son violon à Québec. La veille au soir, malgré son terrible mal de tête et bien qu'il ait le ventre vide depuis une journée entière, il avait écrit à Napoléon Aubin, à Québec, pour lui demander de passer à l'auberge de l'Albion voir si l'instrument s'y trouvait toujours. Et il était retourné au village en pleine nuit pour remettre sa lettre à Ti-Gros Sauvageau, qui assurait deux fois par semaine le service de poste entre La Malbaie et Baie-Saint-Paul.

Ils étaient contents tous les deux, Modeste et lui, qu'Alexis ne soit pas à la maison. Celui-ci avait raconté à sa femme que leur garçon avait été retrouvé soûl mort sur un tas de terre et de fumier. Il était indigné, fâché ; elle était peinée. Selon elle, les hommes se soûlaient quand ils n'étaient pas heureux. Et la pensée que Ti-Jean était malheureux lui était intolérable. Elle serait donc douce, compréhensive avec lui ; elle ferait tout pour qu'il soit bien. Elle avait toujours aimé se retrouver seule avec lui. Ti-Jean la faisait rêver. Il lui parlait de sa vie à Québec, de l'animation des places et des rues, des villes où il espérait se rendre un jour.

Modeste n'était jamais allée plus haut que l'île aux Coudres, ni plus bas que Rimouski. Mais elle disait toujours, en riant plus ou moins, que si elle avait été un homme, elle aurait navigué. Pas seulement sur le fleuve, mais très loin, au-delà des mers, dans les pays chauds, comme ses lointains cousins de Montmagny l'avaient fait. Nul mieux qu'elle ne pouvait comprendre le désir qu'avait son garçon de partir. Depuis qu'il était tout petit, ils faisaient ensemble par jeu des projets de voyages au bout du monde. Que de fois Modeste avait déroulé sur la grande table de la salle à manger la carte cirée des continents et des mers, qu'ils regardaient ensemble, imaginant des itinéraires et d'autres vies à chaque bout du monde !

Que sa mère ait pu vivre heureuse avec en elle ce rêve de voyage inassouvi avait toujours été pour Ti-Jean un réel mystère. Il ne se sentait pas capable d'en faire autant. Il ne voulait surtout pas vivre ici, lui. Pas avant d'être allé à l'un ou l'autre des bouts du monde. Avec ou sans l'accord de son père. Il savait que sa mère, quoi qu'il fasse, l'aimerait toujours.

Il n'était pas vraiment content cependant à l'idée d'aller faire de la musique à l'église avec le violon de Modeste. Il pouvait bien sûr jouer avec n'importe quel instrument et en tirer quelque plaisir ; mais aucun autre n'avait cette sonorité chaude et cuivrée, autant d'âme, de charme et de génie que celui qu'il avait oublié à Québec. Sa mère avait insisté, prétextant qu'elle avait promis à la petite Laurence à Caille que Ti-Jean jouerait et chanterait avec elle aux funérailles d'Ange Simard.

Le lendemain matin, quand Ti-Jean quitta la maison avec le vieux violon de Modeste sous le bras, celle-ci le trouva si frais et si beau qu'elle ne put s'empêcher de penser que la Laurence à Caille, en le voyant, serait chavirée.

Ti-Jean laissa filer son regard jusqu'au fond des yeux de Laurence, tout au fond de son cœur, tout au fond d'elle, plus ou moins conscient du trouble intense et doux qu'il éveillait chez la jeune fille, qui rosissait de bonheur. Peu à peu, ils retrouvèrent cette complicité enjouée qu'ils avaient toujours eue, une manière d'être ensemble qui n'appartenait qu'à eux. Ils parlaient peu. Presque jamais d'eux-mêmes et, pour ainsi dire, jamais l'un à l'autre. Ils se disaient des évidences, qu'il faisait beau, que le vent était doux, que la marée montait, que les mélèzes avaient commencé à jaunir.

Laurence se demandait si Ti-Jean s'était aperçu qu'elle avait changé. Elle se demandait aussi combien de filles à Québec avait tourné autour de lui, combien s'étaient laissé embrasser, peut-être même déshabiller et toucher par lui. Certaines avaient peut-être dormi dans ses bras.

Ils marchèrent ensemble jusqu'à l'église, où ils retrouvèrent le curé Pouliot, les enfants de chœur, dont le petit Louison, qui une fois de plus raconta avec un malin plaisir que Ti-Jean avait été malade de boisson et qu'on avait dû le porter à bord de la goélette de son oncle Résimond et qu'il était tout sale, et qu'il puait le fumier et le vomi.

À l'issue de l'exercice, le curé avait retenu Ti-Jean et l'avait convaincu, pour ne pas dire forcé, d'entrer dans la Société de Tempérance. Ti-Jean aimait bien le curé Pouliot, qui n'avait pas trente ans, qui faisait un peu de musique lui aussi, mais qui faussait épouvantablement quand il chantait ; lui-même le savait et en riait. Ti-Jean le tutoyait parfois et l'appelait Curé, ce qui choquait beaucoup de gens. Il se mit à lui raconter, comme à un ami, la terrible nuit passée à l'auberge de l'Albion et l'été de fou qu'il avait vécu à Québec. Il faillit pouffer de rire quand il entendit le curé murmurer « *ego te absolvo* » et lui imposer pour pénitence de chanter aux funérailles d'Ange Simard, et de ne pas mettre les pieds à l'auberge ce jour-là et les dix suivants, ni même au magasin attenant, où le père Chaperon servait également de la boisson. Ti-Jean promit. C'était une bien légère pénitence. D'une part, il aimait chanter, même à des funérailles ; d'autre part, il pouvait avec grand plaisir se passer d'aller à l'auberge et au magasin général, entendre les ragots et les élucubrations des villageois. Être exclu de la vie de ce village n'était pas pour Ti-Jean Tremblay une punition. C'était son rêve le plus cher.

La Malbaie

Gaspard

Il faisait un temps de chien, le jour de l'enterrement d'Ange Simard. Des bourrasques de pluie, portées par le vent du fleuve, s'étaient jetées sur le cortège funèbre à la sortie de l'église. Au cimetière, on ne voyait ni ciel ni terre, ni fleuve ni montagne. Le cercueil d'Ange flottait sur l'eau boueuse qui remplissait la fosse. Il fallut la lester de galets et de terre ; il coula finalement, laissant échapper de grosses bulles, l'âme d'Ange. Puis les hommes se rendirent à l'auberge Chaperon, à deux pas de l'église, où plusieurs s'enivrèrent copieusement.

Michel, l'un des fils d'Ange, le plus turbulent, s'en prit au jeune seigneur de Mount Murray, John Malcolm Fraser, que tout le monde aimait bien. Michel prétendait qu'il n'était pas de la famille et qu'un maudit Anglais n'avait pas d'affaire aux funérailles de son père, qui en plus n'aimait pas les seigneurs, et que c'était une injure à sa mémoire que d'en endurer un le jour de son enterrement. Gaspard, le labrador noir de Michel, une bête magnifique et forte qui aurait donné sa vie pour lui et qui l'accompagnait partout, parfois même à l'église, s'était levé en grondant, menaçant de mordre celui qu'invectivait son maître. John Malcolm resta calme et parla avec respect du disparu.

Michel tourna alors sa hargne du côté de Peter McLeod, qui venait d'entrer. Malgré le temps maussade, et bien qu'il soit protestant et plutôt hostile aux papistes, il était venu assister aux funérailles d'Ange Simard et offrir ses condoléances à sa veuve et à ses fils. Personne n'était dupe : Peter McLeod ne faisait jamais de cadeaux à personne. En venant faire le beau à La Malbaie, il avait certainement une idée derrière la tête. Il n'ignorait pas qu'Alexis Tremblay s'était rendu voir William Price à Québec, et il chercherait rapidement à savoir quelle sorte d'entente ils avaient faite ensemble.

McLeod commanda à boire pour Alexis et Thomas. Il enleva ses vêtements de cuir et ses bottes, qu'il mit à sécher près du poêle. Il sortit de sa poche un peigne d'os et se lissa soigneusement les cheveux, qu'il avait épais et très longs. Peter McLeod était de ces hommes dont on ne peut ignorer la présence. En mettant le pied dans l'auberge, il était devenu le centre d'attraction, foyer des regards, ce qui avait déplu à Michel Simard, qui lui avait demandé s'il était venu là pour se regarder dans le miroir.

Thomas enjoignit à son jeune frère de se calmer, lui rappelant que McLeod ne lui avait rien fait et qu'on pourrait bien avoir besoin de lui, car il était le représentant de la Compagnie de la Baie d'Hudson sur la côte et dans tout le Royaume. Ce fut ce qui fit exploser Michel, qui se mit à déblatérer contre les compagnies de traite, disant qu'il n'avait jamais eu l'intention de respecter de quelque façon que ce soit les privilèges accordés à ces voleurs et qu'il irait chasser et pêcher dans tout le Royaume tant qu'il voudrait, comme l'avait fait son père, Ange, toute sa vie, et que ce n'était pas un à moitié sauvage, protestant en plus, qui viendrait lui dire quoi faire. En entendant vociférer son maître, Gaspard s'était levé et s'était mis à gronder, puis à japper en direction de McLeod, qui regardait dans son verre, un très léger sourire aux lèvres. Voyant que rien ni personne ne pourrait raisonner Michel Simard, McLeod se leva, s'habilla, salua de la main Thomas et Alexis. Mais avant qu'il ait franchi la porte, Michel fit un bruit de bouche, Gaspard bondit sur McLeod et lui mordit la main, ce qui arracha un cri au Métis et un méchant éclat de rire à Michel, lequel de la voix encourageait son labrador. Thomas intervint, retenant Gaspard à bras-le-corps. McLeod sortit, la main en sang, la rage au cœur, promettant à Michel Simard qu'il aurait affaire à lui un de ces jours.

Il y eut par la suite, dit-on, un silence dont profita le fils aîné d'Ange Simard, Alphonse, dit Sa Sainteté, pour faire un premier appel à la tolérance et à la paix qui fut plutôt mal reçu par le benjamin. À partir de là, les choses s'embrouillèrent, mais on raconta plus tard qu'une bagarre avait failli éclater entre les frères Simard eux-mêmes, après que Thomas, excédé, eut demandé à son jeune frère Michel si ça lui ferait plaisir de se faire casser la gueule.

Louis-Marie Dufour, le garçon d'auberge, un freluquet à l'air toujours effaré dont on disait qu'il avait peur de son ombre, vivait alors un affreux dilemme. Il était le seul être sobre des lieux. Son patron, le bon M. Chaperon, s'était assis aux tables avec ses concitoyens et avait commandé à boire comme tous les autres. Puis il s'était endormi dans l'un des fauteuils du petit salon. Si ce pauvre Louis-Marie refusait de servir à boire à ceux qui avaient encore soif, il risquait fort de recevoir des coups ; s'il continuait à répondre à la demande, tout pouvait dégénérer en bagarre et en saccage général. En désespoir de cause, il courut chez le curé Pouliot.

Quand celui-ci se présenta à l'auberge à la tombée du jour, il trouva une vingtaine d'hommes passablement soûls qui devisaient bien gentiment. Il fut décontenancé. Quelques femmes du village étaient déjà venues le prier d'intervenir. À les entendre, leurs maris étaient en train de s'entre-tuer. Il s'était donc préparé à faire une sainte colère et s'était muni d'une croix de tempérance qui déclencha, lorsqu'il la brandit dans la salle, un fou rire général. Lui-même, malgré la gravité du péché qu'il voyait se commettre sous ses yeux, fut incapable de garder son sérieux. Ses ouailles étaient soûles. Non seulement des hommes encore jeunes et connus pour leurs frasques, comme Caille ou Ti-Luc Harvey, ou des buveurs invétérés comme Ti-Gros Sauvageau, mais aussi des membres de la Société de Tempérance qui n'avaient pas pris une goutte depuis des années, voire à peu près jamais de leur vie, comme Résimond Villeneuve, Alphonse Simard ou Eucher Dufour, qui prétendait ne pas porter la boisson ! Louis Martel, le bedeau, qui avait un pied bot, exécutait une furieuse gigue au beau milieu de la place. Quand il aperçut le curé, lui, si timide et si respectueux, d'habitude affligé également d'un léger bégaiement, lui signifia qu'on n'avait pas besoin de lui pour le moment. Voyant qu'il n'y avait effectivement rien à faire, l'homme d'Église se retira.

Il fit une deuxième tentative une heure et demie plus tard, après avoir lu son bréviaire et s'être longuement recueilli. Les hommes lui semblèrent alors moins soûls qu'ils ne l'étaient dans l'après-midi. Certains s'étaient même mis à l'eau ou au thé. Louis Martel, penaud, se leva en claudiquant et bafouilla des excuses au curé. Quant à Alexis Tremblay et à Thomas Simard, ils étaient debout et parlaient avec le plus grand sérieux de leur projet de chantiers au Saguenay, cherchant l'assentiment d'hommes d'expérience, comme Eucher Dufour, Caille, Onésime Dallaire et même John Malcolm Fraser.

Certains n'y croyaient pas. Certains n'en voulaient pas. Pourquoi payer mille cinquante livres à la Compagnie de la Baie d'Hudson pour une licence de coupe ? En plus, il faudrait construire des moulins et tout ce qui allait avec : écluses, estacades, chemins de charroi, quais de chargement, magasins et campes ! Et engager une centaine d'hommes, trouver des chevaux ou des bœufs de trait habitués aux chantiers. Personne, pas même ceux qui ne savaient ni lire ni compter, n'ignorait que tout l'argent de tous les gens de La Malbaie ne suffirait pas à financer ces constructions et ces opérations. Alexis expliqua que William Price était prêt non seulement à acheter la production, mais également à avancer des fonds, ce qui en fit sursauter plusieurs.

On ne comprenait pas qu'Alexis retourne ainsi se jeter dans la gueule du loup. Quelques années plus tôt, Price avait en effet acquis, dans de semblables circonstances, le moulin de la rivière Malbaie, qui avait appartenu à Alexis et à son frère Léonidas, décédé depuis. Price leur avait avancé des fonds qu'ils avaient été incapables de rembourser. Ils avaient tout perdu ; Price avait tout gardé.

« Cette fois-ci, c'est différent, plaidait Alexis. On ne sera pas que deux. On sera une société, on sera tous partenaires. On peut, tous ensemble, former une société, monter notre propre entreprise, dans laquelle chacun de nous aura des actions et des intérêts. Si on travaille fort, et si le bon Dieu, qui a pas de raison de nous en vouloir, nous aide le moindrement, on pourra rembourser nos dettes en moins de deux ans. »

Ce fut Thomas qui arracha l'adhésion des sceptiques. Même s'il parlait avec difficulté, car l'alcool lui avait épaissi la langue, il avait gardé les idées claires. Selon lui, l'important n'était pas d'ouvrir des chantiers, ni même d'honorer cette licence qu'on allait racheter à la Compagnie de la Baie d'Hudson, ni de se désâmer pendant des années à sortir de la forêt soixante mille billots qui ne serviraient qu'à enrichir un rapace comme William Price. Tout ça n'était qu'un prétexte. Depuis le temps qu'on rêvait d'aller faire de la terre au Saguenay, on en avait enfin l'occasion. Et il fallait savoir en profiter. « On va être payés pour se faire de la terre à nous. Qu'est-ce que vous voulez de plus ? C'est ce qu'on attend depuis toujours. »

Une dizaine d'années plus tôt, à la fin des années 1820, le bruit avait en effet couru sur toute la côte que le gouvernement se proposait d'ouvrir le Royaume du Saguenay à la colonisation. L'Assemblée législative du Bas-Canada avait nommé des commissaires chargés d'étudier la question. Ils étaient venus à La Malbaie, ils avaient interrogé tous ceux qui connaissaient le territoire pour y être allés chasser, trapper ou pêcher. Le rapport qu'ils avaient publié l'année suivante démontrait clairement que le Saguenay était une terre de rêve pour la colonisation, que ses sols étaient bons et son climat favorable. Les gens de La Malbaie croyaient, étant à proximité et ayant été consultés, avoir les premiers droits. Ils avaient fait circuler une pétition pour appuyer le rapport des commissaires. Tout le monde, deux cent cinquante-quatre cultivateurs, tous propriétaires et censitaires des seigneuries de Murray Bay et de Mount Murray, avaient signé ou fait une croix à côté de leur nom. Ils rappelaient aux administrateurs que les terres qu'ils habitaient étaient presque toutes incultes. Le peu de bon qui s'y trouvait avait déjà été défriché. Et ces terres faites, subdivisées à chaque génération d'après le principe des lois françaises en vigueur dans cette province, s'étaient rapidement appauvries. Ne restaient plus que des champs de roches, des mornes, des buttes et d'abrupts versants de montagnes. Ils ne pouvaient, sans de nouvelles terres, élever décemment leurs nombreuses familles, qui se multipliaient avec rapidité. Ils demandaient donc qu'on leur accorde la préférence dans l'attribution des terres du Saguenay. François Tremblay, le frère d'Alexis, était allé à Québec présenter cette pétition à Sir James Kempt, administrateur du Bas-Canada.

« Dix ans ! rappelait Thomas, avec rage. Et ils ont même pas eu le cœur de nous répondre. »

Il ne l'avait pas digéré. Il avait perdu tout respect pour le gouvernement et la politique. Même quand le député Drolet faisait des représentations à Québec pour qu'on reconsidère cette question du Saguenay, Thomas disait que c'était pour se gagner des votes. Contrairement à Alexis, il n'avait pas voté pour lui. Ni pour personne d'ailleurs. Thomas ne votait plus. Il était fâché. Et il croyait que le temps était venu pour les gens de La Malbaie, que le gouvernement le veuille ou non, de s'emparer du Royaume, de gré ou de force.

Mais ce ne serait pas si simple. Selon l'entente proposée par la Compagnie de la Baie d'Hudson, il serait formellement interdit de faire de la culture et de l'élevage dans le Royaume, et encore plus d'y fonder un foyer. En principe, aucune femme ne pouvait entrer au Saguenay, aucun enfant non plus. Personne n'avait le droit d'y amener des animaux domestiques, sauf les chevaux et les bœufs de trait, ni outils de jardinage, ni instruments aratoires. En fait, il était formellement interdit d'y faire du défrichement agricole, de bâtir de vraies maisons, de récolter le foin sauvage ou même de mettre une vache et son veau dedans.

« Si on les écoutait, on aurait quasiment pas le droit de parler aux Sauvages, disait Thomas, et probablement pas le droit non plus de toucher aux Sauvagesses. Mais on le fera pareil. On va voler le Royaume à la reine Victoria, à McLeod, à Price. »

Ce discours inquiétait Alexis. Il était d'accord sur le fond ; il respectait et enviait la liberté avec laquelle parlait son ami Thomas. Mais il y avait des lois, des droits, des limites qu'il faudrait coûte que coûte respecter. Et il y avait autre chose aussi : Alexis Tremblay était personnellement coincé par ses obligations et ses engagements envers William Price, un homme que tous ici appelaient le Loup et considéraient non sans raison comme un prédateur dangereux, auquel il valait mieux ne pas se frotter. Alexis sentait bien que plusieurs se demandaient de quel bord il était. Depuis dix ans, même après que celui-ci se fut emparé de son moulin de la rivière Malbaie, il avait été le fidèle homme de confiance de William Price. Personne ne lui demandait de mordre la main qui le nourrissait, mais beaucoup se méfiaient de lui. Il restait cependant persuadé que les intérêts des gens de La Malbaie et ceux de Price étaient pour une fois intimement liés. Pour le moment. Et il se demandait, non sans inquiétude, s'il était possible d'être des deux bords à la fois.

Sainte-Scholastique

William Henry Scott

François Simard commençait sérieusement à se lasser des assemblées parfois interminables que tenaient presque tous les dimanches les patriotes et les Fils de la Liberté et auxquelles il devait se rendre en compagnie de Julien. À Saint-Hermas, à Lachute, à Sainte-Scholastique, au Grand-Brûlé, il entendait partout les mêmes palabres, les mêmes harangues qui lui donnaient par moments envie de crier : « On a compris, on est pas sourds ! » Il avait en effet tout compris quand Marie lui avait parlé, trois mois plus tôt, quand ils avaient eu leurs premières conversations, et qu'elle savait encore parler d'autre chose que d'amour. C'était clair et net, évident : il s'agissait de faire de la place sur terre pour des gars qui n'en avaient pas. C'était simple et c'était pour cela, d'abord et avant tout, qu'on allait se battre. Mais tout avançait trop lentement à son goût.

Certains jours, cependant, on sentait qu'une réelle ferveur s'emparait des troupes. Ainsi, un dimanche, les Fils de la Liberté se réunirent dans l'immense hangar d'une riche ferme du rang Saint-Joachim, à Sainte-Scholastique. Quand Julien et François arrivèrent, l'endroit était bondé de jeunes hommes, des paysans pour la plupart, déjà surexcités. Debout dans la mouvante cohue, François écouta des discours enflammés, qu'il avait l'impression d'avoir maintes fois entendus, même celui du docteur Chénier. Puis le député Scott parut sur l'estrade et s'adressa à la foule.

Il avait bu, visiblement, il chancelait même un peu, sa voix était pâteuse, mais son discours gardait une parfaite cohérence.

Il commença par dire qu'il était tout à fait d'accord avec ce que les autres orateurs venaient de dire : il fallait renverser ce gouvernement inique. Puis il ajouta que, contrairement à tous ceux qui l'avaient précédé sur l'estrade, il était totalement opposé à la lutte armée.

Un murmure parcourut l'assemblée, mais personne n'éleva la voix. Personne ne réagit aux propos de William Henry Scott ni ne manifesta ouvertement un quelconque désaccord. Pourtant, ils avaient tous vivement applaudi Julien, Chénier et les autres orateurs qui un peu plus tôt les avaient invités à prendre les armes, le moment venu. Ils écoutaient maintenant sans vraiment réagir le député Scott, qui, après leur avoir rappelé qu'ils avaient toutes les raisons du monde d'être en colère, leur demandait de ne pas hurler trop fort et de laisser les hommes politiques régler entre eux les différends qui opposaient le peuple au gouvernement. Pire, il entreprit de leur démontrer qu'ils ne pourraient tenir longtemps dans une lutte armée. Il avait lui-même été capitaine de milice, il savait que le général Colborne disposait de forces considérables, plusieurs milliers d'hommes entraînés, équipés, bien armés, capables d'écraser en quelques jours toute tentative de rébellion.

Julien monta de nouveau sur l'estrade et bouscula Scott. Maîtrisant mal sa voix tant il était furieux, il dit que les Fils de la Liberté et les Sons of Liberty du Haut-Canada étaient prêts à se battre tous ensemble et que, en temps et lieu, ce serait la rébellion générale, tant dans le Haut que dans le Bas-Canada. « Ça ne veut rien dire, répondit Scott, très calmement. Ça ne vous mènera nulle part. En quelques heures, vous serez écrasés. Et tout sera à recommencer. »

Alors, sur un signe de Julien, des hommes – ils étaient cinq ou six – sautèrent sur l'estrade et firent disparaître le grand Anglais. Et Julien reprit la parole. Il dit regretter que le député Scott ait bu au point d'en perdre la raison, ce qui lui arrivait malheureusement trop souvent. Et il affirma plus fort que jamais la nécessité de la lutte armée, seule et unique solution selon lui, toutes autres tentatives de règlement ayant échoué. François l'entendait à peine ; à ses oreilles résonnait encore la voix calme et posée de William Henry Scott, qui lui sembla soudainement être celle de la raison.

Tous ces jeunes hommes qui l'entouraient, ceux que depuis un mois il avait rencontrés à Calumet, à Saint-André, à Carillon, à Cushing ou à Chatham, avaient toutes les raisons du monde de se révolter et de se battre. Mais quand on se bat, se dit-il, les raisons, si bonnes soient-elles, n'assurent pas nécessairement la victoire. La colère ne suffit pas non plus. Ni même les idées ni le désir ou le besoin de changer la vie. On doit avoir des armes, des forces, une stratégie. Or il fallait bien se rendre à l'évidence : les patriotes n'avaient rien de tout cela, ou si peu.

Comment n'avait-il pas compris cela plus tôt ? Presque toutes les armes qu'ils avaient livrées ces dernières semaines, Julien et lui, dans les caches des camps de Saint-Eustache et de Saint-Benoît, étaient de pauvres vieux fusils de traite ou de chasse, la plupart, la quasi-totalité en fait, sans baïonnette ; et la poudre, quand il y en avait, était de mauvaise qualité. À la veille des premiers affrontements, il n'y avait probablement pas plus de deux cents fusils à Saint-Eustache. Pourquoi alors inviter mille hommes à se joindre au camp patriote ? La grande majorité d'entre eux ne seraient armés que de fourches et de faux. De plus, force était maintenant d'admettre qu'en maints endroits, une partie importante de la population désapprouvait la rébellion. Quand la guerre serait déclenchée, elle n'aiderait certainement pas les insurgés. Et il y avait partout des groupes de volontaires loyalistes farouchement déterminés à contrer l'insurrection.

Pourquoi cette guerre, alors ? À quoi bon se battre si on était assuré de perdre ? Même Ange Simard, qui toute sa vie avait tant aimé la bagarre, considérait qu'il était inutile de s'en prendre à beaucoup plus fort que soi. On pouvait toujours compter sur un peu de chance. Mais il fallait savoir évaluer les forces de son ennemi. « S'il est beaucoup plus fort que toi, si tu es certain de perdre, disait-il à son petit-fils, tu te bats pas. Ni s'il est beaucoup plus faible que toi. Dans un cas comme dans l'autre, ça te donnera rien. »

François, abasourdi, ressassait ces idées quand, entre les têtes agitées des patriotes, il reçut, comme un coup porté en plein cœur, le regard noir de Marie qui s'était accroché à lui. Elle était appuyée contre le mur du hangar. Sans réfléchir, sans penser résister, il se dirigea vers elle, écartant les gens, et sans un mot il la prit dans ses bras. Sans un mot, il se prit au piège de ses bras, de ses yeux, de son triste sourire.

Il faisait nuit quand ils entrèrent à Carillon, et il neigeait à plein ciel. Mais Prince connaissait le chemin. Dès qu'elle fut seule avec François, Marie se blottit dans ses bras, répétant à quel point il lui avait manqué. « Je ne pensais qu'à toi, je ne voulais que toi, je te voulais tout le temps. Dis-moi que tu ne me quitteras plus. » Elle se pressa contre lui ; et il sentit, irrépressible, fou, le désir monter en lui. Il rit, il ouvrit son corsage, y jeta sa bouche, glissa ses mains sous ses jupes.

Marie n'était plus la même, mais il était encore, peut-être même plus que jamais, un jouet entre ses mains. Et c'était la guerre. La folie et la fureur s'étaient emparées du monde. François ne pouvait échapper ni à l'amour ni à la guerre.

∽

Quelques jours plus tard, par un petit matin frisquet, deux jeunes garçons venus à pied du village de Saint-André demandèrent à voir Julien, pour lui apprendre que le 23 novembre, à Saint-Denis-sur-le-Richelieu, les forces patriotes avaient mis l'armée loyaliste en déroute. Julien exultait. Tout semblait désormais possible.

François cependant voulut savoir combien de patriotes avaient pris part à la bataille, combien de soldats, de quelles armes ils disposaient de chaque côté et combien de temps avait duré l'affrontement. Ses questions auxquelles personne ne savait ou ne voulait répondre irritaient Julien, qui lui fit sèchement savoir que les patriotes de la vallée du Richelieu n'étaient pas mieux armés que ceux des camps de Saint-Eustache et de Saint-Benoît, et qu'il n'y avait aucun militaire de carrière parmi eux. C'étaient des cultivateurs, des forgerons, des boulangers, c'était le peuple qui s'était soulevé. Et les insurgés avaient à leur tête non pas un général formé dans une école militaire, mais un médecin, le docteur Wolfred Nelson.

Pour la première fois, François sentit que le lien de confiance entre Julien et lui s'était peut-être rompu. Julien avait perçu, dans les questions qu'il lui posait, ses doutes. Et son attitude avait brusquement changé.

Saint-Eustache

Amury Girod

Ils partirent tout de même pour Saint-Eustache, dans le but de rencontrer les chefs patriotes. Joseph Dorion leur offrit l'hospitalité. Le lendemain, dimanche, ils se rendirent à l'église entendre la grand-messe. Dans son sermon, le curé Paquin, farouchement opposé depuis toujours à la cause patriote, rappela avec véhémence que l'Église, par la voix de monseigneur Lartigue, évêque de Montréal, avait condamné sans équivoque l'insurrection. Loin de se réjouir de ce qui s'était produit à Saint-Denis, il prédisait la défaite imminente et définitive de la cause patriote. Julien fut parmi les premiers à se lever et à sortir. Bientôt, une cinquantaine d'hommes et quelques femmes s'étaient massés sur le perron de l'église et discutaient ferme, traitant le curé de traître et de vendu.

Et alors, comme pour confirmer les dires défaitistes du curé Paquin, un émissaire à cheval vint annoncer que, la veille au matin, les patriotes avaient été écrasés à Saint-Charles. Les loyalistes avaient repris Saint-Denis et détruit les deux camps. Les forces gouvernementales avaient fait beaucoup de morts et de nombreux prisonniers, elles avaient saccagé les maisons et les bâtiments appartenant aux insurgés. On disait que plusieurs des chefs patriotes et beaucoup d'hommes s'étaient enfuis aux États-Unis. Étonnamment, ces mauvaises nouvelles semblèrent raffermir la volonté de Julien.

« Nous continuerons le combat, dit-il. Il ne faut pas que nos frères aient sacrifié leurs vies pour rien. »

William Henry Scott, bien qu'il soit non pas catholique mais presbytérien, était venu à l'église et intervint à son tour, contredisant comme d'habitude Julien et Chénier. « Que ceci nous serve de leçon, disait-il. N'allons pas ajouter des morts inutiles à ceux que nous pleurons aujourd'hui. »

Dans l'après-midi, chez Joseph Dorion, la discussion se poursuivit. Julien et Scott faillirent même en venir aux poings. Julien avait enlevé ses lunettes et s'était levé. Scott se leva lui aussi, très lentement, il lui tourna le dos et sortit, sa flasque de whisky à la main.

Scott se soûlait tous les soirs jusqu'à en oublier le nom de sa mère, mais il ne changeait jamais de discours ; il restait, sobre ou soûl, farouchement opposé à la lutte armée. Et à cause de cela, Julien le traitait ouvertement de pleutre et disait bien haut que le député des Deux-Montagnes refusait cette guerre parce qu'il craignait que sa belle maison soit détruite et son magasin saccagé. Scott avait pourtant ouvert aux patriotes les portes de sa résidence et celles de son magasin général, où ils venaient librement s'approvisionner en outils et en munitions, et chercher à boire et à manger.

Ainsi, au moment où la rébellion connaissait ses premières grandes défaites, qui faisaient craindre le pire, l'autorité du député Scott, le pacifiste, l'homme de la raison et du bon sens, était diminuée, minée. Celle de Chénier, qui tenait mordicus à entraîner ses hommes dans la lutte armée, ne cessait de grandir. Bientôt, il supplanterait Scott et deviendrait le chef incontesté des patriotes.

Des rumeurs couraient alors en tous sens. Certaines affirmaient que des groupes de volontaires étaient cantonnés à Sainte-Rose un jour, à Saint-Martin le lendemain. Une autre, tout aussi tenace et vraisemblable, prétendait que le général John Colborne, inquiet de la radicalisation du mouvement patriote, avait décidé de déplacer un détachement régimentaire de Bytown à Carillon même, qu'il faudrait donc quitter avant la fin de novembre pour se joindre aux camps patriotes de Saint-Benoît ou de Saint-

Eustache. Ou alors s'enfuir, se fondre dans la nature, abandonner ses frères, trahir les Fils de la Liberté.

☙

Ils rentrèrent de Saint-Eustache en passant par Saint-Benoît, traversant un pays frappé de stupeur, pétri de doute, de peur. Partout, cependant, ils rencontraient des jeunes hommes déterminés à qui Julien savait parler. Il les chargeait tous d'une mission, d'un message : faire savoir aux vrais patriotes que la guerre était commencée et qu'il fallait se regrouper dans l'un ou l'autre des deux camps qu'on allait fortifier.

François, qui avait pourtant attendu ce moment avec tant d'impatience, réalisait tout à coup qu'il était venu trop rapidement, que les patriotes n'étaient pas prêts à se battre. La victoire de Saint-Denis était sans doute due à la chance ; la défaite de Saint-Charles était tout à fait prévisible.

Il n'osait s'ouvrir de ses doutes. Il était indécis devant Marie, qu'il ne parvenait pas à quitter ; il était indécis devant Julien, qu'il n'osait contredire ouvertement ; encore plus indécis devant Chénier, auquel il ne savait résister, mais dont il n'approuvait pas les méthodes. Il enviait par moments la droiture, la farouche et inflexible détermination de Julien, de Chénier, des quelques dizaines de fervents fidèles qui les entouraient. Ils n'avaient pas de doute, eux, ils n'hésitaient jamais, ils ne remettaient jamais rien en question. Ils allaient droit au but, tandis que lui, au cours des trois derniers mois, avait sans cesse changé de projet. Il devait être à La Malbaie le 2 octobre, pour son anniversaire et celui de son grand-père Ange. Puis il avait fait dire aux siens, là-bas, qu'il serait parmi eux aux fêtes, puis après les fêtes, puis à Pâques. Et voilà qu'il était trop tard désormais pour décider quoi que ce soit. En fait, tout s'était décidé sans lui. Il s'était laissé emporter par les courants de la vie, comme ce soir d'été, il y avait si longtemps maintenant, par les violentes eaux des rapides du Long-Sault.

149

La guerre, désormais inévitable, avait été voulue par d'autres que lui, par Julien, par Chénier. La guerre lui était désormais imposée, comme l'amour de Marie, parce qu'il n'avait pas été vigilant. Il n'avait désormais d'autre choix que d'aller jusqu'au bout.

⁓

François se rendit avec Prince jusqu'à Pointe-au-Chêne, puis à Calumet, marchant autant que possible loin de la rivière et du canal, à l'orée ou à l'intérieur de la forêt, car toute cette région était plus que jamais infestée de soldats cantonnés à Cushing, à Calumet, à Carillon même. Il aperçut les premiers détachements du régiment de Bytown en route pour Saint-Eustache, certains sur de grands chalands, d'autres à cheval ou à pied. Ils seraient à Carillon dans moins de deux jours. Il fallait partir, se regrouper.

Judith avait peur. Elle n'était pas sûre de vouloir se retrouver de nouveau dans le camp de Saint-Eustache, où Julien disait qu'il y aurait très bientôt de violents affrontements entre loyalistes et patriotes. Mais elle n'avait nulle part où aller. Ses parents habitaient à Sainte-Rose, que contrôlaient très probablement des groupes de volontaires loyalistes. Et elle se refusait à voyager seule. Elle demanda un soir à François s'il la protégerait quand la guerre se serait rendue jusqu'à eux. « Bien sûr, si je peux, si je suis là », répondit-il, mal à l'aise. « Pourquoi tu serais pas là ? demanda Judith. Qui pourrait t'empêcher de me protéger si je suis menacée ? » Il ne savait quoi répondre. Julien faisait celui qui n'écoutait pas, celui qui n'avait rien entendu ou qui ne voulait pas entendre. Marie, elle, regardait François, attendant avec son terrible sourire plein de tristesse et de défi une réponse qui ne vint pas.

Le lendemain, très tôt, François attela Prince à la charrette rouge et ils repartirent tous les quatre pour Saint-Eustache, où, selon Julien, ils participeraient très bientôt aux affrontements décisifs. Il semblait plus excité et plus stimulé par ces combats que par les changements qu'il espérait obtenir grâce à eux. Il ne parlait plus de faire de la place dans ce pays pour des gars comme François, qui n'en avaient pas ; il ne parlait plus que des combats qu'ils mèneraient, comme si c'était là le seul but, se battre, aller jusqu'au bout.

Ils firent route en silence, chacun perdu dans ses pensées. Sur la vaste plaine où traînaient les premières neiges de la saison et de légères écharpes de brouillards, d'autres voitures surchargées de patriotes et des petits groupes à pied cheminaient vers Saint-Eustache. Tout l'arrière-pays, jadis planté de fermes prospères, était déserté. Beaucoup de maisons semblaient abandonnées, sans vie, sans feu, des maisons froides avec aux fenêtres parfois des femmes et des enfants, des vieillards, qui regardaient passer les voitures. Toute la jeunesse et toute la force de ce pays, de Saint-Canut à Calumet, de Chatham à Sainte-Thérèse, seraient désormais concentrées dans les camps patriotes. Si jamais la guerre durait, ces champs frais labourés resteraient incultes. « La guerre ne durera pas, disait Julien à François, qui s'inquiétait et se désolait de voir ces fermes laissées sans soins. Quand tout un peuple se soulève, tout doit changer très vite. »

Ils firent un long détour par Saint-Hermas, afin d'éviter la proximité du village sauvage de Lac-des-Deux-Montagnes et des forêts riveraines toujours contrôlées par les agents de la Compagnie de la Baie d'Hudson, hostiles aux patriotes. Ils entrèrent dans Saint-Eustache à la tombée du jour.

Une centaine de patriotes occupaient déjà tout le vieux village, l'église et le presbytère, malgré les réticences et les anathèmes du curé Paquin. Ils avaient également réquisitionné quelques maisons environnantes, dont le manoir seigneurial. Plusieurs notables patriotes, dont le député Scott, le docteur Chénier, Joseph Dorion, avaient ouvert les leurs. Ces maisons formaient ensemble une bonne infrastructure de défense, parallèle à celle de la Grande Côte et à la rivière des Mille-Îles. On avait creusé des tranchées et érigé des murets de pierre permettant d'aller d'un bâtiment à l'autre sans s'exposer au feu de l'ennemi, qui ne pourrait s'avancer que du côté de la rivière et de l'est. Tout l'intérieur des terres, du côté nord, jusqu'à Saint-Benoît et jusqu'au Grand-Brûlé, était désormais sous le contrôle des patriotes.

Le docteur Chénier avait réservé, pour Julien et ses amis, une grande chambre dans le manoir seigneurial. Julien exultait. Il allait dormir dans le lit de son ennemi le plus acharné, le plus honni, le loyaliste Nicolas-Eustache Lambert Dumont qui, de son vivant, avait fait des misères, des menaces et des procès à tous ceux qui s'étaient opposés à lui et à ses idées rétrogrades.

Or le lit seigneurial était déjà occupé par un homme pour qui François éprouva, dès qu'il le vit, une franche antipathie. Vantard, arrogant et suffisant, Amury Girod était accompagné d'une vingtaine de jeunes fanfarons qui avaient pris leurs quartiers dans Saint-Eustache, bousculant les patriotes déjà en place. Girod exerçait sur eux, qui l'appelaient « mon général », une véritable fascination. Julien, François, Judith et Marie s'installèrent à l'étage du manoir, dans une petite chambre où se trouvaient deux grands lits. Il y avait du monde partout, dans cette maison, surtout des hommes, jeunes, excités, effrayés.

À son arrivée à Saint-Eustache, quelques jours plus tôt, Girod s'était imposé comme général des forces mobilisées. Il avait proposé l'établissement d'un gouvernement provisoire et exigé de Chénier qu'il lui remette le commandement des troupes. Chénier avait évidemment refusé. Girod se mêlait néanmoins de tout. Il disait tenir son autorité des deux grands chefs du parti patriote, Louis-Joseph Papineau et Edmund Bailey O'Callaghan, qui lui auraient confié la mission de regrouper et de diriger les forces insurrectionnelles du nord de Montréal. Il prétendait connaître la guerre mieux que quiconque, alléguant qu'il l'avait déjà faite, lui.

Au cours des jours suivants, d'autres jeunes patriotes affluèrent, venant des villages de l'arrière-pays, porteurs, presque systématiquement, d'inquiétantes nouvelles. On apprit des jeunes frères Rozon de Saint-André, par exemple, que le capitaine Donald Charles McLean, leur concitoyen, avait formé une cavalerie de soixante-cinq hommes, tous armés, The Two Mountains Loyal Volunteer Cavalry, avec qui il s'était juré d'écraser la rébellion. À Lachute, rapportait le jeune Louis Séguin, le major Thomas Barron avait enrôlé une centaine d'hommes, les Lachute Loyal Volunteers, qui coordonneraient leurs opérations avec celles de la cavalerie de McLean et celles des Carillon-St. Andrews Volunteers Corps. Et la peur grandissait dans le camp. Et la colère. Et la confusion.

Le premier décembre, Chénier se rendit au presbytère pour exiger du curé Paquin qu'il lui remette les clés du couvent, où il voulait établir son quartier général. Le curé refusant de céder, on tenta de l'intimider. De jeunes patriotes proférèrent à son endroit des menaces de mort. Tous savaient que le curé était riche, qu'il avait de l'argent de famille, plusieurs propriétés, dont une très grande ferme à une demi-heure de marche du village ; il était l'ami des seigneurs, il appuyait les idées de monseigneur Lartigue, qui avait condamné les patriotes et menaçait de les excommunier. N'eût été sa condition de prêtre, qui en faisait hésiter plusieurs, l'arrogant et intransigeant curé Paquin se serait sans doute retrouvé en prison, peut-être même devant le peloton d'exécution.

Chénier conseilla au curé de partir, après l'avoir rudement sermonné. « Vous devriez être à notre tête quand nous irons combattre pour nous donner l'absolution. » Le curé lui rétorqua qu'il ne pouvait lui pardonner à l'avance un péché qu'il avait le ferme propos de commettre. « Je sais ce que tu veux faire, dit-il à Chénier. Tu veux sacrifier ta vie et celles de tes hommes pour que triomphent tes idées, pour faire la preuve que le gouvernement britannique écrase le peuple. Tu as tort. Ce sont les rebelles qui seront écrasés, pas le peuple. »

Dans la nuit, les guetteurs s'emparèrent d'un homme seul qui avait franchi la rivière en amont du pont de l'île Jésus. Il venait, sans armes, se joindre au camp patriote. Il était lui aussi porteur de troublantes nouvelles. Après avoir dévasté les paroisses du Richelieu qui s'étaient soulevées, l'armée gouvernementale se dirigerait maintenant vers les camps du nord de Montréal. Le gouverneur Gosford avait publié une liste des patriotes dont la tête était mise à prix. Parmi eux figurait le député William Henry Scott.

Celui-ci, pourtant, n'avait plus beaucoup d'autorité auprès des patriotes, de plus en plus profondément divisés. Girod avait ses hommes et ses idées, il préparait sa guerre. Comme Chénier préparait la sienne. Quant à Scott, ses positions par trop pacifistes avaient miné son autorité ; pourtant, sa tête avait été mise à prix par l'ennemi. Il buvait de plus en plus. Mais, même soûl, il restait poli et gentil. Cependant, malgré l'estime et l'amitié que lui portait Chénier, la grande majorité des jeunes s'étaient détournés de lui, ils ne l'écoutaient plus. Chénier, le moins réfléchi des chefs, était désormais celui qu'ils écoutaient le plus volontiers. François, plus par antipathie pour Girod que par sympathie pour Chénier, s'était rangé du côté de ce dernier. Mais il était inquiet et insatisfait.

Autrefois, tout était si simple. Dans l'Outaouais, par exemple, les bûcherons canadiens se battaient contre les lumberjacks de Peter Aylen. On était d'un bord ou de l'autre. Désormais, il fallait sans cesse faire des choix. Hier encore, François croyait qu'un homme devenait, en vieillissant, de plus en plus dur et fort et déterminé, sûr de lui et de ses idées. Or il se retrouvait, à vingt ans, moins sûr de lui que jamais, moins sûr du monde et de l'avenir. Son beau rêve de posséder une ferme entre la mer et la montagne, avec une femme et des enfants, des chevaux, peut-être même une goélette, semblait à jamais compromis.

❧

Baie-Saint-Paul

La Société des Vingt-et-un

Ti-Jean avait tenu la promesse faite au curé. Depuis les funérailles d'Ange Simard, il n'avait pas mis les pieds à l'auberge Chaperon, ni pris une goutte d'alcool. Il s'était quelques fois laissé entraîner chez Caille, où il avait fait un peu de musique avec Laurence. Mais le violon de Modeste manquait indéniablement de magie. Vers le milieu de l'après-midi, ils partaient marcher ensemble vers le cap à l'Aigle, en prenant par le sentier des Matoux. Chaque fois qu'ils s'arrêtaient pour regarder le paysage, Laurence se plaçait devant Ti-Jean, très proche de lui ; il pouvait respirer ses cheveux, qui sentaient les fleurs, admirer l'impeccable velouté de sa peau, sa nuque nue, car elle relevait souvent ses cheveux en chignon et, malgré le vent frais et mouillé, elle ne portait pas de foulard.

Ce jour-là, à deux reprises, elle faillit trébucher et s'accrocha à lui. Lorsqu'ils furent là-haut, elle s'appuya contre lui, très légèrement. Il pouvait sentir la chaleur de son corps, et son cœur qui battait très vite, son souffle dans son cou. Il resta près d'elle, immobile un long moment, les bras ballants, le regard perdu dans les nuages que les vents lourds venus du bas du fleuve repoussaient vers les montagnes des Éboulements. Quand elle leva les yeux vers lui, il passa finalement son bras dans son dos, elle se laissa aller contre lui et de sa joue elle effleura ses lèvres. Il sentit sa poitrine se soulever et crut qu'elle allait pleurer. Il s'écarta doucement. Elle ouvrit les yeux, étonnée.

Ils redescendirent en silence. Comme ils arrivaient à la maison, elle se tourna vers lui et lui demanda, avec son beau sourire, s'il voulait entrer. Ils étaient seuls. Il le savait. Caille était parti tendre des collets dans la montagne. Elle se laisserait embrasser, sûr et certain. Et ce serait bon comme tout. Mais il s'entendit répondre qu'il n'avait pas le temps, qu'il avait promis à son frère Augustin de lui donner un coup de main pour faire le train, et il partit. Il rentra au ruisseau des Frênes à pied, déçu, tout rempli de colère contre lui-même. Pour ce plaisir offert dont il s'était privé sans raison ; mais surtout pour la peine qu'il avait vue paraître sur le visage de son amie.

Il faisait gris et froid. En quelques jours, même les chênes et les trembles avaient perdu leurs feuilles. Les grandes marées et les grosses pluies de l'automne avaient délavé le paysage et chassé oies et outardes, les joncs fanés moisissaient sur les battures inondées. La seule bonne nouvelle était que Napoléon Aubin avait retrouvé à l'auberge de l'Albion le violon de Ti-Jean. Celui-ci cependant refusait de le laisser voyager par la poste. Aubin avait laissé entendre qu'il monterait peut-être à La Malbaie avant les fêtes. En attendant, Ti-Jean exécutait les tâches que lui confiait son père. En se disant qu'un jour peut-être, la révolte s'emparerait de lui et qu'il enverrait tout promener, y compris lui-même, au bout du monde.

De temps en temps, comme pour nourrir sa mélancolie, il se replongeait dans la lecture du petit livre de son ami Philippe, *L'Influence d'un livre ou le Chercheur de trésors*, qu'il avait déjà lu plusieurs fois en entier. Il sortait chaque fois de cette lecture terriblement bouleversé. D'abord, il se reconnaissait formellement dans le héros de ce roman, le pitoyable et innocent Charles Amand. Et puis la dédicace de Philippe le laissait songeur : « À mon très cher ami Jean Tremblay. En espérant que tu resteras toujours toi aussi un infatigable chercheur de trésors. »

Charles Amand, le chercheur de trésors du livre, était un méprisable personnage, un dangereux et vil rêveur qui ne pensait qu'à faire fortune en utilisant les pratiques de la sorcellerie, de la magie noire et de la nécromancie. Or il avait beau chercher, il ne trouvait de toute évidence jamais rien. Et il ne connaîtrait, vraisemblablement, que des échecs d'un bout à l'autre de sa vie. Charles Amand était un perdant. Il était la risée des siens.

Ti-Jean s'était demandé jusqu'à l'obsession ce qu'avait bien voulu dire Philippe dans sa dédicace. Fallait-il être ou ne pas être un chercheur de trésors ? Fallait-il, ayant échoué comme Amand dans toutes ses entreprises, tenter malgré tout de faire jusqu'au bout, envers et contre tous, ce qu'on avait choisi de faire ? Fallait-il toute sa vie chercher des trésors, sachant qu'il n'y en avait pas ? Et pourquoi avoir écrit « toi aussi » ? Voulait-il dire que Ti-Jean espérait lui aussi trouver, comme par magie, la considération et le respect de tous, la fortune, l'amour ? Lui aussi comme qui ? Comme Charles Amand ? Comme Philippe lui-même ? Et comme Aubin, Villeneuve et Dussault, tous les amis, tous chercheurs de trésors qui s'illusionnaient et se leurraient et ne trouveraient jamais rien d'autre que des désillusions ?

Chose certaine, Ti-Jean se reconnaissait dans le personnage qu'avait créé Philippe. Il attendait lui aussi que sa vie change. Comme par magie. Mais contrairement à Charles Amand, qui avait en lui une force aveugle, une passion dévorante, soif et faim de bonheur, Ti-Jean restait devant toutes choses indifférent ou impuissant, incapable de s'approcher le moindrement de ce qui pouvait ressembler à un trésor. Au contraire, il fuyait, il s'éloignait de tout ce qu'il aurait aimé posséder. De Laurence par exemple. De l'amitié que lui offrait le curé Pouliot, de l'admiration et de la considération des siens, de l'affection de ses parents.

À Québec, cet été-là, beaucoup avaient été impressionnés par sa virtuosité au violon. Mais lorsqu'il réalisait qu'il devenait le centre d'attraction et que les jeunes venaient à l'Albion, les samedis soir, pour l'entendre, il refusait de jouer sous divers prétextes. Sauf quand il était plus ou moins soûl. Charles Amand, lui, aurait joué jour et nuit ; il aurait frotté sa chanterelle dans toutes les rues de Québec, dans tous les bals et toutes les noces, jusqu'à ce qu'il n'y ait plus de danseurs, plus de buveurs attardés, plus personne pour l'entendre. Charles Amand était un fou ; mais au moins, il ne laissait jamais passer sa chance.

Philippe s'était trompé ; Ti-Jean n'était pas un véritable chercheur de trésors, ni même un chasseur à l'affût. Il rêvait de trouver, bien sûr. Mais par pur hasard, sans s'être donné la peine de chercher, sans attendre et sans même croire qu'il trouverait vraiment un jour un quelconque trésor, jouant si bien l'indifférence qu'il en devenait pratiquement insensible.

Seul Philippe, parce qu'il avait en lui beaucoup de fureur et de folie et une puissante rage, parvenait à le tirer de cette apathie. Auprès de lui, Ti-Jean avait très intensément le sentiment de vivre ; c'était souvent inquiétant, parfois déroutant, mais toujours excitant et exaltant. Il était donc impatient d'avoir de ses nouvelles. Mais il attendait surtout que Napoléon Aubin se décide enfin à lui apporter son violon.

⤟

Alexis Tremblay tenait toujours à intéresser son fils Ti-Jean à ses affaires. Mais il ne savait pas comment s'y prendre avec ce grand garçon trop instruit, plein de mystères et de silences, qui semblait toujours tout comprendre, mais ne s'intéressait finalement à rien. Ti-Jean attendait, passif et froid, l'esprit ailleurs la plupart du temps. Alexis croyait déceler sur son visage un air de suffisance et d'ennui chaque fois qu'il était question de ce projet de conquête du Saguenay. Ti-Jean s'occupait des convocations aux réunions, préparait l'ordre du jour, rédigeait des rapports clairs et succincts, tenait les comptes. Mais il ne suggérait jamais rien, ne critiquait pas, ne semblait jamais vraiment impliqué, ni même intéressé.

En fait, Ti-Jean n'était pas seulement indifférent, il était perplexe aussi, pour ne pas dire incrédule. Il s'interrogeait sur la nature et la pertinence de ce projet pour lequel son père était en train de mobiliser toute la population de La Malbaie. Il avait parfaitement compris qu'il s'agissait, sous prétexte de faire chantier, de s'emparer de la terre du Saguenay et d'y fonder des villages. La ruche de La Malbaie était surpeuplée, il fallait essaimer. Et son père s'était donné pour mission d'organiser cet essaimage. Mais au fond, la terre ne l'intéressait pas lui non plus. Ti-Jean ne se souvenait pas d'avoir vu son père travailler aux champs. Sans doute qu'il pensait lui aussi que la terre se nourrissait du sang et de la sueur des hommes, qu'elle les réduisait à la plus abjecte misère, et ne leur donnait jamais rien; il fallait toujours tout lui arracher de peine et de misère.

Qui vivait bien dans ce pays? Ceux qui travaillaient la terre? Certainement pas. Vivaient bien et heureux ceux qui menaient les affaires dans les grandes villes. Là se trouvaient le pouvoir et le confort, selon Ti-Jean, la richesse et la culture, le plaisir, là était le vrai et doux bonheur de vivre.

Ti-Jean se demandait parfois si son père n'était pas en train de leurrer les gens de La Malbaie. Sous le fallacieux prétexte de leur donner des terres, il cherchait à les amener au fond des bois, chez les Sauvages. Or il ne pouvait pas ne pas savoir qu'ils seraient tenus avant tout d'honorer, au profit de William Price, la licence de coupe qu'ils rachèteraient avec leurs sous. Rien ne garantissait qu'ils pourraient par la suite s'établir librement sur les terres qu'ils auraient passé des années à déboiser. Le Saguenay pourrait rester affermé à la Compagnie de la Baie d'Hudson jusqu'à la fin des temps. Et en plus, les Sauvages prétendaient eux aussi avoir des droits sur ce territoire.

Ti-Jean trouvait quelque chose de vulgaire à ce désir irréfléchi et effréné de posséder de la terre. Comme s'il n'y avait rien eu d'autre. Comme si la vie même en dépendait. D'aussi loin qu'il se souvenait, tout le monde criait à gauche et à droite: « Emparons-nous du sol! » Pas seulement à La Malbaie, mais partout dans le Bas-Canada. Au Séminaire de Nicolet, où il avait étudié, ses professeurs avaient déjà entonné ce discours, plusieurs années auparavant. À Trois-Rivières, dans la Beauce, à Québec, sur la Côte du Sud, comme dans la vallée du Richelieu, tous les curés dans leurs sermons rappelaient chaque dimanche à leurs paroissiens qu'ils devaient le plus profond respect à la terre, qu'ils avaient l'obligation sacrée de s'y attacher de tout leur être, de toutes leurs forces. Certains d'entre eux se demandaient même s'ils n'iraient pas jusqu'à frapper d'anathème les habitants qui, incapables d'élever décemment leurs enfants sur ces terres incultes, épuisées ou réduites à quelques arpents carrés, choisissaient d'émigrer aux États-Unis, où ils risquaient de perdre, en plus de leur langue, leur foi et leur âme. Et ce serait la fin de la race ; la nation, privée de ses forces vives, s'étiolerait et disparaîtrait.

Or, si tous semblaient prendre plaisir à crier qu'il fallait s'emparer du sol, bien peu, selon Ti-Jean, y croyaient vraiment. Peut-être même que personne, à part quelques excessifs comme son père et Thomas Simard, ne voulait réellement s'emparer du Royaume. S'ils avaient été sérieux, ils seraient partis, à cent, à cinq cents, une petite armée d'hommes déterminés, et seraient montés s'installer là-haut. Et si quelqu'un était venu leur dire qu'ils devaient partir, ils se seraient battus. Thomas Simard avait raison. Voilà ce qui aurait été s'emparer réellement du sol. Depuis des années, ils signaient pétition sur pétition, quémandant des licences et des permis, le bon vouloir du gouvernement, des subsides, des faveurs. En vain.

Depuis son retour à La Malbaie, Ti-Jean avait participé à une demi-douzaine de réunions, toutes plus ennuyeuses les unes que les autres. D'autant plus que le curé avait obtenu qu'on se rencontre dans la salle paroissiale ou au presbytère plutôt qu'à l'auberge ou au magasin Chaperon. Il avait en effet réussi à ramener la grande majorité des hommes de la paroisse à sa Société de Tempérance et ne voulait pas qu'ils s'exposent inutilement à la tentation, au grand dam du bonhomme Chaperon, qui voyait ses affaires péricliter.

On s'était d'abord constitué en société, de manière à pouvoir établir des contrats avec la Compagnie de la Baie d'Hudson et avec l'entreprise de William Price. Tous les propriétaires et censitaires des deux seigneuries de la Côte du Nord pouvaient acquérir des actions à cent livres, l'unité émise par la jeune société qui, en moins d'un mois, avait changé d'appellation pas moins de quatre fois. La Société d'exploitation des pinières du Royaume était devenue à la mi-octobre Les Entrepreneurs des bois dans et sur le territoire du Saguenay. Dix jours plus tard, quelqu'un proposa La Société des pinières du Saguenay, qu'on accepta unanimement. Enfin, début novembre, réalisant qu'il n'y avait que vingt-et-une personnes ou groupes de personnes capables d'investir dans cette entreprise, le député patriote Charles Drolet, qui ce soir-là, exceptionnellement, assistait à la réunion, suggéra d'appeler la compagnie La Société des Vingt-et-un, ce qui encore une fois plut à tout le monde.

En consignant ses notes dans le registre des délibérations, dont il avait la responsabilité, Ti-Jean se disait qu'on aurait pu, tant qu'à y être, proposer : La Société de ce bon M. Price. Celui-ci avait investi à lui seul quatre fois plus que les vingt-et-un sociétaires réunis, soit deux mille sept cent soixante-cinq livres, contre six cent quarante-deux livres. Alexis soutenait que cette dépendance serait de courte durée. Selon lui, avec un peu de chance, la Société des Vingt-et-un pourrait, dès la première campagne de bûchage, rembourser William Price. Peu avant les premières neiges, en compagnie de son garçon Ti-Jean, il rencontra l'entrepreneur à Baie-Saint-Paul. Accompagné comme toujours de son secrétaire Warren, celui-ci était venu visiter les chantiers nouvellement ouverts sur la rivière du Gouffre. Comme tous les forestiers, il aimait bien voyager l'automne. On circulait alors en forêt plus facilement qu'en toute autre saison. On voyait parfaitement le relief, on faisait d'un simple coup d'œil un rapide inventaire des espèces et on avait une idée assez juste du nombre et de la qualité des billots qu'il était possible de sortir des forêts, on pouvait aussi mesurer le débit des rivières, estimer si elles étaient navigables et flottables, déterminer le tracé des chemins de charroi.

Lors du repas qu'ils prirent ensemble à l'auberge des Loutres, Price fit savoir à Alexis qu'il avait eu énormément de difficulté à convaincre son associé montréalais Peter McGill de le laisser investir dans cette aventure. McGill était prêt à acheter le bois scié au prix courant et même à le payer d'avance, mais il hésitait à participer à l'achat du matériel de chantier. Price répéta plusieurs fois à Alexis Tremblay qu'il avait dû insister longtemps avant d'arracher à McGill son consentement. Ça n'avait pas été facile non plus de négocier avec les banques, qui acceptaient uniquement des traites à court terme. À la moindre contraction du marché, il risquait en effet d'être à découvert, car il faudrait compter plus d'un an, peut-être jusqu'à dix-huit mois, entre les déboursés initiaux et le paiement des premières livraisons du bois du Saguenay en Angleterre.

Ti-Jean se demandait où l'entrepreneur voulait en venir avec le récit des difficultés qu'il avait dû affronter. Son père aurait bien pu raconter qu'il avait dû déployer lui aussi des trésors de patience pour convaincre les habitants de La Malbaie qu'ils avaient tout intérêt à accepter de travailler avec Price, qu'ils n'appelaient jamais autrement que le Loup. Jour après jour, Alexis leur avait vendu l'idée d'une association avec Price, littéralement. Et devant celui-ci, il faisait maintenant comme si tous l'acceptaient volontiers, sans problème. Et il remerciait Price et le félicitait d'avoir eu le courage d'investir sans l'appui inconditionnel des banques et de son associé.

Cette attitude servile qu'avait son père, loin de peiner Ti-Jean, fit tomber toute l'agressivité qu'il avait éprouvée à son égard depuis qu'il était rentré de Québec. Sur le chemin du retour, Alexis s'arrêta un moment pour contempler l'île aux Coudres depuis le cap Haut et, comme s'il avait perçu le changement d'attitude de son garçon, il se mit à parler avec beaucoup de tendresse de son enfance, puis du temps où il faisait la cour à Modeste. Ti-Jean l'écoutait, curieux, pour une fois étrangement heureux et confiant. Il faillit même parler à cœur ouvert, et confier à son père que cette vie qu'il voulait le voir mener lui faisait horreur. Mais quelque chose le retint.

౿

Dès qu'elle entendit le bruit de leur voiture entrant dans la cour, Modeste sortit à leur rencontre et dit à Ti-Jean qu'elle avait une surprise pour lui. Il sut tout de suite, à son sourire, qu'il s'agissait de son violon. Sans même offrir à son père de l'aider à dételer, il se précipita dans la maison. Le violon était sur la table, un papier enfoncé dans ses ouïes. Modeste lui raconta que deux jeunes hommes très gentils étaient venus et l'avaient demandé. Voyant qu'il n'était pas là, l'un d'eux s'était assis à la table et lui avait écrit un mot. Ils étaient restés un long moment à converser avec elle. Mais Ti-Jean n'écoutait pas. Il lisait la lettre de Philippe, réalisant à quel point son ami lui manquait.

Salut Jean.

Aubin est venu passer quelques jours à Port-Joly et a apporté ton violon. Figure-toi qu'il ignorait qu'on n'avait qu'à traverser le fleuve pour avoir le plaisir de te rencontrer. Le capitaine Verreault faisait aujourd'hui un aller et retour, sans doute le dernier de la saison. On en a profité. Moi plus qu'Aubin, qui a le mal de mer, le pauvre ! Sommes fort déçus de ne pas te voir. Mais ne pouvons rester, marée oblige. Irai passer quelque temps à Québec, probablement jusqu'aux fêtes. Dois défendre mon roman contre d'imbéciles détracteurs. T'écrirai de là-bas. Ce serait bien que tu viennes. Salut.

Ce sans-cœur d'Aubert de Gaspé

Ta mère est une femme charmante. Tu as ses yeux.

Embrasse la belle Odulie de ma part. Qu'elle ne m'oublie pas.

Alexis n'était pas rentré de l'écurie que le violon était déjà accordé, ses cordes frottées d'arcanson. Ti-Jean remplit la soirée de musique. Sauf le jour des funérailles d'Ange Simard, Modeste n'avait pas entendu jouer son garçon depuis le printemps précédent. Ce soir-là, il la fit pleurer. De joie, d'inquiétude. Modeste écrivait et lisait avec peine, mais elle avait l'intelligence de la musique. Et elle savait reconnaître et apprécier la beauté. En écoutant Ti-Jean, elle eut l'impression qu'il lui ouvrait son âme. Sa musique était comme une douloureuse prière qui montait dans la nuit.

Le lendemain, Ti-Jean se rendit chez Laurence. Mais le charme était rompu. Il fut incapable de retrouver cette sorte de vibration qui la veille au soir avait enchanté sa mère, ses frères et ses sœurs, même son père. Pourtant, Laurence était plus belle que jamais, ses cheveux montés en chignon, ses lèvres roses et pleines, et cette touchante douceur de tous ses gestes, cette façon qu'elle avait de chercher son regard qui fuyait, qui fuyait... Ti-Jean Tremblay voulait encore et toujours être ailleurs.

Saint-Eustache

Jean-Olivier Chénier

Le 9 décembre au soir, on célébra au manoir Lambert Dumont de Saint-Eustache les trente-et-un ans de Jean-Olivier Chénier ; sa femme, Zéphirine, s'était jointe à la fête, sa jeune enfant de quelques mois dans les bras. On fit de la musique, on chanta, on but du rhum et quelques bonnes bouteilles de vin trouvées dans la cave du seigneur. Et pendant un long moment, on put se croire en paix avec le monde entier. Ce n'était pas la première fois que cela se produisait. À force d'attendre, on finissait, certains jours, par ne plus croire que l'affrontement puisse se produire. Depuis une bonne semaine, plus rien ni personne ne bougeait dans Deux-Montagnes. Cette soirée-là fut particulièrement paisible. On ne pouvait imaginer qu'il y avait des ennemis tout autour qui fomentaient une vengeance, qui viendraient tôt ou tard détruire les maisons, déchirer les corps.

Judith n'était pas de la fête. Julien, à qui François n'avait pas eu l'occasion de demander où elle se trouvait, ne semblait pas s'en soucier. Il devisait avec Girod, Scott et Chénier, très civilement, de choses et d'autres, de lectures qu'ils avaient faites, de politique française et américaine, toutes choses qui n'étaient pas familières à François et qui ne l'intéressaient pas vraiment.

Il était presque soulagé de ne pas voir Judith ; il n'aurait pas à faire l'effort de détacher ses yeux d'elle, il n'aurait pas à craindre les regards chargés de peine et de reproches de Marie. Elle était là, Marie, élégante, hautaine, dans une longue robe rouge qu'il ne lui avait jamais vue, qui épousait à la perfection les lignes de son corps, avec de la dentelle noire aux poignets et au cou. Elle avait relevé ses cheveux en chignon et y avait planté un peigne de nacre. Elle lui sourit, du même sourire qu'elle affichait ce soir-là devant tous les hommes, sans lui manifester plus d'intérêt, ni moins, qu'à n'importe qui d'autre. Bientôt cependant, elle se mêla à la conversation des chefs, écoutant, riant, parlant avec eux, infiniment plus à l'aise dans ce salon que François, qui s'éloigna finalement pour aller boire de la bière dans le magasin général de Scott, où il parla chasse et pêche avec les jeunes frères Normand, Alain et Luc Saulnier, de Saint-Philippe, venus se joindre au camp patriote.

Quand il revint au manoir, une petite heure plus tard, il eut un pincement au cœur en apercevant Marie en tête-à-tête avec Amury Girod. Ils n'étaient pas à l'écart des autres, ils étaient même entourés de gens qui discutaient ferme, mais on les aurait dits ailleurs, hors du monde, ensemble. Marie semblait être subitement redevenue au contact du général la jeune femme vive et rieuse que François avait connue l'été précédent. Et à cause de cela, peut-être, il eut de nouveau très envie d'elle. Il savait que, s'il le voulait, il pourrait l'enlever à Girod. Elle le suivrait là-haut, si seulement il se donnait la peine de lui demander de monter avec lui, et ils feraient l'amour, et ce serait merveilleusement bon, comme toujours. Il s'approcha, jusqu'à les entendre parler des villes françaises et italiennes où ils avaient séjourné, des monuments et des paysages qu'ils avaient connus. Il s'était placé de manière à ce que Marie puisse le voir. À quelques reprises, leurs yeux se croisèrent ; elle lui sourit et laissa son regard mêlé au sien un long moment. Il ne douta plus alors qu'il la possédait. Or, malgré le grand désir qu'il avait de son corps, malgré le plaisir qu'il aurait eu à humilier Girod, il choisit de partir. Avant de sortir de la pièce, il eut le temps de voir le sourire de Marie mourir sur ses lèvres.

Il monta se coucher à l'étage. Dans le lit voisin, Judith dormait, malgré les rumeurs de la fête qui montaient de la grande salle du manoir. Plus tard, Julien entra dans la chambre, se jeta tout habillé aux côtés de Judith et s'endormit. Quand Marie monta à son tour, au milieu de la nuit, François ne dormait toujours pas. Il la prit dans ses bras ; elle ne le repoussa pas, mais pour la première fois de leur histoire elle ne répondit pas à ses caresses, si bien qu'il laissa son étreinte se défaire. Et Marie se détourna de lui. Au matin, quand il se leva pour sortir, elle ne se réveilla pas, contrairement à son habitude, ou elle fit semblant de ne pas se réveiller.

Ainsi, entre elle et lui, désormais, il y avait un fossé qui d'heure en heure s'élargissait. Il avait lui-même creusé ce fossé, qu'il voulait maintenant franchir, pour tenir une dernière fois dans ses bras cette si belle femme. Marie avait encore su se faire désirer, encore une fois le posséder, le subjuguer.

Il se rendit, comme il le faisait chaque matin, dans l'étable de la paroisse, juste derrière l'église. On y avait enfermé la trentaine de chevaux avec lesquels étaient arrivés les patriotes, bêtes de trait pour la plupart, timides et inquiètes, peu habituées à l'inactivité qui leur était désormais imposée. François considérait avec désarroi toute cette force, ces tonnes de muscles inutilisés ! Aucun des stratèges patriotes, ni Chénier, ni Scott, ni Girod, n'avait la moindre idée de l'emploi qu'on pouvait faire, dans la situation présente, de cette formidable énergie. Certains avaient proposé qu'on libère les chevaux et qu'on les renvoie chez eux. La plupart auraient sans doute retrouvé leur chemin tout seuls. Mais on risquait que les Volunteers, l'armée britannique ou les loyalistes s'en emparent.

Prince s'ébroua, il secoua la tête plusieurs fois. Quand il entendit la voix de François, il piaffa un peu, François lui parla, « tout doux, tout doux », et Prince sembla se calmer, se résigner. François aussi en aurait bientôt assez de l'inactivité dans laquelle ils étaient plongés depuis quelques jours. Il avait de quoi s'occuper, bien sûr, il avait ses heures de guet, des travaux de fortification, des missions de reconnaissance, mais tout cela toujours en attendant, en espérant quelque chose de plus grand.

Il ne rentra au manoir qu'en fin de journée, à l'heure du souper. Il y avait déjà une dizaine de jeunes gens attablés dans la grande cuisine, dont les fenêtres donnaient sur le soleil couchant. Il prit place au bout de la table opposé à celui qu'occupait Julien. Judith n'était toujours pas là. Près de Julien se trouvait sa sœur Marie, qui salua François d'un signe de tête. Au milieu du repas, le ton de la conversation à l'autre bout de la table était fort élevé. Marie défendait âprement un homme dont vraisemblablement quelqu'un autour d'elle, sans doute son frère Julien, avait dit du mal. Elle ne tarissait pas d'éloge sur les qualités, la culture, les faits et gestes de cet homme qu'elle semblait connaître mieux que personne et tenir dans la plus haute estime. François finit par déduire qu'il s'agissait d'Amury Girod. Marie rappelait ce dont celui-ci s'était lui-même abondamment vanté, qu'il avait servi au Venezuela et en Colombie, dans l'armée de libération de Simón Bolívar, puis qu'il avait été lieutenant-colonel de cavalerie au Mexique, où il s'était encore battu contre les Espagnols. Elle racontait, sans jamais s'adresser à François, qu'Amury avait voyagé à travers toute l'Europe, vu la Russie et même la Chine, vécu aux États-Unis. Il parlait couramment, outre le français, l'allemand et l'italien, l'espagnol et l'anglais, et il baragouinait une demi-douzaine d'autres langues.

N'y tenant plus, François lui dit, d'une voix sourde dans laquelle perçait son impatience, qu'elle n'était pas obligée de croire tout ce que disait Amury Girod. Il regretta bien vite ses paroles. Marie ne répondit pas, se contentant de lui décocher un long sourire devant tous les autres, qui s'étaient tus et tournés vers lui. Il sortit en claquant la porte.

La neige tombait tout doucement sur Saint-Eustache. Il y avait un petit attroupement devant la maison de Scott, dont la porte était grande ouverte. Des patriotes, parmi lesquels François reconnut surtout des proches de Julien et de Chénier, se tenaient sur la galerie et sur le seuil de la maison. L'un d'eux traita Scott de lâche, de peureux, de vendu, devant sa femme et ses enfants. Un autre, étudiant en droit arrivé de Montréal avec Girod, proposa de lui faire un procès pour trahison. Scott tenta de discuter avec le garçon, lui rappelant que sa tête avait été mise à prix par le gouverneur Gosford, à cause de ses activités patriotes. Toute sa vie il s'était battu pour les droits des Canadiens français, il avait protesté jusqu'à Londres contre les injustices et les abus dont ils étaient victimes. Des huées le firent taire. L'étudiant revint à la charge avec sa proposition de procès pour trahison. Marie-Marguerite, la femme de Scott, tenta d'intervenir, disant que son mari n'avait jamais changé d'idée; il avait toujours été un ferme partisan du non-recours à la force des armes. Il y eut encore des cris, des insultes. Les jeunes patriotes étaient maintenant entrés dans la maison, bousculant, renversant les meubles. Les enfants en pleurs se pressaient contre leur mère et contre Judith, qu'ils semblaient connaître.

François entra lui aussi. Il s'arrêta net quand il aperçut la petite Judith, dans le grand salon de la maison Scott, juste derrière Marie-Marguerite. Il se souvint alors qu'elles étaient toutes deux originaires de Sainte-Rose et que leurs familles étaient amies. Elles se tenaient debout devant un amas de vêtements d'enfants et de la literie qu'elles avaient commencé à réunir en ballots. Judith avait la bouche mouillée, mais pas ses yeux rieurs. Elle les tenait baissés, ses mains jointes.

Marie-Marguerite avait visiblement beaucoup pleuré. Scott, étonnamment sobre, avait commencé à ranger dans une caisse de bois des livres, des souvenirs, des bibelots. Il était lui-même au bord des larmes. Et il avait lui aussi interrompu son travail quand sa maison avait été envahie par les patriotes. Ils restaient près de leurs ballots, de leurs bagages inachevés. L'étudiant en droit s'était emparé d'un livre de comptes que Scott s'apprêtait à ranger dans sa boîte. Il continuait de l'invectiver, sans tenir compte des pleurs des enfants, le traitant inlassablement de traître et de vendu, souleva la table et fit tomber par terre les effets personnels que Scott et sa femme étaient en train de trier pour les emballer. François s'approcha de l'étudiant.

« T'as fini de japper ? »

L'étudiant, stupéfait, se tourna vers lui. D'autres s'approchèrent et entourèrent François. Il était plus grand qu'eux tous. Et tellement en colère qu'il souhaitait que l'un d'entre eux le menace pour pouvoir se battre avec eux, les frapper à tour de bras. L'étudiant le regardait avec un air de défi.

Il y eut un remous sur la galerie. Le silence se fit. Et Jean-Olivier Chénier entra. Parmi tous ces hommes debout, il paraissait encore plus petit. Il avait entendu les dernières insultes de l'étudiant. Il le traita de goujat, lui arracha des mains le livre de comptes de Scott, qu'il posa sur la table. Se tournant vers les patriotes, il leur dit qu'ils devaient avoir honte d'humilier ainsi un homme devant sa femme et ses enfants. Puis il rappela, dans un silence tendu, les faits et gestes du grand patriote qu'avait été, qu'était toujours, selon lui, William Henry Scott, ajoutant qu'il n'y aurait pas eu de soulèvement dans la région si cet homme courageux n'avait pas agi. Et que s'il avait choisi de partir, c'était son droit et son privilège, qu'il avait donné sa vie, sa santé, qu'il devait maintenant protéger sa famille. Les jeunes patriotes restaient les bras ballants, tête basse. « Sortez d'ici », leur dit Chénier.

François quitta les lieux en même temps que les autres, regrettant de ne pas avoir frappé et humilié cet étudiant prétentieux, et se disant que Judith ne devait pas comprendre pourquoi il n'avait pas agi plus tôt. Bien sûr, il serait intervenu si les patriotes avaient entrepris de saccager le magasin et la maison de Scott, mais il aurait pu et dû le faire avant, pour lui épargner cette honte.

Dans la petite chambre du manoir, il ne trouva personne. Ni Julien ni Marie n'étaient rentrés. Et Judith était sans doute restée auprès de Marie-Marguerite. Il redescendit, se fraya un chemin parmi les corps endormis parfois à même le sol, jusqu'à la porte de la grande pièce qu'occupait Girod, devant laquelle il resta un long moment, indécis, blessé, l'imaginant avec Marie, dans le grand lit seigneurial. Il pouvait fort bien vivre avec l'idée que Marie cesse de l'aimer et même qu'elle se donne à un autre homme. Mais pas à ce général fantoche et fat. Il réalisa qu'il était seul, qu'il avait toujours été seul, en fait, depuis un an au moins.

Il y eut des bruits de pas sur la galerie. Quand il se retourna, il vit une mince silhouette traverser lentement la pénombre et emprunter l'escalier : Judith. Il n'osa pas la suivre. Ils auraient été seuls dans la petite chambre, ce dont il avait si souvent rêvé au cours des dernières semaines. Mais il ne pouvait pas, il ne pouvait plus. Il avait la pénible impression, la certitude d'avoir mal agi avec Judith, comme avec Marie et avec Scott, avec tout le monde, comme s'il était incapable désormais de distinguer ce qui était bien de ce qui ne l'était pas, qui il devait aimer, qui il aimait vraiment. Peut-être avait-il déjà été aussi seul, dans sa vie. Mais il ne l'avait jamais réalisé aussi fort que durant cette longue nuit. Il dormit par terre. Il rêva qu'un chien lui mordait la main, sans la déchirer, sans le blesser vraiment, mais restant ainsi fermement accroché à lui, partout où il allait.

Scott et sa famille partirent en pleine nuit, en direction de Saint-Benoît. Une quinzaine de patriotes, qui l'avaient toujours soutenu, les suivirent, la plupart à pied. À sa demande, les quelques-uns qui parmi eux avaient des armes à feu les laissèrent sur le comptoir du magasin général.

Chénier, craignant que ces défections aient un effet d'entraînement chez les jeunes, leur servit, dans la matinée, un vibrant discours, qui raviva l'exaltation. Ces jeunes hommes, presque tous habitués à vivre dans de larges espaces, de grandes maisons, des champs immenses, des forêts profondes, se retrouvaient réunis pour la première fois de leur vie dans une promiscuité qui les changeait, dans laquelle ils formaient une pâte docile et molle que Chénier et Girod, dans leurs harangues, pétrissaient à leur guise, à laquelle ils donnaient la forme parfaite d'une armée déterminée, sûre de sa victoire et de son droit, débarrassée enfin de tout doute, de tout incroyant, pure.

❦

La Malbaie

Le trésor

Lors de la réunion de la Société des Vingt-et-un du deuxième dimanche de l'avent, on ne parla pratiquement que de ce qui s'était passé, fin novembre, à Saint-Charles et à Saint-Denis. On ne faisait que cela depuis des jours, mélangeant dans un même discours colère et incrédulité, peur, désir de vengeance. Thomas Simard disait qu'il était content pour lui que son père Ange soit mort; il n'aurait pas supporté d'entendre dire que les Anglais, une fois de plus, avaient battu les Français. Son frère aîné, Sa Sainteté, lui disait qu'il n'avait rien compris, que ce n'était pas une guerre d'Anglais contre Français, mais une guerre du peuple contre les seigneurs, et que la colère et le désir de vengeance ne donneraient rien.

Avant de clore la réunion, il fut quand même entendu qu'un groupe serait envoyé en reconnaissance au Saguenay dans le courant de l'hiver, afin d'y faire un inventaire plus complet des ressources. On résolut ensuite d'engager un ingénieur pour diriger les travaux de construction des écluses et l'installation des moulins. Alexis suggéra de faire appel à Joseph Duchesne, de Rivière-du-Loup, un homme capable et très expérimenté, qui avait déjà travaillé sur une bonne vingtaine de rivières, de chaque côté du Saint-Laurent. Quelqu'un rappela que ce Duchesne était un homme tout dévoué à William Price et que c'était se mettre encore plus à la merci de ce dernier que de s'associer ainsi à un de ses plus fidèles collaborateurs. Quand, plus tard, Alexis proposa que Pit Parenteau, un gars de Kamouraska, soit chef de chantier, il y eut encore beaucoup de résistance. Parenteau n'était pas un gars de La Malbaie. Beaucoup ne le connaissaient même pas. Ceux qui l'avaient déjà rencontré disaient qu'il était trop jeune pour assumer ces responsabilités. Il avait en fait plus de trente ans, et toute l'expérience nécessaire. Mais il était, lui aussi, un homme acquis à Price.

Alexis Tremblay dut intervenir. Et jouer cartes sur table. Il rappela que les actionnaires avaient tous ensemble constitué une mise de fonds de moins de six cent cinquante livres, plusieurs s'étant mis à trois ou à quatre, voire à cinq pour se procurer une seule action de cent livres. On n'avait même pas de quoi payer en entier la licence de coupe à la Compagnie de la Baie d'Hudson. Rien pour le matériel de chantier, rien pour les provisions de bouche, rien pour l'ingénieur. Et il fallait engager quatre-vingts hommes de chantier, au moins, cent si possible. Et les équiper, les loger, les nourrir. Or Price avait accepté d'avancer des fonds dans la mesure où on voudrait bien suivre certaines directives et faire certaines concessions. L'engagement de Joseph Duchesne en était une. On n'avait pas le choix. « C'est ça, ou on ferme les livres », dit Alexis. Et « ça », c'était l'embauche de Duchesne et de Pit Parenteau comme chef de chantier. Ti-Jean serait l'assistant de ce dernier.

Le dimanche suivant, tout le monde approuva de plus ou moins bonne grâce la nomination de Duchesne et de Parenteau. Caille et les deux plus jeunes d'Onésime Dallaire, Étienne et Benjamin, se portèrent volontaires pour aller rencontrer l'ingénieur à Rivière-du-Loup dans le courant de l'hiver. Au grand étonnement d'Alexis, Ti-Jean offrit de les accompagner.

Mais Alexis, comme tout le monde, avait ce jour-là l'esprit troublé par ce qui était arrivé à Saint-Charles, où les patriotes avaient été écrasés par les forces de l'ordre. On disait qu'il y avait eu des dizaines de morts et qu'on avait fait des centaines de prisonniers, que plusieurs villages de la vallée du Richelieu avaient été saccagés et incendiés.

Thomas Simard était plus que jamais inquiet pour son garçon François, dont il était toujours sans nouvelles. Ti-Jean, lui, se

sentait excité par ce qui se passait. On disait qu'il y avait beaucoup d'autres factions armées, des bandes de fous qui voulaient
renverser le pouvoir et faire l'indépendance, comme aux États-
Unis. Ça serait trop beau, pensait-il, que tout chavire enfin dans
le désordre et l'excès.

Une idée lui vint, un soir qu'il s'était attardé seul à l'auberge
Chaperon. La Société des Vingt-et-un, dont il était le secrétaire-
trésorier, n'avait pas assez d'argent pour réaliser à elle seule le
projet du Saguenay, mais amplement pour faire un voyage au
bout du monde. Cette idée le bouleversa au point qu'il eut un
violent haut-le-cœur, comme s'il se rendait compte soudain qu'un
monstre s'était emparé de son âme. Sans chercher, Ti-Jean
Tremblay avait découvert un trésor.

Saint-Eustache

La bataille

À son corps défendant, François dut constater, au cours des jours suivants, que Girod était effectivement plus en mesure que Chénier et Julien d'organiser la lutte armée. Il était excellent cavalier, il connaissait fort bien les armes à feu et les arts de la guerre. Ayant repéré d'indéniables faiblesses dans le système de défense des insurgés, il avait entrepris de les corriger. Il avait fait préparer un inventaire exhaustif des armes disponibles. Il avait interrogé tous les hommes, même ceux de Chénier, sur leur savoir-faire militaire. Il avait osé dire, lors d'une assemblée tenue au couvent, qu'il n'y avait pas d'armée patriote digne de ce nom. Et depuis, il répétait à tous vents ce que François avait maintes fois fait remarquer à Julien et au docteur Chénier, soit que le manque d'armes était pathétique. Et qu'il fallait coûte que coûte s'en procurer d'autres. Et vite. Sinon, il était impensable de soutenir un siège, et encore moins d'organiser des frappes.

Bien que peu familier avec la région, Girod apprit que les Sauvages du village de Lac-des-Deux-Montagnes possédaient beaucoup d'armes ; le gouvernement britannique, auquel ils étaient de toute manière fidèles, ne pouvait légalement les leur faire déposer, comme il l'avait exigé des habitants canadiens. Par ailleurs, Julien fut informé qu'il y avait d'importants dépôts d'armes, dont un obusier, peut-être deux, dans les comptoirs de la Compagnie de la Baie d'Hudson, à Pointe-Calumet. Chénier et Girod, chacun à la tête de son groupe, tenteraient de s'emparer de ces armes. Girod et ses hommes surprendraient le village iroquois en contournant Oka, ou entreraient par les hauteurs de Saint-Benoît; Chénier et ses hommes, massés depuis la veille à Pointe-Calumet, s'approcheraient à la faveur de la nuit et à la lueur de la lune des installations de la Compagnie, maîtriseraient ou tueraient les gardiens et s'empareraient des armes.

Ils longèrent la rive gauche de la rivière des Mille-Îles jusqu'au lac des Deux-Montagnes, puis ils chaussèrent leurs raquettes et suivirent à travers champs et sous le couvert d'une maigre forêt deux jeunes garçons d'une quinzaine d'années qui connaissaient bien la région, et qui les conduisirent en moins d'une heure aux abords de la clairière ouverte donnant sur le lac et au centre de laquelle se trouvaient trois sombres masses trapues, les bâtiments de la Compagnie. Après un rapide coup d'œil sur les lieux, François émit un juron. Il n'y avait aucune trace de pas dans cette clairière. La grande nappe blanche bien lisse qui luisait sous la lune n'avait visiblement été traversée par personne depuis la dernière chute de neige, ni raquetteur ni homme à pied, à cheval ou en carriole.

Malgré les protestations de quelques-uns, François s'avança dans la clairière, marchant vers les bâtiments, sans se cacher le moindrement, sans se soucier du chuintement de ses raquettes sur la neige, continuant de proférer de sonores jurons. Quelques hommes le rejoignirent à la porte du bâtiment principal. François déchaussa ses raquettes et poussa la porte du pied. Il n'y avait personne à l'intérieur, ni gardien ni armes. Par acquit de conscience, ils fouillèrent les deux autres remises. Même chose. Pas un chat. Ils rentrèrent au petit matin à Saint-Eustache, fourbus, déçus. Furieux contre Julien, qui avait prétendu être bien informé, François ne lui adressa pas la parole et s'en fut dormir.

Le lendemain, à l'aube, Girod et ses hommes rentraient de leur raid chez les Sauvages, bredouilles eux aussi. Ils n'avaient trouvé dans le village que des femmes et des enfants. Tous les hommes étaient partis avec leurs armes, sans doute pour se joindre à l'un ou l'autre des nombreux groupes de Volunteers loyalistes qui avaient très probablement entre leurs mains les armes du dépôt de la Compagnie de la Baie d'Hudson.

Plus les jours passaient, plus cette rébellion apparaissait dérisoire à plusieurs; et illusoire, la victoire. D'autant plus que, même parmi les meneurs, plusieurs suggéraient maintenant de lever le camp et laissaient entendre que Scott avait sans doute eu raison de partir. Même Chevalier de Lorimier, que personne ne pouvait accuser d'être un pleutre ou de vouloir protéger ses biens, était de cet avis. Le mois précédent, à Montréal, De Lorimier avait été blessé par balle lors d'une échauffourée opposant les Fils de la Liberté aux partisans du gouvernement. Et bien qu'un mandat d'arrestation ait été par la suite émis contre lui, il était venu prendre la direction du bataillon de milice de Deux-Montagnes; et il s'était placé avec ses hommes sous les ordres de Chénier. Mais depuis la chute des camps patriotes du Richelieu, persuadé, comme Scott, que le général Colborne dirigerait maintenant ses troupes sur Saint-Eustache et Saint-Benoît, De Lorimier avait tenté de persuader les meneurs de renoncer à la lutte armée. « Pour le moment, plaidait-il, le temps qu'on organise mieux nos opérations. » Chénier ne voulait rien entendre. Julien non plus, pour qui les pacifistes et les défaitistes n'étaient pas de véritables patriotes. Il était pratiquement interdit, en leur présence, d'exprimer sa peur, ses doutes ou ses inquiétudes. Julien et Chénier considéraient en effet qu'ils avaient pris Saint-Eustache. Ils croyaient sincèrement et ils disaient bien haut que si les patriotes avaient pu se rendre maître d'un village aussi important et aussi riche, ils pouvaient en faire autant dans tout le pays.

Tous les loyalistes, anglais et français, commerçants, religieux et seigneurs, avaient en effet quitté le village de Saint-Eustache. Avec femmes et enfants, et avec armes bien sûr, « mais sans grand bagage », avait plusieurs fois rappelé Scott avant son départ, preuve indéniable selon lui qu'ils comptaient revenir tôt ou tard, et plutôt tôt que tard, reprendre possession de leurs biens.

Des rumeurs circulaient, plausibles, jamais rassurantes. On disait que les St. Eustache Loyal Volunteers et les St. Andrews

Volunteers s'étaient regroupés à Sainte-Rose, sur la rive opposée de la rivière des Mille-Îles, où ils attendaient l'armée de Colborne, qui comptait, disaient certains, plus de trois mille hommes, avec artilleurs et dragons.

Lorsqu'il entendait dire que l'armée marcherait sur Saint-Eustache et sur Saint-Benoît, et qu'elle écraserait les insurgés, Julien entrait dans de terribles colères, répétant qu'il y avait des dizaines de camps patriotes à travers le Bas-Canada et que Colborne ne pouvait les assiéger tous, ni laisser Montréal sans garnison, parce qu'à Montréal également les patriotes étaient actifs. « Colborne n'a qu'une armée. Nous en avons des dizaines, nous avons tout un peuple avec nous, nous sommes tous ensemble, solidaires. Nous vaincrons. »

Plus réaliste que Julien et Chénier, Girod proposait qu'on regroupe les deux camps patriotes du nord de Montréal, que les gars cantonnés à Saint-Benoît viennent se joindre à ceux de Saint-Eustache. François était tenté de lui dire qu'ils n'étaient que quelques dizaines là-bas, cent tout au plus, qu'ils étaient tout aussi pauvrement armés que ceux de Saint-Eustache et qu'aucun d'entre eux n'avait la moindre expérience de la lutte armée. Même s'ils se regroupaient, les insurgés ne pourraient rien faire d'autre qu'attendre. Ils ne pouvaient marcher vers un ennemi dont ils ignoraient la position ; l'auraient-ils connue, ils n'étaient ni équipés ni entraînés pour se porter à l'attaque.

François avait toujours détesté attendre. Son grand-père lui avait enseigné que dans une bagarre rien n'était plus dangereux que l'attente, et qu'il ne devait jamais laisser l'adversaire s'approcher et le surprendre, qu'il devait plutôt se porter vers lui rapidement. « Frappe le premier, tu frapperas le dernier », disait Ange. Or les patriotes s'étaient enfermés dans des camps qu'ils avaient provisoirement fortifiés et où, prisonniers volontaires, ils attendaient que l'ennemi vienne vers eux. Et qu'il frappe le premier.

Depuis une dizaine de jours, ils ignoraient totalement ce qui se passait, ce qui se tramait autour d'eux, ce que préparaient les forces gouvernementales. Personne ne savait où se trouvaient précisément les corps de volontaires loyalistes que les seigneurs et les Anglais avaient levés et formés dans presque tous les villages de la région, même dans ceux qu'occupaient les patriotes ; personne n'avait la moindre idée non plus du lieu où le général Colborne avait porté ses troupes.

François souhaitait de toute son âme que cette attente cesse. Grâce aux caches qu'il avait lui-même contribué à remplir, les patriotes ne manqueraient pas de vivres, même s'ils devaient tenir un siège jusqu'au printemps ou même jusqu'à l'été. Mais les maisons fortifiées étaient surpeuplées. Il y avait des bousculades, des bagarres, entre les hommes de Girod et ceux de Chénier, entre les Lamarche de Saint-Philippe et les Desjardins de Lachute…

À la demande de Chénier, François partit seul un matin. Il suivit à cheval la rivière des Mille-Îles jusqu'en face de Sainte-Rose. Le village semblait désert. Le pont de glace cependant, bien entretenu et balisé, était gardé à chaque bout par deux soldats de l'armée régulière britannique. Il vit des hommes remplir d'eau un tonneau monté sur patin, dont le contenu fut répandu sur le pont de glace ainsi renforcé. Des hommes armés de piques creusèrent ensuite, tous les deux pas, des rainures perpendiculaires au chemin. Des chevaux bien ferrés pourraient facilement tirer là-dessus les plus lourdes pièces d'artillerie. Et il y avait encore si peu de neige, bien qu'on soit presque à la mi-décembre, qu'un corps d'infanterie ou même d'artillerie, une fois franchie la rivière, pourrait, après trois ou quatre heures de marche, prendre position devant le camp fortifié de Saint-Eustache.

Ce même jour, Chénier avait envoyé deux hommes en reconnaissance sur l'île Jésus. Ils étaient rentrés un peu avant François, disant qu'ils avaient vu trois corps de volontaires en marche, dont un au moins avait des chevaux et des traîneaux sur lesquels étaient placées des caisses de munitions et des armes lourdes ; ils opéreraient sans doute leur jonction sur la rive sud de la rivière, juste en face de Saint-Eustache, de manière à couper toute retraite de ce côté. Les patriotes avaient, bien sûr, démoli le pont de glace qui reliait le village à l'île Jésus, mais la traversée pouvait quand même se faire, quoiqu'un peu plus péniblement, un peu plus lentement, sur la rivière glacée et enneigée, tant en aval qu'en amont du village.

La rumeur courut alors, débridée, que le camp serait attaqué dès le lendemain, peut-être même dans la nuit. Certains jeunes fanfaronnaient, mais tous avaient peur. On se réunit dans l'église. Sans même qu'on lui ait demandé de prendre la parole, Girod s'avança et mit brièvement l'assemblée au courant des derniers événements. Il fallait, selon lui, regrouper les forces patriotes. Il se proposa d'aller lui-même, par cette nuit sans lune, chercher du renfort à Saint-Benoît. Aussitôt des jeunes, les mêmes que ceux que François avait vus haranguer Scott, se mirent à le huer. Ces jeunes jappaient devant tout ce qui évoquait le moindrement leur peur. Et plutôt que d'en considérer les raisons, ils invectivaient leurs peurs, espérant sans doute ainsi les atténuer. Chénier prit alors la parole. Encore une fois, il sut calmer les hommes, il dit que Girod avait droit à son opinion, mais qu'on ne pouvait pas être d'accord avec lui. On allait se défendre tout seul, se battre jusqu'au bout. Il ne parlait plus de prendre Sainte-Rose, ni Sainte-Thérèse, ni Pointe-Calumet, ni Oka. Il parlait désormais d'aller jusqu'au bout. Et comme chaque fois, quand Chénier parlait, les certitudes revenaient, et quelles qu'elles soient, même celle de mourir, elles apportaient la paix à tous. Et tout balançait entre cette paix et la peur.

Ce soir-là, Julien suggéra à Judith de quitter le camp et de retourner chez ses parents. La route qui passait par Saint-Benoît était sûre et protégée. « C'est pas une place pour une femme, ici », dit-il. Comme si elle avait oublié qu'elle-même en était une, Marie abondait dans le sens de son frère, répétant à la jeune fille qu'il était dangereux pour elle de rester. Judith protestait. Et pour la deuxième fois, elle demanda à François s'il la protégerait. Cette fois, Marie éclata. Elle se rua sur Judith, furieuse, sans un mot, elle la prit par les cheveux et la frappa au visage. François saisit Marie et l'enferma dans ses bras. Et encore une fois, tenant son corps brûlant, secoué de sanglots, pressé contre lui, pendant qu'elle se calmait, haletante, il sentit le désir l'envahir. Marie s'en aperçut. Une fois calmée, elle défit doucement l'étreinte de ses bras et s'éloigna avec ce sourire moqueur qu'elle avait eu autrefois. Plus tard, elle s'isola dans la petite chambre à l'étage du manoir ; François la suivit, comme un esclave consentant et inquiet. Prisonnier. Une fois de plus, il avait franchi le fossé entre Marie et lui. Et il ne savait plus trop bien comment il pourrait revenir sur ses pas.

〜

Dans la nuit du 13 au 14 décembre, la température chuta considérablement. Avec le froid, la peur et l'incertitude entrèrent dans le camp de Saint-Eustache. Les hommes marchaient dans le village pour se tenir au chaud. On parlait peu. Vers la fin de l'avant-midi, on entendit le tocsin, lugubre tintement. L'ennemi était en vue. Mais où ? De quel côté venait-il ? Et quel ennemi était-ce ? Les têtes se tournèrent vers le clocher, d'où on criait que les St. Eustache Loyal Volunteers se trouvaient de l'autre côté de la rivière.

Malgré les protestations de Girod, Chénier entraîna une soixantaine de ses hommes à leur rencontre. Ils s'avancèrent sur la rivière, hésitants, parce que la glace n'était pas encore très sûre, mais surtout parce qu'ils allaient se battre pour la première fois de leur vie. Tuer peut-être. Être tués peut-être. Les plus intrépides, groupés autour de Chénier, se rendirent jusqu'au milieu de la rivière et tirèrent une salve sur les loyalistes, mais ils se trouvaient beaucoup trop loin d'eux pour les atteindre. Alors on vit apparaître, derrière les St. Eustache Loyal Volunteers, les Queen's Light Dragoons, bien visibles dans leurs habits rouges, casqués, cuirassés, fièrement montés sur de grands chevaux bais bien peignés. Presque au même moment, les artilleurs de Colborne qui, ayant franchi la rivière, sans doute au pont de glace de Sainte-Rose, et se trouvant déjà à moins d'un quart de mille en aval de Saint-Eustache, faisaient pleuvoir la mitraille sur les insurgés, qui durent battre en retraite et se réfugier dans le village.

Pendant une bonne heure, l'artillerie de Colborne bombarda le village, sans faire trop de dommages matériels, mais semant la panique. De l'autre côté de la rivière, les Queen's Light Dragoons, hors de portée de tirs, observaient le spectacle, attendant le moment d'intervenir. Un pâle soleil parut au début de l'après-midi. Un gros cheval de trait derrière lequel se cachait son meneur traîna un obusier le long de la Grande Côte, jusque devant la porte principale de l'église. Mais le feu nourri des défenseurs mit les servants en déroute avant qu'ils aient réussi à braquer et à nourrir la bouche à feu. Le gros cheval, gravement blessé, tenta de fuir lui aussi, mais l'une des roues de l'obusier se cala dans une rigole et l'arme lourde se renversa. Quelqu'un, du côté des patriotes, cria de ne pas tirer inutilement, qu'il fallait ménager les balles. C'est du côté de l'armée gouvernementale que vint le coup qui acheva la pauvre bête.

La cavalerie cependant s'était dangereusement rapprochée et les artilleurs en formation entraient dans le village, du côté est, enfonçant une à une les maisons, qu'ils saccageaient et incendiaient. Déjà, des morts et des blessés jonchaient le sol çà et là. On entendait de tous côtés des cris et des pleurs.

On vit Girod monter à cheval et crier à ses hommes qu'il partait chercher du secours à Saint-Benoît. Durant l'après-midi, plus de la moitié des effectifs s'étaient enfuis dans le plus grand désordre. Le camp de Saint-Eustache n'était plus défendu que par quelque deux cents patriotes faiblement armés, pas du tout aguerris, pétris de peur et d'angoisse. Chénier les réunit dans la cour du presbytère, où ils se trouvaient à l'abri, protégés des tirs ennemis par l'église, le couvent et les fortifications, qu'ils avaient érigées au cours des jours précédents. Derrière eux, juste derrière l'église, un chemin bien balisé traversait le cimetière et fonçait sur la plaine, en direction de Saint-Benoît... le chemin de la liberté.

On entendit soudain de terribles hennissements ; l'écurie de la paroisse était en feu. Des jeunes coururent ouvrir toutes grandes les portes à chaque bout. Le puissant courant d'air ainsi engendré raviva les flammes, qui remplirent l'étable d'un sourd rugissement que déchiraient les hennissements et les piaffements des chevaux, qu'on voyait se débattre vainement. Quelques-uns brisèrent leur licou, mais trop affolés par les flammes, à demi asphyxiés, ils tournaient en rond en ruant, en se cabrant. François vit Prince, la crinière en feu, debout au milieu de l'étable, les yeux fous, tomber à la renverse.

Sur le parvis de l'église, trois hommes gisaient : deux d'entre eux étaient tombés à plat ventre, face contre terre ; l'autre, sur le dos, semblait dormir. Une grande tache de sang, gigantesque fleur écarlate mêlée à ses cheveux blonds, se répandait dans la neige. Il tenait son fusil dans ses bras. Il y avait aussi un blessé qui tentait de se mettre à l'abri, un tout jeune homme, très roux. Retranchés derrière les fortifications ou dans les bâtiments voisins, tous le regardaient, espérant pour lui, personne n'agissant. Il semblait avoir eu les deux jambes brisées par un obus. Il se traînait sur les coudes, sans panique, sans se plaindre, laissant une trace rouge dans la neige. Une autre balle l'atteignit à l'épaule, mais il continua d'avancer, lentement, péniblement, toujours sans geindre, comme s'il voulait ménager ses forces. Il y eut des tirs encore et on vit l'impact des balles sur la maçonnerie de l'église, juste au-dessus de sa tête. Alors François sauta par-dessus le muret, courut vers lui, le prit sous les bras et le traîna à l'abri. Ni lui ni le garçon ne furent atteints.

Chénier salua la bravoure de François, qu'il donna en exemple à ses hommes. Mais la peur s'était installée parmi eux, en eux. Nul ne pouvait douter désormais que l'armée britannique avait ordre de ne pas faire de quartier. Colborne ne voulait pas seulement écraser la rébellion, il voulait aussi tuer tous les rebelles, anéantir dans l'œuf toute idée de rébellion.

L'obusier relevé était maintenant braqué sur le presbytère, dont on vit bientôt les fenêtres voler en éclats. Les hommes qui s'y trouvaient encore sortirent en courant. Quelques minutes plus tard, Chénier ordonnait à ses hommes de se réfugier dans l'église. Il y eut un moment de stupeur. « Dans moins d'une heure, l'église sera encerclée », fit remarquer François. La route était libre encore, vers le nord. Il pressait ses compagnons de s'y engager. Mais personne n'osait l'écouter.

Un tout jeune homme, vraisemblablement un cultivateur, fit observer que plusieurs d'entre eux n'avaient pas de fusil. Jean-Olivier Chénier lui répondit : « Il y aura des tués parmi nous, vous prendrez leurs armes. » Alors François, hors de lui, cria : « Docteur Chénier, vous savez très bien que vous serez tous tués ! »

François ne craignait plus de passer pour un lâche en refusant de se battre. Sans avoir réfléchi, il avait risqué sa vie en allant chercher ce patriote blessé sur le parvis de l'église. Il avait fait ce geste non seulement dans le but de sauver ce pauvre garçon, mais également dans celui d'acquérir sa liberté, cette liberté qui lui permettait maintenant de dire devant tous ce qu'il pensait. Il ajouta bien fort, pour que tous, Chénier surtout, l'entendent : « Moi, je reste pas ici. Je veux pas mourir, surtout pas pour rien. Moi, docteur Chénier, j'entrerai pas dans votre église. »

Il y eut un long silence, des murmures, quelques engueulades, quelques bousculades. Chénier ne rétorqua rien à François ; mais Julien, qui se trouvait à ses côtés, le regardait d'un œil mauvais. On entendit alors la voix de Chevalier de Lorimier, calme et forte, disant qu'il appuyait la position de François et qu'il partirait lui aussi. « Je ne donnerai pas ma vie ni celle de mes hommes pour si peu. Pas maintenant. Il y a encore trop à faire. » Il s'approcha de Chénier, à qui il tendit ses deux pistolets. « Tu en auras besoin », lui dit-il. François, qui avait assisté de près à la scène, eut alors la certitude que Chénier avait choisi de mourir et qu'il savait pertinemment qu'il entraînerait tous ces garçons dans la mort. Le jeune médecin croyait profondément (il en avait parlé un soir avec Julien et Scott) qu'il devait y avoir des victimes pour nourrir et justifier la révolte du peuple, et faire la preuve que le gouvernement britannique était inique, injuste, sanguinaire. Malgré son jeune âge, malgré les pleurs de sa femme, Zéphirine, et bien qu'il ait une enfant encore au berceau, Jean-Olivier Chénier avait pris l'irrévocable décision de donner sa vie. De Lorimier, de toute évidence, avait fort bien compris cela. « Nous ne nous verrons plus sur terre, mon ami », voilà ce qu'il chuchota à Chénier quand il l'embrassa. Voilà ce que François, qui se tenait tout près d'eux, entendit clairement. Le curé Paquin avait raison : Chénier préparait un sacrifice exemplaire.

Chevalier de Lorimier et ses hommes quittèrent à leur tour en direction de Saint-Benoît. Il n'y eut pas de huées. Ils disparurent rapidement au bout des champs de neige. Et le silence retomba dans la grande cour, ponctué par les tirs d'obus, le crépitement des flammes, les cris, les pleurs et les plaintes. Il y eut un moment de grande confusion, que la voix calme et posée de Chénier interrompit. François ne l'écoutait pas, il ne voulait pas l'écouter, non par peur de se laisser convaincre et de s'offrir lui aussi en sacrifice, mais parce qu'il ne croyait plus en ses idées, ni en la valeur de son sacrifice. Il cherchait Judith des yeux. Son regard rencontra celui de Marie, qui se trouvait de l'autre côté de la grande cour, contre le mur de l'église. Tête nue, enveloppée dans un long manteau noir qui touchait presque terre, elle faisait penser à une sombre madone, immobile. François se dit qu'elle l'avait sans doute entendu dire bien haut, à l'intention de Chénier et de Julien, qu'il partirait lui aussi, comme Scott, comme Girod et De Lorimier. Et qu'elle avait peut-être vu dans ses yeux que ce n'était pas elle qu'il cherchait dans cette foule agitée. Elle le regardait intensément, avec ce qu'il crut être un air de défi, comme si elle se demandait s'il aurait l'audace d'aller vers la petite Judith.

François lui fit un triste sourire et reprit du regard le parcours des lieux. Il était profondément peiné, parce qu'il sentait bien qu'il blessait terriblement cette femme qui l'avait tant aimé, qui l'aimait toujours trop. Il aperçut enfin Judith, qui se frayait un chemin parmi la foule des patriotes pour venir vers lui, toute menue, terriblement fragile. Elle ne dit pas un mot. Elle se tint debout tout près de lui, tête basse, tremblante de peur, se mordillant les lèvres.

Des obus tombèrent sur le couvent. Le vent apportait dans la cour de grandes bouffées de chaleur et d'acres fumées qu'il arrachait aux nombreux incendies qu'avaient engendrés les bombardements ou qu'avaient délibérément déclenchés les militaires ou les volontaires loyalistes. La résidence et le magasin de Scott étaient mis à sac. Sur un signal de Chénier, une soixantaine d'hommes entrèrent dans l'église, certains franchement hésitants, terrorisés, effarés. Ne restèrent bientôt plus dans la cour que Julien, Marie, Judith et François.

Sans hésiter, François prit Judith par la main et l'entraîna vers le cimetière qui fermait la cour du côté nord. Un obus tomba tout près, derrière eux. François se retourna et aperçut Marie qui s'avançait sur le parvis de l'église, s'approchait du patriote blond tué plus tôt et lui arrachait son fusil des bras. Puis elle courut s'enfermer dans l'église, à la suite de son frère et de Chénier.

François eut le temps de voir que des soldats loyalistes avaient contourné le bâtiment et enfonçaient la porte de la sacristie. Il reprit la main de Judith. De Lorimier et ses hommes devaient se trouver à moins d'un demi-mille du village ; ils iraient se joindre à eux, ils seraient à Saint-Benoît avant la nuit. Ils couraient tous les deux, se tenant par la main. Puis Judith fit un bond en avant, comme un pas de danse. Elle se tourna vers François, tendant les bras vers lui, et elle tomba, toute molle et toute légère, comme une fleur, un oiseau, un trou rouge au milieu de la poitrine, par où la balle était ressortie après avoir traversé son cœur, qui déjà ne battait plus.

◆

François marchait maintenant sans trop savoir où il allait, sans même savoir par moments qu'il marchait. Il entendait tonner le canon, au loin. Il s'arrêtait parfois et regardait derrière lui. Dans le jour déclinant, au bout de la vaste et morne plaine, de grosses fumées noires montaient à l'assaut du ciel et s'y effilochaient. Après le coucher du soleil et jusque tard dans la nuit, il vit des rougeoiements, lugubres lueurs, se tordre sur l'horizon. Il apercevait parfois des ombres furtives dans les champs qu'il traversait, des fantômes de patriotes qui fuyaient, comme lui.

Il pensa à cette femme qu'ils avaient vue, un jour, avant ce grand malheur, cueillant des pommes avec ses enfants dans un beau verger, tout près de là. Et il se demanda s'ils étaient encore heureux, s'il y avait encore du bonheur dans ce monde.

Tout était brisé, fini. Il avait compris trop tard que l'amour de Marie était dangereux ou qu'il était trop fort pour lui, que la guerre de Julien et de ses amis était perdue d'avance, que c'était une guerre pour rien, mal préparée, mal menée. Et il n'avait pas su protéger la petite Judith, dont il avait couché le corps sur une grande dalle de pierre au centre du cimetière, Judith dont il ne connaîtrait jamais l'amour. Un amour avait tué l'autre amour. Il n'y avait en effet pas de doute possible, la balle qui avait tué Judith ne pouvait venir que de l'église, que de Marie.

Il avait froid, il était perdu et fatigué, sans ami, sans amour et sans armes. Mais il était vivant, toujours vivant. Et libre. Il n'aurait su dire cependant si cette liberté qu'il avait prise ferait son bonheur ou le mènerait à sa perte.

Hiver 1838
Port-Joly

Napoléon Aubin

À Port-Joly, ce fut par le journaliste Napoléon Aubin, un habitué du manoir, ennemi idéologique mais ami respecté de la famille Aubert de Gaspé, qu'on apprit, une semaine avant Noël, ce qui s'était passé à Saint-Eustache, « une vraie tuerie », selon ses dires. Après avoir bombardé et cerné l'église où s'étaient réfugiés Jean-Olivier Chénier et une soixantaine de patriotes, l'armée britannique y avait mis le feu. Les assiégés qui avaient tenté de sauter par les fenêtres avaient été implacablement abattus, même s'ils avaient jeté leurs armes et demandé grâce. Le village avait été mis à feu et à sac, presque toutes les maisons détruites. Aubin, révolté, considérait que John Colborne était un assassin et que le surnom de Vieux Brûlot qu'on lui avait donné était trop doux. « C'est un être assoiffé de sang, disait-il. Il a juré l'extinction de la race canadienne. »

En fait, n'eût été la présence du journaliste au manoir de Port-Joly, la nouvelle de cette dernière défaite des patriotes, la plus cruelle, la plus définitive, aurait été accueillie par d'unanimes cris de joie. Il y en eut, des cris de joies, mais également de vives discussions entre Aubin et les Aubert de Gaspé, père et fils.

On pouvait difficilement imaginer deux tempéraments moins ressemblants que ceux des deux jeunes gens. Autant le fils du seigneur déchu était rêveur et ténébreux, en proie à de fréquents accès de mélancolie, autant l'autre abordait la vie et les gens avec humour et bonne humeur, cherchant toujours d'abord et avant tout le bon et beau côté des choses, prenant partout son plaisir, même dans les violentes polémiques auxquelles il était sans cesse mêlé. Passionné de sciences naturelles, il croyait que les nouvelles technologies, en particulier celles de l'électricité, changeraient le monde. Philippe aussi se bagarrait et se disputait, mais il le faisait avec une rage désespérée, souvent sans plaisir, possédé tout entier par ses colères, submergé par d'insondables spleens dans lesquels, prétendaient plusieurs de ses amis, il avait tendance à se complaire, dont il semblait se délecter. Philippe mangeait peu, il buvait et fumait beaucoup ; Aubin adorait la bonne chère et le grand air, les longues marches. L'un appartenait à la classe des seigneurs du vieux Régime français, imbus de leur importance et accrochés à leurs privilèges ; l'autre, né et élevé dans une commune ouvrière de la banlieue de Genève, s'était frotté aux idéologies progressistes de son temps et s'affichait comme un libéral et un démocrate convaincu, penchant naturellement du côté des patriotes.

Malgré ces dissemblances, ils s'étaient toujours entendus à merveille et chacun respectait les opinions de l'autre. Ils s'étaient connus lorsqu'ils étaient tous les deux rapporteurs des débats de l'Assemblée législative pour des publications rivales. Ils avaient réussi tous les deux, chacun à sa manière et avec ses propres raisons, à soulever la colère des autorités, en particulier de Thomas Ainslie Young, le très exécrable et irritable chef de police de Québec, si bien qu'ils avaient l'un et l'autre été congédiés par leur employeur.

En août, Aubin et quelques amis avaient fondé *Le Fantasque*, qui s'était constitué en quelques mois un noyau de lecteurs fidèles et enthousiastes, des jeunes surtout, que l'ironie mordante et l'humour irrévérencieux de la publication réjouissaient.

À quelques jours des fêtes, Aubin, désormais libre comme l'air, était donc arrivé à Port-Joly avec les terribles nouvelles des désastres de la vallée du Richelieu et de Saint-Eustache. C'était pendant le séjour qu'il avait fait sur la Côte du Sud qu'ils eurent, le jeune Philippe et lui, une idée qui, croyaient-ils, pouvait changer leur vie et le cours des choses.

Un soir, après que les plus jeunes furent montés se coucher, les deux hommes s'étaient retirés dans le petit salon, où ils avaient passé une partie de la nuit à discuter, à fumer et à boire avec Aubert de Gaspé père. Ce dernier aimait bien l'esprit pétillant et frondeur du jeune Aubin, son sens de la répartie. Pourtant, le journaliste n'était à peu près jamais d'accord avec lui et ne se gênait pas pour dire, même sous le toit du seigneur de Port-Joly, même en buvant son meilleur vin importé, que le régime seigneurial avait fait son temps et que les patriotes avaient tout à fait raison d'exiger l'abolition des privilèges seigneuriaux.

« Vous avez déjà ce privilège inestimable et inaltérable d'être instruits et cultivés. Vos enfants, s'ils le veulent, appartiendront, quelle que soit leur fortune, à l'élite de ce pays. Même s'ils perdaient demain leurs rentes seigneuriales, leur sort resterait infiniment plus enviable que celui de la grande majorité des habitants, qui ne savent ni lire, ni écrire, ni compter. Ni penser, par conséquent. »

Mais les patriotes, était-il besoin de le rappeler, venaient d'être lamentablement écrasés, leurs armées et leurs idées étaient en déroute, leurs chefs, dont Papineau et O'Callaghan, ayant cherché le salut dans la fuite aux États-Unis. On disait qu'ils s'étaient réfugiés du côté d'Albany. « Ce sont des lâches », disait Aubert de Gaspé père. Aubin était assez d'accord avec cela, lui qui ne comprenait pas que ces meneurs aient ainsi abandonné leurs troupes. Il était cependant persuadé que quoi qu'il arrive, les idées qui les avaient motivés feraient leur chemin parmi le peuple, et que celui-ci tôt ou tard secouerait le joug écrasant que lui imposaient les vieux seigneurs français, les communautés religieuses, les grandes compagnies forestières ou de traite et l'administration britannique.

Aubin se tenait au courant des idées que des intellectuels français et anglais, La Mennais, Robert Owen ou Charles Fourier, avaient mises en circulation au cours des années précédentes. Il était fasciné par le rêve social et politique que faisaient les masses ouvrières et prolétaires d'Europe, qui commençaient à se mobiliser, à exiger justice et respect pour le peuple. Il aimait jouer avec ces mots et ces concepts tout nouveaux, encore mal définis, capitalisme, socialisme, prolétariat, communisme, qui selon lui, plus encore que l'électricité, les machines à vapeur et les moteurs qu'inventaient les ingénieurs, apporteraient bientôt des changements fondamentaux et irréversibles.

Aubert de Gaspé père avait lu lui aussi *Les Paroles d'un croyant* et *Le Nouveau Monde industriel et sociétaire*, livres dans lesquels cette nouvelle utopie sociale était expliquée. Mais contrairement à La Mennais ou à Fourier, contrairement à Aubin, il considérait que les peuples d'Europe devaient leur misère actuelle non pas aux nobles et aux possédants qu'ils voulaient à tout prix renverser, mais aux radicaux et aux libéraux qui avaient bouleversé l'ordre établi. Quand la noblesse était forte et incontestée, le peuple était selon lui plus heureux.

Philippe, d'ordinaire très loquace lorsqu'on débattait de ces sujets devant lui, avait laissé discourir ce soir-là sans intervenir beaucoup, buvant et fumant abondamment, et ressassant les plus amères pensées quant à son avenir de journaliste et d'écrivain. Son roman, *L'Influence d'un livre*, sous-titré *Le Chercheur de trésors*, avait été plutôt mal accueilli par une critique qu'il jugeait envieuse et tendancieuse, mal disposée à son égard à cause de ses virulentes prises de position. Pour les mêmes raisons, il était banni de toutes les salles de rédaction du Bas-Canada. Malgré cela, ce qui n'avait pas arrangé les choses, il n'avait pu s'empêcher, chaque fois qu'il en avait eu l'occasion, de rappeler publiquement, dans les tavernes qu'il fréquentait à Québec, que Young avait été lui aussi réprimandé par le gouvernement pour avoir détourné des fonds alors qu'il était shérif. Et que pour un crime très semblable, son père, le seigneur de Port-Joly, était aujourd'hui mis au ban de la société et serait, si l'on en croyait la rumeur, arrêté par ce criminel. Ainslie Young, à qui on avait rapporté ces propos, s'était promis de renvoyer le jeune De Gaspé et son ami Aubin derrière les barreaux à la première occasion.

Aubin, toujours optimiste, considérait qu'ils étaient ainsi libérés de tout engagement. Grâce à leurs frasques, ils se devaient, s'ils voulaient continuer à faire ce qu'ils aimaient le plus, de soutenir leur propre journal, *Le Fantasque*. Tout ce qui se passait dans ce pays depuis octobre, l'extrême agitation, les tragédies de Saint-Charles, de Saint-Denis, de Saint-Eustache et de Saint-Benoît, la défection des chefs patriotes, la dure répression du gouvernement, était une excellente matière pour de jeunes journalistes courageux. Philippe Aubert de Gaspé et Napoléon Aubin ne voyaient évidemment pas les choses de la même manière, mais justement, disait ce dernier, pour une fois, on trouverait dans un même journal les deux côtés de la médaille : sa vision du monde, qu'il qualifiait de progressiste, et celle de son ami, qu'il considérait comme rétrograde.

Ainsi, à la fin de cette première soirée passée au manoir, Aubin eut une idée qui excita Philippe à tel point que, même passablement soûl, il mit beaucoup de temps à s'endormir, se demandant avec angoisse si cette riche idée survivrait à l'ivresse que lui avait procurée le vin. Mais le lendemain, et Aubin et les Aubert de Gaspé père et fils étaient toujours aussi enthousiastes. L'idée, bien que formulée par Aubin, était née d'une réflexion qu'avait laissé tomber Philippe durant la discussion que menaient son père et son ami.

« Au fond, on ne sait jamais vraiment ce qui se passe dans ce pays. La grande majorité des gens ne savent ni lire ni écrire et n'ont pratiquement aucun moyen d'être vraiment informés, encore moins de faire connaître leurs pensées. Il faudrait aller sonder l'âme de ce peuple. »

Aubin était resté un moment bouche bée. Que n'y avait-on pensé plus tôt ? Philippe ne pouvait travailler facilement à Québec, mais rien ne l'empêchait de voyager, de partir en tournée à travers le pays et même à travers tout le continent et d'envoyer régulièrement des articles au *Fantasque*, après avoir sondé l'âme du bon peuple, comme il disait. Philippe avait toujours adoré voyager. Depuis qu'Aubin le connaissait, il ne tenait jamais en place, un jour à Québec, l'autre à Port-Joly, à La Malbaie, à Kamouraska ou même à Boston, à New York, à La Nouvelle-Orléans. La perspective que *Le Fantasque*, le plus démuni des hebdomadaires bas-canadiens, puisse avoir un correspondant, un *galloping writer*, comme l'avait dit Philippe, réjouissait Aubin au plus haut point. Les Anglais et les Américains avaient un nouveau mot pour désigner ce genre de journaliste. « Reporter, avait dit Aubin. Tu seras reporter au *Fantasque*. »

Dans la journée, les deux amis imaginèrent un début d'itiné-raire. Montréal d'abord, où les esprits s'échauffaient beaucoup plus vite qu'ailleurs. Québec aussi, bien sûr. Et puis les villages de Saint-Denis, de Saint-Charles et de Saint-Eustache, qu'on disait en grande partie détruits. Il fallait aller voir, enquêter, décrire, raconter. Il fallait aller à Albany aussi, où se trouvaient vraisem-blablement les patriotes en fuite, à New York également, qui depuis l'ouverture du canal Érié la reliant aux Grands Lacs, était en train de faire fortune et attirait, comme de raison, beaucoup de Cana-diens. Et à La Nouvelle-Orléans, que Philippe connaissait déjà assez bien pour avoir travaillé quelque temps à *L'Abeille*, le journal local. Aubin voulait que Philippe rencontre un peu partout des communautés de Canadiens, afin de savoir et de faire savoir com-ment ils vivaient, pensaient, rêvaient, comment ils se remettaient des humiliations et des guerres qu'ils avaient subies.

Lorsque Napoléon Aubin partit pour Québec, le lendemain midi, avant-veille de Noël, il était entendu que Philippe ferait d'abord et avant tout un saut à La Malbaie, dans le courant de l'hiver, afin de voir ce qu'il advenait de cette expérience que tentait le père de leur ami Ti-Jean Tremblay. Ce dernier, dans les lettres qu'il leur avait fait parvenir, avait longuement parlé de ce qui se tramait chez lui. Ce projet auquel il se trouvait mêlé presque de force semblait l'ennuyer prodigieusement, mais pour la première fois peut-être, des habitants de cette région, des Canadiens, se comportaient en véritables entrepreneurs. « C'est une autre sorte de soulèvement, disait Aubin. Peut-être beaucoup plus efficace que celui qui a été écrasé à Saint-Eustache. »

Philippe était content. Il voyait enfin une porte de sortie. Et en prime, il passerait quelques jours avec son ami Ti-Jean. Il reverrait peut-être la trop belle Odulie, ce qui n'était pas pour lui déplaire.

Sur le fleuve

François

Aux Rois, tel qu'entendu lors de la réunion du premier dimanche de l'avent, une délégation de quatre hommes partait de La Malbaie pour aller rencontrer à Rivière-du-Loup l'ingénieur Duchesne, qu'on voulait intéresser aux projets de la Société des Vingt-et-un.

Après un redoux de plusieurs jours, les grands froids étaient revenus. L'hiver avait été jusque-là si pauvre en neige qu'on voyait encore le fond des champs par endroits et que les maisons n'étaient pas chauffables. Très loin, au-delà des battures où s'échouaient au jusant les glaces qu'avait soulevées et fracassées la marée, le fleuve coulait ses eaux noires troublées de frasil, sa langue froide et assassine léchant ses côtes glacées qui se soulevaient et s'affaissaient, hideuses mâchoires aux crocs acérés capables de rouler et de broyer des cailloux gros comme des bœufs.

Ti-Jean aimait bien ce puissant spectacle. Il aimait les musiques de l'hiver, plus dépouillées, mais tout aussi riches et variées, que celles de l'été, musiques pures et sauvages, presque toujours sans voix, sans âme, s'égarant parfois dans de vertigineux silences. Au bord du fleuve, à la marée montante, on entendait d'étranges modulations ponctuées d'assourdissantes détonations, murmures confus, poignantes vibrations, borborygmes et bourdonnements s'élevant des profondeurs à l'assaut du ciel. Et quand on s'avançait sur la banquise vers le large, vers les eaux vives du fleuve, on entrait dans le doux et terrifiant chuintement du frasil, dans le chant tout lisse du vent constellé çà et là de tintements et de glas, entrechoquements de glaçons qu'emportait le monstre dans sa terrible gueule.

Il fallait traverser. Ti-Jean s'était joint à Caille, le père de Laurence, et aux frères Dallaire, Benjamin et Étienne, pas plus grands, pas plus gros que Caille, mais bons marins tous les deux, qui avaient plusieurs fois fait la traversée, hiver comme été. Ils étaient partis à l'aube. Pendant plus d'une heure, ils avancèrent quasiment à l'aveuglette dans le soleil levant, le capuchon rabattu sur la face, pliés en deux, suffoquant sous l'écrasante masse de lumière, chacun regardant la pointe de ses pieds entrer et sortir de son champ de vision, gauche, droite, gauche, droite. Les mocassins ne laissaient pas de traces sur la neige rêche et dure, mais chaque pas jetait en l'air un crissement bref qui rythmait les pensées. De temps en temps, on enjambait une veine de glace bleue, limpide cicatrice courant se perdre dans l'abîme.

Ils marchaient en silence les uns derrière les autres, Caille, Benjamin et Étienne, Ti-Jean. Bagages et cœurs légers, chacun ayant eu la bonne idée de laisser ennuis et soucis à La Malbaie. Seul Étienne avait apporté son fusil. « Au cas où », disait-il. Pour se rassurer, en fait. Car il était absolument impossible qu'ils rencontrent quelque bête que ce soit dans ces paysages coulés, inertes et stériles, dans ce froid de plus en plus intense.

Ils suivirent la côte jusqu'à Port-au-Persil, où ils s'arrêtèrent pour dîner et se reposer un peu, chez des parents de Caille. L'après-midi fut très agréable, avec son gentil petit vent arrière, son gros soleil qui leur chauffait le dos. Leurs ombres les dépassèrent sur leur gauche et s'allongèrent très loin devant eux, minces et dégingandées, lorsqu'ils arrivèrent à Rivière-Noire. Ils entrèrent chez Peter McLeod une grosse heure avant la nuit.

La maison était surchauffée et archibondée. McLeod luimême, sa femme, Josephte, son fils John, son père, Peter McLeod le vieux, ses deux sœurs, Mary et Lisa, trois ou quatre enfants, autant de gros chiens, des chats. Et personne pour s'occuper des gars de La Malbaie, qui restèrent un long moment plantés là au milieu de la place, affamés, fatigués, se demandant où, dans quel coin de cet étrange lieu ils passeraient la nuit. Thomas Simard leur avait dit que McLeod s'occuperait d'eux ; McLeod était une brute, de l'avis de tous, mais de par ses origines montagnaises, il avait le sens de l'hospitalité. Or, après les avoir salués d'un mouvement de tête, le maître des lieux sembla oublier leur présence. Caille, plus habitué que ses compagnons au monde sauvage, comprit qu'ils étaient libres et bienvenus, et pouvaient agir comme chez eux. Il y avait des lanières de viande séchée, sans doute du caribou. Il se servit. Et de banique. Et de patates. Les autres l'imitèrent.

Mary McLeod, la sœur de Peter, devait avoir dix-sept ou dix-huit ans. Elle avait la peau très basanée, très brune, était plus sauvagesse que highlander, excepté les yeux, qui étaient ceux de son père, le vieux Peter, bleu foncé. Elle n'était pas vraiment belle, mais elle avait quelque chose de terriblement invitant. Caille s'était mis à lui faire la cour, pour s'amuser. Mais Mary semblait plus intéressée par Ti-Jean ou par Étienne, qui étaient beaux garçons tous les deux et n'avaient pas, comme Caille, plus de deux fois son âge.

La femme de McLeod, Josephte Atikuapi, était une pure Sauvagesse qui devait avoir autour de vingt-cinq ans. Elle parlait peu, ne souriait pas du tout. Par jeu, Ti-Jean essaya, en vain, de croiser son regard, d'établir un contact avec elle. Elle l'ignora tout à fait et vaqua à ses affaires.

Après souper, munis de lampes-tempête, ils allèrent voir le canot que leur louait McLeod à un prix exorbitant. Il était renversé sur la grève enneigée. C'était une embarcation très lourde, taillée à la hache et au ciseau dans un tronc d'arbre et renforcée d'une tige d'acier. Une quille effilée et ferrée, haute de plus d'un pied, faisait toute la longueur de l'embarcation, à la fois dérive dans l'eau et patin sur la glace. Une barque de clins mortaisés aurait été facilement écrasée entre les glaçons que charriait le fleuve. Les Sauvages, eux, traversaient dans leurs canots d'écorce, ce qu'aucun Blanc n'aurait osé essayer.

Devant Rivière-Noire, on ne pouvait distinguer les eaux vives du fleuve. Il n'y avait qu'un infini champ de glace que bleuissait la lune, paysage effrayant, glacé, violent.

ॐ

Le lendemain, heureusement, le temps était couvert, le ciel mat et gris n'était plus aussi aveuglant que la veille. Le canot glissait bien sur la glace. En moins d'une heure, ils avaient atteint la pointe de la Grande Île, où ils s'arrêtèrent pour souffler un peu. Et se recueillir. Benjamin proposa qu'on récite une dizaine d'*Ave Maria*. Dès qu'ils reprirent leur marche, Ti-Jean aperçut le fleuve, une bande noire tendue sur l'horizon, vibrante comme une corde de violon. Ils s'avancèrent, le cœur serré, les yeux rivés sur lui, comme s'il s'était agi d'une bête dangereuse qui pouvait, à tout moment, bondir sur eux.

Le courant était beaucoup plus fort qu'ils l'avaient cru, considérablement alourdi par la marée descendante. On aurait dit qu'il avait engendré son propre vent. En quelques minutes, ils entrèrent dans un mugissement continu, dans des eaux glacées, mouvantes. Dès qu'ils mirent la pince du canot à l'eau, ils sentirent la forte poigne du courant qui cherchait à tout happer sur son passage. Caille, qui prenait parfois plaisir à tout rendre tragique, avait dit plus tôt qu'un homme qui tombait à l'eau avait tout juste le temps de penser à sa mère et de dire son acte de contrition avant de rendre l'âme. Et si on l'en sortait ? Sur la banquise, dépendamment du vent, il pouvait durer un peu plus ou un peu moins longtemps. Dans le meilleur des cas : le temps peut-être d'un *Je crois en Dieu*, en plus de l'acte de contrition et de la bonne pensée pour sa maman.

On réussit finalement à mettre le canot à l'eau et à s'installer dedans tant bien que mal. Caille d'abord, Étienne et Benjamin, puis Ti-Jean. Ce dernier, pourtant à sa première traversée d'hiver, n'était pas effrayé par le fleuve. En fait, sa peur était noyée dans une peur infiniment plus grande. Au fond, Ti-Jean ne craignait pas de mourir ; il avait plutôt peur de vivre, peur du vide immense et noir qui s'était creusé en lui, peur de la peine qu'il allait faire à sa mère, à Laurence, peur de la colère de son père.

Il fallut plus d'une heure pour traverser le chenal. Les gars avironnaient en silence, la gorge nouée. Ce fut bien pire, une fois de l'autre bord. La marée descendante charriait de grandes plaques de glace entre lesquelles il fallait se frayer un chemin. Et la banquise où ils devaient accoster formait une table surélevée sous laquelle la pointe du canot faillit rester coincée à plusieurs reprises. Quand finalement ils réussirent à s'accrocher vraiment et à hisser leur embarcation sur la glace, ils se trouvaient à plus d'un mille en aval de Rivière-du-Loup. Ils durent remonter à pied face au vent après avoir mis le canot à l'abri, sur les battures glacées. Fatigués, énervés.

Il faisait nuit quand ils arrivèrent chez l'ingénieur Joseph Duchesne, un tout petit homme plein de rides, de rires et de tics nerveux, qui fumait sans arrêt. Après leur avoir donné à souper, il les conduisit au couvent des bonnes sœurs, qui leur préparèrent des lits confortables.

Quand, le lendemain, Caille et Ti-Jean entreprirent de lui expliquer que la Société des Vingt-et-un souhaitait lui confier la direction des travaux d'installation des moulins et des écluses du Saguenay, ils comprirent bien vite que Duchesne connaissait déjà, certainement par William Price, la nature et l'ampleur de leur projet. Qu'il avait accepté, et même ébauché des plans et probablement reçu des émoluments. Pour Ti-Jean, c'était la preuve encore une fois que les jeux étaient faits sans que les gens de La Malbaie n'aient été consultés. D'autres décidaient pour eux, comme toujours, et préparaient tout. Et profiteraient de tout.

❧

Caille et ses compagnons rentrèrent de leur mission à Rivière-du-Loup, comme prévu, le dimanche 14 janvier. Le petit Louison

Villeneuve les aperçut le premier, une bonne heure avant la grand-messe, au moment où ils doublaient le cap à l'Aigle, quatre petits points, de minuscules grouillements, des insectes, aurait-on dit, qui pendant plus d'une heure s'approchèrent dans la grande blancheur, grandirent, devinrent des marionnettes, trois petites silhouettes d'hommes, les frères Dallaire et Caille, et une grande, Ti-Jean Tremblay.

Après la messe, presque tout le village descendit sur les battures glacées, scrutant l'horizon trop blanc, attendant, espérant. Les gars qu'on regardait s'approcher apporteraient sans doute des nouvelles fraîches; on saurait si l'ingénieur Duchesne était disponible, mais surtout on saurait mieux ce qui s'était passé avant les fêtes dans les camps patriotes, on saurait si tout était fini, perdu, sans espoir. On comprendrait peut-être ce qui était arrivé à Saint-Eustache et on ferait enfin la part des légendes et celle de la réalité.

Le soleil ne se montrait pas, mais les ombres grandissaient, trois petites, une grande… Tout le monde, sur les battures et sur le quai, se taisait et les regardait venir, en silence, de plus en plus étonnés et inquiets, s'interrogeant. On ne pouvait, d'aussi loin, et encapuchonnés comme ils l'étaient, voir leur visage. Ils étaient rendus tout près quand on réalisa que la grande ombre, celle qui dominait celles de Caille et des frères Dallaire, n'était pas celle de Ti-Jean Tremblay.

Il approchait midi quand le petit Louison Villeneuve, qui avait couru à leur rencontre, revint en criant très fort : « C'est François Simard, c'est François à Ange qui est revenu ! »

Et Laurence, qui avait eu tout ce temps le cœur battant, qui attendait le retour de Ti-Jean Tremblay, Laurence, rien qu'en entendant ce nom, François à Ange, eut le cœur brisé. Celui qu'elle attendait n'était pas revenu. Elle se tourna vers la carriole, où elle avait aperçu et salué plus tôt Alexis et Modeste. Celle-ci avait agrippé le bras de son mari d'une main et porté l'autre à son cœur ; les yeux exorbités, la bouche grande ouverte, comme pour un long cri muet. En la voyant ainsi affolée, Caille courut vers elle et lui prit les poignets dans ses mains en criant très fort que ce n'était pas ce qu'elle croyait, qu'il n'était rien arrivé à Ti-Jean, qu'il était seulement parti à Port-Joly.

Alors seulement Modeste retrouva son souffle. Elle se mit à pleurer. Alexis l'entoura de son bras et lui parla doucement. Mais il était blanc de colère. Ce qu'il craignait plus que tout, tellement qu'il avait tout fait pour ne pas y croire, s'était produit. Il avait compris que Ti-Jean, son garçon, s'était sauvé. Ou plutôt qu'il s'était perdu.

La Malbaie

Caille

Tout le monde reconnaissait, bien sûr, le François à Ange qui avait quitté La Malbaie deux ans plus tôt, hâbleur et fanfaron, proclamant haut et fort qu'il s'en allait dans l'Outaouais casser des gueules d'Anglais et que Peter Aylen et ses lumberjacks auraient affaire à lui. Mais, après l'avoir aperçu, en ce dimanche de janvier, les gens du village s'étaient dit, unanimes, que ce n'était plus tout à fait lui, qu'il était devenu un autre homme. Certains affirmaient, sans même lui avoir parlé, qu'il était désormais secret et timide, et ils allaient jusqu'à se demander si son grand-père Ange, en mourant, n'avait pas emporté *ad patres* l'indomptable énergie et l'incassable audace de ce petit-fils tant aimé.

Le jour de son arrivée inattendue, François avait à peine salué les paroissiens qui se trouvaient sur le quai ou sur le parvis de l'église, il n'avait parlé à personne en particulier, pas un mot, même si tout le monde le regardait intensément, comme on aurait regardé un revenant, sans oser l'approcher, mais intrigué, fasciné par lui. On ne le vit pas sourire une seule fois, pas même à la veuve Ange Simard, sa grand-mère, emmitouflée sous les fourrures de chat sauvage dans la carriole de son garçon Thomas. Pas de sourire non plus quand il était monté sur le banc d'en-avant, à côté de son père et de sa tante Constance. Le revenant François Simard n'avait pas vraiment regardé les gens de son village ; il avait presque tout le temps porté ses regards loin au-dessus d'eux, soit vers les rares nuages qui paissaient dans le ciel quand il faisait face au fleuve, soit vers le sommet des montagnes quand il lui faisait dos.

Certains conclurent qu'il n'était pas content de revenir. D'autres qu'il avait vécu d'horribles drames qui l'avaient marqué profondément. Déjà, dans l'après-midi, quelques heures à peine après son retour, des rumeurs circulaient à son sujet, plus ou moins plausibles mais quand même fondées sur des petits détails qu'on avait glanés ici et là, choses vues ou entendues au cours de la dernière année, rapportées plus ou moins fidèlement par les draveurs et les cageux descendus de l'Outaouais ou de la Gatineau, où ils l'avaient rencontré : on disait qu'il se remettait à peine de graves blessures subies aux mains des lumberjacks de Peter Aylen, qu'il avait connu des amours malheureuses avec une Sauvagesse qui lui avait brisé le cœur, qu'il était recherché par la police pour avoir tué un homme dans la Madawaska, que sa tête avait été mise à prix après qu'il eut participé à l'un ou l'autre des soulèvements patriotes qu'avait écrasés l'armée britannique. Mais tout cela n'était que suppositions. Et on n'apprendrait probablement pas grand-chose de plus.

La défection de Ti-Jean, le garçon d'Alexis Tremblay, défrayait également les conversations. Ti-Gros Sauvageau, qui s'enorgueillissait d'avoir déjà été traité par le curé de langue de vipère, avait résumé ainsi ce que beaucoup pensaient : « Cet enfant-là aime pas vivre ici. Il pense qu'à lui. Il nous aime pas. Ça fait que moi non plus, je l'aime pas. Que le diable l'emporte où il veut aller et qu'il reste parti jusqu'à la fin de ses jours si ça lui chante ! »

⁓

Après avoir déposé Modeste à la maison, Alexis se rendit tout de suite chez Caille, qu'il trouva en train de cuisiner avec sa fille Laurence un gros pot-au-feu de lièvre, de tourte, de bécasse et de perdrix, avec des patates jaunes, des carottes et des navets, des marinades. Et pour finir, un gâteau aux anges. Comme chaque fois qu'il avait mis les pieds chez Caille, Alexis fut frappé par la joie et la bonne humeur qui régnaient dans cette belle maison entourée de gros arbres et dont les fenêtres de la cuisine et du grand salon donnaient sur le fleuve, immense panorama au-delà duquel, par beau temps, on pouvait apercevoir les îles des Pèlerins et Kamouraska. Mais ce jour-là, le regard se perdait dans un ciel tout blanc qui se confondait avec le fleuve.

« Il va neiger », avait dit Alexis en entrant chez Caille. Il était resté un moment sur le pas de la porte, mal à l'aise, ne sachant plus trop bien pourquoi il était venu. En fait, il n'osait pas, connaissant vaguement les sentiments que selon Modeste la petite Laurence éprouvait pour son garçon Ti-Jean, parler devant elle du geste impardonnable que celui-ci avait posé en ne rentrant pas à La Malbaie, geste dont Alexis espérait, grâce à Caille, mieux comprendre les raisons. Modeste lui avait laissé entendre que la belle enfant devait être profondément peinée. Elle l'était peut-être, mais Alexis ne savait pas vraiment reconnaître sur le visage des autres, surtout pas chez une jeune fille de seize ou dix-sept ans, les traces que les joies ou les peines pouvaient laisser.

« Ton garçon s'ennuyait de ses amis, dit simplement Caille. Il est allé les rejoindre à Port-Joly. »

Alexis aimait bien Caille, mais il ne comprenait pas toujours sa manière de vivre et de penser. Caille était insouciant et toujours très libre, maître absolu de son temps. Il pouvait perdre des heures à se préparer de gros repas auxquels il conviait ses amis et ses voisins, ou qu'il prenait avec sa fille, parfois même seul avec lui-même. Pour s'occuper de sa ferme, il avait souvent recours à un homme engagé, l'un des fils Dallaire, Étienne ou Benjamin, qui le déchargeait des tâches quotidiennes, de sorte qu'il pouvait partir quand il voulait et où il voulait, et pour aussi longtemps qu'il en avait envie. Même avant qu'il soit veuf, Caille avait traversé la vie en flânant. Il n'était donc pas étonnant qu'il ait compris et sans doute approuvé la décision de Ti-Jean de partir ainsi à l'aventure. Alexis soupçonnait cependant autre chose. Caille défendait peut-être tout simplement celui qui faisait battre le cœur de son enfant chérie et qu'il devait en outre considérer comme un parti fort convenable.

Caille n'était peut-être pas toujours raisonnable, mais il avait quand même assez de bon sens et de jugement pour ne pas vouloir que sa fille passe sa vie avec un gars qui n'aurait jamais de terre à lui, ou qui devrait partir chaque hiver dans les chantiers pour gagner de quoi nourrir sa famille. Ti-Jean n'aurait certainement pas d'héritage digne de ce nom ; il était le septième enfant de la famille, le quatrième des garçons. Mais il avait fait des études et il tenait, au sein de la Société des Vingt-et-un, un rôle qui, tôt ou tard, s'il s'en donnait la peine, s'il savait mériter la confiance de M. Price, lui apporterait certainement un bon salaire. La question était de savoir s'il était prêt à fournir cet effort.

« Faut pas que tu t'en fasses pour Ti-Jean, répétait Caille à Alexis. Il sera revenu dans deux semaines. Il me l'a dit. »

Pour un homme comme Caille, il n'y avait jamais rien de grave. Alexis se demandait cependant comment il réagirait s'il lui disait que Ti-Jean avait volé de l'argent à la Société des Vingt-et-un. Voudrait-il encore encourager les amours de sa fille ?

Quand il était passé à la maison, tout à l'heure, Alexis n'avait pu s'empêcher de vérifier le contenu de la cassette où Ti-Jean, secrétaire-trésorier, conservait les avoirs de la Société des Vingt-et-un. En voyant les billets de 10, 5 et 2 livres soigneusement empilés, il s'en était voulu d'avoir pensé que son fils était peut-être un voleur. Il avait donc compté et recompté les billets pour constater qu'il manquait bien 10 livres. Que son fils fut un feignant, passe encore ! À cet âge, beaucoup de garçons étaient encore de fieffés paresseux. Mais un voleur ! Et un voleur qui s'en prenait au petit bien des siens, qui volait l'argent du bon monde de son propre village, de pauvres gens qui suaient sang et eau pour se sortir de la misère !

Submergé par la colère et la honte, Alexis n'avait pas parlé à Modeste du larcin de Ti-Jean. Elle aurait eu trop de peine et elle aurait trouvé toutes les raisons du monde de pardonner, d'expliquer, de justifier. Elle aurait dit que Ti-Jean n'avait que dix-neuf ans, qu'il ne savait pas vraiment qu'il faisait mal, qu'il avait posé ce geste parce qu'il était malheureux. Et elle aurait pleuré en disant que c'était sa faute à elle, qu'elle n'avait jamais su rendre heureux cet enfant pas comme les autres, trop intelligent peut-être, trop sensible, un artiste. Et qu'il fallait être profondément malheureux pour voler les autres et quitter son village sans même savoir ce qu'on allait trouver ailleurs. Modeste avait le pardon trop facile, au goût d'Alexis, surtout quand il s'agissait de Ti-Jean.

Et comment comptait-il revenir à La Malbaie, cet enfant ? Comment pouvait-il imaginer que son père l'accueillerait avec un sourire et lui ouvrirait de nouveau la porte de sa maison ?

« Pendant la traversée, si c'est ce que tu veux savoir, ton gars était comme nous autres, poursuivait Caille. Il avait peur quand c'était épeurant, et froid quand il faisait froid, et il riait quand c'était drôle. »

De toute évidence, Caille refusait de nourrir la colère d'Alexis, qu'il trouvait sans doute injustifiée ou démesurée. Car c'était aussi un peu pour cela, il le réalisait maintenant, qu'Alexis était venu chez lui, ce jour-là, autant sinon plus que pour prendre des nouvelles de l'ingénieur. Alexis cherchait des témoignages, des preuves de la fainéantise et de la pleutrerie de son garçon. En même temps, il espérait, comme un miracle auquel il ne croyait pas vraiment, que Caille lui raconterait des prouesses que Ti-Jean aurait accomplies au cours de cette traversée. Caille n'avait pas de prouesses à raconter, mais il était indulgent. « Faut que jeunesse se passe », disait-il.

En revanche, il parla avec une réelle admiration et même une certaine affection de François à Ange, qui était rentré avec eux ce matin-là. François était à peine plus âgé que Ti-Jean, mais autant celui-ci était inconstant et indécis, autant celui-là savait ce qu'il voulait ; il semblait avoir la parfaite maîtrise de sa vie ; et il n'avait pas froid aux yeux. « Un gars comme ça, on peut pas s'en passer, disait Caille à Alexis. Il connaît le bois, il connaît les

Sauvages, il est vaillant comme pas un, et il a peur de rien, de personne. Tu devrais l'intéresser à notre projet. »

Alexis se disait que s'il avait été à la place de Caille, il aurait préféré avoir ce François à Ange comme gendre plutôt que ce mollasson de Ti-Jean. Mais Caille devait savoir que sa fille s'était entichée de ce dernier. Et Caille n'était pas un père autoritaire. Tout le monde du village savait qu'il faisait, surtout depuis la mort de sa femme, les quatre volontés de sa fille, qu'il laissait totalement libre de vivre sa vie comme elle l'entendait. Il l'aurait même laissée marier un des fils Dallaire sans héritage et sans avenir si elle en avait manifesté l'envie. Pour Caille, on prenait le bonheur quand il passait et là où il se trouvait.

❧

Caille et les frères Dallaire avaient rencontré François à Ange, l'avant-veille au matin, le jour de leur départ de Rivière-du-Loup. Ils s'étaient rendus, à l'aube, au presbytère demander au curé de les bénir avant d'entreprendre leur traversée de retour. « Et qui c'est qu'on a trouvé en train de boire du thé, assis tout seul dans la cuisine ? François à Ange, qui était arrivé la veille à Rivière-du-Loup, révéla Caille. On a jamais su comment, ni pourquoi, ni d'où il venait au juste. Tout ce qu'on a su, c'est qu'il était à Kamouraska deux jours plus tôt et que quelqu'un là-bas lui avait appris que son grand-père Ange était mort depuis le mois d'octobre. Et lui, François, il ne s'en remettait pas. On l'a presque pas entendu de tout le voyage. Quand on lui posait des questions, il répondait par oui ou non, parfois même il répondait pas du tout. »

Caille et les frères Dallaire avaient quand même été très contents de l'avoir avec eux pour cette traversée qui leur faisait peur et qui, à trois hommes seulement, aurait été fort périlleuse ; on devait en effet, pour toucher la rive nord à Rivière-Noire, prendre le fleuve à contre-courant sur près de trois milles. François était fort et, malgré son jeune âge et son air taciturne,

212

il était calme et rassurant. Caille, deux fois plus âgé que lui, disait qu'il savait tout faire naturellement et toujours efficacement. « Avec lui, on pouvait pas être mal pris. Il aurait pu à lui seul tenir le canot dans le courant, avec nous quatre dedans. »

Il raconta aussi que le soir, à Rivière-Noire, François était sorti un moment de son mutisme. Peter McLeod, que le whisky semblait rendre plus aimable, en avait servi de généreuses rasades à tout le monde. Et François s'était mis à parler, mais tout bas, surtout avec Benjamin Dallaire, qui avait son âge et qu'il connaissait bien. Il lui avait avoué avoir été proche des Fils de la Liberté et s'être battu à Saint-Eustache aux côtés des patriotes. Benjamin dit plus tard que, même après avoir bu du whisky, François n'était pas du tout en joie, il restait sérieux, il disait qu'il n'y avait nulle part de place dans ce monde pour des gars comme lui. Et qu'après avoir passé quelques jours avec sa grand-mère et son père, il irait faire sa vie ailleurs. Chez les Sauvages, probablement. Peut-être même qu'il partirait un jour pour les Prairies, très loin ; il irait vivre chez les Métis de la rivière Rouge qui étaient, selon lui, des hommes libres, qui se gouvernaient eux-mêmes et ne rendaient de comptes à personne. Il en parlait comme s'il les avait bien connus, presque comme s'il avait vécu parmi eux.

Benjamin Dallaire, qui avait trois frères plus âgés que lui, savait déjà mieux que François que l'avenir n'était pas très prometteur pour les jeunes de ce pays. Mais contrairement à lui, il s'était fait à l'idée qu'il n'aurait pas la moindre parcelle de la terre paternelle, et qu'il devrait faire sa vie comme bûcheron et comme homme de chantier. Or, le long de la côte, les forêts avaient toutes été lourdement exploitées, les grandes campagnes de bûchage étaient presque partout terminées ; certains moulins à scie avaient dû interrompre définitivement leurs activités. Même les frères aînés de Benjamin auraient de la misère. Leur père, Onésime Dallaire, avait bien pensé diviser en quatre parts égales sa ferme de cent arpents carrés, mais ses deux plus vieux avaient fait valoir, avec raison, qu'on ne pouvait décemment élever une famille sur une terre de moins de cinquante arpents. Onésime laisserait ainsi deux de ses garçons sans bien, ce qui lui brisait le cœur. Et ses deux plus vieux auraient pour faire vivre leur famille deux fois moins de terre qu'il n'en avait eu, lui. C'était à souhaiter qu'ils aient peu d'enfants, ce qui était bien le plus horrible souhait qu'on puisse faire dans le monde.

« Moi qui te raconte tout ça, j'ai pas ce problème-là, dit Caille à Alexis, j'ai juste un garçon manqué. » Il prenait Laurence par le cou, l'embrassait sur la joue, avec une familiarité qui charmait Alexis. « Elle souffre pas », pensa-t-il en voyant Laurence rire de bon cœur. Même s'il était furieux contre lui, il aurait aimé croire que Ti-Jean avait laissé quelques regrets dans le cœur de la jeune fille, que quelqu'un dans le monde, à part sa mère, pensait à lui, désirait le revoir, avait besoin de lui. Mais Laurence était aussi vive et enjouée qu'il l'avait toujours vue. Elle retirait sa casserole du four, remplissait les grandes assiettes de porcelaine qu'elle avait sorties du réchaud tout en écoutant parler les deux hommes, parfois même se mêlant à leur conversation, comme une femme adulte.

À la pressante invitation de Caille, Alexis s'assit un moment pour goûter son pot-au-feu. Chaque fois que le nom de Ti-Jean était prononcé, il cherchait discrètement à voir sur le visage et dans les yeux de la jeune fille un signe, une lueur de tristesse. Mais il ne voyait rien qui puisse le renseigner sur les liens qu'elle avait entretenus avec son fils. Il n'y avait, chez Laurence, qu'un bonheur de vivre qu'elle avait sans doute hérité de son père et que rien, semble-t-il, ne pouvait altérer.

Quand, en fin de journée, Alexis partit de chez Caille, la neige avait commencé à tomber. Charley, son vieux cheval, le ramena au pas, tout doucement, au creux de la vallée Saint-Étienne, sans qu'ils croisent âme qui vive. Le monde entier semblait endormi, douillettement engourdi sous l'apaisante couette de neige. Alexis avait au moins une bonne nouvelle pour Modeste : Ti-Jean serait de retour dans deux semaines. Il se disait qu'il avait peut-être quelque leçon de vie à prendre de Caille. Que ce qu'avait fait son garçon n'était peut-être pas si terrible au fond et qu'il ferait sans doute mieux, s'il voulait rester dans les bonnes grâces de Modeste, d'oublier l'affront et de pardonner, de laisser la jeunesse se passer, comme le lui avait justement conseillé Caille.

Au Royaume

Siméon

La neige ne cessa pas de tomber pendant deux nuits et deux jours. Au matin du troisième jour, quand le soleil se leva, radieux, dans un ciel tout bleu, le bruit courut à travers tout le village que Thomas Simard et son garçon François, qui n'était de retour que depuis quelques jours, avaient chaussé leurs raquettes et quitté La Malbaie, au plus fort de la tempête. Sans laisser de traces, évidemment. Quand on demanda à la veuve Ange si elle savait de quel côté son fils et son petit-fils étaient partis, elle répondit, avec son habituelle gentillesse : « C'est pas de vos affaires. Je le saurais, je vous le dirais pas. » Mais l'hypothèse la plus sérieuse voulait qu'ils se soient dirigés vers Les Escoumins, où Thomas se rendait chaque hiver braconner, collecter des fourrures sur le territoire de la Compagnie de la Baie d'Hudson et se payer du bon temps avec sa maîtresse papinachoise.

« Arrêtez de vous demander où ils sont passés, disait Ti-Gros Sauvageau, pris d'une soudaine et inexplicable admiration pour les Simard père et fils. Même si vous le saviez, qu'est-ce que ça changerait ? Y en a pas un ici qui aurait été capable de les suivre. »

Ainsi, François à Ange était passé à La Malbaie, comme un fantôme, sans se délester de ses secrets, mais soulevant chez tous une vive curiosité. Sa grand-mère ne parlerait pas. À part les quelques confidences faites à Benjamin Dallaire, on saurait vraiment très peu de choses de ce qu'il avait vécu au cours de ces deux années. On lui en voulait bien un peu de garder toutes ces histoires pour lui. À quoi bon avoir été parti si longtemps, être allé si loin et avoir vu tant de monde, si on ne rapportait rien, si on n'avait rien à raconter ?

Et quelle était cette idée de repartir après trois jours, en pleine tempête de neige, alors qu'on voyait à peine le bout de ses raquettes et qu'on devait s'enfoncer dans la neige jusqu'aux genoux à chaque pas ? Encore une fois, ce fut Ti-Gros Sauvageau qui, toujours à l'auberge Chaperon, résuma l'opinion générale. « Fallait vraiment pas vouloir voir le monde, dit-il. Et ça, ça ressemble pas à Thomas. » François à Ange fut donc traité de sauvage et accusé de ne pas aimer le monde de La Malbaie. « Et un homme qui aime pas les siens, radotait Ti-Gros, ça mérite pas qu'on s'intéresse à lui. Il est parti. Qu'il reste parti lui aussi jusqu'à la fin de ses jours si c'est ce qu'il veut. »

Caille était déçu, bien sûr. Et Alexis encore plus, qui n'avait pas eu le temps de parler au jeune Simard du projet de la Société des Vingt-et-un. Thomas pourrait sans doute le faire en chemin. Mais Thomas n'avait pas du tout la même vision des choses qu'Alexis.

❧

Une semaine après la tempête, la neige s'était tassée et durcie. On pouvait circuler facilement et rapidement. Caille, qui ne tenait jamais bien longtemps en place, résolut, avec l'accord d'Alexis et malgré les réticences clairement exprimées par le curé, qui trouvait inconvenant qu'il laisse Laurence, sa fille de dix-sept ans, sans surveillance, de devancer le départ de l'expédition de reconnaissance au Saguenay. Il était plus que temps, en effet, de secouer la léthargie écrasante que l'hiver avait fini par imposer, même aux plus vaillants. Caille aurait bien aimé que Thomas Simard lui parle de Chicoutimi et des chemins à prendre pour s'y rendre, de ceux à éviter. Mais on ne reverrait probablement pas Thomas avant des semaines, peut-être même pas avant le printemps.

Le vendredi 26 janvier, après la basse messe, Caille quittait donc La Malbaie en compagnie de Résimond Villeneuve, Eucher Dufour et Donat, le fils benjamin d'Ange Simard, celui qui avait manqué d'air à la naissance. Donat n'était peut-être pas brillant, mais il était fort comme un bœuf et il avait déjà parcouru le pays en tous sens avec son père et son grand frère Thomas. Leur but était de faire pour la Société des Vingt-et-un un nouvel inventaire des forêts les plus facilement accessibles et de repérer les lieux, aux bouches des rivières, où on pourrait installer des moulins à scier. Et, si ce n'était déjà fait par la Compagnie de la Baie d'Hudson, ils informeraient les Sauvages qui habitaient ce territoire de ce qu'ils se proposaient de réaliser au cours des prochaines années.

Chacun était chargé de ses huit jours de lard, de fèves et de farine de sarrasin ou de blé. Eucher, qui ne se séparait jamais de son fusil, pourrait en cours de route tirer des lièvres et des perdrix. Ils se ravitailleraient, pour le retour, au village de Chicoutimi, chez Siméon, le chef montagnais de la bande des Porcs-Épics qui, en échange de poudre à fusil, de tabac et de thé, leur fournirait du poisson fumé et de la viande séchée. Chacun avait une chemise, des mitaines, une tuque et une paire de bas et de mocassins de rechange, une couverture de peau pour la nuit, un couteau, une gamelle, une touffe d'étoupe et un platine à silex pour préparer les feux ; deux d'entre eux portaient une hachette à la ceinture, les deux autres une petite scie, l'un avait un rouleau de babiche, l'autre une pelote de ruban rouge pour marquer le chemin si nécessaire. Ils étaient tous les quatre contents de partir, excités, un peu inquiets cependant, car aucun d'entre eux ne connaissait Chicoutimi, ni même la baie des Ha ! Ha !, à part Donat, mais personne ne savait si Donat avait des souvenirs. Et, s'il en avait, si ceux-ci pouvaient être utiles à quelque chose. Donat ne savait évidemment ni lire ni compter. Et quand il parlait, on ne comprenait pas toujours ce qu'il voulait dire.

Ils prirent par le chemin des Marais qui rejoignait le Saguenay à l'anse Saint-Jean. Ils entrèrent dès le deuxième jour, passée la hauteur des terres, dans ce qu'Eucher appela « une tuerie d'arbres ». Il s'agissait en effet d'un véritable carnage : des centaines de pins blancs gisaient pêle-mêle dans la neige, abandonnés, certains pas même ébranchés ni tronçonnés. Les hommes de la Compagnie de la Baie d'Hudson, qui s'y connaissaient peut-être en traite des fourrures, mais certainement pas en coupe de bois, avaient abattu ces arbres au cours de l'hiver précédent sans avoir au préalable ouvert de bons chemins de charroi, de sorte qu'il était pratiquement impossible de sortir les billots des abattis et de les acheminer au moulin.

Selon Alexis, déjà mis au courant de ce désastre par Peter McLeod, tout ce bois, qui avait passé un été entier à se faire mouiller par la pluie et sécher par le soleil, et remouiller et resécher, puis, en hiver et au printemps, à geler et à dégeler, ne serait peut-être pas récupérable. On ne pourrait cependant en faire l'inventaire définitif avant le printemps suivant.

Une surprise les attendait à l'anse Saint-Jean, où ils arrivèrent le lendemain, en fin de journée. Si l'écluse et le moulin semblaient en bon état, bien qu'on ne puisse en juger en toute certitude car ils étaient partiellement couverts de neige, plusieurs bâtiments avaient été saccagés et incendiés. Des outils et des harnais, rouillés, rongés par la moisissure, pendaient aux murs d'une petite remise dont le toit s'était effondré. Il ne restait en fait qu'un petit campe bien conservé, où ils trouvèrent deux paires d'avirons, un canot et quelques raquettes dépareillées mais en bon état.

Eucher avait entrepris de raccorder le petit poêle de fonte à son tuyau, pendant que Caille et Résimond préparaient du bois de chauffage, quand ils entendirent hurler Donat, qui se trouvait près des vestiges de ce qui avait sans doute été une étable. Il courait vers eux dans la neige, effaré, comme s'il avait eu une vision de l'enfer ; il était si agité qu'il était incapable de leur décrire l'objet de sa frayeur. Ils s'approchèrent de l'étable et découvrirent, émergeant çà et là de la neige, le squelette d'un cheval qu'ils contemplèrent un long moment en silence. Sans être aussi douloureusement impressionnés que Donat, ils sentaient tous les trois l'inquiétude les gagner.

« Les gars de la Hudson's nous ont drôlement cochonné la place », dit Caille. Il était remué, lui aussi, et démoralisé. Les lieux semblaient en effet avoir été laissés à l'abandon par des gens qui n'avaient pas su s'en occuper décemment. D'abord cette inutile et lugubre tuerie d'arbres, puis ces bâtiments ruinés et saccagés, ce cheval mort qu'avaient dévoré la vermine, les corbeaux et les loups. Et c'était sans compter ce qu'on ne voyait pas, ce qu'on découvrirait sans doute après la fonte des neiges. « Je peux pas croire qu'on a payé pour ça », disait Caille.

Heureusement, le petit poêle ronronna toute la nuit, qu'ils passèrent bien au sec et au chaud. Le soleil était déjà haut dans le ciel quand ils quittèrent l'anse Saint-Jean, le lendemain matin. Le vent ayant tassé la neige qui couvrait la rivière, ils purent cheminer avec leurs raquettes sur le dos, marchant d'un si bon pas que malgré le vent de face ils furent à l'heure du midi en vue du cap Trinité ; le soleil couchant les trouva sous les très hautes parois qui bordaient le fjord du côté sud.

Ils établirent leur campement dans une large anfractuosité de la falaise. Résimond fit un bon feu de bois près de l'entrée. Très loin devant eux, de l'autre côté du fjord encore tout plein de soleil, se trouvait ce lieu que les Blancs considéraient comme interdit, voire maudit, et qu'ils connaissaient sous le nom de la Descente des Femmes. En principe, seuls les Sauvages y avaient accès. Même Ange Simard n'y avait jamais mis les pieds. Ni ses fils plus tard, même s'ils avaient beaucoup voyagé à travers tout le Royaume. Pour les Sauvages, la Descente des Femmes était un lieu sacré, que les Blancs devaient respecter. Quand ils voyageaient depuis le Saint-Laurent, qu'entre eux ils appelaient encore le Magtogoek, jusqu'au lac Saint-Jean, pour eux le Piékouagami, ils s'y arrêtaient toujours pendant quelques jours. Ils s'y rendaient chaque année, au début de l'été, pour pêcher le saumon. Ils y passaient également les derniers jours de l'automne, avant d'entrer hiverner dans les terres.

Le jour suivant fut assez semblable : soleil dans le dos le matin ; sur sa gauche, presque de face, en fin d'après-midi, et pas un nuage, peu de vent, un vide grandiose, un peu effrayant. Ce fut Eucher qui le premier amena le sujet dans la conversation. Les autres firent d'abord comme s'ils ne comprenaient pas, mais ils finirent par avouer l'un après l'autre qu'ils ressentaient un peu la même chose que lui. « C'est vrai, t'as raison, on dirait que quelqu'un nous surveille », souffla Résimond d'une voix sourde. Et Eucher, qui se prétendait plus croyant que les autres, qui était en tout cas plus dévot que la moyenne des hommes, dit qu'il ne fallait pas s'inquiéter, que c'était sans doute le regard de Dieu qu'ils sentaient se poser sur eux. Selon lui, Dieu se manifestait dans la grande nature sauvage beaucoup plus volontiers que lorsqu'on se trouvait au milieu des hommes.

Mais ce regard, divin ou pas, leur pesait et les effrayait. En route, ils se retournaient souvent. Et chaque fois qu'ils s'arrêtaient pour fumer, souffler un peu, se faire du thé ou prendre une bouchée, ils regardaient derrière eux et partout autour, vaguement inquiets. Marchant en silence l'un derrière l'autre, sous le lourd regard de Dieu, ils entrèrent le troisième jour dans la baie des Ha ! Ha !, dont ils suivirent le littoral au plus près, découvrant les immenses pinèdes qui couvraient les basses terres et le flanc des montagnes environnantes. Deux rivières moyennes se jetaient dans la baie ; la première qu'ils franchirent à son embouchure, plutôt calme à en juger par son faible dénivelé, était sans doute la Ha ! Ha ! ; l'autre, entrant dans la baie par le sud-ouest, leur était inconnue. Moins d'une semaine après avoir quitté La Malbaie, ils arrivaient à Chicoutimi.

Ils avaient déjà vu des villages sauvages le long de la côte, Résimond surtout, qui avait voyagé avec sa goélette jusqu'à la Romaine et jusqu'à La Baleine et même au-delà. Mais ce qu'ils découvrirent là-haut les laissa stupéfaits. Le site de Chicoutimi, avec ses puissants escarpements richement boisés et ses deux rivières qui se jetaient dans le majestueux Saguenay, était magnifique. Du village sauvage adossé au cran rocheux se dégageait une inconcevable tristesse. Une vingtaine de cabanes délabrées y étaient groupées, la plupart sans fenêtre aucune, mal isolées, sans doute impossibles à chauffer, entourées de carcasses pourrissantes de gibier de toutes sortes, hideux monceaux d'entrailles congelés et d'ossements pour lesquels s'entredévoraient des chiens étiques. Siméon, chef de la bande des Porcs-Épics, qui occupaient les rives du Saguenay, du petit lac Kénogami et du pourtour sud du lac Piékouagami, vivait, soumis et résigné, dans cette misère abjecte, entouré d'autres vieillards cauteleux, maigres, presque tous complètement édentés. Étrangement, il n'y avait aucun enfant dans ce village, et pas de jeunes, ni hommes ni femmes, dans la force de l'âge.

Siméon reçut les quatre Blancs dans sa cabane lourdement enfumée, où flottait une odeur pestilentielle. Il était entouré d'une demi-douzaine de vieillards taciturnes. La plupart portaient, pendue au cou, une croix de tempérance ; et, accrochés à leurs vêtements, des médailles et des scapulaires, des pattes de lièvres, des osselets, des crocs, des griffes d'ours et des dents de loup, des amulettes de toutes sortes côtoyant Jésus sur la croix, le Sacré-Cœur et la Vierge Marie. L'œil fuyant et glauque, les mains tremblantes, Siméon commença par se plaindre de ne plus voir le missionnaire et entreprit de démontrer aux nouveaux venus qu'il n'avait pas pour autant oublié les paroles du *Je crois en Dieu*, du *Notre-Père* et de l'*Ave Maria*.

Eucher lui remit du tabac et du thé, un peu de poudre à fusil, que le vieillard accepta avec empressement et en se mettant à pleurnicher, parce que, disait-il, il n'avait rien à leur donner en retour. Comme s'il craignait que les gars en doutent, il fit se lever son aréopage de vieillards pour qu'ils puissent constater qu'ils étaient tous faibles et démunis. Il voulut faire avec eux la tournée des cabanes afin qu'ils voient qu'ils n'avaient rien à manger. Il leur offrit le gîte. « Moi, je vous le dis tout de suite, j'aime mieux dormir dehors ou même debout ou jouqué dans un arbre que dans leurs cabanes à chiens », murmura Caille à l'intention de ses compagnons, qu'il devinait d'accord avec lui. Il faisait doux. Et ils avaient amplement le temps, avant la tombée de la nuit, de se préparer un bon campement à l'écart du village. D'un commun accord, ils déclinèrent l'offre de Siméon, qui sembla soulagé.

Ils chaussèrent leurs raquettes et s'enfoncèrent dans la forêt à la recherche d'une clairière accueillante. Ils marchaient en silence vers l'amont de la rivière quand ils entendirent Donat demander : « Où la chapelle ? » Il s'était arrêté et regardait de tous bords, tous côtés. « Où la chapelle ? », en interrogeant les grands pins blancs. Puis il se mit en marche. Quand les autres l'appelèrent, il pressa le pas, si bien qu'ils n'eurent d'autre choix que de le suivre.

Ils trouvèrent, à une quinzaine de minutes de marche, sur le coteau qui flanquait l'embouchure de la rivière Chicoutimi, une mince bâtisse montée pièce sur pièce, qui impressionnait par sa vétusté. La toiture à demi défoncée et les lambris étaient couverts de mousse. Le petit clocher octogonal ne contenait plus de cloche ; il était surmonté d'une croix de fer, sur laquelle était fixé ce qui avait dû être un coq de cuivre. Eucher entra par la porte de la façade qui béait du côté de la rivière. Les autres suivirent. Ils virent sur la voûte un retable peint aux couleurs défraîchies et un tableau représentant un saint grandeur nature dont le visage était presque totalement rongé par la moisissure. Et deux vieilles armoires dont les portes battaient au vent. L'une était vide ; dans l'autre, ils ne trouvèrent qu'une poignée de clous rouillés, une gamelle, un missel dont les pages avaient été soudées par l'humidité. Et par terre, juste à côté, rongée de part en part par la rouille, la cloche. Le lieu était proprement inhabitable.

À deux pas de cette ruine se dressait ce qui avait sans doute été jadis la maison du missionnaire, une grande cabane de bois rond dont le centre était occupé par un petit poêle en fonte miraculeusement resté branché à une cheminée qui semblait en bonne condition. Ce fut là-dedans que les gars s'installèrent. La petite maison était solide et, contrairement aux cabanes du village sauvage, semblait même avoir été régulièrement entretenue. Il y avait une table, deux longs bancs. Et même une petite fenêtre vitrée donnant sur le Saguenay et des châlits en bois, qu'ils couvrirent de branches de thuya. Quand la nuit tomba, ils étaient confortablement installés tous les quatre, bien au chaud. Eucher avait même eu le temps d'aller tendre des collets à lièvre et de repérer sur la petite rivière les sites où il ferait ses pêches. Ils félicitèrent Donat, qui leur avait trouvé un si confortable campement. Et Donat rit aux éclats comme si on l'avait chatouillé. Il avait sans doute déjà dormi dans ce presbytère avec son père.

Après le souper, allongés sur leurs châlits, les gars parlèrent un bon moment du chef Siméon et des vieillards qui l'entouraient. Eucher et Résimond étaient tentés de les prendre en pitié et songeaient même à faire un peu de chasse dès le lendemain afin de leur apporter à manger. Caille prétendait que Siméon était un vil hypocrite et un fieffé paresseux. Il disait que ce n'était pas parce qu'on n'avait rien trouvé à manger dans sa cabane qu'il crèverait de faim. Il pouvait tendre des collets, lui aussi, et il était certainement encore capable de faire un trou dans la glace pour pêcher quelques poissons.

Le lendemain matin, après qu'Eucher eut relevé ses collets (à son grand étonnement, il n'avait pris qu'un seul petit lièvre), ils se rendirent voir les ruines du moulin qu'avait jadis construit Peter McLeod le Vieux à l'embouchure de l'une des rivières, que les Blancs avaient pris l'habitude d'appeler la rivière du Moulin, mais qui pour les Sauvages était toujours la Papaouetish. Plus rien n'était récupérable des anciens bâtiments, ni l'écluse ni le quai. Ils repérèrent, émergeant de la glace qui couvrait le bassin, les dents émoussées et irrémédiablement rouillées de la grande scie. Quant à l'estacade, elle avait été depuis longtemps emportée par les courants ou transformée en bois de poêle par les Sauvages. De l'avis de tous, le site restait cependant idéal. Et il ne faisait aucun doute, dans l'esprit des gars de La Malbaie, que l'ingénieur Duchesne voudrait faire nettoyer l'embouchure de la rivière pour y construire un nouveau moulin.

Sur le chemin du retour, comme ils passaient à proximité du village, ils s'arrêtèrent de nouveau chez le chef Siméon, qui leur offrit du thé et les accabla de jérémiades et de pleurnicheries. Quand Eucher lui demanda où étaient les enfants et les jeunes de sa tribu, il répondit qu'ils étaient tous devenus très méchants et qu'ils les avaient abandonnés, eux, pauvres vieux impuissants. L'année précédente, tous les jeunes de la tribu des Porcs-Épics, garçons et filles, sans exception, étaient partis avec leurs enfants, formant une petite bande menée par un homme que Siméon considérait comme un véritable démon. Il s'était proclamé chef de la bande et se faisait appeler Kakouchak, ce qui voulait dire « porc-épic » en montagnais. Il errait maintenant avec ses compagnons dans tout le pays, depuis Tadoussac jusqu'au grand lac Piékouagami et jusqu'en haut de la Métabetchouan et de l'Ashuapmuchuan. Ils avaient fait des misères et des mauvais coups aux hommes de la Compagnie de la Baie d'Hudson, qui jusqu'à tout récemment encore trappaient et bûchaient dans la région. C'étaient de mauvaises gens, selon Siméon, ils étaient sans pitié. « Et ils haïssent les Blancs, vous verrez, ajouta-t-il. Même les missionnaires, ils les haïssent et leur veulent du mal. »

Caille était en colère. Il se rendait bien compte, comme les autres, que Peter McLeod, qui avait négocié la licence de coupe avec Alexis Tremblay et Thomas Simard, avait omis de leur parler de ce problème auquel ils auraient à faire face. Il apparaissait maintenant évident que si la Compagnie de la Baie d'Hudson avait voulu refiler son contrat aux gens de La Malbaie, ce n'était pas uniquement parce qu'elle manquait de bons bûcherons. C'était aussi parce que la petite bande de Sauvages conduite par le chef rebelle avait empêché ses hommes de mener à bien leur travail, d'ouvrir des chemins de charroi et d'installer des glissoires sur les rapides. Si le site de l'anse Saint-Jean était à ce point dévasté, ce n'était donc pas parce que les hommes de la Compagnie avaient été négligents et incompétents, mais bien plutôt parce que cette bande rebelle avait saccagé et incendié les bâtiments.

Résimond se souvint alors de ces regards qu'ils avaient sentis posés sur eux tout au long de leur chemin. « C'était pas le bon Dieu qui nous surveillait, dit-il à Eucher. C'était le Porc-Épic. Il nous guettait et il nous guette encore probablement. Il sait qu'on est ici. Et j'aime pas ça du tout. » Caille non plus n'aimait pas ça, même s'il persistait à dire qu'il ne fallait pas croire tout ce que disait le vieux Siméon.

Il faisait déjà nuit quand ils quittèrent la cabane de Siméon pour entrer au presbytère. Des vents furieux sortis du Piékouagami agitaient les grands arbres tout noirs. Ils s'arrêtèrent net en voyant qu'une lumière jaune coulait par la petite fenêtre de leur gîte. Ils s'approchèrent en silence ; la cheminée du presbytère crachait de la fumée, des raquettes étaient enfoncées dans la neige devant la porte, et une troublante odeur de banique flottait dans l'air. Ils restèrent un moment interdits ; Eucher arma son fusil et s'avança. La porte de la cabane s'entrouvrit et un homme dont on ne pouvait distinguer le visage apparut sur le seuil. « François ! » cria Donat. C'était François à Ange, son neveu.

༄

Rencontrer un Simard au Saguenay n'était pas une bien grande surprise, en fait. Tout le monde à La Malbaie savait que les fils d'Ange fréquentaient régulièrement Chicoutimi depuis le temps de Peter McLeod le Vieux. Les gars ne comprenaient pas trop cependant ce que François était venu faire là-haut, comment et pourquoi il était monté à Chicoutimi, seul, au beau milieu de l'hiver, après être parti avec son père du côté des Escoumins. Que pouvait bien chercher un homme seul dans un endroit pareil ?

Caille était très content de retrouver François. Ils se connaissaient peu, mais au cours de cette traversée du fleuve qu'ils avaient faite ensemble un mois plus tôt, entre Rivière-du-Loup et le village sauvage de Rivière-Noire, il s'était rendu compte que François était un homme de grandes capacités et d'agréable compagnie, même s'il était parfois taciturne. Il connaissait beaucoup mieux qu'eux cet étrange pays où ils se trouvaient ; au besoin, il saurait les guider, les aider, les protéger. Il était déjà à demi ensauvagé. Il parlait assez bien la langue des Montagnais, il connaissait leurs usages et leurs coutumes, il savait vivre comme eux.

François n'avait pas mis les pieds à Chicoutimi depuis plus de deux ans. Son père, Thomas, qui y avait fait un bref séjour au cours de l'été précédent, lui avait dit de s'attendre au pire. D'abord, les trappeurs et les chasseurs de la Compagnie de la Baie d'Hudson avaient vidé la forêt de ses animaux à fourrure ; plus de castors, de martres, de loutres, de visons, de pékans. Il n'y avait plus moyen de vivre décemment sur ce pays. Ce que François avait découvert était pire que pire : ce village déserté par sa jeunesse, ces forêts silencieuses, vides, ces cabanes délabrées où vivaient quelques vieux dans une misère abjecte. Le chef Siméon était depuis longtemps à plat ventre devant les missionnaires, qui lui avaient inculqué le plus servile respect de l'homme blanc et de sa religion, à plat ventre aussi devant les agents de la Compagnie de la Baie d'Hudson. Or les missionnaires étaient partis et ce vieux fou ne comprenait sans doute toujours pas pourquoi. Les missionnaires étaient partis parce qu'il n'y avait plus rien de bon dans ce pays, on y vivait mal, on y mangeait mal.

« Demande-toi pas pourquoi tes collets sont vides, dit François à Eucher. Ce pays est ruiné. »

Les gars lui parlèrent alors de ce rebelle qui usurpait selon eux les fonctions de chef et qui avait, semblait-il, convaincu tous les jeunes de quitter le village. Eucher et Résimond n'étaient pas loin de considérer qu'il s'agissait d'un salaud de la pire espèce, un sans-cœur, comme tous ceux et celles qui l'avaient suivi et qui avaient abandonné leurs parents, sans défense. Caille et François soutenaient au contraire que lorsque tous les jeunes d'un village s'en allaient et qu'ils abandonnaient les aînés à eux-mêmes, c'était que ces derniers avaient fait de graves erreurs ou commis des fautes irréparables.

« Votre Kakouchak a toutes les raisons du monde d'être fâché, dit François. Il s'est fait voler sa terre. Et ses vieux ont laissé faire ça.

— Sa terre n'était déjà plus à lui quand il est né, reprit Eucher. Depuis cent ans au moins, sa terre a appartenu à la Compagnie du Nord-Ouest ou à la Compagnie de la Baie d'Hudson, qui en ont toujours fait ce qu'elles voulaient. »

C'était ce qu'on pensait désormais à La Malbaie. Même avec un contrat en bonne et due forme, de bons chrétiens n'auraient pu se résoudre à s'installer au Saguenay s'ils avaient pensé qu'il appartenait encore aux Sauvages. On ne s'empare pas du bien des pauvres gens. Ainsi, depuis qu'était né le projet de la Société des Vingt-et-un, il était de bon ton de penser et de dire bien haut que le Saguenay n'appartenait plus aux Sauvages depuis fort longtemps. Et même que la Compagnie de la Baie d'Hudson en était la seule et légitime propriétaire. Rouler, leurrer, voire voler celle-ci n'était certainement pas péché ; c'était même, pour certains, un devoir.

Mais François, absent de La Malbaie depuis près de deux ans, n'avait jamais baigné dans cet esprit, ni partagé ces idées. Selon lui, les Sauvages étaient toujours chez eux au Saguenay, puisque c'était la terre qu'ils habitaient. D'ailleurs, s'il se trouvait ce soir-là à Chicoutimi, dans le petit presbytère entouré de grands pins blancs, en compagnie de quatre gars montés de La Malbaie, c'était dans le but de rencontrer leur chef, quel qu'il soit, de lui faire une proposition de la part de la Société des Vingt-et-un et de renouer des liens d'amitié, de réanimer également ses plus beaux souvenirs d'enfance.

Cette idée avait germé pendant le souper qu'avait pris François chez sa grand-mère, le jour même où il était rentré à La Malbaie, après deux ans d'absence. Il s'était d'abord montré très affectueux avec son père et avec les deux femmes de la maison, sa grand-mère et sa tante Constance. Mais quand ils étaient passés à table, il était devenu taciturne. Il répondait de façon évasive aux questions qu'ils lui posaient, comme s'il ne voulait pas parler de ce qu'il avait vécu pendant son absence. Et il se taisait de longs moments, comme s'il était perdu dans ses pensées. Thomas avait fini par s'impatienter et lui demander s'il était content ou pas d'être revenu chez lui, dans sa famille. François avait hésité un moment, puis avait répondu qu'il n'était pas sûr de vouloir rester à La Malbaie, qu'il repartirait peut-être avant longtemps.

« Si je reste ici, disait-il, j'aurai rien de bon à faire, à part travailler comme homme engagé. Et j'ai pas du tout envie de ça. »

Son père ne lui avait pas demandé ce qu'il avait l'intention de faire, ni même où il pensait aller vivre. Mais il avait un grand sourire satisfait sur le visage quand il avait repoussé son assiette vide et entrepris de parler à son garçon du projet de la Société des Vingt-et-un et de l'engagement qu'elle avait pris auprès de la Compagnie de la Baie d'Hudson de sortir soixante mille billots de pin blanc du Saguenay. « Ça veut dire de l'ouvrage pendant quatre ou cinq ans pour une centaine d'hommes », avait fièrement dit Thomas, persuadé que son garçon oublierait tout autre projet et s'investirait corps et âme dans cette aventure.

François avait vite fait de le refroidir. L'idée de faire chantier avec les siens dans ce magnifique coin de pays lui plaisait, certes, mais il était persuadé que ça ne changerait rien. Il ne pouvait croire, après avoir connu l'échec du mouvement patriote, qu'il soit possible de changer les choses au Bas-Canada. Mieux valait donc quitter ce pays. Se faire sauvage, par exemple. Ou partir ailleurs, très loin, là où un homme pouvait vivre libre et heureux.

« Qu'est-ce que ça m'aura donné d'avoir été un homme engagé pendant quatre ou cinq ans ? »

Il s'était tout de suite demandé, d'ailleurs, comment son grand-père Ange aurait réagi en voyant ses fils s'acoquiner avec cette compagnie honnie, contre laquelle il s'était battu toute sa vie. Comme s'il avait deviné ses pensées, Thomas avait ajouté : « Ton grand-père va nous applaudir dans sa tombe, tu peux être sûr. Parce qu'on va déjouer la Hudson's. Une fois sur place, personne va pouvoir nous déloger, personne vous empêchera, vous autres les jeunes, de vous tailler une terre sur les bords du Saguenay ou de la baie des Ha! Ha!, chacun une terre, de la grandeur que vous voudrez. C'est ce que ça t'aura donné d'être un homme engagé pendant deux ou trois ans : une terre à toi dans un des plus beaux coins du monde. »

François était cependant resté sceptique. Il avait vu comment les forces gouvernementales avaient impitoyablement écrasé la rébellion de décembre, à Saint-Eustache. La même chose, selon lui, pouvait fort bien se passer au Saguenay. La Compagnie de la Baie d'Hudson n'avait peut-être pas une armée aussi bien entraînée qu'au temps où elle était en guerre contre la Compagnie du Nord-Ouest, mais elle défendait toujours âprement ses intérêts et faisait partout valoir ses droits. Et même si ces droits étaient iniques et injustes, les forces gouvernementales n'hésiteraient pas à intervenir elles aussi si le gouverneur Simpson en ressentait le besoin. Se faisant l'avocat du diable, François avait dit à son père que, dès qu'ils auraient sorti de là-haut les soixante mille billots dont l'Amirauté britannique avait besoin, les forces de l'ordre entreraient en action et chasseraient tout le monde du Royaume.

Thomas avait regardé son garçon, incrédule, déçu.

« Es-tu en train de me dire que t'aurais peur de te battre, de défendre ton bien ?

– J'ai pas peur. J'ai juste pas envie d'aller me battre pour rien. »

Thomas avait failli mettre son poing sur la table, mais il était parvenu à se contenir. La veuve Ange et sa fille Constance avaient rangé un peu la cuisine et étaient passées au salon, laissant François et son père seuls devant la table desservie, face à face. Ils étaient restés ainsi, sans mot dire, un long moment. Thomas serrait les mâchoires. Son garçon avait changé. Deux ans plus tôt, il aurait payé pour se battre contre les hommes de main de la Compagnie de la Baie d'Hudson. Il parlait maintenant de s'enfuir à l'autre bout du monde plutôt que de les affronter. Thomas se demandait ce qui avait bien pu changer ainsi son garçon. Il n'avait pourtant pas l'habitude d'avoir froid aux yeux. Comme son grand-père Ange, il avait toujours aimé raconter les bagarres auxquelles il avait été mêlé, même quand il avait reçu plus de coups qu'il n'en avait donné. Or il était parti pendant deux longues années ; et on aurait dit qu'il n'avait rien à dire, rien à raconter.

Thomas s'était levé brusquement, pour mettre une bûche dans le poêle. Puis il était allé chercher son rhum et en avait bu une longue rasade à même la bouteille. Il attendait que l'alcool lui fasse un peu d'effet.

« En veux-tu ? »

Deux heures plus tard, la bouteille était à moitié vide. Et les deux hommes rêvaient. François parlait du grand bonheur qu'il avait eu à faire chantier dans l'Outaouais, quand ils étaient entrés, vingt-cinq ou trente hommes, tous jeunes et en forme, dans les forêts vierges de la Dumoine et de la Madawaska pour ouvrir des chemins, bâtir des campes et installer des moulins, abattre des arbres. Il avait furieusement aimé l'esprit qui régnait dans ces chantiers, cette fête violente, sérieuse, laborieuse… et la drave au printemps et les cages qu'on assemblait… toute cette action dans laquelle il s'était senti si vivant, si heureux.

Et alors, en parlant à son père, qui n'en avait jamais vu, de ces immenses cages qu'on assemblait à la fin du printemps sur les grandes rivières de l'Outaouais pour convoyer les billots vers les quais d'embarquement de Québec, il avait revu en pensée ces Métis de la rivière Rouge, ces Sang-Mêlé qui lui étaient apparus si libres, si fiers, si heureux. Thomas avait tout de suite été fasciné par ces étranges personnages. À sa connaissance, jamais nulle part le monde sauvage et le monde des Blancs n'avaient cohabité aussi harmonieusement. À La Malbaie, les Simard et quelques autres familles entretenaient depuis fort longtemps des liens étroits et harmonieux avec les Papinachois et les Montagnais ; beaucoup de gens cependant les considéraient comme des enne-mis ou, à tout le moins, comme des voisins indésirables.

Peter McLeod, chez qui François avait dormi avec Caille et les frères Dallaire, après leur traversée du fleuve, était un Métis, lui aussi. Il faisait des affaires aussi bien avec les Blancs qu'avec les Sauvages. Mais il n'avait jamais pensé ou voulu créer des liens entre eux. Au contraire, d'après Thomas, qui le connaissait et le fréquentait depuis fort longtemps, il cherchait toujours à monter les uns contre les autres. Dans tout le Royaume et sur la Côte du Nord, Blancs et Sauvages vivaient sans beaucoup se parler. Quand ils le faisaient, ce n'était jamais pour se dire des finesses ou pour construire quelque chose ensemble. La plupart du temps, on se disputait et on se haïssait passionnément. Toujours selon Thomas, qui ne l'aimait vraiment pas, Peter McLeod semblait prendre plaisir à entretenir ces haines et ces dissensions. Comme son père l'avait fait avant lui, il servait d'intermédiaire entre les Sauvages et les entrepreneurs qui voulaient exploiter les richesses de leur territoire. La Compagnie du Nord-Ouest, et plus tard la Compagnie de la Baie d'Hudson, avaient, beaucoup grâce aux McLeod, vidé le pays de ses fourrures. Aujourd'hui, McLeod prétendait parler au nom des Montagnais et laissait entendre à William Price et à Alexis Tremblay qu'il saurait s'arranger avec eux, qu'ils laisseraient les Blancs chasser, trapper, bûcher sur leur territoire et abattre les arbres de leurs forêts. Lui qui était pourtant à moitié Sauvage et qui était marié à une pure Sauvagesse exploitait ses congénères comme aucun Blanc n'aurait osé le faire. De sorte qu'il avait réussi, au cours des dernières années, à semer et à entretenir la discorde.

Thomas pensait depuis toujours qu'il aurait été infiniment plus productif de faire affaire directement avec les Sauvages. Après tout, ils étaient chez eux plus que n'importe qui d'autre dans ce pays, même s'ils avaient toujours été tenus dans un état de sujétion absolue par les missionnaires et des gens comme Peter McLeod. François, lui, était persuadé que si des hommes comme Blondeau avaient réussi à s'établir sur la rivière Rouge et à vivre librement et heureux dans les grandes Prairies, c'était beaucoup parce qu'ils s'étaient alliés aux peuples sauvages. Il fallait agir comme les Sauvages, travailler avec eux, se mêler à eux. Selon lui, la Société des Vingt-et-un ne pouvait réaliser son grand projet si les Montagnais n'y étaient pas associés. Ils avaient des droits que la Compagnie de la Baie d'Hudson n'avait pas et n'aurait jamais. Et ils connaissaient le pays infiniment mieux que personne.

François pensait à ces jeunes sauvages avec qui il avait passé les étés de son enfance, à Dominique, à Raphaël, à Gros-Pierre ; ils voyageaient ensemble, canotaient sur le Saguenay, le Piékoua-gami, la Papaouetish, chassaient dans tout le Royaume, librement. Ils étaient comme des frères. Ils avaient appris tant de choses ensemble, comment et où être à l'affût, comment traquer un orignal, débusquer un ours, piéger un castor, comment sauter des rapides en canot, comment parler aux filles aussi et les séduire. Cette grande complicité qui s'était alors établie entre eux ne pouvait s'être perdue. Et François avait eu soudainement grande envie de revoir les visages de son enfance, espérant qu'en même temps il retrouverait l'harmonie qui régnait alors sur le monde.

Thomas avait toujours été inquiet de l'association entre la Société des Vingt-et-un et William Price, le Loup, que son ami Alexis Tremblay jugeait absolument nécessaire. Une alliance avec les Sauvages rétablirait, selon lui, un certain équilibre. Les Sauvages n'avaient pas d'argent, ils n'avaient pas vraiment de savoir-faire en tant que bûcherons, mais ils étaient de remarquables chasseurs ; ils pourraient approvisionner le chantier en poisson, en gibier. Et servir de guides bien sûr, aider à repérer les plus beaux arbres, à déterminer le tracé des chemins de charroi entre les abattis et les rivières. Et surtout, à tenir tête à la Compagnie de la Baie d'Hudson et à William Price. Emballés, enivrés, les deux hommes avaient dès lors été persuadés que cette union était possible, qu'elle serait féconde et heureuse.

« Mais c'est pas dit que le monde de La Malbaie va aimer notre idée », avait dit Thomas.

À La Malbaie, certains trouvaient suspecte l'amitié qu'entretenaient les Simard et quelques autres familles du village avec les Sauvages du Royaume. Pour beaucoup de gens, il y avait chez eux trop de désordre, trop de licence et de liberté ; le diable en personne y tenait ses quartiers. Chaque fois que Thomas rentrait d'un séjour au Saguenay ou sur la côte, les vieilles bigotes, sauf sa mère, qui en avait vu d'autres, le regardaient de travers ; et le curé Pouliot lui proposait, pour ne pas dire qu'il lui imposait, ses services de confesseur.

Thomas avait la bouteille de rhum en main et allait remplir les verres quand il s'était brusquement ravisé. Il avait jeté un coup d'œil par la fenêtre pour constater qu'il neigeait à plein ciel.

« Qu'est-ce que tu dirais de partir demain matin ? »

C'était de la pure folie. C'était vouloir se donner du mal pour rien. Tout homme raisonnable aurait attendu que la neige se tasse un peu. Mais ils avaient envie de bouger, tous les deux.

Dès qu'il avait vu le sourire de son garçon, Thomas avait remis le bouchon sur la bouteille. Ils n'avaient plus besoin de rhum. Ils allaient dormir quelques heures, se lever avant l'aube, préparer leurs sacs, embrasser les femmes, faire comprendre à la chienne Fidèle qu'elle devait rester avec elles pour les protéger, chausser leurs raquettes et partir. Thomas entreprendrait avec son fils sa virée annuelle chez les Papinachois ; François monterait ensuite au Saguenay, il irait voir ce que les vrais habitants du Royaume pensaient de leur idée.

Quand le jour s'était levé, tout blanc, tout doux, ils étaient déjà rendus sous le cap à l'Aigle. Et avant qu'il ne soit couché, ils entraient chez Peter McLeod, qui n'en revenait pas de revoir François, qui avait dormi chez lui deux jours plus tôt.

François passa deux nuits à Rivière-Noire, allongé près d'une très jolie Sauvagesse, la jeune sœur de McLeod, sans la toucher, repoussant même ses avances répétées. Son père, à qui la jeune fille parla le lendemain de l'étrange comportement de son garçon, demanda à ce dernier ce qui n'allait pas. François lui raconta alors ce qu'il avait vécu au cours des dernières saisons, depuis l'amour de Marie jusqu'à la mort de Judith, depuis les bagarres dans l'Outaouais jusqu'à la bataille et la déroute de Saint-Eustache.

Nicolet

Le bonhomme Hébert

Le 15 décembre 1837, dans l'horrible nuit qui suivit la bataille de Saint-Eustache, François avait retrouvé Chevalier de Lorimier et ses hommes à Saint-Benoît où, malgré l'écrasante fatigue qu'ils ressentaient tous, ils n'étaient restés que quelques heures. On savait que l'armée du général Colborne, à peine achevé le saccage de Saint-Eustache, s'était avancée sur la plaine, détruisant et brûlant tout sur son passage avec une joie furieuse.

De Lorimier, accompagné d'une demi-douzaine d'hommes, voulait rejoindre les insurgés de Saint-Charles et de Saint-Denis qui, disait-on, avaient fui aux États-Unis, dans la région d'Albany, où il espérait faire venir sa femme et ses enfants, qui lui manquaient terriblement. Les Américains, qui s'étaient déjà libérés du joug colonial et n'étaient toujours pas en très bons termes avec l'Empire britannique, étaient sympathiques à la cause des patriotes canadiens. De Lorimier espérait réorganiser chez eux et avec leur aide l'insurrection et revenir renverser le gouvernement britannique. « Je veux que mes enfants vivent dans un monde meilleur », disait-il. François admirait son courage et son intelligence. De Lorimier lui semblait infiniment plus raisonnable que Chénier, que Girod ou que Scott. Moins impatient aussi. Il avait compris que le moment de se rebeller n'était pas venu, qu'il fallait se préparer, s'organiser mieux.

Pour se rendre aux États-Unis depuis Saint-Benoît, il était trop risqué de passer par Montréal, et tout aussi périlleux d'emprunter la vallée du Richelieu, où Colborne, après avoir détruit les camps patriotes de Saint-Denis et de Saint-Charles, avait sans doute posté des garnisons importantes. Sans doute aussi que tous les chemins étaient surveillés et qu'on y patrouillait jour et nuit. De Lorimier se proposait donc de prendre par l'intérieur des terres, depuis Sainte-Thérèse jusqu'à Yamachiche et Berthier, puis de suivre la rive nord du lac Saint-Pierre, de franchir le fleuve juste en amont de Trois-Rivières, à la pointe du lac Saint-Pierre, et de s'arrêter à Nicolet, où il avait de fidèles amis. Puis il traverserait les Cantons-de-l'Est, du nord au sud. Cette région, habitée par de nombreux loyalistes ayant fui les États-Unis au moment de la guerre d'Indépendance, était sans aucun doute hostile aux patriotes, mais elle était moins densément peuplée et certainement moins patrouillée que la vallée du Richelieu. Avec un peu de chance, De Lorimier et ses hommes pourraient entrer au Vermont par la rivière et la baie Mississiquoi ou par la rive ouest du lac Memphrémagog, ou encore par des chemins de bois entre les deux, assez loin en tout cas de la vallée du Richelieu pour ne pas être interceptés par les miliciens loyalistes.

Pendant quelques jours, François avait fait route avec la petite troupe conduite par De Lorimier. Il n'avait pas du tout l'intention de se rendre aux États-Unis avec eux, ni de continuer la lutte. Il admirait, bien sûr, la détermination de Chevalier de Lorimier, mais après ce qu'il avait vécu à Saint-Eustache, toute cette rébellion lui apparaissait désormais illusoire et vouée au plus douloureux échec, il ne voulait plus y être impliqué d'aucune manière. Ça ne pouvait pas aboutir, selon lui. L'armée britannique était trop puissante, et les patriotes étaient non seulement mal armés et partout en déroute, mais désunis et désespérés.

Quatre jours plus tard, près de Berthier, où ils s'étaient arrêtés quelques heures, ils eurent vent d'une rumeur voulant que Girod, sur le point d'être arrêté à Pointe-aux-Trembles, s'était tiré une balle dans la tête. On disait aussi que des quelque soixante jeunes patriotes qui s'étaient réfugiés dans l'église de Saint-Eustache, aucun n'avait survécu. Et que depuis cette bataille, partout, jour et nuit, l'armée et la milice procédaient à des arrestations.

À Nicolet, Chevalier de Lorimier espérait avoir de l'aide du député Jean-Baptiste Hébert, que tout le monde appelait familièrement, mais néanmoins avec beaucoup d'estime et de respect, le Bonhomme. Patriote hautement respecté, le Bonhomme connaissait des gens partout, dans tous les milieux. Maître charpentier, il avait dirigé la construction du séminaire de Nicolet et de plusieurs églises, entre autres celles de Lotbinière et de Kamouraska. En 1812, il s'était battu contre les Américains qui voulaient envahir le Canada. Il s'était plus tard rangé, comme eux, du côté des patriotes et, en novembre, il avait participé très activement à la rébellion dans le Richelieu.

Lorsqu'ils arrivèrent enfin à Nicolet, le lendemain de Noël, De Lorimier et François furent informés que le Bonhomme était sous le coup d'une arrestation qu'on disait imminente, et que des soldats de la garnison britannique s'étaient installés chez lui, dans sa maison, dans son lit, dans ses affaires. Leurs chevaux, bien à l'abri dans son écurie, mangeaient son avoine et son foin. Personne, pas même son épouse, réfugiée chez des parents, ne semblait savoir où était passé le Bonhomme. Guidés par De Lorimier, les fuyards se rendirent au séminaire, où ils furent discrètement et chaleureusement accueillis.

De Lorimier, dont la tête avait été mise à prix, ne pouvait pas rester à Nicolet; il ne pouvait rester nulle part en fait. Tous ses hommes étaient également dangereusement compromis. Dès le lendemain matin, ils firent leurs adieux à François et quittèrent précipitamment le séminaire. François resta seul au milieu de la grande cour, les bras ballants, si désœuvré, si fatigué qu'il regarda s'éloigner la petite troupe sur la plaine jusqu'à ce qu'il la perde de vue, et même après qu'elle eut disparu, il ne sut quoi faire, ni même dans quelle direction marcher. Il n'avait pas d'idée, pas de pensée. Il avait froid. Depuis plusieurs jours, depuis la bataille de Saint-Eustache en fait, depuis toute cette horreur qu'il avait vécue, il avait presque toujours froid. Sauf lorsqu'ils faisaient route, entre Saint-Eustache et Nicolet, car alors, il bougeait, il marchait jusqu'à seize heures par jour, et il parvenait toujours à aller chercher un peu de chaleur au fond de lui et à retrouver ses esprits. Mais ce matin-là, il se sentait incapable de bouger. « Si j'avais quelque destination, je marcherais, se disait-il, j'arriverais sûrement à me réchauffer. » Mais il avait beau chercher, il n'avait nulle part où aller. Comme s'il ne se souvenait plus que son but était de se rendre à La Malbaie. Ou comme s'il ne croyait plus pouvoir s'y rendre.

Ce fut le père économe du séminaire, l'abbé Charles Lemay, un gros homme jovial et rougeaud qui, ayant aperçu François de sa fenêtre, vint le chercher, le conduisit à la cuisine, le fit boire et manger. Puis il lui dit que s'il voulait rester quelque temps, il était le bienvenu, mais qu'il devrait travailler pour mériter sa pitance et son gîte. Le séminaire était bien prêt à prendre des risques en abritant un insurgé en fuite, mais il n'avait pas les moyens de nourrir une bouche inutile. Il lui proposa de faire le bois, d'entretenir et de nourrir les foyers et les poêles du sémi-naire ; il devrait aussi pelleter les entrées, la promenade des pères et le parvis de la chapelle où, le matin, les gens des fermes voisines venaient entendre la messe avec les bons pères et les collégiens. Les deux hommes parlèrent longuement des troubles que vivait le pays. Et François se confia à l'abbé Lemay, il s'ouvrit à lui et lui confia ses doutes, ses inquiétudes, son désir de rentrer à La Malbaie avant le printemps.

Malgré le froid intense qui sévissait, il fut bien au chaud au cours des jours suivants. Il fendait et cordait du bois, entretenait les foyers et les poêles du séminaire. Il ne parlait à personne. Il attendait. Bientôt, il pourrait partir. Il avait ravaudé ses raquettes. Dans ses moments libres, il allait marcher sur la rivière Nicolet, derrière le séminaire, ou il entrait s'asseoir dans la chapelle et restait dans la pénombre apaisante du lieu. Il n'était jamais seul ; des étudiants, des enseignants, des gens des fermes voisines, secoués par les événements récents, venaient s'y réfugier, y chercher quelque réconfort, des raisons d'espérer. François ne priait pas. Il était bien, simplement, au chaud.

Un matin, pendant la messe, une jeune femme vint s'age-
nouiller à ses côtés. Au moment de l'élévation, elle lui mit un pli
sous les yeux. François le prit et le glissa dans sa poche. « De la
part du bonhomme Hébert », chuchota la jeune femme, qui quitta
la chapelle avant l'*Ite missa est*. Après la messe, François s'en fut
marcher sur la rivière, juste derrière le séminaire ; dès qu'il se
trouva à l'écart, il ouvrit le pli. Il contenait une liste de six noms
de lieux. Il reconnut ceux de villages, d'ouest en est, de la côte
sud du fleuve, Bécancour, Deschaillons, Saint-Antoine-de-Tilly,
Beaumont, Cap-Saint-Ignace et Kamouraska. Chaque nom de
village était suivi de celui d'un citoyen, des patriotes, conclut
François, qui avait compris que le bonhomme Hébert, sans doute
mis au courant de son projet par l'abbé Lemay, lui proposait un
itinéraire de retour vers La Malbaie.

En se retournant, il aperçut derrière la rangée d'érables qui
bordait la rivière la frêle jeune fille qui lui avait remis le pli. Il
revint alors sur ses pas et marcha droit vers elle. Celle-ci lui
tourna le dos, revint vers le séminaire, passa devant l'entrée principale, contourna l'aile nord, pénétra dans la grande cour, qu'elle
traversa pour entrer dans l'étable, où François la suivit. Cette
étable était un fort beau bâtiment, paisible et propre ; deux gros
chevaux, une vingtaine de vaches, un bœuf, une dizaine de
cochons dans leur stalle ; tous semblaient endormis, recueillis.

Dans la pénombre, la jeune femme fit glisser le capuchon de
son manteau et découvrit un visage sérieux qu'encadraient de
beaux cheveux châtains dont les reflets lustrés lancèrent, quand
elle secoua la tête, de doux éclairs dans la pénombre. Elle expliqua à François que le Bonhomme lui proposait son aide par
amitié pour Chevalier de Lorimier et pour l'abbé Lemay. François devrait se rendre de Nicolet à Bécancour par ses propres
moyens. En chemin, il pourrait dormir chez le curé de Saint-
Grégoire, favorable aux patriotes. À Bécancour, il prendrait
contact avec un homme, le premier sur la liste, qui l'aiderait à se
rendre à Deschaillons. Et ainsi de suite jusqu'à Kamouraska, où
il devrait de nouveau se débrouiller tout seul pour traverser le

fleuve vers La Malbaie. Puis elle dit à François d'apprendre ces noms de village et de citoyens par cœur et de déchirer la liste devant elle ou de la lui remettre.

François s'approcha d'une petite fenêtre et prit quelques minutes pour mémoriser les noms dans le bon ordre. Jean Perrot à Bécancour, Philippe Dussault à Deschaillons, Madeleine Mongeau à Saint-Antoine-de-Tilly, Guillaume Couture à Beaumont, Martin Brie à Cap-Saint-Ignace, Jean-Marie Michaud à Kamouraska. Il remit la feuille à la jeune fille, qui la déchira méthodiquement et éparpilla les petits bouts de papier dans la moulée et le foin des auges. Puis elle lui souhaita bonne chance et sortit. François resta un long moment dans la douce tiédeur dorée de l'étable. Pour la première fois depuis les horribles journées qu'il avait passées dans les camps patriotes, il se sentait bien, solide et en paix avec le monde.

Il arriva à Bécancour le surlendemain soir, après avoir passé une courte nuit au presbytère de Saint-Grégoire. Huit jours plus tard, il entrait chez Jean-Marie Michaud, à Kamouraska. « C'est lui qui m'a appris que grand-papa était mort. »

༄

Thomas avait écouté le long récit de son garçon avec le plus vif intérêt, parfois même avec une pointe d'envie. « Je suis content pour toi », lui dit-il, quand François eut terminé. Sans en faire une philosophie clairement formulée, Thomas considérait que les peines tout autant que les joies, les malheurs comme les bonheurs, faisaient partie de la vie, et que plus ils étaient grands, mieux c'était. Il valait mieux selon lui être en danger, recevoir des coups, vivre des déceptions, que rester chez soi à ne rien faire et à ne rien souffrir. Et bien souvent, un grand malheur apportait, en fin de compte, plus qu'une petite joie.

Son garçon s'était battu, il avait vu du pays, il avait connu des femmes, il avait rencontré beaucoup de monde, il n'avait jamais manqué d'action. Que demander de plus ?

« T'es vivant, c'est ça qui compte, juste ça, avait dit Thomas. Et pour ce qui est du goût des femmes, je suis pas inquiet. Ça va te revenir. »

La Malbaie

Constance

Contrairement à ce qu'avait pensé Alexis lorsqu'il s'était rendu chez Caille le jour où celui-ci était rentré de Rivière-du-Loup, Laurence avait été profondément peinée du départ de Ti-Jean. Elle portait cette tristesse en elle, sachant qu'elle se dissiperait peu à peu, mais ne disparaîtrait jamais tout à fait. Elle savait déjà, à dix-sept ans, qu'on ne vivait jamais sans peine, jamais sans mal.

Quand elle avait perdu sa mère, un an plus tôt, son père l'avait laissée pleurer nuit et jour pendant presque une semaine. Puis un matin, très tôt, il était venu dans sa chambre, il s'était assis sur le bord de son lit, il avait caressé ses cheveux, lui avait dit qu'elle devait se faire à l'idée que sa peine ne cesserait jamais. « Même si tu pleures jour et nuit jusqu'à la fin de tes jours, tu en viendras jamais à bout. » Il avait préparé une omelette au jambon qu'ils avaient mangée en parlant du beau temps qu'il faisait depuis plusieurs jours. Et ils étaient partis marcher avec les chiens en forêt. Et peu à peu, Laurence avait séché ses larmes. Elle n'oubliait pas pour autant. Elle pensait encore très souvent à sa mère, mais sans avoir chaque fois le cœur brisé.

Lorsqu'elle s'était rendu compte que Ti-Jean n'accompagnait pas son père et les frères Dallaire, qui rentraient de Rivière-du-Loup, mais que c'était ce beau fendant de François Simard, elle avait décidé de ne pas pleurer. Elle n'aurait jamais qu'une mère dans sa vie ; mais il y avait d'autres garçons que Ti-Jean, peut-être même aussi beaux et aussi mystérieux que lui. Car c'était beaucoup cela qui l'attirait chez lui, le mystère, ce qu'elle ne comprenait pas, ses silences, toutes ces questions qui restaient sans réponses : pourquoi ne l'embrassait-il pas ? Pourquoi était-il parti sans la saluer ? Elle fut presque déçue quand, plus tard ce jour-là, son père lui dit que Ti-Jean n'était parti que pour deux semaines. Elle savait qu'en le revoyant, avec son mystère et sa beauté, son impossible amour serait ravivé. Tout aurait été tellement plus simple s'il était parti pour toujours ; elle aurait dorloté sa peine ; et puis un jour, elle l'aurait enfouie très loin dans ses souvenirs.

Elle n'avait plus envie de lire les poèmes de Victor Hugo que lui avait fait découvrir Ti-Jean, ni de faire de la musique, ni même de tenir maison. Depuis que son père était parti au Saguenay, elle laissait tout aller dans un désordre sans fond, dans une sorte d'engourdissement, de paresse. Elle dormait tard, parfois jusqu'au milieu de l'avant-midi. Certains jours, elle ne sortait pas de la maison, laissant aux frères Dallaire le soin de nourrir les chiens, de soigner son cheval, de pelleter l'entrée. Elle regardait passer les nuages, leurs ombres lentes glisser sur le fleuve, descendre avec lui vers la mer.

Elle allait de temps en temps rencontrer Constance Simard. Celle-ci, qui avait douze ans de plus qu'elle, avait été sa maîtresse d'école dès la première année ; elle lui avait enseigné à lire, à écrire, à compter, elle l'avait initiée à la musique. C'était ce qu'elle faisait encore avec tous les enfants du village et ce qu'elle continuerait sans doute de faire jusqu'à la fin de ses jours. Pour Laurence, elle était l'image même de la stabilité. Un peu comme Modeste, la mère de Ti-Jean. Des femmes fortes comme des rochers, immobiles, inébranlables, solidement plantées dans le grand courant de la vie. Elle croyait que Ti-Jean ou ce François à Ange, dont tout le monde parlait depuis qu'il avait fait un bref passage dans le village, ou même Caille, son père, et la plupart des hommes qu'elle connaissait, se laissaient emporter par ce courant. Constance, elle, portait remarquablement bien son nom. Elle savait ce qu'elle voulait, et qui elle était, même si elle vivait toujours avec sa mère, dont elle s'occupait.

À vingt-neuf ans, Constance n'était toujours pas mariée ; et n'avait à peu près certainement jamais fait l'amour avec un homme. « Si c'était arrivé, ça se saurait », disait en riant Ti-Gros Sauvageau. Elle avait un visage agréable, de longs cheveux blonds bouclés, elle était ronde, costaude et rougeaude, le genre de femme que beaucoup d'hommes trouvaient appétissante. Elle aurait certainement pu se trouver un mari, si seulement elle l'avait voulu. L'aîné des frères Dallaire lui avait ouvertement et vainement fait la cour, une dizaine d'années plus tôt. Elle disait maintenant à Laurence qu'elle n'avait aucune envie d'avoir un homme dans sa vie.

Constance vivait donc son célibat avec bonheur, alors que d'autres, comme les deux filles d'Onésime Dallaire, qui avaient également coiffé sainte Catherine quelques années plus tôt, sombraient dans l'amertume et s'enfermaient dans leur désert. Constance considérait qu'elle n'avait pas besoin d'autres hommes dans sa vie que ses frères qui, peut-être un peu par respect pour la mémoire de leur père, la traitaient comme une princesse, la conduisant partout où elle voulait aller, lui livrant et lui cordant tout le bois de chauffage dont elle avait besoin, lui rapportant du gibier de leurs chasses, binant, sarclant son potager et ses plates-bandes de fleurs. Constance Simard ne manquait jamais de rien. Sans lui envier cette plénitude, Laurence avait pour elle beaucoup d'affection et une grande admiration. Elle ne pouvait cependant concevoir de passer, comme elle, toute sa vie sans un homme, sans découvrir les splendides mystères de l'amour.

Constance était la seule personne à connaître les sentiments qu'elle avait éprouvés pour Ti-Jean. Laurence lui en avait parlé au fur et à mesure qu'ils se développaient. Et elles suivaient ensemble la progression de ses sentiments, en riant parfois beaucoup, en s'inquiétant parfois un peu.

Laurence avait dit un jour à Constance qu'elle rêvait de faire avec Ti-Jean ce que font les gens mariés. Elle imaginait des saynètes qu'elle décrivait sans pudeur à Constance. Elle se voyait étendue sur un canapé, il venait près d'elle, se penchait sur elle, l'embrassait sur la bouche et dans le cou, il ouvrait son corsage...

« Tu sais que c'est péché, disait Constance.

– Ça fait de mal à personne », répondait Laurence.

À l'automne, quand Ti-Jean était rentré de Québec, Laurence avait continué de narrer à Constance la progression de ses sentiments... et de ses déceptions. Quand ils étaient au presbytère, en train de préparer les cantiques du dimanche, Ti-Jean devenait parfois très familier, voire audacieux, avec elle. Il lui volait des baisers chaque fois que le curé avait le dos tourné. Mais il ne tentait jamais rien quand ils se retrouvaient seuls chez elle ou ailleurs, parce qu'il avait peur peut-être que les choses aillent trop loin. Il lui avait dit déjà qu'elle avait un beau manteau, un beau foulard, une belle robe, un beau chapeau, un beau cheval. Jamais qu'elle était belle, elle. Le plus proche qu'il avait dit de ce qu'elle souhaitait entendre, c'était quand il lui avait dit, un soir, qu'elle avait de beaux cheveux ; en fait, que son chignon était bien fait. Il aurait pu dire que ça lui dégageait la nuque, ou même, idéalement, ne rien dire et poser ses lèvres dans son cou. Il aurait pu essayer de l'embrasser, puisqu'ils étaient seuls. Mais non ! Tout ce qu'il semblait intéressé à faire avec elle, c'était jouer de la musique, et parler des livres qu'ils avaient lus, des voyages autour du monde qu'il rêvait de faire un jour. Et puis il était parti, et elle avait raconté sa peine à Constance. « Il aurait pu m'en parler, disait-elle, déçue. Il était mon ami. Je croyais qu'il était mon ami. »

Elle croyait aussi qu'un lien s'était brisé à jamais entre elle et lui. Pire, elle pensait maintenant qu'il n'y avait jamais eu de lien vraiment fort entre eux. Elle envisageait donc de partir, elle aussi, peut-être même de retourner chez les sœurs, à Québec. Elle pensait même parfois, sachant qu'elle ne passerait jamais à l'action, faire ses expériences amoureuses avec l'un ou l'autre des garçons d'Onésime Dallaire, qui venaient régulièrement travailler avec Caille aux travaux de la ferme et qui faisaient le train en son absence. Benjamin la regardait toujours avec des yeux gourmands, il lui parlait beaucoup, il lui disait qu'elle était belle et qu'il aimerait aller danser avec elle à l'auberge Chaperon. Étienne, plus pressant, essayait de l'embrasser chaque fois qu'il en avait l'occasion, cherchant toujours à l'entraîner dans quelque coin noir ou dans la tasserie à foin. Elle se laissait parfois faire un moment ; puis, lorsqu'il devenait trop entreprenant, elle le repoussait en riant. Mais ils allaient chaque fois un peu plus loin. Il se serait même peut-être passé des choses importantes, si Ti-Jean n'était rentré de Québec à l'automne.

De temps en temps, Laurence passait à l'école en fin d'après-midi, à pied ou avec Froufrou ; elle accompagnait ensuite Constance jusque chez elle sur le chemin des Falaises, où elles retrouvaient la vieille mère Ange, qui immanquablement se plaignait d'avoir été laissée seule pendant des heures, alors que tous les jours d'école, sans exception, l'un ou l'autre de ses garçons, et parfois plusieurs d'entre eux, ou une de ses brus ou quelques-uns de ses petits-enfants, venaient dîner avec elle, préparaient le repas, la servaient, faisaient la vaisselle et le ramassage et le ménage et passaient parfois une partie de l'après-midi à jouer aux dames ou aux cartes avec elle. Et en plus, la moitié du temps, quand elle avait de la compagnie, la vieille acariâtre, qui n'avait d'indulgence que pour bien peu de gens, n'ouvrait la bouche que pour se plaindre ou rabrouer, et dire immanquablement que tout était mieux dans ce qu'elle appelait le bon vieux temps, les enfants grandissaient moins vite et étaient plus obéissants, les maris étaient impeccablement fidèles, les vaches donnaient plus de lait, l'été était moins chaud, l'hiver moins froid. Une seule personne dans tout le village, Laurence à Caille, avait le don de la dérider et, quoi qu'elle fasse ou quoi qu'elle dise, de la mettre en joie.

D'aussi loin que Laurence se souvenait, la mère Ange n'arrêtait pas de lui dire, à elle et à tout le monde, qu'elle était belle comme un cœur et qu'elle ferait un beau parti pour son petit-fils François. « T'as vu comme il est beau lui aussi ! » Laurence ne lui disait pas que son petit-fils ne l'intéressait pas du tout. Elle le trouvait brutal, vantard et violent. Ceux qui, comme son père

Caille, l'avaient croisé lors de son bref passage dans le village disaient qu'il avait beaucoup changé. Mais qu'il soit devenu timide, délicat et réservé ne changeait rien à l'affaire. Et en plus, tout le monde dans le village savait qu'il couchait avec des Sauvagesses depuis l'âge de treize ans. Et que, comme son père, il aimait mieux vivre dans le bois que parmi les gens.

Laurence, Constance et la vieille buvaient du thé noir. Quand le jour commençait à décliner, Laurence prenait congé et descendait chez elle. Elle repoussait les avances du fils Dallaire, qui venait de faire le train et de ranimer le poêle, elle se préparait à souper et affrontait la longue, vide, silencieuse et solitaire soirée. Elle écoutait les crépitements du poêle, les ronrons du chat, les soupirs de Rex, le seul des chiens de Caille qui acceptait de dormir dans la maison. Le temps passait, lourd et lent. Elle avait oublié de remonter l'horloge, dont le carillon ne marquait plus les heures. Quand elle tombait de sommeil, elle se mettait au lit, toute nue, et très seule, n'attendant rien, que le retour de son père, à qui elle dirait peut-être qu'elle voulait retourner chez les Ursulines, devenir sœur infirmière et partir en mission, loin, au bout du monde.

La Malbaie

Le Fantasque

Un beau soir, Ti-Gros Sauvageau rentra de Baie-Saint-Paul avec deux jeunes fous qui descendirent à l'auberge Chaperon, où ils firent la fête jusque tard dans la nuit. Ti-Jean Tremblay et le jeune seigneur Philippe Aubert de Gaspé étaient porteurs d'inquiétantes nouvelles : le bonhomme Hébert, dont le fils était vicaire à Québec, avait été arrêté près de chez lui, à Nicolet. La police et la milice entraient dans tous les villages, non seulement de la vallée du Richelieu et de la région de Montréal, où étaient les foyers de l'insurrection, mais aussi à Bécancour, à Batiscan et à Neuville, à Québec et même sur la Côte du Sud, jusqu'à Beaumont. Et Ti-Jean dit bien haut que sur une liste des personnes recherchées par la police qu'il avait vue affichée à Québec figurait le nom de François Simard, vingt ans, de La Malbaie.

Or Michel Simard, l'oncle de François, se trouvait à l'auberge Chaperon, ce soir-là, en compagnie de son chien Gaspard. En entendant Ti-Jean, il s'était levé.

« Répète ça, je te mets en morceaux. »

Ti-Jean avait beau avoir bu, il savait qu'on ne tenait pas tête à un Simard, encore moins quand il était accompagné d'un labrador dans la force de l'âge. Il eut la sagesse de dire qu'il avait peut-être mal lu. Son copain, le seigneur de Port-Joly leva les mains vers Michel en signe d'approbation, avec un sourire.

« Si j'étais toi, laissa tomber Michel à l'intention de Ti-Jean, je m'inquiéterais plutôt de savoir comment mon père va me recevoir. »

Or Alexis Tremblay n'était plus vraiment en colère. Il était toujours déçu cependant par ce fils mou à qui il avait proposé une association d'homme à homme et qui semblait se désintéresser tout à fait du projet. Quand, le lendemain de son arrivée, en fin d'après-midi, Ti-Jean se rendit chez lui, Alexis l'accueillit plutôt froidement, en lui demandant, devant Modeste, comment il comptait rendre à la Société des Vingt-et-un les dix livres qu'il lui avait volées. Ti-Jean les tira de sa poche et expliqua en bafouillant qu'il n'avait fait qu'emprunter cet argent, sachant que Philippe allait lui rembourser les quinze livres qu'il lui avait prêtées l'été précédent.

« Qu'est-ce que t'aurais fait s'il avait pas pu te rembourser ? » demanda Alexis.

Ti-Jean fut tenté de lui répondre qu'il ne serait pas revenu, ce qui aurait été un mensonge. Pendant cette absence, son éloignement volontaire, il avait en effet découvert qu'il était tout aussi mal à l'aise et s'ennuyait tout autant à Port-Joly, à Québec ou à La Malbaie. Il ne savait en effet vivre heureux nulle part.

Il avait cependant pris la résolution de s'investir dans le projet de son père dès le retour des gars partis en mission au Saguenay, alors qu'il lui faudrait sérieusement songer à planifier les opérations. En attendant, il y aurait quelques jours de répit qu'il entendait passer à faire connaître son coin de pays à son ami Philippe Aubert de Gaspé, *galloping writer* de son métier. Mais son père ne semblait pas pressé de lui confier de nouvelles tâches. Ce jour-là, qu'il passa à la maison familiale, pas une seule fois il n'aborda ce sujet avec lui.

Alexis considérait, non sans raison, que Ti-Jean lui avait manqué de respect et que le lien de confiance qu'il y avait entre eux, déjà très ténu, s'était rompu, peut-être à jamais. « Il m'en aurait parlé, disait-il à Modeste, j'aurais été d'accord, je lui aurais prêté ou même je lui aurais donné les dix livres qu'il lui fallait. Il a préféré agir en hypocrite. »

Modeste ne répondit pas. Mais il voyait bien à son air qu'elle lui signifiait : « Tu sais très bien, Alexis Tremblay, que tu ne l'aurais pas fait. Tu l'aurais jamais laissé aller, avoue. »

En son for intérieur, Alexis avouait. Mais il ne comprenait pas ce besoin qu'avait son garçon de toujours vouloir être ailleurs, de ne chercher que la facilité ou le plaisir dans tout ce qu'il entreprenait et de refuser de faire ce qui était susceptible de ne pas lui en donner… et en fin de compte n'en trouvant nulle part.

« On fait pas tout ce qu'on veut dans la vie, disait-il à Modeste.

– C'est vrai, répondait-elle. Mais tu voudrais bien par contre que ton garçon fasse tout ce que, toi, tu veux qu'il fasse. »

Cette fois, Alexis protesta. Il voulait seulement, lui aussi, que son garçon, qui avait fait des études, se secoue, se mêle de ce projet qui lui tenait tant à cœur. Mais il commençait à en faire son deuil. Il l'avait d'ailleurs dit très clairement et plutôt brutalement à Ti-Jean. « La Société des Vingt-et-un peut très bien se passer de toi. Si tu veux, tu travailles avec nous. Si tu veux pas, tu t'en vas où t'as envie d'aller. »

Il était peiné de la légèreté de son fils, qu'il ne considérait plus comme essentiel au succès de la Société. D'autant que Ti-Jean, depuis son retour, faisait presque chaque soir la fête à l'auberge Chaperon, où s'était installé ce petit seigneur de Port-Joly, Philippe Aubert de Gaspé, qui se croyait tout permis. Il prétendait être sur la côte pour écrire un article de journal sur les projets de la Société des Vingt-et-un et les problèmes que connaissait la petite communauté de La Malbaie. Quand Ti-Jean demanda à son père s'il accepterait de lui parler, Alexis répondit sans hésiter qu'il n'en était pas question. D'abord, il était occupé. Ensuite, il y avait des choses dans ce projet qui devaient être tenues secrètes.

« Et à quoi ça avancerait les gens de La Malbaie que les lecteurs du *Fantasque* connaissent leurs misères ? Je te le demande. »

❧

Sur le chemin des Marais

Fantômes

Il avait encore neigé. Deux jours et deux nuits remplis à ras bord d'une grosse neige sèche que les vents s'étaient disputée et qu'ils avaient stockée un peu partout en énormes congères. Partis de Chicoutimi la veille de la tempête, les gars avaient dû chausser leurs raquettes pour traverser la baie des Ha ! Ha ! et les garder aux pieds pour descendre la grande rivière, dont ils longèrent la rive droite. Le vent, heureusement, leur poussait gentiment dans le dos. Mais trois jours plus tard, quand ils entrèrent dans les terres à l'anse Saint-Jean pour rejoindre le chemin des Marais, qui devait les conduire à La Malbaie, ils s'enfonçaient à chaque pas jusqu'aux genoux. Caille, le plus expérimenté des quatre, avait proposé de s'arrêter à l'anse Saint-Jean, le temps de laisser la neige se tasser un peu. Mais Eucher et Résimond avaient trop envie de voir leurs femmes, dont ils étaient privés depuis près de trois semaines. Ils poursuivirent donc leur route péniblement, marchant une première journée de l'aube au crépuscule. Et bientôt, l'inquiétude ressentie à l'aller revint les saisir. À plusieurs reprises, derrière le rideau de neige tombante, ils crurent distinguer de vagues silhouettes, des fantômes, parfois immobiles, parfois se déplaçant furtivement entre les arbres. Ils entrèrent, la seconde nuit, dans l'horreur.

Ils préparèrent un campement confortable contre une paroi rocheuse qui les protégeait du vent. Pendant que Résimond et Eucher amassaient de quoi faire un feu et assemblaient un treillis de branches qui servirait de toit, Donat et Caille pelletèrent la neige avec leurs raquettes, dégageant jusqu'au sol un bon espace dont ils couvrirent le fond de branchages, au-dessus duquel ils tendirent leur treillis et au bord duquel, du côté opposé à la paroi, ils firent leur feu. Caille prépara sa pâte de banique, l'enroula sur une branche de bois vert et la fit tourner lentement, longuement, au-dessus du feu pour qu'elle soit bien dorée, puis il la plongea dans la friture. La neige avait fini de tomber. Les gars parlèrent des femmes en prenant le thé. Ils s'enroulèrent dans leurs couvertures de caribou et s'endormirent bien vite tous les quatre.

Les hurlements de Donat les réveillèrent au beau milieu de la nuit. Il était sorti de sous le treillis et trépignait près du feu, qui flambait comme si on venait d'y jeter des branches sèches. Alors, ils aperçurent avec stupéfaction que les raquettes qu'ils avaient plantées dans la neige autour de leur abri avaient été jetées dans les flammes. Caille réussit à en retirer trois du feu. Eucher et Donat les couvrirent de neige. Quand ils eurent éteint les flammes, ils constatèrent que toutes les raquettes, même celles que Caille avait retirées du feu avant qu'elles ne brûlent, étaient irrécupérables : la babiche avait été tranchée au couteau, les membrures étaient cassées. Chacun mesura dès lors l'ampleur du drame. Ils avaient bien une pelote de babiche, mais ils n'en auraient jamais assez pour reconstruire ne serait-ce qu'une seule paire de raquettes. Et ils n'avaient pas d'outils pour en refaire le cadre.

Ils ne dormirent plus de la nuit et partirent dès l'aube, marchant l'un derrière l'autre, se relayant en tête pour ouvrir le chemin, secoués, terrorisés, sans cesse regardant derrière eux, s'attendant à tout moment à tomber dans un guet-apens. Si leur agresseur avait frappé la nuit précédente, ils auraient pu redescendre vers l'anse Saint-Jean, dormir au chaud, ravauder leurs raquettes ou, mieux encore, prendre celles qui se trouvaient dans le petit campe où ils avaient dormi à l'aller. Aurait-il attendu la nuit suivante, ils auraient été assez proches de La Malbaie pour s'y rendre facilement en moins d'un jour et demi par un chemin presque toujours descendant. Il avait choisi de frapper au milieu de leur trajet, au pire moment.

Ils n'eurent d'autre choix que de poursuivre leur route « à la nage », comme le disait Eucher, avançant par moments dans la neige jusqu'à la taille, travaillant des bras autant que des jambes. Ils connurent tout de même de belles descentes, couchés sur le dos dans la neige qui coulait comme une chute lente pour les déposer doucement au pied de la pente. Mais il arriva qu'au bas d'une falaise abrupte, Eucher ne put retrouver son fusil, qu'il avait laissé tomber pendant sa descente. Ils fouillèrent en vain dans la neige folle. Eucher finit par dire qu'ils devraient cesser de chercher, que c'était sans doute mieux ainsi, son fusil était lourd et embarrassant. Ils abandonnèrent, sous cette falaise, tout ce qui ne leur était pas essentiel, ne gardant que leurs couteaux, une gamelle pour les quatre, une hachette et une scie pour préparer le campement quand viendrait la nuit.

En chemin, ils pensaient sans cesse à ce chef rebelle dont leur avait parlé le vieux Siméon. Et peu à peu grandissait en eux la certitude qu'il s'agissait de lui, de Kakouchak, le Porc-Épic, celui qui les avait épiés quand ils montaient à Chicoutimi. Ces ombres aperçues dans la tempête, ces cris, ces ricanements, c'était lui, c'étaient ses hommes. Et ils voulaient nuire aux Blancs, leur faire du mal.

Caille estimait qu'ils mettraient quatre jours, peut-être cinq, pour parcourir une distance que normalement ils auraient franchie en deux petites journées de raquette. D'un commun accord, ils abandonnèrent le chemin des Marais, trop neigeux, et, chaque fois que possible, ils prirent par les hauteurs, que le vent avait mieux dégagées et où la marche était relativement aisée. Mais ils n'avaient pas toujours le choix ; ils devaient parfois traverser des vallées boisées où ils s'enfonçaient de nouveau dans la neige jusqu'à la ceinture. Alors ils n'avançaient plus, selon les estimations de Caille, que d'un mille à l'heure, parfois moins. Et à travailler ainsi, ils avaient chaud, ils suaient à grosses gouttes, leurs vêtements étaient trempés ; dès qu'ils s'arrêtaient pour souffler un peu, le froid les saisissait et les pénétrait, les transperçant jusqu'aux os. Ils avaient faim et soif. Et peur.

Eucher commença à tousser au deuxième jour de cette effroyable marche. Le soir déjà, il était traversé de frissons. Il eut une nuit très agitée, réveillant les autres par ses cris, ses râles, ses quintes de toux. Au matin, il tremblait de tous ses membres. Résimond lui passa des vêtements secs et lui fit avaler du thé. Puis ils se remirent en marche, fatigués tous les quatre, terrorisés. Eucher, trop affaibli, suivait derrière, dans le chemin que les trois autres avaient ouvert et bien dégagé. Malgré cela, il fallut l'attendre à plusieurs reprises. Et Donat dut l'aider dans les montées. Et porter son sac tout au long du chemin.

Le soir, après qu'ils eurent installé leur campement, bien à l'abri du vent, Caille lui prépara une infusion de feuilles et d'écorce de cèdre qui sembla le calmer. Il s'endormit pendant que les trois autres prenaient leur repas. Il les réveilla un peu avant l'aube pour leur faire part de la décision qu'il avait prise de ne pas les suivre. « Je vous ai déjà assez retardés comme ça. » Il fut entendu que Caille et Donat, les deux plus costauds, se rendraient le plus rapidement possible à La Malbaie et reviendraient avec de bonnes raquettes et de quoi manger. Résimond resterait auprès d'Eucher, malgré les protestations de celui-ci. « Je peux m'arranger tout seul », disait-il. Même s'il avait terriblement hâte de retrouver son Odulie, Résimond ne voulut rien entendre et resta avec lui. Dès que Donat et Caille furent partis, il alla tendre des collets à lièvre et ramasser de quoi entretenir le feu pendant deux jours et deux nuits.

La Malbaie

Odulie

Résimond Villeneuve l'ignorait sans doute, Odulie elle-même ne s'en doutait probablement pas, mais ce n'était pas uniquement parce qu'il était bel homme et gentil garçon qu'il l'avait séduite, mais aussi, et surtout peut-être, parce qu'il était propriétaire d'une goélette. Depuis qu'elle était devenue sa femme, trois ans plus tôt, elle avait été de tous ses voyages. Elle adorait être sur le fleuve, seule avec lui, loin du monde, libre ; et elle aimait tout autant, sinon plus, quand ils accostaient aux quais de Rimouski ou de Matane, de Tadoussac, de Québec ou de Lotbinière, voir de nouveaux visages et plus encore être regardée. La belle Odulie vivait du regard des autres, qu'elle savait d'instinct attirer et retenir.

Lors de leur rencontre à bord de la goélette de Résimond, le jeune Philippe Aubert de Gaspé avait compris cela, que cette ravissante et appétissante jeune femme rêvait de voyages et qu'elle aimait être regardée et admirée. Dès son arrivée à La Malbaie, sachant de surcroît que son mari était parti au Saguenay, il avait cherché à la voir. Mais Odulie, seule chez elle, ne pouvait décemment recevoir un étranger au vu et au su du village entier. Il faudrait l'attraper quand elle sortirait. En attendant, Philippe imaginait le meilleur. À Ti-Jean venu le retrouver à l'auberge Chaperon, il décrivait dans le menu les rencontres qu'il avait imaginées.

« Je frappe à sa porte. Elle vient ouvrir. Je la regarde sans pudeur un long moment, sans un mot ; puis je lui dis qu'elle est belle. Cette fille ne rêve que de ça, qu'on la trouve belle et qu'on le lui dise. Elle est debout dans le petit salon, où elle m'a reçu et où il y a peu de lumière. Je m'approche d'elle, je place ma main dans son dos, et je la pousse tout doucement, sans un mot, près de la fenêtre, pour mieux la voir à la lumière du jour. Elle se laisse faire, ravie, mon vieux, je te jure. Je défais les deux premiers boutons de sa chemise, dont j'écarte les revers, et je plonge mon regard dans son corsage, entre ses seins, puis je laisse courir mes yeux sur ses bras nus, sur son épaule que j'ai dénudée en tirant la manche de sa blouse, sur son cou et sa nuque, que j'ai découverte en relevant ses cheveux, je tourne lentement autour d'elle, ma tête toujours proche de la sienne, mes yeux se glissant de nouveau dans son corsage, et elle, toujours souriante, radieuse, pas le moins du monde effarouchée, se prête à ce petit jeu avec grâce et plaisir. Puis elle me dit en refermant sa blouse et en couvrant son épaule nue : "C'est assez, maintenant. C'est fini." Elle s'éloigne de la fenêtre et se retire dans la pénombre au fond du salon. Comme si elle était soudainement repue de lumière et de regards. Et pour que grandisse encore en moi le désir. Je retourne la voir le lendemain. Je lui dis, en arrivant, alors que j'ai encore mes bottes aux pieds et mon manteau sur le dos, que je veux la voir toute nue. Elle accueille ma demande, ou ma prière si tu aimes mieux, avec un sourire troublant. Et elle me dit : "Pas ici et pas maintenant. Mais ce soir, si tu veux. À l'auberge." Et le soir, à l'heure dite, elle vient frapper à la porte de ma chambre...

– Tu rêves, pauvre toi. »

Or Philippe ne rêvait pas vraiment. Et Ti-Jean le savait bien. Philippe imaginait des choses ; il prenait par la suite les mesures nécessaires pour en rendre la réalisation possible. Ainsi, nul doute qu'il tenterait de séduire Odulie. Et probablement qu'il y parviendrait. Ti-Jean faisait lui aussi de semblables rêves, dont Laurence était l'héroïne. Mais contrairement à Philippe, il n'en croyait pas la réalisation possible ou, pour d'obscures raisons qu'il ne comprenait pas, il ne voulait pas vraiment qu'elle le soit. Il n'osait jamais faire aucun geste en ce sens, à moins qu'il soit sans conséquence. Ti-Jean, en fait, n'osait jamais grand-chose.

Les deux amis se demandaient si Odulie savait qu'elle était belle et qu'elle troublait les hommes. Philippe était persuadé que oui. Et il disait que c'était là qu'était sa faiblesse. « La fille qui ne sait pas qu'elle est belle est pratiquement impossible à séduire, disait-il. Celle qui le sait, elle te tombe dans les bras dès que tu lui parles de sa beauté ou que tu poses sur elle un regard concupiscent. »

Il était de toute évidence déterminé à entreprendre des démarches auprès de la jeune femme. Mais quand attaquer ? Et où ? Après réflexion, les deux amis conclurent qu'un premier contact pourrait se faire dès le lendemain, lors de la grand-messe du dimanche. Philippe ne pourrait pas s'asseoir aux côtés d'Odulie, mais il aurait certainement l'occasion de lui décocher un sourire, quelques œillades, peut-être même de lui adresser quelques mots à la sortie de l'église.

Il faisait très beau, très doux, ce dimanche-là. À part la vieille Tina Bouchard, qui vivait ses derniers moments, sa petite-fille Claire restée auprès d'elle, et l'épouse du fils aîné d'Onésime Dallaire, qui ne pouvait plus cacher son état de femme enceinte, le village tout entier assistait à la grand-messe. Ti-Jean avait indiqué à Philippe où se trouvait le banc des Villeneuve, de sorte que le jeune seigneur put, dès l'introït, faire un premier sourire à la belle Odulie.

Le curé Pouliot aimait les sermons fleuves. Ses ouailles n'en souffraient pas trop, car il était excellent orateur. Il savait émouvoir, terroriser, faire voir les feux de l'enfer, parfois provoquer les rires. Il parla longuement de la tempérance, vertu cardinale qui disciplinait les désirs et les passions humaines, et proposa la sobriété dans l'usage des aliments et des boissons alcooliques. Et il invita ses paroissiens à pratiquer cette vertu au cours du carême qui, fallait-il leur rappeler, commençait trois jours plus tard. Il les mettait en garde contre les excès que d'aucuns se sentaient obligés de faire à l'occasion du Mardi gras. En parlant ainsi, il regardait directement Ti-Gros Sauvageau, ce qui en fit pouffer plusieurs. Philippe s'était tourné vers Ti-Jean et, ouvrant démesurément les yeux, avait murmuré : « Mardi gras. » Puis il avait porté ses regards vers Odulie, à qui il avait fait un clin d'œil.

Dès l'*Ite missa est*, Philippe et Ti-Jean sortirent sur le parvis de l'église. Ils virent passer Odulie en compagnie de son beau-frère Basile, de la femme de celui-ci et de leurs quatre garçons, dont le petit Louison, que Philippe reconnut et salua. Odulie lui fit un grand sourire et un signe de la main, puis, fermement entraînée par son beau-frère, elle disparut parmi les carrioles, les traîneaux, les chevaux qui encombraient l'esplanade. Quelques minutes plus tard, la voiture des Villeneuve empruntait la côte qui menait à la pointe au Père, attelée à un gros et grand cheval noir à la crinière blanche.

C'est alors que Ti-Jean vit Laurence marcher droit vers lui, un radieux sourire aux lèvres. Il pensa en la voyant combien elle était belle. Peut-être même heureuse. Et cette pensée qu'elle savait se laisser porter par le bonheur lui rappela cruellement qu'il en était, lui, pratiquement incapable. S'approchant de lui, elle tira brusquement sur son foulard, le traita en riant de sans-cœur, lui reprocha gentiment d'être parti sans l'avoir saluée et de ne pas lui avoir donné de nouvelles alors qu'il était rentré à La Malbaie depuis trois jours. « Je croyais qu'on était des amis, toi et moi ! » Il n'y avait aucune rancœur, aucune bouderie dans son propos. Et, au grand étonnement de Ti-Jean, sans doute pas de peine non plus. Depuis son retour, il n'avait pas osé aller la voir, parce qu'il croyait qu'elle était peinée ou fâchée. Philippe, qui avait entendu les admonestations de Laurence, s'approcha et se présenta, en disant que Ti-Jean était en effet le dernier des goujats. Ti-Jean, comme toujours, fut fasciné par l'aisance avec laquelle Philippe abordait les gens. Quelques minutes plus tard, il parlait déjà à Laurence, tout feu, tout flamme, de ses projets de reportage, de ses voyages. Et Laurence était émerveillée, visiblement.

Ils accompagnèrent la jeune fille jusque chez elle, où ils restèrent dîner, après avoir causé pendant presque une heure sur la galerie, devant le magnifique panorama. Philippe fit une hilarante imitation du curé Pouliot en reprenant les arguments de son sermon sur la tempérance et sur le péché de la chair qui, à l'entendre, était toujours mortel. Il était charmant et impudent, irrévérencieux, mais Laurence sentait, dans la joie trop éclatée de ce jeune homme brillant et cultivé, une faille, des ombres, une tristesse profonde.

Sur la table du salon se trouvaient onze petits masques de papier mâché, des têtes de lutins, d'ogres, de sorcières. Laurence expliqua qu'elle les avait elle-même confectionnés pour les enfants de l'école où enseignait Constance Simard, avec qui elle ferait la tournée des maisons dans l'après-midi du Mardi gras. Immédiatement, Philippe proposa son aide et celle de Ti-Jean. Laurence répondit qu'elles n'avaient pas besoin d'aide, mais qu'ils étaient les bienvenus s'ils voulaient se joindre à elles.

Puis Philippe annonça qu'il devait rentrer à l'auberge ; il voulait mettre un peu d'ordre dans ses notes et commencer à rédiger son article pour *Le Fantasque*. Ti-Jean se leva de table lui aussi, il mit ses bottes et son manteau. Et il sortit avec Philippe. Ils firent quelques pas en silence, puis Philippe lui dit : « Je te comprends pas. » Ti-Jean ne sut quoi répondre. Lui-même ne comprenait pas pourquoi il avait agi ainsi, pourquoi encore une fois il s'éloignait de Laurence, qui lui avait signifié sans équivoque que ses bras lui étaient ouverts, qu'elle n'était pas blessée, qu'elle ne lui en voulait pas d'être parti et qu'elle était seule chez elle, son père Caille étant au Saguenay.

Il rentra à pied chez son père, se demandant de quoi il avait peur. Croyant de plus en plus que c'était du bonheur et des meilleures et des plus douces choses de la vie. Philippe, lui, courait à gauche et à droite, cherchant la moindre miette de bonheur, croyant toujours en avoir repéré quelque part, n'en trouvant en fin de compte jamais, mais continuant, inlassablement, de chercher. Aux yeux de Ti-Jean, seule Laurence semblait heureuse ou capable de bonheur. Elle en trouvait partout, même à travers ses peines.

Au début de l'après-midi du Mardi gras, Laurence se rendit à l'école, où elle aida Constance à déguiser et à maquiller ses onze élèves, qu'elles emmenèrent ensuite faire la tournée des maisons du village. Comme convenu, Philippe et Ti-Jean se joignirent à elles. Louison, le neveu de Résimond et d'Odulie, qui à douze ans était le plus âgé de ces enfants, reconnut Philippe et rappela les tours de magie qu'il avait faits, l'automne précédent, sur la goélette de son oncle. Philippe fit disparaître des pièces de monnaie qui réapparaissaient dans les cheveux des petites filles, dans les mitaines des petits garçons, sous la table ou dans le réchaud du poêle des maisons où ils venaient d'entrer.

La maison d'Odulie, sise un peu à l'écart du village, était parmi les dernières visitées. Philippe y fit encore des tours de magie. Odulie distribua des friandises et des pommes aux enfants. Puis Constance et Laurence rajustèrent masques, mitaines et foulards, et firent sortir les enfants à la queue leu leu. Ils marchaient depuis près de cinq minutes quand Constance s'avisa que Philippe était resté chez Odulie. Elle s'arrêta, mal à l'aise. Elle se sentait, comme de raison, responsable de ce qui se passait. S'il fallait qu'on sache cela, que le jeune seigneur de Port-Joly était resté tout seul avec Odulie, chez elle, ce serait dans tout le village une véritable commotion. Louison, le neveu de Résimond, était assez grand pour comprendre, il parlerait sûrement à ses parents au souper. Laurence, choquée par la légèreté d'Odulie, n'osait imaginer la peine qu'aurait Résimond si jamais il apprenait que sa femme se laissait courtiser par un étranger. Et elle comprenait mal comment Ti-Jean pouvait laisser son ami se comporter ainsi, chez lui, dans son village.

Ils restèrent un moment tous les trois plantés sur le chemin du village, entourés des enfants, hésitants. Le soleil venait de disparaître derrière les montagnes, laissant tomber une lumière poudreuse au ras du fleuve gelé. Laurence pressa Ti-Jean d'aller chercher son ami. Ti-Jean retourna vers la maison d'Odulie, dont il entendit s'échapper, en s'approchant, des éclats de rire. Puis il vit par l'étroite fenêtre qui donnait sur la galerie que Philippe tenait la jeune femme dans ses bras et l'embrassait dans le cou, et Odulie le repoussait mollement, en riant. Philippe murmura quelque chose à son oreille, il desserra son étreinte, ramassa ses gants, son chapeau et il sortit sur la galerie, où il se trouva face à face avec Ti-Jean, devant qui il haussa les épaules en pouffant de rire.

⁓

Le soir, c'était la fête à l'auberge Chaperon. Le violon de Ti-Jean était ensorcelé. Aubert de Gaspé fit danser la belle Odulie, qui était venue toute seule. Après chaque danse, il gardait ses mains dans les siennes, il lui parlait à l'oreille et la faisait rire. La fête se termina abruptement, quand Basile Villeneuve entra dans l'auberge, s'approcha de sa belle-sœur en lui tendant son manteau, tout en jetant à Philippe un regard de défi. Celui-ci répondit avec un regard chargé de mépris. Odulie partie, il se soûla copieusement. Il demanda à Ti-Jean de lui jouer des valses jusque tard dans la nuit, jusqu'à ce que la musique et les poèmes en anglais qu'il récitait ne forment plus qu'un délire incohérent.

Il était près de minuit quand Ti-Jean fit le projet d'aller chez Laurence. Il avait chaussé ses bottes et s'apprêtait à sortir, mais Louis-Marie, le garçon d'auberge, le retint et le raisonna, l'aida à s'allonger sur un banc de la grande salle, où Ti-Jean tomba bientôt endormi.

Le lendemain matin, Philippe semblait s'être éveillé d'un songe. Il dit à Ti-Jean, sérieusement malade de boisson, qu'il allait partir. « Tout ce que je peux faire, si je reste ici, c'est briser le cœur d'Odulie, et celui de son mari, qui ne m'a rien fait. » Il avait réalisé plusieurs entrevues fort intéressantes pour son reportage, avec le curé, John Nairn, le seigneur de Murray Bay et quelques autres. Pour faire un bon article, il aurait cependant bien aimé rencontrer Alexis Tremblay, qui lui parlerait plus en détail de la Société des Vingt-et-un, dont l'entreprise, si elle était menée à bien, changerait la vie de la communauté. Ti-Jean lui avait répété que son père ne voulait pas parler à un journaliste.

Dans l'après-midi, quand les vapeurs de l'alcool se furent dissipées, lorsque Ti-Jean s'apprêta à rentrer chez lui pour se reposer un peu, Philippe lui dit qu'il avait changé d'idée et qu'il resterait quelques jours encore à La Malbaie. La neige avait cessé de tomber. Philippe fit un bout de chemin avec Ti-Jean, puis il le laissa, prétextant qu'il avait besoin d'être seul.

⁓

Le lendemain matin, Ti-Jean, frais et dispos, se rendit chez Laurence et lui proposa de faire une promenade du côté du cap à l'Aigle. Laurence croyait qu'il voulait lui dire qu'il s'était ennuyé d'elle, qu'il regrettait de l'avoir peinée et qu'il désapprouvait la conduite de son ami Aubert de Gaspé. Elle espérait surtout qu'il l'embrasserait, enfin. Il faisait si doux que les toits des maisons et des granges dégoulinaient ; on voyait des bancs de brouillard se former sur le fleuve et monter dans le ciel, où le vent les dissipait. Ti-Jean ne disait rien ; il semblait perdu dans ses pensées, dans son mystère. « Il ne doit même pas savoir que j'ai eu de la peine, pensait Laurence. Peut-être même que ma peine ne l'intéresse pas. »

Elle se demandait bien pourquoi il était si peu entreprenant avec elle, pourquoi il ne faisait jamais que lui voler des baisers plutôt que lui en donner. Elle se demandait surtout à quoi il pensait, marchant ainsi à ses côtés. Ce mystère, ces secrets, ces questions sans réponses ne faisaient qu'amplifier la fascination qu'elle éprouvait pour lui.

Pendant ce temps, le jeune seigneur Aubert de Gaspé frappait à la porte de chez Alexis Tremblay, sans s'être annoncé. Alexis le reçut civilement, gentiment. Alors qu'il aurait eu envie de le frapper. Et qu'il aurait été en droit de le mettre à la porte. Mais il n'osa pas. Et cela le fit penser à son fils Ti-Jean, qui n'osait jamais rien. « Il tient peut-être ça de moi », pensa-t-il.

Il laissa entrer Philippe, même s'il s'était juré de ne jamais parler à ce petit seigneur prétentieux, que Modeste accueillit avec joie. Philippe commença par lui parler de La Malbaie, des gens qu'il avait rencontrés, du curé, avec qui il avait passé plusieurs heures. Et comme sur la goélette de Résimond, Alexis fut bientôt sous le charme de cet aimable voyou. Il y avait quelque chose de pathétique chez ce garçon, de presque effrayant. On aurait dit qu'il voyait en toutes choses une faille, un échec, un défaut. Du projet dont lui parlait Alexis, il semblait toujours ne voir que le côté dérisoire, improbable, illusoire. Il ne le disait pas, il ne disait rien en fait, il notait simplement dans son calepin ce que lui racontait Alexis, hochant la tête de temps en temps, mais ce dernier sentait chez lui de la condescendance. Quand il fut question de William Price, Philippe esquissa un très léger sourire qui faillit mettre Alexis en colère. De toute évidence, ce jeune homme ne croyait pas beaucoup, pour ne pas dire pas du tout, au succès du projet de la Société des Vingt-et-un ; il croyait, comme Ti-Jean, qu'ils se jetteraient dans la gueule du loup.

Comme en ce jour lointain de l'automne précédent, quand le jeune Aubert de Gaspé s'était présenté au quai de la Reine, au moment où appareillait la goélette de Résimond, Alexis avait la nette impression d'avoir été manipulé. Ti-Jean, parti de grand matin, était sans doute allé prévenir son ami qu'il trouverait son père à la maison. Manières de seigneurs, qui se croyaient toujours tout permis !

En raccompagnant Philippe sur la galerie, Alexis constata avec stupéfaction qu'il montait un gros et grand cheval noir à la crinière blanche, le cheval de Résimond Villeneuve. Or Résimond était parti au Saguenay depuis une bonne dizaine de jours, avec Caille, Eucher Dufour et Donat Simard ; et personne ne savait au juste quand il serait de retour. Alexis, se souvenant encore de cette journée de l'été des Sauvages sur la goélette de Résimond, et revoyant le jeune seigneur faire de l'œil à la belle Odulie, ne put s'empêcher de penser que si elle lui avait prêté le cheval de son mari, il avait probablement eu droit à d'autres faveurs. Il regarda Philippe s'éloigner au galop en pensant qu'il traverserait tout le village sur le cheval de Résimond et qu'il retrouverait Odulie chez elle, toute seule. Alexis désapprouvait totalement ce qui se passait, mais il ne put s'empêcher de penser qu'il y avait un fond de jalousie dans ce qu'il éprouvait pour le jeune seigneur. Il rentra en songeant à sa jeunesse, trop vite en allée. Modeste, occupée à des travaux de couture, chantonnait. Elle semblait heureuse. Pas lui. Depuis quelque temps, tout le rendait amer et inquiet.

La Malbaie

Résimond

Caille et Donat Simard arrivèrent à La Malbaie au lever du jour, après une marche forcée de près de vingt-quatre heures, sans interruption. Ils se rendirent tout de suite au presbytère, où le curé fit sonner le tocsin. Les frères Dallaire et Basile Villeneuve partirent dans l'heure, tirant des traînes sauvages sur lesquelles ils avaient amarré deux paires de raquettes, des couvertures et des vêtements chauds, des outils, deux fusils de chasse, des munitions et des vivres, et une pinte d'une décoction de fleurs de vinaigrier mélangée à du rhum et à du miel, remède miracle, selon la mère Dallaire et Sa Sainteté, contre la grippe et le rhume.

Ils marchèrent tout le jour sans arrêt. Les pistes qu'avaient laissées Caille et Donat étaient partout bien visibles, même après que la nuit fut tombée. Sur les hauteurs, où le vent effaçait toute trace, les gars avaient laissé des balises, des repères, des bouts de ruban rouge noués aux branches. Sous la lune presque pleine et déjà très haute dans le ciel au coucher du soleil, les frères Dallaire et Basile trouvèrent facilement leur chemin. La lune allait bientôt se coucher quand Étienne aperçut, vague lueur rougeoyante au fond de la nuit, le feu qu'avait entretenu Résimond. Ils trouvèrent celui-ci allongé près du feu, tenant Eucher dans ses bras. Il semblait épuisé et fiévreux, lui aussi. Eucher était secoué de spasmes et respirait avec difficulté.

Après une courte nuit de repos, au cours de laquelle ils montèrent la garde tour à tour, ils étendirent Eucher sur l'une des traînes sauvages et l'enveloppèrent de couvertures de laine et de peaux d'orignal. Et ils prirent le chemin du retour. Ils parlaient à peine, se retournant souvent pour voir s'ils n'étaient pas suivis.

Ils venaient d'apercevoir dans le ciel crépusculaire les fumées de La Malbaie quand Étienne Dallaire, attelé à la traîne sur laquelle était étendu Eucher, s'arrêta. Les autres firent de même et se regardèrent en silence. Ils n'entendaient plus les râles d'Eucher. Résimond se pencha sur lui, se releva, se laissa tomber à genoux en disant : « Mon Dieu, il est mort ! »

⁓

Au village, malgré l'heure tardive, des hommes et des femmes attendaient, à l'église et à l'auberge, le retour des gars partis secourir Eucher et Résimond. Ils parlaient peu, toujours à voix basse.

Il y eut un grand émoi quand les frères Villeneuve et les frères Dallaire arrivèrent, au milieu de la nuit, avec leur sinistre bagage. Alexis Tremblay se trouvait parmi la petite foule recueillie autour du cadavre d'Eucher, que le curé vint bénir. Donat Simard et Caille étaient là eux aussi, reposés mais silencieux, effarés. Ils avaient tous deux les oreilles en chou-fleur et le nez pelé par les engelures.

Le corps d'Eucher fut placé dans un caveau derrière l'église. Et chacun rentra chez soi, l'âme inquiète. Une menace imprévue pesait maintenant sur La Malbaie, en tout cas sur le projet de conquête du Saguenay. Cette nuit-là, une légende naquit, la légende de Kakouchak, le Porc-Épic, l'esprit qui marche, qui épie, l'ennemi qui est partout, haineux, qui peut frapper à tout moment et qu'on ne voit jamais.

⁓

Dès qu'il aperçut sa maison, Résimond comprit que quelque chose clochait ; la cheminée ne fumait pas et il n'y avait aucune lumière aux fenêtres. Son frère Basile avait été bien évasif quand il lui avait demandé comment allait Odulie ; Basile regardait ailleurs, disant qu'il avait été fort occupé ces derniers jours. La maison était froide et déserte. Le poêle était mort depuis plusieurs heures déjà. Basile emmena Résimond chez lui. Sa femme leur servit des grogs bien chauds, faits de rhum et de mélasse. Résimond, atterré, ne cessait de demander ce qui s'était passé. Basile crut bon de lui dire la vérité.

« Le soir du Mardi gras, l'abbé Pouliot est venu me dire d'aller chercher Odulie à l'auberge. Je l'ai trouvée avec le petit seigneur de Port-Joly. Le lendemain, il se promenait dans le village avec ton cheval. Je pense qu'elle est partie avec lui. »

Au petit matin, malgré la peine qui l'étreignait, Résimond, épuisé par l'horrible voyage et considérablement ramolli par les grogs que lui servait sa belle-sœur, finit par s'endormir. À son réveil, au début de l'après-midi, il alla rencontrer Ti-Gros Sauvageau, qui ne savait quoi dire, mais qui finit par avouer que le petit seigneur de Port-Joly et Odulie n'étaient pas partis ensemble ; c'était elle qui était venue lui demander où était descendu le jeune Aubert de Gaspé. Puis elle avait insisté pour qu'il l'emmène à son tour à l'auberge du Gouffre, à Baie-Saint-Paul.

« Tu vas m'emmener là-bas, moi aussi », lui dit Résimond.

Ti-Gros commença par refuser, prétextant que ce serait peine perdue. Selon lui, Odulie ne devait plus être à Baie-Saint-Paul. « Même s'il y a eu beaucoup de neige depuis quelques jours, les chemins sont beaux, ils ont pu traverser le fleuve, ou ils sont partis pour Québec. » Mais Résimond insista. Ti-Gros eut beau protester, dire que la nuit allait bientôt tomber, que ses chevaux étaient fatigués, qu'ils voyageraient plus rapidement et plus sûrement s'ils attendaient le jour, Résimond ne voulut rien entendre. Il fallut partir tout de suite. La nuit était claire et douce, la lune tout à fait pleine, le chemin bien dégagé. Ils furent à Baie-Saint-Paul en moins de trois heures. Ils ne trouvèrent pas Odulie.

À l'auberge du Gouffre, on leur apprit que le couple avait passé une nuit dans la grande chambre. On ignorait cependant où ils étaient partis, mais tout portait à croire que c'était du côté de Québec. Ti-Gros Sauvageau rentra seul à La Malbaie. Aux gens qu'il rencontrait, il tenait à dire qu'il n'avait rien demandé à Résimond pour cette équipée. Et que celui-ci lui avait répété qu'il retrouverait sa femme et que, tôt ou tard, il rentrerait au village avec elle. Mais où la retrouverait-il ? Et quand rentreraient-ils au village ? C'étaient là des questions auxquelles nul ne pouvait répondre.

Ti-Gros s'en fut trouver Ti-Jean Tremblay à l'heure du souper. Il lui demanda, devant toute la famille réunie à table, de lui dire où étaient les fugitifs. « Résimond est resté à Baie-Saint-Paul, il attend ta réponse. Et ça presse. Il dit que sa femme peut pas être heureuse avec ce gars-là.

— Dis-lui où ils sont, supplia Modeste. Si tu le sais…

— C'est sûr qu'il le sait », ajouta Ti-Gros Sauvageau, qui s'était approché de Ti-Jean.

Ti-Gros avait épousé une cause. Il s'était rangé du côté de Résimond. Le village entier le ferait également. Le jeune seigneur de Port-Joly était devenu l'ennemi, le fautif. On se mobilisa. Louison, le neveu de Résimond, fut chargé de soigner son cheval, de pelleter l'entrée de sa maison, celle de son étable. Ti-Gros partit de la vallée Saint-Étienne, passa chez lui changer de cheval et s'en fut directement à l'auberge du Gouffre, où il informa Résimond que le jeune Aubert de Gaspé avait l'habitude, quand il était à Québec, de descendre à l'auberge de l'Albion. Et on attendit.

∽

Eucher ne fut pas exposé. Il avait le visage si affreusement brûlé et boursouflé par les engelures que sa veuve et ses parents demandèrent qu'on ferme son cercueil. Tout le village, recueilli, terrorisé, assista à ses funérailles. Le curé Pouliot, dans son sermon, parla des grandes qualités chrétiennes de ce cher Eucher, de son courage aussi. Et dans son prône, il annonça que, pour que le sacrifice de sa vie ne soit pas inutile, on poursuivrait la conquête du Royaume. Il y aurait donc une réunion plénière pour discuter de ce projet tout de suite après qu'on eut mis le pauvre homme en terre.

Avec tout ce qui venait de se produire dans le village, la peine de Résimond, la faute d'Odulie, la mort d'Eucher, l'attaque subie par Caille et ses hommes, on se sentait menacé et solidaire. Après l'enterrement, presque tous les adultes que comptait La Malbaie se regroupèrent dans l'église, même les plus jeunes, qui savaient qu'ils n'auraient pas voix au chapitre.

Caille fit un rapport détaillé de l'expédition de reconnaissance qu'il avait menée au Royaume avec Eucher, Donat et Résimond. Il décrivit les belles grandes pinières du Saguenay, mais il insista sur les difficultés que présentait leur exploitation. Selon lui, les rivières n'étaient pas facilement flottables, le terrain était souvent très accidenté. Puis il raconta ce qui s'était produit sur le chemin du retour, évoquant ce problème très préoccupant que présentaient les Sauvages de la bande rebelle menée par ce Montagnais qui se faisait appeler Kakouchak. La peur était entrée dans l'église et serrait les cœurs.

Puis Caille parla de cette rencontre qu'ils avaient faite à Chicoutimi de François à Ange et de l'intention qu'avait ce dernier d'aller, avec la bénédiction de son père Thomas, rencontrer le chef montagnais pour lui proposer de travailler avec la Société des Vingt-et-un, ou tout au moins de ne pas nuire à ses opérations. Un murmure parcourut alors l'assemblée, qui s'enfla si fort et si vite que Caille dut se taire un moment. Des voix, çà et là, se firent entendre pour dire que François Simard était aussi fou que son grand-père et que son père, et que son idée n'avait aucun bon sens. De quoi se mêlait-il ? Et quelle idée que celle de faire un pacte avec des Sauvages assassins !

Michel Simard, assis entre sa sœur Constance et sa mère, dans le premier banc des Simard, se leva d'un bond, tournant le dos à l'autel, pour rappeler à l'assemblée que son neveu avait quand même une tête sur les épaules et que les Simard étaient des gens capables, qui connaissaient le Royaume mieux que personne. Caille ajouta que François, qui était resté là-haut, ne pouvait pas savoir qu'Eucher était mort et qu'il allait sans doute se raviser dès qu'il saurait ce que Kakouchak avait fait. « Il est quand même pas assez fou pour s'associer à un tueur. » D'autres voix, de femmes surtout, s'élevèrent, chargées d'inquiétude au sujet de François. « Cet enfant-là a beau être débrouillard et bien connaître le pays, faut pas oublier qu'il est seul contre une bande de Sauvages », dit Victoire Bouchard.

C'est alors que Ti-Jean Tremblay, qui jusque-là s'était tenu debout à l'arrière de l'église, aux côtés de Laurence à Caille, des frères et des sœurs Dallaire, s'avança dans l'allée centrale, un méchant sourire aux lèvres. « Faudrait arrêter de dire que François à Ange est débrouillard, qu'il connaît bien le pays et les Sauvages et qu'il peut tout arranger et sauver le monde, dit-il. François à Ange a dit à Caille qu'il partait rencontrer le chef rebelle à Métabetchouan. Vous voyez bien qu'il s'est trompé. Son ami le Porc-Épic était pas à Métabetchouan, mais quelque part entre l'anse Saint-Jean et La Malbaie, en train de harceler Caille et ses hommes. »

Alexis était fâché et humilié. Jamais, à sa connaissance, son fils Ti-Jean n'avait osé prendre la parole en public. Il venait de le faire uniquement pour dire du mal d'un garçon de son âge, qui avait au moins eu le mérite d'essayer de changer les choses. Et uniquement parce qu'il avait un verre, plusieurs en fait, dans le nez. Il titube, remarqua Alexis.

Michel Simard se leva de nouveau pour apostropher violemment Ti-Jean, qui lui tourna le dos, fit entendre quelques jurons et des ricanements, et marcha vers la sortie en levant les bras au ciel et en faisant de grands gestes de dénégation. La question que posa alors Michel laissa tout le monde bouche bée : « D'abord, qu'est-ce qui nous prouve que c'est Kakouchak qui a fait le coup ? Personne l'a vu, ce Sauvage-là. Avoue, Caille. Personne peut jurer que c'est lui qui a brûlé vos raquettes. Et qu'il est responsable de la mort d'Eucher.

– Qu'est-ce que ça change ? demanda Victoire Bouchard, la voix plus chevrotante que jamais. Que ça soit lui ou un autre, qu'est-ce que ça prouve ? Tout ce qu'on sait, c'est qu'il y a du danger là-bas. Et de notre côté, il y a eu un mort déjà. Il y a quelqu'un qui nous veut du mal au Saguenay. Y a quelqu'un qui a jeté vos raquettes au feu et vous a mis en danger de mort tous les quatre. Il vaudrait mieux pas y aller. En tout cas, mon mari à moi ira pas. »

Alexis était désemparé. Il voyait, çà et là dans l'assemblée, les regards effarés des gens qui, entre eux, parlaient tout bas. Ils n'osaient sans doute pas dire tout haut que cette aventure n'avait aucun bon sens ou qu'elle présentait trop de danger. Louis-Marie Dufour, le garçon d'auberge, à la fois cousin germain d'Eucher par sa mère et de Caille par son père, secoua sa timidité pour demander à Caille s'il voulait bien répéter ce que celui-ci lui avait raconté la veille au soir, quand il soupait chez lui. Caille fut forcé d'admettre que si la Compagnie de la Baie d'Hudson avait si volontiers cédé sa licence de coupe de bois à la Société des Vingt-et-un, ce n'était pas uniquement, peut-être même pas du tout, parce qu'elle ne disposait pas de bons bûcherons, mais parce qu'elle était incapable de venir à bout de la bande de Sauvages que dirigeait le chef Kakouchak, qui depuis un an harcelait les Blancs, volait leurs outils, démolissait leurs installations.

« C'est ce que le vieux chef Siméon, qui en a peur lui aussi, nous a raconté, avoua Caille. Désormais, c'est Kakouchak qui fait la loi dans le Royaume. »

Michel Simard rompit le silence qui suivit en disant que si on se tenait tous ensemble, on viendrait à bout de ces rebelles. « On a tous une arme. On va partir ensemble. On va aller les voir. On va essayer de s'entendre avec eux autres. Si on y arrive pas, on leur fera la guerre. »

Toujours prompte à imaginer le pire, Victoire Bouchard l'interrompit de nouveau pour dire que ce serait pure folie que de laisser La Malbaie sans protection. Il était évident, selon elle, que Kakouchak n'attendait que le moment où le village serait vide d'hommes pour foncer sur lui, le mettre à feu et à sang, violer les femmes, tuer les enfants, profaner les Saintes Espèces.

Tharcile, la femme d'Ulysse Brisson, qui n'était vraiment pas une beauté mais qui savait faire rire tout le monde, détendit heureusement l'atmosphère et remit Victoire à sa place en disant que les femmes pouvaient fort bien se défendre elles aussi. Et elle ajouta qu'il ne fallait pas croire Caille et ses amis quand ils disaient qu'il n'y avait plus que des vieilles femmes à Chicoutimi; c'était, de toute évidence, pour faire diversion. Tout cela était, disait-elle, un pur mensonge, un complot d'hommes qui voulaient échapper à la surveillance de leurs femmes et se payer du bon temps avec des Sauvagesses. Elle ajouta qu'il fallait cesser d'avoir peur. Et que si le bon Dieu lui avait donné la chance d'être un homme, elle n'aurait pas hésité à partir. Il y eut de gros éclats de rire, parce que Tharcile Brisson n'était pas loin d'avoir l'air d'un homme : c'était une grande femme osseuse au visage ingrat, à la poitrine plate et à la face carrée ; elle dépassait certains hommes, Ti-Gros Sauvageau par exemple, et Louis-Marie Dufour, le commis de l'auberge Chaperon, d'une bonne tête. Elle savait rire, cependant, et faire rire, et ne s'offusquait de rien.

Alexis profita de ce moment de détente pour prendre la parole. Il voulait tellement être convaincant qu'il hésita longtemps, cherchant ses mots. Mais après un moment, tous se turent et l'écoutèrent dans un silence religieux. Au fur et à mesure qu'il exposait la nature du projet de la Société des Vingt-et-un, sa voix s'affermit et il sentit qu'il gagnait les esprits. Il parla des difficultés que connaîtraient bientôt les jeunes, qui n'auraient pas de terre à se partager, pas de travail non plus, puisque les chantiers de la côte du fleuve, de l'embouchure du Saguenay jusqu'à passé Baie-Saint-Paul fermaient l'un après l'autre. Même sur la Chaudière, sur la Jacques-Cartier, la Batiscan, même sur la Saint-Maurice, et jusque sur l'Outaouais et ses affluents, les grandes forêts avaient été considérablement appauvries. Or, on avait, tout près, un des plus beaux trésors de la nature, des dizaines de milliers de pins blancs ; on avait un contrat en bonne et due forme ; on avait un bailleur de fonds, tous les moyens. « On peut pas passer à côté de ça, répétait-il, on a pas le droit. Et on a pas d'autre choix. »

Quand le curé Pouliot se leva, après avoir écouté Alexis, il semblait très ému, lui aussi. Alexis craignait qu'il se lance dans un violent réquisitoire contre Kakouchak et les Sauvages, et nourrisse davantage la peur que plusieurs éprouvaient déjà. Or le curé se fit rassurant. Il dit qu'il fallait chercher à comprendre. Ce que Kakouchak avait fait, « lui ou quelqu'un d'autre », était horrible. Mais celui qui avait brûlé les raquettes de Caille et de ses amis ignorait certainement qu'Eucher Dufour était mort. Et il n'avait peut-être pas voulu sa mort. « En bons chrétiens, gardons-nous de faire un procès d'intention à un homme qu'on ne connaît pas, que personne d'entre nous n'a vu. » Et il abonda dans le sens d'Alexis Tremblay à propos de l'avenir, des jeunes, du devoir qu'ils avaient tous de faire prospérer leur communauté.

On fit une prière, fervente, apaisante. Alexis prit de nouveau la parole. Le printemps se pointait. Dans quelques semaines, il faudrait partir. Et il dit, d'une voix ferme et assurée, comment les choses se dérouleraient au cours des prochains jours.

Métabetchouan

Touche-Pas

Un enfant pleurait à fendre l'âme, sans retenue, et sans qu'on lui prête la moindre attention. Un autre, près de l'âtre, une petite fille de trois ou quatre ans, indifférente à l'acre fumée qui l'enveloppait, frappait à tout rompre sur un chaudron de cuivre avec un bout de bois, fascinée par les sons plus ou moins sourds, plus ou moins clairs, qu'elle en tirait selon qu'elle visait le rebord ou le fond. Près d'elle, au centre de la tente, un chien endormi ronflait. Dehors, d'autres chiens hurlaient à la lune. D'autres enfants s'amusaient, criaient, riaient.

Comme chaque fois qu'il était venu chez les Sauvages, seul ou avec son grand-père Ange ou son père et ses oncles, François avait retrouvé avec bonheur cette cacophonie, ce laisser-aller si naturel, si apaisant, et ce laisser-faire, ce respect absolu des autres, cette liberté donnée à chacun. « Tu veux pleurer tout ton soûl, mon bébé, pleure tout ton soûl. Tu veux frapper pendant trois heures sur un chaudron avec un bout de bois, mon bébé, frappe pendant trois heures sur un chaudron avec un bout de bois. »

Ce désordre était celui de la nature sauvage, vierge et pure. Ange Simard disait que lorsqu'on l'avait connu, qu'on avait goûté une fois à cette liberté, on ne pouvait plus jamais s'en passer. L'ordre que ceux d'en bas s'imposaient ou tentaient d'imposer à leur monde apparaissait à son petit-fils platement artificiel et illusoire. Depuis deux jours, il était resté enfermé dans cette tente où dormaient quatre enfants, trois jeunes femmes, dont deux étaient visiblement enceintes, une demi-douzaine de chiens. Quand il était arrivé ici, au beau milieu du jour, on l'avait accueilli sans méfiance, et pratiquement sans un mot. La plus âgée des femmes (elle devait avoir près de trente ans, et sans doute que deux, sinon trois des enfants étaient à elle) lui avait donné à manger, banique et viande d'orignal mi-fumée, mi-cuite, sans qu'il ait rien demandé. Pendant qu'il mangeait, les femmes parlaient entre elles sans s'occuper de lui. En montagnais, avec çà et là quelques mots de français. François comprenait pratiquement tout ce qu'elles disaient. Il savait qu'il aurait été inconvenant de chercher à savoir où étaient les hommes et pour combien de temps ils étaient partis. Elles-mêmes ne lui avaient pas demandé ce qu'il était monté faire à Métabetchouan, en plein hiver.

Ce n'est qu'à la nuit tombée que la plus jeune des femmes, toute menue, très jolie, se tourna vers lui pour lui dire qu'elle savait qui il était.

« Je sais pas ton nom, mais je t'ai vu déjà avec d'autres Blancs, à Chicoutimi. »

Elle avait parlé en montagnais, avec un sourire qui, pensa François, en disait très long. Il connaissait assez la politesse et la bienséance des Sauvages pour comprendre que cette fille lui signifiait, en parlant et en souriant ainsi, qu'elle savait pourquoi il était là, et que ses amies et elle avaient l'intention de surveiller leur langage pour ne rien lui dévoiler de ce qu'il voulait savoir.

« Mon nom, c'est François », dit-il.

Sans plus le regarder, elle enleva sa chemise de laine et se glissa toute nue sous les couvertures, où dormaient déjà ses compagnes et les enfants.

« C'est quoi ton nom, toi ? » demanda François, qui s'était penché vers elle, sa bouche contre son oreille.

Elle ne répondit pas.

Il chercha longtemps le sommeil. Il revoyait sa journée, la longue marche en raquettes dans une belle grosse neige qui tombait à plein ciel. De temps en temps, sans s'arrêter, il relevait la tête pour regarder le paysage, toujours le même, de grands pins, des épinettes et des bouleaux se découpant, tout noirs et chétifs, contre le ciel blanc, fermé.

Cette surprise en arrivant à Métabetchouan : pas un homme. Et personne ne lui dirait où ils étaient allés. Il pensa qu'ils pouvaient fort bien être partis chez les Papinachois et les Betsiamites, sur la côte du fleuve, ou s'être rendus par la Shipshaw ou la Péribonka chez les Naskapis, plus au nord, ou encore chez les Attikameks, à l'ouest, ou même, par l'Ashuapmuchouan, jusque chez les Cris. S'ils avaient vraiment l'intention de tenir tête aux Blancs, peut-être même leur faire la guerre, comme l'avait laissé entendre le vieux Siméon, les Porcs-Épics rebelles avaient en effet tout intérêt à faire des alliances avec ces peuples frères.

Il dormit parmi tous ces êtres pêle-mêle, femmes, enfants, chiens. Le lendemain, dès l'aube, il sortit faire du bois. Plus tard, prétextant qu'il avait aperçu une femelle orignal et son veau, il prit son fusil, chaussa ses raquettes et partit en disant qu'il chercherait leur couche et tenterait de les abattre. En fait il voulait découvrir la direction qu'avaient prise les hommes de la tribu. Mais il ne put trouver sous l'épaisse neige la moindre trace.

Il rentra à la nuit tombée, sans avoir revu d'orignaux, mais avec la certitude que les hommes ne pouvaient être allés ailleurs qu'au sud-ouest, en direction de Chicoutimi, du côté par lequel il était lui-même arrivé. Et il s'étonnait de ne pas avoir croisé leur route. Il pensait à ce qu'Eucher et Résimond lui avaient raconté qu'ils avaient senti, quand ils cheminaient sur le fjord, une présence qui les épiait, quelqu'un d'invisible, d'introuvable, de menaçant. Or c'était justement ce quelqu'un qu'il cherchait. Et, vraisemblablement, il était passé tout près de lui sans le voir.

Le lendemain matin, deux des femmes partirent très tôt relever des collets. Les enfants jouaient dehors. François resta seul avec la jeune femme qui triait des aiguilles de porc-épic et des retailles de cuir, sans doute pour confectionner des mocassins ou pour décorer un manteau. François vit qu'elle était nue sous sa chemise de laine mal boutonnée ; il pouvait apercevoir ses petits seins quand elle bougeait. Il regardait la chair cuivrée de son cou, où palpitait une veine. Il s'approcha d'elle, glissa une main sous ses cheveux et lui caressa la nuque tout doucement. Elle le laissa faire un court moment. Quand elle secoua la tête, pour échapper à sa caresse, son épaule se dénuda et François posa son autre main sur la peau fraîche, lisse. Comme il approchait sa bouche pour poser ses lèvres sur l'épaule, il laissa échapper un cri en sentant sur le dos de ses mains la piqûre d'une aiguille de porc-épic.

« Mon nom, si tu veux savoir, c'est Touche-Pas », lui dit la jeune fille sans se retourner.

François connaissait assez la culture montagnaise pour savoir que les gens se donnaient entre eux des noms provisoires ou temporaires, qui ne faisaient que refléter leur état d'âme du moment, leur condition ou leurs volontés. Un tel pouvait s'appeler, un soir, Passe-Moi-La-Bouteille, et Mal-De-Tête le lendemain matin. C'était comme un jeu, qui était parfois très sérieux. Chacun, bien sûr, avait un vrai nom intime, qu'il portait avec respect et grande discrétion. François réalisa trop tard qu'il avait fait une erreur en pensant pouvoir obtenir quelque faveur de la jeune fille sans avoir au préalable eu connaissance de son vrai nom. Pour une Sauvagesse, le nom d'une personne était la clé, le code qui donnait accès à son amitié, à son intimité, à son corps. Cette jeune fille lui serait inaccessible tant qu'il ne saurait pas son nom.

La veille au soir, Touche-Pas lui avait dit l'avoir aperçu déjà une fois où il était monté à Chicoutimi avec son père ou son grand-père. S'il ne l'avait pas remarquée, lui, s'il ne gardait aucun souvenir de cette petite beauté, c'était sans doute qu'elle était encore trop jeune, même la dernière fois qu'il était venu au Royaume, deux ans plus tôt.

Il la laissa seule à ses travaux d'aiguille et alla marcher sans but, cherchant vaguement les traces du départ des hommes, sentant toujours sur le dos de ses mains ces petites blessures lancinantes qu'elle lui avait faites, et toujours en lui, inassouvi et pressant, le désir.

Les autres femmes étaient rentrées quand il revint au campement. Elles parlèrent ensemble toute la soirée et une partie de la nuit. François avait compris que Touche-Pas leur avait raconté ce qui s'était passé entre elle et lui; pas une seule fois, les autres n'interpellèrent la jeune fille par ce qui pouvait être son vrai nom, mais elles l'affublèrent de sobriquets divers qui chaque fois les faisaient pouffer de rire.

François partit le lendemain. Il serait bien resté quelques jours encore, même s'il ne pouvait assouvir son désir. Touche-Pas semblait s'ingénier à l'exciter davantage, se promenant dans la tente à demi nue, cherchant ses aiguilles ou ranimant le feu à quatre pattes, s'étirant lascivement devant lui. Même sa voix, légèrement voilée, et l'accent particulier des Montagnais quand ils parlaient français, étaient devenus pour lui un sujet d'excitation. Il regardait ses mains, qu'il imaginait le caressant. Son cou, où il aurait donné cher pour pouvoir poser ses lèvres. Et pire, parfois, ses regards, ses yeux noirs et rieurs se posaient sur lui, le chargeant d'un espoir qui serait bientôt déçu.

Mais il devait rentrer à La Malbaie. Par endroits, déjà, dans les combes abritées et sur les versants exposés au sud, la neige commençait à grisonner et se faisait plus lourde. Il suffirait d'un redoux de quelques jours pour que les traversées de rivières deviennent périlleuses.

Il partit sans un mot, sans un regard. Les hommes de ce campement sauraient désormais qu'il était à leur recherche. Combien étaient-ils ? Trois ? Six ? Plus peut-être ? En chemin, il vit le long du fjord plusieurs nuages de fumée qui signalaient la présence de petits groupes de Sauvages disséminés ici et là. Mais il lui fut impossible de déterminer où les Porcs-Épics tenaient leurs quartiers d'hiver.

Il espérait trouver des réponses à ses questions en descendant vers La Malbaie. Mais nulle part entre Métabetchouan et Chicoutimi, ni plus tard, en traversant la baie des Ha ! Ha !, il ne vit la moindre trace d'hommes, comme si la dernière neige avait tout effacé, tout enseveli. Il se perdait en conjectures. Était-il possible que ces trois femmes soient montées toutes seules à Métabetchouan ? Que leurs hommes les aient abandonnées ? Et qu'ils soient partis avec d'autres femmes ?

Il se posait encore ces questions quand il passa l'anse Saint-Jean. Il les avait toujours en tête sur le chemin des Marais. Et au fur et à mesure qu'il approchait de La Malbaie, un vague sentiment de défaite s'emparait de lui.

Quand il sentit venir la fatigue, il se demanda pourquoi il s'était lancé dans cette aventure. Pour que ceux qui ne bougeaient pas, ceux qui restaient là-bas, dans les douillettes campagnes des bords du fleuve, pensent à lui en se disant qu'il était fort et brave ? Peut-être un peu. Mais il y avait autre chose, un plaisir infiniment plus grand qu'il ne savait pas vraiment définir, le plaisir d'aller au bout de ses forces, de réussir à traverser des rivières, des forêts, des nuits glacées, tout seul, sans l'aide de personne. Il savait, il avait toujours su que la joie venait toujours après la peine, et qu'il fallait toujours se donner du mal. C'était ce que lui disait son grand-père. Mais le vieil Ange disait aussi que seuls les fous se donnaient du mal pour rien et que le mal pour rien était du temps perdu. Or c'était exactement ce que François Simard avait fait : il s'était donné du mal pour rien, il avait perdu son temps. L'hiver tirait à sa fin et il ne savait toujours pas où était Kakouchak, ni même qui il était. Il n'avait toujours pas créé la moindre alliance avec les Porcs-Épics.

Il aurait pu être à La Malbaie au milieu du jour. Mais il ralentit son pas pour n'y arriver qu'à la nuit tombée. Il traversa le village sans voir âme qui vive. Il se rendit d'abord chez sa grand-mère ; sans doute avait-il besoin de chaleur, de douceur. On lui en donna en abondance. Puis sa tante Constance lui apprit la mort d'Eucher, l'infidélité d'Odulie, la peine de Résimond et ce qu'elle appelait le crime du petit seigneur de Port-Joly.

Constance avait dressé la table et l'avait chargée de pâtés, de cretons, de bouillis, de quoi nourrir toute une armée. Comme si elle ignorait qu'un homme qui marche des jours entiers dans le grand air des bois est un être sobre et frugal. C'était chaque fois la même chose. Quand ses frères ou son neveu rentraient d'une course dans le Royaume ou sur la côte, Constance leur préparait avec l'aide de sa mère de somptueux repas auxquels ils étaient incapables de faire honneur.

François avala un bol de soupe aux pois avec un peu de lard sur une tranche de pain, une galette à la mélasse, du thé noir. Il était fatigué et heureux, ayant oublié ces noires pensées qui l'avaient assailli dans l'après-midi, quand il marchait sur le chemin des Marais. Il venait de changer de monde. Quelques jours plus tôt, il avait dormi dans une tente sauvage enveloppée de l'odeur du sapinage et du bois brûlé, des peaux d'animaux, des chiens; ce soir, un lit de plumes et des draps de lin parfumés de lavande l'attendaient. Il y avait sans doute de quoi être heureux dans l'un et l'autre de ces deux mondes; le sauvage et celui, ordonné et douillet, que régentaient les femmes des Blancs. Sans doute ne saurait-il jamais tout à fait auquel il appartenait vraiment. Et il pensa qu'il n'avait pas à choisir. Se faire Sauvage était sans doute beaucoup plus difficile qu'il l'imaginait. On l'avait reçu là-haut, à Chicoutimi et à Métabetchouan, comme un homme blanc. Peut-être en serait-il ainsi toute sa vie; comme son père et son grand-père, il irait de l'un à l'autre de ces deux mondes. Mais il serait toujours au fond un homme blanc. Il ne pourrait jamais vraiment entrer dans le monde sauvage, même s'il y avait vécu une partie de son enfance.

Il s'endormit en pensant à son père. Et il rêva qu'ils marchaient tous deux en raquettes dans une neige folle et légère où ils s'enfonçaient parfois jusqu'aux genoux. Le ciel était sombre. Ils avançaient sans effort, le vent dans le dos. Et soudain, ils aperçurent devant eux des traces, les empreintes bien définies de leurs propres pas qui les précédaient, qui les guidaient, en quelque sorte. Ils regardèrent derrière eux, et il n'y avait plus rien, comme si, au fur et à mesure qu'ils avançaient dans leurs pas, ils en effaçaient les empreintes. Une grosse tempête s'était levée. Après avoir hésité un moment, ils suivirent leurs pas, ayant bon espoir qu'ils les mèneraient tôt ou tard quelque part.

Printemps 1838
La Malbaie

Thomas

Le matin de Pâques, Louis Martel, le bedeau, était arrivé à l'église en disant qu'il y avait de la fumée chez son voisin Résimond Villeneuve. Les gens, massés sur le perron, se demandaient si ce pauvre Résimond était revenu seul ou avec son Odulie. Personne ne l'avait vu. Pas même Ti-Gros Sauvageau, qui prétendait savoir tout ce qui se passait, même dans le lit et même dans le cœur et dans les pensées des gens. Le curé Pouliot dut interrompre l'introït de sa messe pour venir rapailler ses ouailles, qui jasaient au grand air, et les pousser à l'intérieur de l'église. Basile, le frère de Résimond, arriva avec femme et enfants peu après, le sermon commencé.

Ce fut une messe riche en rebondissements. D'abord, la veuve Ange Simard entra dans l'église, accompagnée non seulement de son petit-fils François, rentré au village quelques jours plus tôt, mais également du père de ce dernier, Thomas, qu'on n'avait pas vu depuis près de deux mois. Ils remontèrent ensemble, bras dessus, bras dessous, l'allée centrale, jusqu'au premier banc des Simard. Il y eut des chuchotements et des murmures ; le curé se retourna et, en apercevant Thomas, il resta un moment interloqué, si bien qu'il dut ensuite demander à l'un des enfants de chœur où il en était dans sa messe.

L'office terminé, la plupart des gens restèrent assis sur leur banc pour regarder passer Thomas tenant le bras de sa vieille mère. Celle-ci dit bien fort, à l'intention de sa fille Constance – mais tout le monde put clairement l'entendre –, que ça lui rappelait le jour de son mariage, le 24 mai 1777, soixante ans plus tôt, quand elle avait remonté l'allée de la vieille église au bras de son mari, Ange Simard. Et toute l'assistance pouffa de rire.

Basile Villeneuve, lui, était parti avec sa famille dès l'*Ite missa est*, de sorte qu'on ne savait toujours pas si Odulie était revenue. Et on se perdait en conjectures. Heureusement, le curé vint plus tard se mêler à la petite foule massée sur le perron. Il confirma qu'il avait vu Résimond et sa femme la veille au soir. Et qu'il n'en dirait pas plus, sinon qu'il ne voulait plus entendre de ragots à leur sujet. « C'est de l'histoire ancienne. » Il se dirigea ensuite vers Thomas, interrompant la conversation dans laquelle celui-ci s'était engagé avec Alexis Tremblay, pour lui dire en riant qu'il ne devrait pas se vanter de ses péchés à ses amis, mais venir les confesser à son curé le plus tôt possible.

Le curé Pouliot aimait bien Thomas Simard. C'était un pécheur, certes, mais un pécheur sain, honnête et, force était de l'avouer, heureux. Rien de malin chez lui, rien de retors, pas de noirceur et surtout, ce qui perturbait bien un peu le curé, pas vraiment de regrets, ni de remords. Il hésitait donc toujours un peu à lui donner l'absolution, d'autant plus qu'il ne sentait pas chez Thomas le ferme propos de ne pas recommencer. « Ce n'est pas tout de m'avouer tes péchés, lui disait-il, faut que tu veuilles ne plus en faire. » Thomas lui promettait alors de prier pour que le bon Dieu lui enlève le goût du péché. Quand, plus ou moins satisfait, le curé prononçait enfin son *Te absolvo* en se signant, il savait fort bien que Thomas avouerait ses péchés publiquement, dans les moindres détails et avec grand plaisir, en prenant un verre l'après-midi même à l'auberge Chaperon, où, comme chaque fois qu'il rentrait de ses équipées chez les Sauvages, la moitié des hommes du village l'écouteraient, tout émoustillés, vaguement envieux.

Ce jour-là cependant, il sembla au curé que Thomas Simard était préoccupé. Et ce n'était pas parce qu'il avait trompé sa maîtresse papinachoise avec une autre. Le curé avait d'ailleurs dû le faire taire quand Thomas avait entrepris de lui donner de croustillants détails anatomiques et de lui faire un rapport détaillé et émerveillé des charmes comparés de ses deux maîtresses.

En fait, Thomas avait divers sujets de préoccupation. La mort d'Eucher, bien sûr, qu'il n'avait apprise que la veille au soir en arrivant à La Malbaie, et qui l'avait profondément secoué. Il sentait, même s'il n'était revenu que depuis quelques heures, que l'inquiétude et l'incertitude s'étaient immiscées dans le village. « Le monde a peur, monsieur le curé. Et du monde qui a peur, ça travaille mal et ça finit toujours par faire des erreurs. »

Les deux hommes restèrent un moment à deviser et à fumer sur la grande galerie du presbytère qu'inondait le doux soleil du printemps. Thomas finit par dire qu'il commençait à avoir des doutes sur le projet de la Société des Vingt-et-un. En fait, il était porteur d'une bien mauvaise nouvelle dont il n'avait encore fait part à personne, pas même à Alexis : Peter McLeod, chez qui il s'était arrêté deux jours plus tôt, à Rivière-Noire, lui avait annoncé qu'il avait l'intention de se réserver une partie importante des forêts du Royaume pour faire de la coupe de bois lui aussi. « Il n'a pas le droit, protesta le curé. Il n'a pas de titres.

— Il en a pas besoin. Il est Montagnais par sa mère. En plus, son père a déjà eu un moulin sur la rivière Papaouetish, à Chicoutimi, où il prétend qu'il est né. Il se prépare à envoyer des hommes là-bas pour préparer le terrain.

— Il n'en a pas les moyens.

— Je sais pas comment ni où il les prend. Mais il en a, des moyens. Il me l'a dit. Et en plus, il est l'agent de la Compagnie de la Baie d'Hudson.

— Justement, tonna le curé. En venant jouer dans vos plates-bandes, il change les conditions du contrat qu'il a lui-même négocié avec vous autres. »

En fait, la Société des Vingt-et-un, qui avait recruté près d'une centaine d'hommes sur la côte, bûcherons, affûteurs, mesureurs, scieurs, équarrisseurs, cuisiniers, forgerons, pouvait parfaitement honorer ce contrat avec la Compagnie de la Baie d'Hudson et sortir du Saguenay, même si McLeod s'y activait, les soixante mille billots de pin blanc que William Price s'était engagé à acheter. Mais le vrai projet de Thomas Simard était toujours de s'emparer du territoire, de pénétrer le Saguenay pour y faire de la terre et y rester, pour que les jeunes puissent s'établir, ce qu'il était devenu impossible de faire sur la côte.

« Avec le Métis dans le décor, ça vaut peut-être plus la peine d'essayer », dit Thomas au curé, qui le traita, en riant, d'homme de peu de foi.

⁓

Les hommes qui, dans l'après-midi de ce jour de Pâques, se rendirent à l'auberge Chaperon dans l'espoir d'entendre les récits licencieux de Thomas furent déçus. D'abord, Thomas n'était pas d'humeur à divertir le monde. De plus, le curé était là, à la grande table du fond, avec Thomas et son frère Michel, qu'accompagnaient Alexis Tremblay, Caille, Onésime Dallaire et quelques autres. Mais surtout, il y avait François à Ange, que tout le monde tenait à saluer et à entendre. Qu'avait-il vu ? Qu'avait-il fait ? Avait-il rencontré Kakouchak ? S'était-il entendu avec lui ?

Bien qu'il ait été de retour à La Malbaie depuis plusieurs jours, François ne s'était confié à personne, pas même au curé. Ce jour-là, il avoua simplement qu'il n'avait pas réussi à rencontrer le chef rebelle et qu'il n'en savait pas plus que Caille ou Résimond à son sujet. On sentait, malgré tout, que les hommes qui l'entouraient le tenaient en très haute estime. Il avait fait, seul, un périlleux voyage.

La salle était archibondée, surchauffée, tellement enfumée et, de surcroît, si pauvrement éclairée qu'on avait par moments peine à distinguer les visages. Ti-Jean s'était retrouvé bien malgré lui coincé dans cette foule agitée. Il ne savait pas trop ce qu'il était venu faire là, à part éviter de nouvelles réprimandes de son père et se faire une fois de plus rebattre les oreilles des prouesses de ce François à Ange. Il aurait bien aimé boire un coup, comme le faisaient la majorité des hommes, mais il craignait toujours de s'attirer les foudres paternelles. Pourtant, depuis son esclandre de l'autre soir, à l'église, Alexis Tremblay n'avait pas adressé la parole à son fils, il ne lui avait pas jeté un regard, pas même à la maison, lors des soupers pris en famille. Au début, cette indifférence dont faisait preuve son père à son égard avait plu à Ti-Jean. Les jours passant, il en avait ressenti un grand désarroi. C'était comme si un miroir peu à peu avait cessé de lui renvoyer son image, laissant celle-ci s'estomper inexorablement, dans le noir, sans reflet, sans consistance. Il n'existait plus, il devenait davantage insignifiant et invisible, non seulement pour son père, mais également pour lui-même. Et sans doute pour les autres, pour Laurence qui, ce soir-là, avait été mal à l'aise, elle aussi. Elle ne l'avait pas suivi quand il était sorti de l'église, fuyant les invectives de Michel Simard et les sarcasmes des autres. Mais il l'avait attendue, lui, sur le chemin du Cap qui menait chez elle ; et quand elle l'avait aperçu, elle lui avait dit très doucement, très gentiment, de rentrer chez lui.

« T'as envie de me voir parce que t'as bu. Moi, Ti-Jean, j'ai pas envie que tu viennes chez moi, pour la même raison, parce que t'as bu. »

Et depuis, il n'avait pas revu Laurence, ni cherché à la revoir. Il n'avait pas bu non plus. Par peur non seulement de son père, mais de lui-même, de l'homme que l'alcool faisait de lui, un homme de grande colère, mais trop faible pour porter sa révolte, trop hésitant pour tenir tête à qui que ce soit.

Il regrettait son esclandre, bien sûr, mais il croyait toujours qu'il avait raison de penser et de dire que François à Ange n'était pas le messie. Il avait seulement eu tort de le proclamer si haut, si fort, révélant devant tout le monde son envie, sa jalousie, sa propre faiblesse. Il se sentait maintenant comme un étranger indésirable dans cette salle enfumée, parmi ces gens bruyants.

Ti-Gros Sauvageau et Onésime Dallaire ayant exprimé des doutes sur la pertinence d'intéresser les Sauvages au projet de la Société des Vingt-et-un, il y eut un tollé de protestation. On leur répliqua bien haut qu'entretenir de bonnes relations avec les

Montagnais ne pouvait nuire au projet. Ainsi, tout le monde ou presque approuvait la démarche de François Simard.

Ti-Jean entendait une voix monter en lui qui demandait : « Quelles bonnes relations ? Qui nous dit que votre François Simard n'a pas déjà tout gâché ? Ce gars-là n'est pas parti pour le Royaume dans l'intention d'arranger quoi que ce soit. Il s'est sauvé de la police, c'est tout. Pourquoi le protégerait-on ? Pourquoi lui faire à ce point confiance ? »

Et cette voix, que seul Ti-Jean entendait, se mêlait à celles de Caille et de Thomas Simard, qui parlaient des riches forêts du Royaume qu'ils avaient vues, des rivières qui se jetaient dans la baie des Ha ! Ha ! et qu'il faudrait aménager, des chemins qu'on allait ouvrir dans tout ce territoire. À la demande d'Alexis, Louis-Marie, le garçon d'auberge, avait apporté une plume, de l'encre et un bout de papier sur lequel Thomas avait entrepris de dessiner la rive gauche du Saguenay, d'abord la baie des Ha ! Ha !, au beau milieu de la feuille, avec les deux rivières qui s'y jetaient, venant du sud, du bas de la feuille. Puis son crayon suivit le rivage, sortit de la baie par l'ouest. « On a un cap, ici », dit Thomas, poussant son crayon vers la gauche… Mais déjà, longtemps avant d'arriver à la rivière Papaouetish, il débordait sur la table.

« Tu vois. On n'a pas besoin de Chicoutimi, continua Alexis en riant. C'est en dehors de ta feuille.

– T'as pas compris, répondit Thomas. En remontant les rivières Papaouetish et Chicoutimi, McLeod va prendre le contrôle des forêts du lac Kénogami. Il va nous couper tout ça, regarde. Tôt ou tard, on va se cogner sur ses hommes. »

D'un geste rageur, Thomas dessina deux autres rivières qui se jetaient dans le Saguenay, loin, à l'ouest de la baie des Ha ! Ha ! ; il marqua d'une grande croix la confluence de l'une d'elles. « Ici, t'auras le moulin de McLeod, tu vois ? »

Ti-Jean n'écoutait plus. Il regardait les hommes assis à la grande table : Thomas, son fils François, Alexis, Caille, le curé, les hommes importants de ce village, ceux qui décidaient de tout.

Ils avaient de lourdes responsabilités, des problèmes énormes. Et pourtant, il sentait en eux une sorte de vigueur et de bonheur. Ils étaient excités, vivants. Une vingtaine d'hommes se pressaient, debout, autour d'eux, tendus, tâchant de comprendre ce qui se passait. Certains, Ti-Jean en était sûr, ne pouvaient lire la carte que dessinait Thomas, pas plus qu'ils ne savaient lire leur nom. Mais il sentait, chez eux aussi, une grande curiosité, de la passion. Ils étaient vivants. Pas lui.

La Malbaie

Les sœurs Dallaire

Un soir, à table, devant ses garçons et ses filles, Alexis dit à Modeste que Thomas et lui, avec l'accord du curé, avaient proposé à François Simard, en plus du salaire d'homme engagé auquel il aurait droit, une demi-action de la Société des Vingt-et-un, en échange de ses services pour la saison.

« Cinquante livres, en plus de son salaire, c'est une somme considérable, poursuivit Alexis. Mais il les méritera, j'en suis sûr. »

Ti-Jean sentit monter en lui une bouffée de haine à l'égard de François, et pour lui-même plus de dégoût encore, plus de déception.

Quelques jours plus tard, lors d'une réunion de la Société des Vingt-et-un, il fut décidé que le 16 avril, beau temps, mauvais temps, un groupe de neuf hommes partirait pour l'anse Saint-Jean, en prenant le chemin des Marais, de sinistre mémoire. Sous la direction de Caille et de François à Ange.

Ti-Jean était révulsé. Il ne pouvait comprendre que François Simard soit l'objet d'une si grande considération, de tant de confiance de la part d'hommes expérimentés. Non seulement il n'avait pas réussi à rencontrer le chef rebelle de la bande des Porcs-Épics, comme il s'était promis de le faire, mais il avait contribué à grandir la légende d'un ennemi insaisissable et invisible. Il était revenu bredouille de sa mission de reconnaissance. Pourtant, tout le monde disait que ce qu'il avait fait, monter là-haut en plein hiver, y rester plusieurs semaines, et en revenir tout seul, constituait un exploit qu'aucun autre homme de La Malbaie, à part peut-être son père et quelques-uns de ses oncles, n'aurait réussi.

Alexis n'avait même pas demandé à son garçon Ti-Jean de faire partie de l'expédition; et celui-ci ne s'était pas imposé. Depuis quelque temps, son père l'ignorait totalement, « attentivement », pensait Ti-Jean. Il avait toujours la responsabilité de tenir les livres et d'établir l'agenda des travaux à exécuter. Il s'acquittait honnêtement de ces tâches de notaire. Mais il ne participait aucunement aux discussions et aux décisions relatives au projet. Son père d'ailleurs ne lui demandait plus rien, pas même de convoquer les réunions. Ti-Jean y assistait quand même, mais n'y jouait pas un rôle actif. Il savait trop bien qu'il aurait été rabroué par son propre père s'il lui avait dévoilé le fond de sa pensée. Plus que jamais, Ti-Jean ressentait son insignifiance et son incapacité.

Peut-être Alexis croyait-il blesser son fils en le traitant ainsi, avec mépris, ou en feignant de l'ignorer. Peut-être espérait-il l'amener à réfléchir et à changer. Mais pouvait-il imaginer que son fils se tenait lui-même dans un tout aussi grand mépris? Et que certains jours il éprouvait pour sa propre personne plus de haine que pour qui que ce soit d'autre?

François cependant était pressé de partir. L'inaction lui pesait. De plus, il ne pouvait rester bien longtemps à La Malbaie; le fleuve serait bientôt navigable et les rivières aisément franchissables; la police pourrait alors venir n'importe quand.

Il se rendit chez Caille un soir, à l'heure du souper, pour préparer avec lui les opérations. Caille lui ayant offert de partager son repas, François se tira une chaise et se laissa servir par Laurence, à qui il n'adressa pas la parole une seule fois. Plus tard, après avoir rangé la cuisine, quand celle-ci vint embrasser son père et monta se coucher, elle prit soin de faire comme lui: pas un regard, pas de bonsoir.

Caille était content, parce qu'il aimait bien la compagnie de François, et il savait que par sa présence il rassurerait les autres, qui craignaient tous Kakouchak autant, sinon plus, que le Diable. La plupart d'entre eux porteraient une arme. Et certains disaient que s'ils voyaient un Sauvage, ils n'hésiteraient pas à lui tirer dessus. À l'auberge Chaperon, Ti-Gros Sauvageau, qui n'avait pratiquement jamais tenu un fusil dans ses mains et avait très rarement côtoyé des Sauvages, pérorait ainsi : « Quand t'en aperçois un, tu commences par le descendre. Après, quand il est mort, tu lui demandes ce qu'il fait là. »

Les hommes emmèneraient six chevaux de trait déjà rompus au travail des chantiers. Une fois à l'anse Saint-Jean, ils répareraient les dégâts qu'y avaient faits les Sauvages, puis ils débarrasseraient les lieux des ordures, des débris, de ce squelette de cheval qu'avaient vu Caille et ses compagnons lors de leur expédition et de toutes les horreurs qu'ils n'avaient pu voir mais qu'ils imaginaient, sinistres, sous la couverture de neige.

Puis ils entreprendraient de faire l'inventaire des quelques milliers de pins qu'avaient abattus l'hiver précédent les bûcherons de la Compagnie de la Baie d'Hudson. Plus tard, ils détermineraient le parcours des chemins de charroi, ils commenceraient à installer des glissoires sur certains rapides, étancheraient au besoin les écluses, tendraient une estacade, construiraient des ponceaux sur les ruisseaux, jetteraient des caillebotis sur les marécages. Ainsi, le moulin de l'anse Saint-Jean serait en état de marche dès le début de l'été. On pourrait ensuite sortir les bons billots de la tuerie d'arbres, de quoi charger à l'automne deux, peut-être trois navires des Entreprises William Price.

℘

La veille du départ, on fit la fête chez Thomas Simard. Laurence s'y était rendue avec son père. Elle s'était assise avec son amie Constance et les sœurs Dallaire sur des chaises droites entre les deux grandes fenêtres du salon, assez loin des violoneux, des tapeux de pied, des joueurs de cuillères et de bombarde pour pouvoir converser en paix, « entre vieilles filles », avait dit

Constance en riant aux éclats. Les musiciens jouèrent un bon bout de temps, des valses lentes et tranquilles, avant que quelques danseurs se lèvent. À La Malbaie, ces jours-là, personne n'avait vraiment le cœur à la fête. Après tout ce qui venait de se passer, la mort d'Eucher, l'erreur que d'aucuns disaient impardonnable d'Odulie, la peine immense de Résimond, qu'on croyait toujours inconsolable, et ces menaces qui pesaient maintenant sur le projet du Saguenay et qui avaient comme noms Kakouchak, McLeod, la Hudson's et William Price, on ressentait simplement le besoin d'être ensemble, solidaires.

Mais peu à peu, le rhum, le whisky, le vin chaud aidant, les esprits et les corps s'échauffèrent, les rires fusèrent. Et quand Ti-Jean Tremblay sortit son violon pour attaquer des reels endiablés, presque tous les jeunes se levèrent. Entre les danseurs parfois, Laurence recevait comme un choc, un éclair bleu qui venait de l'autre bout de la salle et qui chaque fois la saisissait : le regard de François Simard. Il était debout, appuyé contre le chambranle de la porte de la cuisine. Il ne dansait pas ; un sourire aux lèvres, il regardait les danseurs et, à travers eux, Laurence qui, troublée, s'en étonnait. Depuis quand s'intéressait-il à elle ? Avait-elle changé à ce point depuis ce jour pas si lointain où il était venu voir son père et ne lui avait pas adressé la parole ni même ne l'avait regardée une seule fois ? Elle décida que ces éclairs bleus l'importunaient et refusa de croire qu'elle était troublée, même si, chaque fois qu'elle en était frappée, elle perdait le fil de la conversation et même si malgré elle, quand elle levait les yeux, elle cherchait ou attendait ceux de François Simard. Elle s'arrangea donc pour lui tourner le dos en changeant de chaise.

Elle parlait avec les sœurs Dallaire quand elle comprit à leurs regards et à leurs sourires que le jeune homme venait vers elles. Elle aperçut son reflet fractionné dans les carreaux de la fenêtre. Il était debout derrière elle et parlait à sa tante Constance, qu'il vouvoyait, même si elle n'avait que quelques années de plus que lui. Comme tous les jeunes et tous les enfants de La Malbaie, il avait dû prendre cette habitude quand elle avait été sa maîtresse d'école.

Il la fit s'esclaffer en disant que ça sentait la vieille fille dans le coin, ce que Laurence trouva de fort mauvais goût. L'une des sœurs Dallaire répondit sèchement qu'elle aimait mieux rester vieille fille que de passer sa vie à entendre des niaiseries. Mais François ne semblait pas réaliser qu'il avait pu, par ses propos, blesser ou importuner qui que ce soit ; il riait. Il alla s'asseoir sur le rebord de la fenêtre, faisant de nouveau face à Laurence. Il la regarda un moment en souriant et lui dit : « T'es pas un peu jeune, toi, pour jouer aux vieilles filles ? »

C'était sans doute dit sans malice. François savait certainement que sa tante Constance assumait sans états d'âme sa condition de vieille fille ; elle disait même avoir choisi délibérément ce statut. Mais Laurence aurait aimé le frapper, parce qu'elle se sentait rougir et ne savait quoi répondre. Et aussi parce qu'elle savait bien, elle, que les sœurs Dallaire étaient meurtries quand on les traitait de vieilles filles. Contrairement à Constance, elles avaient longtemps rêvé toutes deux de se marier et d'avoir des enfants. On racontait même, dans le village, qu'elles s'étaient fait un trousseau complet et confectionné de magnifiques robes de mariée, avec des perles, des paillettes et des broderies.

Ignorant tout de la colère qu'il avait éveillée chez elles, François se tourna vers sa tante Constante et amena la conversation sur son métier de maîtresse d'école, puis il s'assura que ses frères prenaient bien soin d'elle et de sa grand-mère. « Il se prend pour le chef de famille », pensa Laurence, qui le trouvait par trop envahissant. Toujours avec Constance, François parla de son grand-père Ange et de la terrible peine qu'il avait eue en apprenant sa mort, qu'il ressentait toujours quand il pensait à lui. Jouant de son charme, il réussit même à dérider les sœurs Dallaire et à les mêler à la conversation, écoutant chacune parler de la peur que lui avait toujours inspirée le vieil Ange. Et ils riaient tous ensemble, et François disait que son grand-père avait été le meilleur des hommes.

Depuis un moment déjà, on n'entendait plus le son particulier du violon de Ti-Jean, que Laurence aurait pu reconnaître entre mille. Elle se retourna et le chercha des yeux dans la salle. Elle ne le vit nulle part. Il était sans doute sorti prendre l'air et fumer.

Plus tard, elle sentit une main chaude et lourde sur son épaule. Ti-Jean était derrière elle, les yeux vitreux, un sourire figé aux lèvres, chancelant. Il avait visiblement beaucoup bu. Il dit à Laurence qu'il partait et qu'il l'amenait avec lui.

« Je vais rentrer avec mon père », répondit-elle, mal à l'aise.

Alors il se pencha et lui dit à l'oreille qu'il avait toujours envie d'être avec elle, qu'il pensait sans cesse à elle, même quand il était ailleurs, même quand il faisait la fête à Québec, il pensait à elle, parce qu'elle était si belle et qu'il se sentait si bien quand ils étaient ensemble.

Il tenta de l'embrasser dans le cou, puis sur la bouche. Il parlait fort. Il insista pour qu'elle parte avec lui, jusqu'à ce que François intervienne.

« Elle t'a dit qu'elle rentrait avec son père. Laisse-la en paix, tu veux ? »

Ti-Jean le regarda, un mauvais sourire aux lèvres.

« Toé, le Sauvage, tu vas pas commencer à me dire quoi faire. »

Constance regardait la scène avec inquiétude. Craignant que son neveu, dont elle connaissait le tempérament bouillant, frappe Ti-Jean, elle posa la main sur son bras en un geste apaisant. Mais François semblait tout à fait calme.

Ti-Jean d'ailleurs s'était détourné de lui et tentait de passer sa main dans les cheveux de Laurence, qui fit un mouvement de la tête pour lui échapper. Il s'approcha d'elle en titubant et l'ébouriffa par une caresse brutale et maladroite qu'elle tenta encore d'esquiver. Alors François attrapa le bras de Ti-Jean et le tint fermement. Ti-Jean chercha à le frapper au visage avec son poing libre, mais François, s'étant levé, reçut le coup au creux de l'épaule. Il ne sembla pas le moins du monde ébranlé. Les réflexes de Ti-Jean n'étaient pas très vifs et ses mouvements étaient mal coordonnés. François n'eut aucune difficulté à le faire pivoter sur lui-même et à le plaquer face contre le mur en lui tordant un bras dans le dos. Laurence et les vieilles filles s'étaient levées ; des danseurs s'étaient approchés.

« C'est fini », dit François à l'intention des curieux. Il avait relâché le bras de Ti-Jean, qui semblait ne pas comprendre ce qui venait de se passer et jetait autour de lui des regards hébétés.

Caille s'était approché. Voyant l'état de Ti-Jean, il dit qu'il le raccompagnerait chez lui. Il fit d'ailleurs savoir aux huit hommes qui devaient partir avec lui que la fête était terminée et leur donna rendez-vous à l'église le lendemain matin, à cinq heures et demie. Puis il alla atteler Froufrou pendant que Laurence cherchait, dans la montagne de manteaux et de chapeaux empilés sur le lit de la chambre à coucher, les siens, ceux de son père et de Ti-Jean.

Celui-ci s'endormit en montant dans la voiture, sa tête dodelinant, tombant sur l'épaule de Caille, glissant finalement sur les genoux de Laurence. Le chemin était très boueux, raviné et miné par la chaleur du printemps ; la voiture cahotait de droite et de gauche. Laurence tenait fermement l'épaule et la tête de Ti-Jean entre ses mains.

Étrangement, malgré la scène disgracieuse à laquelle elle venait d'assister, elle éprouvait en ce moment une tendre affection pour lui. De la pitié peut-être, mais il y avait beaucoup plus. Cette douleur que Ti-Jean avait en lui la touchait vraiment, parce que c'était une vérité toute pure. À travers cette souffrance, elle sentait son âme palpiter, son âme d'artiste. Il ne pouvait pas être heureux dans ce monde brutal où voulait le faire entrer son père. Il avait trop envie d'être ailleurs, dans les splendides villes dont il aimait tant parler et où il rêvait de se rendre un jour. Et il n'y avait rien de suffisant ou d'arrogant chez lui, comme chez ce François Simard, qui semblait n'avoir besoin de rien ni de personne et qui croyait pouvoir tout régenter. Ti-Jean avait dit un jour à Laurence que sa mère croyait que les hommes buvaient quand ils étaient malheureux. Et Laurence se mit à penser ce soir-là, sur le chemin de la vallée Saint-Étienne, qu'elle seule peut-être avait le pouvoir de rendre Ti-Jean heureux. Ce qu'il avait fait tout à l'heure était un aveu, une sorte d'appel au secours. Elle était son amie. S'il le fallait, s'il le voulait, elle partirait avec lui.

Elle croyait aussi que les hommes, quand ils avaient bu, disaient la vérité. Et ce soir-là, pour la première fois vraiment, Ti-Jean lui avait dit qu'il pensait toujours à elle, qu'il avait besoin d'elle. Il lui avait fait, ce soir-là, publiquement, une déclaration d'amour.

∽

Laurence se leva à cinq heures, le lendemain, pour aider son père à finir de préparer son sac. Elle attela Froufrou et l'accompagna à l'église, où il allait retrouver ses compagnons. Caille était toujours excité de partir. Mais cette fois, c'était pour fort longtemps. Il ne reverrait pas La Malbaie et le fleuve avant l'hiver prochain, peut-être pas avant un an. Dans trois semaines environ, fin mai au plus tard, après qu'avec ses hommes il aurait remis en marche le moulin de l'anse Saint-Jean, la *Sainte-Marie* de Thomas passerait le prendre, avec à son bord une douzaine d'hommes, trois chevaux, deux bœufs, deux douzaines de poules, des vivres et de l'équipement, des ustensiles, des outils, de quoi installer les premiers campements dans la grande baie des Ha! Ha!

Il faisait encore nuit quand ils arrivèrent devant l'église, dont les abords étaient déjà fort animés. Les huit gars étaient là, chacun accompagné de sa femme ou de sa mère, sauf François Simard, qui n'avait personne de sa famille avec lui, à part son père Thomas, qui conversait à l'écart avec Alexis Tremblay. François vint vers Caille et fit à Laurence un grand sourire, qu'elle n'apprécia pas. Parce qu'elle crut, peut-être à tort, y déceler, de la part de François, du mépris pour Ti-Jean et de la satisfaction pour sa propre personne, comme s'il se posait en vainqueur, comme s'il était l'homme fort, éveillé, debout et sûr de lui, insupportablement hautain et suffisant, face à un Ti-Jean défait, sans doute malade de boisson à cette heure, honteux, un homme couché. Elle ne répondit pas à son sourire.

Une vague lueur s'était posée au sommet des montagnes quand le curé vint bénir les partants. Et le ciel rosissait quand les femmes et les mamans étreignirent leurs hommes, avec parfois des pleurs. Laurence embrassa son père, Benjamin Dallaire, Basile Villeneuve et quelques autres. Elle sentait le regard de François Simard posé sur elle, mais elle n'avait aucune envie d'aller vers lui. Elle retourna embrasser son père et se tint à ses côtés pendant qu'il parlait à ses hommes.

Elle rentra à la maison, où elle vivrait longtemps toute seule, ce qui l'effrayait et l'excitait tout à la fois, en suivant la voiture d'Étienne Dallaire, qui tenterait matin et soir de l'embrasser. Elle entendit cancaner des oies dans le jour levant, les premières oies de la saison. Elle pensa à la mère Ange, qui disait qu'autrefois, dans le bon vieux temps, elles étaient si nombreuses qu'elles couvraient les battures comme d'immenses champs de neige. Il n'en restait maintenant plus que quelques milliers. Et bientôt, disait-on, si on ne cessait de les chasser, il n'y en aurait plus du tout.

༄

Deux jours plus tard, alors qu'elle se rendait à pied rejoindre son amie Constance à l'école, Laurence aperçut Alexis Tremblay qui entrait au magasin général du père Chaperon. Elle rebroussa chemin, sella Froufrou et s'en fut dans la vallée Saint-Étienne, où Modeste la reçut avec de grandes effusions de joie. Ti-Jean était installé devant la grande table de la salle à manger et préparait le calendrier des opérations forestières de la prochaine saison.

Il était évidemment mal à l'aise devant Laurence, à qui il fit un pauvre sourire. Elle lui demanda en riant s'il avait eu mal à la tête la veille au matin. Il eut alors un vrai rire franc et répondit qu'il avait eu terriblement mal, pas seulement le matin, mais toute la journée, et pas seulement à la tête, mais autant sinon plus au cœur et à l'âme. Puis il ajouta qu'il ne se souvenait de rien.

« De rien ? demanda-t-elle, inquiète.

– De rien, à partir du moment où j'ai rangé mon violon. Je sais que je suis sorti prendre un coup dans le hangar de Thomas avec Étienne Dallaire et Louis Martel. Après, je sais plus. »

Laurence songea, déçue : « Il ne se souvient pas m'avoir dit qu'il pensait tout le temps à moi, qu'il avait toujours envie d'être avec moi. »

Elle n'osa pas lui rappeler ces mots maladroits qui l'avaient tant bouleversée. Elle se dit cependant, pour se consoler, que puisqu'il les avait proférés, ils devaient refléter ce qui se passait tout au fond de son cœur. Les hommes qui avaient bu disaient toujours la vérité. Quand ils n'avaient pas bu, par contre, il leur arrivait, semblait-il, pour des raisons mystérieuses, de dire le contraire de la vérité, de dire ce qu'ils ne pensaient pas, ce qu'ils ne ressentaient pas, et de cacher le fond de leur pensée. Mais Laurence, elle, et les sœurs Dallaire, Constance, François Simard, quelques autres, savaient la vérité, ils avaient clairement vu et entendu Ti-Jean Tremblay dire à Laurence qu'il l'aimait. Ou presque. Voilà ce qu'était la vérité, la seule vérité. Et elle décida de faire comme si Ti-Jean se souvenait.

Elle s'assit près de lui, devant la table sur laquelle il avait étalé des dizaines de grandes feuilles, en haut desquelles il avait écrit des dates ultérieures. Celles des jours de juin se trouvaient à gauche de la table ; celles des jours de l'automne étaient empilées à droite. Sur chaque feuille étaient notées les opérations de construction, d'abattage, de transport, qui seraient menées à la baie des Ha ! Ha ! au cours des mois suivants.

« C'est fascinant, dit-elle, t'as décidé de ce qui allait se passer là-bas au jour le jour... »

Elle prit une feuille au hasard, vers la droite de la table.

« Le 20 août prochain...

— Mon père a décidé, précisa Ti-Jean. Moi, je l'ai écrit. Pour qu'on sache que ce jour-là, le 20 août par exemple, six hommes devront acheminer sur le site du moulin cent dix billots de pin, qu'ils vont équarrir au cours des jours suivants. Regarde, deux jours d'écorçage et d'équarrissage, puis le 23 et le 24, ils vont mortaiser chaque pièce à un bout, la tenonner à l'autre, et le 25, le samedi, ils vont les mettre à l'eau et les assembler bout à bout pour former la grande estacade qui fermera le bassin et contiendra les douze mille billots que les bûcherons devront sortir de la forêt au cours de l'hiver. Mais ça, c'est la vie idéale. Il y a des impondérables de toutes sortes. Et il y a toujours plusieurs opérations qui se déroulent en même temps. Le 20 août, on a une autre équipe de six hommes, regarde, ici, en bas, qui achèveront de construire une glissoire pour sauter les premiers rapides, qui sont si étroits que l'ingénieur craint qu'il s'y forme des embâcles. Et on a quatre hommes qui installeront la grande scie avec sa courroie, son sabot de freinage. Tiens, le 27 août, la goélette de Thomas Simard viendra livrer les traverses et les patins pour faire les bobsleighs et sept tonnes de foin, qu'on va engranger pour l'hiver. Ça sera son sixième voyage de la saison. »

Laurence ne l'écoutait plus. Un sourire amusé aux lèvres, elle faisait mine de chercher dans les feuilles autour de la mi-juillet, revenait au début du mois, passait encore tout l'été en revue, jusqu'au mois d'août.

« Je vois que t'as oublié de noter l'arrivée au Royaume de ton amie Laurence, autour de la mi-juillet. »

Il sourit et la regarda longtemps sans dire un mot. Ils étaient tout près l'un de l'autre. « Y a-t-il de la tendresse dans ses yeux ? » se demandait Laurence. Elle cherchait sur son visage des traces d'émotion, des réponses à ses questions. « Se souviendra-t-il de ce qu'il m'a dit l'autre soir, chez Thomas Simard ? Ressent-il encore cela ? Est-ce que présentement il réalise qu'il est bien avec moi ? » Mais déjà, il avait reporté son attention sur le grand agenda étalé sur la table et rangeait les feuilles que Laurence avait déplacées.

Pour la première fois depuis qu'elle le connaissait, elle voyait Ti-Jean s'intéresser très sérieusement à ce travail que son père lui avait demandé de faire. Elle n'en était pas étonnée ; Ti-Jean lui avait dit qu'il aimait bien décrire tout seul la vie anticipée de la Société des Vingt-et-un, mais il n'avait aucunement hâte d'être plongé dans la réalité.

Or dans quelques jours, une semaine exactement, le 24 avril, il partirait sur la goélette de Thomas Simard pour aller ajuster, comme il disait, les prévisions de son agenda, tenir compte des impondérables, cent fois sur le métier de la réalité mettre son ouvrage.

« Demain, dit-elle, s'il fait beau, je veux monter au cap à l'Aigle. Tu viens avec moi ? »

Il resta encore un moment silencieux.

« Tu sais, tu penses que j'aime ce travail parce que je t'en parle, a-t-il dit. Mais si j'y ai trouvé du plaisir cet après-midi, c'était parce que tu étais là. J'aime pas vraiment ce travail. J'aime t'en parler. J'aime que tu m'écoutes. »

Laurence se demanda si elle avait chancelé. Elle se sentit devenir toute molle, toute chaude.

Ti-Jean ne pouvait aller au cap à l'Aigle avec elle, le lendemain. Ni au cours des jours suivants. Il devait prendre livraison des marchandises, des outils et des animaux de boucherie commandés par son père au magasin général Chaperon, à la forge Riverin, à la ferme Martel, et en diriger l'acheminement vers la goélette de Thomas Simard.

« Mais dimanche, si tu veux encore, je peux. »

Et il l'embrassa sur la joue, puis sur la bouche, sans vraiment la serrer dans ses bras, tout doucement. Elle ferma les yeux et entrouvrit les lèvres, il glissa sa langue entre ses dents, doucement... Ils entendaient Modeste chantonner dans la pièce à côté. Ti-Jean sortit avec Laurence. Elle allait monter sur Froufrou quand il la prit de nouveau dans ses bras et, cette fois, il l'embrassa longuement, en la serrant très fort.

Sur le chemin du retour, elle fut tentée d'aller tout raconter à Constance. Mais il ferait bientôt nuit. Et elle avait envie d'être seule et de penser à ce qu'elle venait de vivre, à toute cette douceur, à ce baiser, à ce bonheur. Étienne Dallaire l'aida à desseller Froufrou, auquel il donna un peu d'avoine. Et pour une fois, comme s'il avait compris ce qui s'était passé, il n'essaya pas de l'embrasser.

⁓

Il faisait très beau, ce dimanche de fin avril, quand Laurence et Ti-Jean partirent directement de l'église après la grand-messe. Dès qu'ils se furent un peu éloignés, ils marchèrent main dans la main. Ils s'arrêtaient souvent, pour regarder le paysage et s'embrasser.

Au retour, dans la splendeur dorée de la fin de l'après-midi, bras dessus, bras dessous, ils s'arrêtèrent chez Laurence. Un homme, le curé Pouliot, les attendait en se berçant devant la grande fenêtre du salon qui donnait sur le fleuve.

« Toi, Ti-Jean, tu rentres chez vous tout de suite. Tu viendras à confesse, si t'en sens le besoin.

— Aurait fallu le laisser pécher, monsieur le curé, pour qu'il ait besoin d'aller à confesse.

— C'est l'intention qui compte, répondit le curé avec humeur. Il a déjà péché. Toi aussi, ma fille. »

Laurence faillit ajouter que puisque le mal était fait, il pourrait bien fermer les yeux et les laisser seuls un moment. Mais elle connaissait assez le curé pour savoir qu'il se serait réellement mis en colère.

« La prochaine fois, ajouta-t-il, vous demanderez à Constance Simard ou à Victoire Bouchard de vous accompagner. Pas question d'aller courir les bois tout seuls à votre âge.

— Il n'y aura pas de prochaine fois, dit Ti-Jean. Je pars après-demain avec Thomas Simard. »

Le curé s'était levé ; il mit son chapeau, ouvrit la porte et indiqua la sortie à Ti-Jean en disant : « La beauté avant l'âge. » Ti-Jean et Laurence ne purent s'embrasser une dernière fois.

En regardant les deux hommes s'éloigner, Laurence se dit qu'elle aurait dû tenir tête au curé. Et elle pensa que Ti-Jean aurait bien pu le faire, lui aussi.

Après le départ de la goélette de Thomas, qui emportait une vingtaine d'hommes, La Malbaie sombra dans l'inquiétude et l'ennui. Beaucoup des jeunes dans la force de l'âge étaient partis ; ceux qui restaient étaient occupés d'une étoile à l'autre à cultiver la terre, à soigner les animaux, à réparer les toits des maisons qui avaient souffert de l'hiver et à radouber les goélettes pour les mettre à l'eau. Résimond Villeneuve, lui, devait en plus s'occuper de son Odulie.

Dans le village, certains disaient qu'après ce qu'elle avait fait, il aurait dû la renvoyer. Mais la renvoyer où ? Et à qui ? D'autres trouvaient admirable le comportement de Résimond qui, tous les deux ou trois jours, venait chercher un peu de réconfort auprès du curé. Et tous les jours, beau temps, mauvais temps, il faisait de longues marches avec Odulie, leurs têtes baissées près l'une de l'autre, ne prêtant attention à personne. Le dimanche, ils allaient à la basse messe. Odulie, qui autrefois cherchait partout l'attention, cueillant autour d'elle les regards des hommes comme on cueille des fruits délicieux, était maintenant toute méditative. Elle ne regardait personne. Et c'était désormais le regard des femmes, plus que celui des hommes, qui se posait sur elle. Celles qui avaient été jalouses de sa beauté et du désir qu'elle éveillait chez tous les hommes se faisaient désormais un plaisir d'éprouver pour elle quelque pitié, repérant sur son visage les marques de la peine, de la désespérance, les vestiges de la beauté en allée.

Chez Laurence, ces mêmes femmes pouvaient déceler un profond ennui, beaucoup d'impatience, de la colère parfois. Elle n'avait rien à faire, qu'attendre. Comme plusieurs des petits cultivateurs qui étaient partis à pied pour l'anse Saint-Jean ou qui s'étaient embarqués sur la *Sainte-Marie*, son père avait vendu ses vaches et ses cochons. L'étable et la porcherie étaient vides et la petite ferme ne requérait plus les services d'un homme engagé. Laurence pouvait fort bien s'occuper toute seule des chiens, des poules et du potager, dont les dimensions avaient été considérablement réduites. Ce qui lui laissait tous les jours des heures à ne rien faire d'autre que rêver, lire les vies de saints ou les romans ennuyeux qu'elle trouvait dans la bibliothèque du village, un meuble bancal qui occupait un sombre recoin au sous-sol de l'église, et la demi-douzaine de livres que Ti-Jean lui avait fait parvenir par Modeste, parmi lesquels se trouvait un recueil de poèmes du jeune poète français Victor Hugo, *Les Orientales*, dont elle finit par connaître de longs passages par cœur. Ti-Jean lui avait remis également un petit livre à couverture rouge, l'œuvre de son ami Philippe, *L'Influence d'un livre*.

Elle pensait souvent à ce jeune seigneur de Gaspé, qu'elle avait rencontré à quelques reprises. Il était à la fois effrayant et séduisant, si intelligent et si brillant, mais si pathétiquement seul, si désespéré, lui semblait-il. Il jetait sur le monde une lumière noire, froide. « C'est une âme en peine, ton ami », avait-elle dit à Ti-Jean la première fois qu'elle l'avait rencontré. Voilà pourquoi elle avait pris la décision de ne pas lire son livre jusqu'au bout. Elle n'avait pas envie d'affronter toute cette noirceur.

Elle voyait régulièrement Constance, à qui elle avait maintes fois raconté la scène de l'agenda quand Ti-Jean, qui ne se souvenait pas de l'esclandre qu'il avait fait l'avant-veille au soir chez Thomas Simard, lui avait répété qu'il était bien avec elle, puis le baiser échangé contre le flanc de Froufrou, la promenade au cap à l'Aigle, les baisers, les touchers, les étreintes, jusque dans les moindres détails, et comment, en rentrant, son idée était faite, elle ferait monter Ti-Jean dans sa chambre, il la déshabillerait et ils seraient tous les deux tout nus dans son lit. Et comment tout cela avait été brisé par le curé.

« T'es allée à confesse ? demandait Constance.

– Faudrait que je passe mes journées à confesse », disait Laurence.

À toute heure du jour, elle imaginait en effet les moments de joie dont l'avait privée le curé en chassant Ti-Jean de chez elle. D'abord dans le petit escalier qui montait à sa chambre. Ti-Jean venait derrière elle, il passait un bras autour de sa taille, l'immobilisant, et il posait sa tête contre le bas de son dos, glissait une main sous sa jupe… Puis elle était allongée sur le lit et lui près d'elle, il l'embrassait sur la bouche et s'étendait sur elle, entre ses jambes, le poids de son corps était une caresse contre son ventre, tout contre…

« Arrête, c'est péché, disait Constance.

– Je peux pas croire que c'est péché. »

Le 24 avril au matin, au moment où la goélette de Thomas appareillait, Ti-Jean l'avait embrassée devant tout le monde. Il avait tenu son visage entre ses deux mains et, lentement, il avait approché sa bouche de la sienne. Pressée contre lui, elle s'était sentie légère comme une feuille, emportée, loin du monde, une sensation enivrante qu'elle ne connaîtrait plus avant de longs mois. Et en plus, dans quelques semaines, d'autres garçons partiraient pour le Royaume, même Étienne Dallaire, qui pouvait parfois devenir trop entreprenant, mais qui avait au moins le mérite d'être drôle. Laurence vivrait alors enfermée dans un village de femmes, d'enfants et de vieillards qui ne pouvaient comprendre ce qu'elle vivait, ce qu'elle avait envie de vivre.

❦

Anse Saint-Jean

La peur

Pendant les quatre jours que dura le voyage à l'anse Saint-Jean par le chemin des Marais, puis au cours de la longue semaine passée à explorer l'abattis qu'avaient fait les bûcherons de la Compagnie de la Baie d'Hudson, Caille et François étaient devenus de bons amis. Ils parlaient beaucoup ensemble, de la vie, des femmes, des patriotes qui avaient été si lamentablement écrasés, des Sauvages et des Anglais, du projet de la Société des Vingt-et-un, auquel Caille, comme tous les hommes de son âge et plus encore leurs aînés, Alexis Tremblay et Thomas Simard surtout, croyaient fermement. François comprenait que ce projet était au fond très semblable à celui des patriotes du camp de Saint-Eustache ; il s'agissait toujours en fin de compte de rendre ce pays à ceux qui l'habitaient. Les moyens d'atteindre ce but n'étaient cependant pas du tout les mêmes. L'aventure des gens de La Malbaie au Royaume comportait peut-être tout autant de difficultés et de dangers que celle des patriotes, mais elle lui semblait plus réfléchie et plus réaliste, certainement moins désespérée.

La grande différence, selon lui, était que les patriotes, ceux qu'il avait côtoyés à Saint-Eustache, n'avaient aucun respect pour le danger qui les menaçait, ils s'efforçaient en tout cas de le nier. Les hommes de la Société des Vingt-et-un avaient, selon François, tendance à le grossir. Beaucoup d'entre eux étaient terrifiés par le chef rebelle montagnais, auquel ils prêtaient des intentions meurtrières et des pouvoirs quasi surnaturels. Chaque soir, lorsqu'ils préparaient leur campement, ils montaient la garde à

311

tour de rôle, fusil en main, et toute la nuit ils surveillaient les alentours, se relayant deux par deux, scrutant l'obscurité, sursautant au moindre bruit, terrorisés par cet homme qu'ils n'avaient jamais vu, qu'ils ne verraient peut-être jamais. Et de jour, il ne se passait pas une heure sans qu'on entende quelqu'un parler du Porc-Épic ou prétendre l'avoir aperçu sur une hauteur ou à travers les branches.

Ils s'arrêtèrent et se recueillirent un moment sur le lieu où Eucher était mort ; le lendemain, ils retrouvèrent au bas d'une pente abrupte son vieux fusil tout rouillé, et Donat Simard leur montra du doigt l'endroit où ils avaient établi leur campement et celui où leurs raquettes avaient été jetées au feu.

Ils étaient tellement habités par la peur qu'ils furent surpris de constater que les installations de l'anse Saint-Jean n'avaient pas été totalement détruites, qu'il subsistait même un campe en parfait état, et que l'écluse et le moulin ne semblaient pas avoir été touchés. C'était pourtant ce que François leur avait dit, après y être passé quelques semaines plus tôt, en rentrant de Métabetchouan et de Chicoutimi. Mais ils auraient trouvé plus normal, pour ne pas dire plus rassurant, que Kakouchak ait incendié et rasé tous les bâtiments, démantibulé l'écluse, rompu l'estacade. Qu'il n'ait touché à rien de cela les laissait perplexes et, bizarrement, semblait les inquiéter tout autant que s'il avait tout saccagé.

Ils pensèrent alors que le Kakouchak devait avoir un plan et qu'il ne frapperait jamais au moment où on s'y attendait, ni là où on le craignait. « Si c'est ce que vous pensez, ironisait François, vous n'avez qu'à continuer à avoir peur de lui tout le temps et partout où vous allez. »

Adjutor Morin, heureusement, à qui Alexis Tremblay avait confié la direction des opérations de l'anse Saint-Jean, ne partageait pas ces craintes. Adjutor était un homme rude et calme, un gros travaillant qui, au cours des vingt dernières années, avait dirigé d'importants chantiers sur les deux rives du Saint-Laurent, entre Québec et Cacouna. Il était entouré de six hommes capables, avec qui il avait l'habitude de travailler.

En moins d'une semaine, ils avaient remis les lieux en bon état. Les ossements du cheval, que la vermine avait nettoyés et polis, furent éparpillés dans la forêt. Avec le bois qu'ils purent récupérer des bâtiments incendiés, ils construisirent rapidement une étable et une remise.

Ni Caille ni François n'avaient l'intention de rester à l'anse Saint-Jean. Caille monterait à bord de la *Sainte-Marie* quand elle y ferait escale, fin mai. Quant à François, prétextant que la police pouvait y débarquer aussi bien qu'à La Malbaie, il n'y resta que quelques jours. Il partit un matin en canot vers l'amont de la rivière. Il fuyait, bien sûr. Mais surtout, il cherchait. Il espérait trouver sur son chemin la bande menée par Kakouchak. Chaque année, au printemps, dès que les rivières étaient navigables, les Sauvages descendaient en effet sur le fleuve et s'établissaient à Tadoussac ou plus bas sur la côte. Ceux de Chicoutimi, d'Ouiat-chouan et de Métabetchouan devaient donc être en route.

Il avironnait tout doucement, les yeux rivés sur l'horizon, sur l'amont du grand fjord, dont il frôlait au plus près la rive droite, se fondant au paysage, car il se doutait bien qu'il ne verrait pas les Porcs-Épics si eux le voyaient. Il se perdait dans ses pensées et sans cesse y retrouvait celle qui un soir d'hiver, dans une tente sauvage enfumée, lui avait dit s'appeler Touche-Pas. En fait, il ne s'était pas passé une journée, depuis qu'il avait quitté Chicoutimi, sans qu'il ait pensé à elle, sans qu'il l'ait désirée. Il en avait même parlé à son père, mais Thomas avait beau bien connaître la bande de Chicoutimi et se souvenir d'y avoir reluqué de fort jolies filles, il ne pouvait connaître le nom d'une enfant de quinze ou seize ans. Il croyait savoir en revanche que celui qui se faisait appeler Kakouchak était le petit-fils d'un autre chef, qui avait longtemps porté le même nom. Il y avait eu déjà un autre Kakou-chak, en effet. Ange Simard l'avait bien connu. C'était un rebelle lui aussi, un Sauvage pur et dur qui avait toujours refusé d'être baptisé et qui n'avait jamais voulu traiter avec les Blancs. À sa mort, Siméon étant devenu le chef, tous les enfants avaient été baptisés, et avaient fait et respecté les quatre volontés des Blancs.

Et voilà qu'un jeune, baptisé Joseph ou Raphaël ou Jocelyn, peu importe, avait repris le nom du grand chef rebelle.

« Quand un Sauvage se débarrasse du nom que les missionnaires lui avaient donné, disait Thomas, c'est qu'il ne veut plus rien savoir de notre religion et qu'il est en guerre contre les Blancs. Et s'il se donne comme nom celui de sa bande, comme l'a fait un autre grand homme avant lui, c'est qu'il veut en être le chef, lui aussi ; et s'il tient tant à en être le chef, c'est qu'il veut la défendre. Ce gars-là est dangereux, parce qu'il est en colère. Et parce qu'il sait qu'il est dans son droit. »

Un an plus tôt, François avait participé avec le plus grand plaisir à la guerre du bois, dans l'Outaouais, guerre qui selon lui était juste et nécessaire. Les lumberjacks de Peter Aylen avaient volé aux bûcherons canadiens du bois couché et du bois debout, des outils, des chevaux, ils avaient saccagé des installations, et blessé gravement d'autres hommes. Il avait fallu se défendre. Aujourd'hui, les choses étaient bien différentes : tant les Sauvages que les Blancs se croyaient dans leur droit, ceux-là parce qu'ils étaient nés dans ce pays, ceux-ci parce qu'ils avaient un contrat en bonne et due forme, signé par l'agent de la Compagnie de la Baie d'Hudson et par un représentant du gouvernement britannique.

Au soir du deuxième jour, François aperçut au loin le cap Trinité, dont la seule vue provoquait chez lui une sorte de vertige, de malaise. Comme tous les Simard, il avait une peur irraisonnée des hauteurs. Il évitait même de porter le regard vers la paroi trop raide et trop lisse qui montait à l'assaut du ciel.

Il savait cependant pouvoir trouver au pied de ce cap trois larges grottes dans lesquelles il s'était quelques fois abrité avec ses amis montagnais, quand ils étaient tout jeunes, si heureux, si libres, et que rien ni personne ne les empêchait d'aller et venir où ils voulaient, de faire ce qu'ils avaient envie de faire.

Il tira son canot sur la grève, s'approcha des grottes, sans faire de bruit, explora les deux premières, jusqu'au fond. Personne. Mais comme il se dirigeait vers la troisième, la plus grande, il sentit dans l'air une odeur de bois brûlé. Il découvrit, juste à l'entrée, des cendres encore fumantes sous lesquelles chatoyaient de bonnes braises. Et juste à côté, ajoutant à sa stupéfaction, un pain banique, de la viande d'orignal séchée, du poisson salé, un peu de tabac.

Quelqu'un riait de lui. Un homme invisible qui l'avait certainement repéré, qui semblait même l'avoir attendu. Et qui ne pouvait s'être enfui que vers l'amont de la rivière. François marcha sur la grève de galets dans cette direction, jusqu'à contourner le petit cran rocheux qui s'avançait dans la rivière ; mais alors tout sombrait déjà dans la pénombre.

« Je sais qui tu es, disait François, à voix basse. Je sais qui tu es et je te trouverai. »

Il revint vers la grotte sans se préoccuper des bruits que faisaient ses pas sur les galets. Il ranima le feu et mangea, puis il fuma, assis sur la grève devant la grotte.

Il pensait à Touche-Pas, imaginant qu'il la retrouverait quelque part, un jour ou l'autre. Et qu'elle s'appellerait peut-être alors, pendant ne serait-ce qu'une nuit, qu'une heure, Viens-Près-De-Moi ou Bras-Ouverts.

Grande-Baie

Ave Maria

Peu après le départ de François, la *Sainte-Marie* de Thomas était arrivée à l'anse Saint-Jean avec à son bord Alexis Tremblay, son garçon Ti-Jean, son frère Alphonse, des hommes, des animaux… Et deux bonnes tonnes de vivres, des outils, des vêtements, des bâches cirées. Idéalement, Thomas aurait souhaité ne faire relâche que quelques heures, le temps de prendre et de donner des nouvelles, de décharger une partie des vivres, une demi-douzaine de haches et de godendarts, une meule à aiguiser. Mais la nuit sans lune était trop sombre pour qu'on puisse naviguer sans danger.

Adjutor Morin, le chef de chantier, avait de très bonnes nouvelles, qui plurent infiniment à Thomas et à Alexis. L'inventaire qu'ils avaient dressé, Caille et lui, dans la tuerie d'arbres, était très positif. Près des trois quarts des billots que les bûcherons de la Compagnie de la Baie d'Hudson avaient laissé traîner dans le bois étaient toujours en très bon état. On avait donc commencé à ouvrir des chemins de charroi. Il n'y avait pratiquement plus de traces des saccages perpétrés par les Sauvages. Tout avait été restauré. Et Adjutor, de même que l'ingénieur Duchesne, arrivé quelques jours plus tôt, croyait qu'on pourrait acheminer, avant la fin de l'été, de cinq à six mille billots dans le bassin de l'écluse. La Société aurait ainsi, dès sa première année d'opération, de quoi remplir un navire des Entreprises William Price, peut-être deux. C'était inespéré. Et, pour Alexis, de fort bon augure. Il se sentit réconforté et rassuré. Les problèmes que posaient

Kakouchak et McLeod lui semblèrent dès lors de moindre importance. Ses hommes, tous armés, étaient bien capables de se défendre.

Le lendemain, à l'aube, la *Sainte-Marie* sortait de l'anse et entreprenait de remonter le fort vent d'ouest. Il faudrait, selon Thomas, au moins deux jours, peut-être trois, pour monter jusqu'à la grande baie des Ha ! Ha !, d'autant plus que, n'ayant toujours pas la lumière de la lune, on devrait s'arrêter pour la nuit. Alexis passa son temps sur le pont à regarder le paysage. Il était heureux. Ce projet qu'il préparait depuis si longtemps allait enfin démarrer pour de bon.

⁓

Au matin du troisième jour, comme ils entraient dans la grande baie des Ha ! Ha !, ils aperçurent un grand feu sur la rive, tout au fond.

« C'est mon gars, dit Thomas. C'est François. »

Celui-ci avait repéré un petit havre, à l'embouchure de la rivière qui entrait dans la baie par le sud-est. La goélette contourna un îlet rocheux et s'échoua presque sans heurts sur la plage au fond de laquelle François avait fait son feu. Les hommes débarquèrent en silence et restèrent debout sur la grève, les bras ballants, toujours sans mot dire, tournés vers la formidable muraille que dressaient devant eux les grands pins.

Ce fut Alphonse Simard qui rompit le silence en proposant une prière. Ils dirent une dizaine d'*Ave Maria*, un *Notre Père*, un *Je crois en Dieu*. Et ils firent silence de nouveau, tous tournant spontanément le dos à la baie, regardant toujours l'énorme masse d'un vert profond, l'opaque et austère forêt dans laquelle ils s'avanceraient bientôt, eux, tout petits, avec leurs haches et leurs godendarts pour faire tomber ces arbres un à un, jour après jour, et se faire ainsi une place, un monde, leur monde.

À part cette rivière Ha ! Ha !, à la confluence de laquelle ils se trouvaient, et cette grande baie dans laquelle elle se jetait et qui, tant pour les Sauvages que pour les Blancs, avait également pour nom Ha ! Ha !, tout le reste, caps, rivières, anses, était pour les gens de La Malbaie encore innommé et, de ce fait, étranger, un peu effrayant. Quant à ce lieu du premier débarquement où ils s'établiraient, ils prirent dès lors l'habitude de l'appeler Grande-Baie, cet endroit désignant le tout, la rivière et la baie des Ha ! Ha !, le Saguenay, le Royaume, le projet, le rêve, Grande-Baie !

Le matériel fut mis à l'abri sous les bâches cirées tendues entre les arbres. En quelques heures, on avait dressé un campement provisoire.

Thomas repartirait dès le lendemain chercher à La Malbaie des animaux de boucherie et de trait, d'autres outils, d'autres hommes.

Anse Saint-Jean

Tharcile

Trois semaines à peine après le départ de leurs maris, Victoire Bouchard et Tharcile Brisson s'étaient mises dans la tête d'aller les retrouver au Saguenay. Tharcile disait qu'elle voulait simplement s'assurer que son Ulysse n'allait pas se désennuyer avec des Sauvagesses ; elle aimait bien qu'on croie que toutes les femmes raffolaient de son mari, et qu'on pense par conséquent qu'elle était une incomparable séductrice. Quant à la timide et fragile Victoire, elle avouait avoir tellement envie de son homme certains jours qu'elle en avait mal aux os. En fait, elles voulaient toutes les deux voir du pays et croyaient réellement pouvoir jouer un rôle dans l'aventure que leurs hommes tentaient là-haut. « Un projet où y a pas de femmes, ça peut pas marcher », affirmait Tharcile.

La plupart des femmes du village pensaient comme elles ; mais soit elles étaient trop vieilles pour partir, comme la veuve Ange Simard ou comme Tina Bouchard, qui n'en finissait pas de mourir, soit elles avaient encore des enfants en bas âge qu'elles ne pouvaient quitter. Victoire et Tharcile, elles, n'avaient pas d'enfants. En fait, Tharcile n'en avait plus : son plus jeune, âgé de quatorze ans, partirait bientôt rejoindre son père et ses deux frères aînés à Grande-Baie. Quant à Victoire, qui était mariée depuis moins d'un an, elle n'avait pas encore d'enfant ; son but avoué en montant au Saguenay était justement de mêler l'utile à l'agréable et d'en faire un avec son homme. Résimond avait également fait savoir que s'il partait, Odulie viendrait avec lui.

Laurence encourageait le mouvement des femmes. Elle aussi rêvait de partir au Saguenay. Tharcile, à qui elle avait tenté de faire accroire qu'elle s'ennuyait de son père, lui avait fait remarquer en riant qu'elle n'était pas obligée de dire n'importe quoi, que tout le monde à La Malbaie savait fort bien qu'elle voulait aller retrouver Ti-Jean Tremblay.

Et c'était vrai. Tous les soirs, quand elle montait se coucher, Laurence rêvait que Ti-Jean venait la rejoindre ; dès qu'elle fermait les yeux, il s'approchait du lit où elle feignait de dormir, il l'embrassait longuement, en lui disant qu'elle était belle. Et tous les jours, à son réveil, elle s'imaginait faisant de longues promenades avec lui, main dans la main. Et tous les jours et toutes les nuits, elle se languissait et se désolait de ne pas être près de lui. Constance lui avait dit : « Ça te passera, tu verras. Loin des yeux, loin du cœur. Dans quelques jours, tu ne penseras plus à lui. » Mais ce n'était pas du tout ce qui s'était produit.

Thomas Simard n'était pas sitôt rentré de son premier voyage à Grande-Baie que Tharcile et Victoire couraient le rencontrer pour lui faire part de leur décision d'aller rejoindre leurs hommes. Il accepta tout de suite, disant qu'il encouragerait, au cours des prochains mois, le plus grand nombre de femmes à faire de même. « On va pas là juste pour couper des arbres, disait-il. Y a beaucoup mieux à faire. » Il ne cachait pas son intention d'apporter là-bas une charrue à labour et une herse, des pelles et des râteaux, des fourches et des bêches, tout ce qu'il fallait pour cultiver. Il avait repéré, lors de son voyage, maints endroits sur les deux rives du Saguenay où on pouvait faire de la terre. Et toute la population de la côte du fleuve, de Baie-Saint-Paul à La Malbaie, pourrait tenir et prospérer sur les basses terres qui entouraient la baie des Ha ! Ha !.

∾

Le curé, quand il connut le projet des femmes, fit une sainte colère qu'il promena d'un bout à l'autre du village. Thomas ne parvint pas à le raisonner tout à fait, mais il lui fit comprendre qu'il ne servait à rien de s'opposer à cela.

« Fort bien, dit le curé. Va pour Tharcile, Victoire et Odulie, qui sont des femmes mariées, mais pas question d'embarquer Laurence à Caille. »

Il se rendit chez elle pour lui interdire formellement de partir sur la goélette de Thomas Simard. Passait encore que des femmes mariées partent retrouver leurs maris malgré l'interdiction clairement signifiée par la Compagnie de la Baie d'Hudson, mais qu'une fille de dix-sept ans, dont le père était un quasi-mécréant aux mœurs dissolues, aille se jeter dans les bras d'un jeune homme à qui elle n'était même pas fiancée était une chose inacceptable. Et elle pouvait être sûre qu'il serait là le matin du départ pour l'empêcher de partir perdre son âme.

« C'est mon devoir », lui dit-il.

Laurence attendit que le curé soit parti pour fondre en larmes. Elle resta prostrée dans la berceuse qu'elle avait placée devant la fenêtre qui donnait sur le fleuve, imaginant le vertigineux désert que serait son été, la platitude de la vie qu'elle devrait désormais mener toute seule. La nuit vint, elle pleurait toujours. Et elle n'arrivait plus à entrer dans les rêves où, au cours des jours précédents, elle retrouvait Ti-Jean.

Il y eut des pas sur la galerie. Étienne Dallaire frappait à la porte en appelant Laurence à plusieurs reprises. Il entra sans même qu'elle ait répondu.

« Ma mère s'inquiétait qu'il y ait pas de lumière chez vous. Je suis venu voir. »

Il alluma une lampe et découvrit une jeune fille aux yeux rougis recroquevillée dans une berceuse. Il s'assit devant elle et attendit. Laurence lui raconta ses amours contrariées.

« Je donnerais cher, moi, pour être à la place de Ti-Jean Tremblay, dit Étienne. Et je te ferais pas pleurer, moi. Je serais toujours ici, à côté de toi. Ou je t'emmènerais avec moi, partout où j'irais. »

Étienne n'était pas amer. Depuis qu'il avait compris que Laurence était amoureuse de Ti-Jean, il n'avait plus jamais tenté de l'embrasser ni de l'entraîner dans un coin de l'étable, ou encore de la grange, comme il le faisait autrefois. Et Laurence était persuadée qu'il n'essaierait plus jamais. Étienne était ainsi fait, bon gars, raisonnable, fidèle.

Ce fut lui qui eut l'idée.

« Demain matin, Thomas va partir avec la marée descendante, aux alentours de dix heures. Si on part une heure plus tôt, en chaloupe, on aura doublé le cap à l'Aigle quand il sortira de la baie. On n'aura qu'à lui faire signe. Et tu monteras à bord. »

Ce fut ainsi que Laurence à Caille, désobéissant au curé, monta à bord de la goélette de Thomas Simard et qu'elle partit pour Grande-Baie retrouver l'homme qu'elle aimait. Après avoir posé de sonores baisers sur les joues d'Étienne Dallaire.

Été 1838
Québec

Lord Durham

En moins de trois heures, ce 27 mai 1838, le vent, le courant, la marée descendante portèrent la goélette *Sainte-Marie* depuis La Malbaie jusqu'à l'embouchure du Saguenay, où elle croisa un beau trois-mâts qui remontait le vent, le courant et la marée, le *Hasting*, à bord duquel se trouvait le tout nouveau gouverneur général du Canada, John George Lambton, premier comte de Durham.

Et ce même 27 mai 1838, Philippe Aubert de Gaspé père était emprisonné à Québec pour malversation et détournement de fonds. Quelques jours plus tard, sa famille (dix enfants encore à charge, sept filles, trois garçons, tous mineurs) emménageait à Québec, chez la grand-mère, rue Sainte-Anne, à quelques pas de la vieille prison de la rue Saint-Stanislas, où le seigneur déchu fut écroué.

Au cours des jours suivants, le jeune Philippe écrivit avec sa mère une requête pour faire libérer son père de prison, clamant son innocence, invoquant sa noblesse. Il la porta lui-même chez le nouveau gouverneur, au château Haldimand, horrible bâtiment sis au sommet du cap Diamant, tout près du vénérable château Saint-Louis, construit par Champlain, Montmagny et Frontenac, et que les Anglais avaient laissé à l'abandon. Lord Durham ne le reçut pas.

Tous les jours, Philippe se rendait à la prison voir son père. Tous les jours, il lisait au-dessus de la porte ces mots : « Puisse cette prison venger les bons de la perversité des méchants. » Et la colère montait en lui, aveugle, impuissante, avec le sentiment insupportable d'être victime d'une formidable injustice.

Chaque semaine de juin, le lundi matin, à la première heure, il se rendait au château Haldimand et demandait à être reçu par le gouverneur. On le laissait attendre parfois jusqu'au milieu du jour avant de lui signifier que le gouverneur était occupé. Contenant sa rage, il demandait si au moins il avait pris connaissance de sa requête ; personne n'était en mesure de lui répondre.

Chaque semaine de juin, le lundi soir, Philippe retrouvait ses amis Napoléon Aubin et Thomas Aylwin à l'Albion, ils soupaient ensemble et Philippe parlait de son père, de lord Durham qui ne le recevait pas, de sa race qu'il trouvait épaisse, veule et pleutre, car étrangement, plutôt que d'en vouloir aux Anglais, que son ami Napoléon traitait d'oppresseurs, Philippe, qui était des leurs par sa mère, les tenait dans la plus vive admiration.

« Les Anglais ont une plus grande intelligence que les Français des choses du monde, disait-il, ils comprennent ce qui se passe, ils prennent part à la marche du monde ; ce sont eux qui font l'histoire. Les Canadiens, eux, la subissent. Ils attendent les ordres et le bon vouloir de leurs maîtres, comme je le fais avec Durham. Ils forment une société sans connaissance et sans importance, sans pouvoir, sans savoir et sans génie. »

En parlant ainsi, il nourrissait et tisonnait sa colère, il n'écoutait plus, il était soûl. Il riait de l'amateurisme et de la naïveté de la révolte des patriotes. Il s'emportait contre les gens de La Malbaie, qui s'ingéniaient à se jeter dans la gueule du loup. Tout était pour lui sujet de colère et de déception.

Il exprimait parfois une vive nostalgie de la grande Amérique française. Que Bonaparte ait cédé la Louisiane aux États-Unis, en 1803, le révulsait. « Nous étions partout, jusqu'à Duluth, jusqu'à Saint-Louis, jusqu'à La Nouvelle-Orléans. Nous aurions pu construire l'empire le plus puissant des Amériques. Nous aurions pu faire tant de choses que nous ne ferons jamais. » Et alors, il se mettait à délirer sur le formidable empire que les Anglais étaient en train de créer. « Nous serons partout à la surface de la terre. Nous appartenons à un empire sur lequel le soleil ne se couchera jamais.

— Faudrait savoir de qui tu parles quand tu dis nous », lui faisait alors remarquer Napoléon Aubin.

∽

Le vendredi 13 juillet, Philippe se présenta de bonne heure au château Haldimand. Il y avait tout autour une grande animation, beaucoup de poussière et de cris, des chevaux et des hommes. En s'approchant, il réalisa qu'on avait entrepris de démolir le vieux château Saint-Louis. La rumeur selon laquelle le gouverneur général lord Durham voulait aménager une vaste esplanade publique, à l'emplacement même du plus vénérable bâtiment jamais érigé en Nouvelle-France, avait couru au cours des semaines précédentes. Peu de gens l'avaient crue ; c'était trop bête, trop énorme. Le château Saint-Louis était en très mauvais état, mais il avait une très grande valeur patrimoniale et symbolique et devait, de l'avis de tous, être restauré. Lord Durham en avait décidé autrement. Sans doute que pour lui ce bâtiment témoignait trop ostensiblement de la présence et du pouvoir français. En l'éliminant, il effaçait toute trace socialement, politiquement significative qu'aurait pu avoir laissée le peuple canadien. « À quoi bon conserver des traces d'une histoire qui ne mène nulle part ? » Voilà ce qu'il avait répondu, raconta-t-on plus tard, aux édiles canadiens qui avaient tenté de le dissuader de faire ce geste.

De puissants chevaux étaient attelés à de fortes traverses reliées par de longs chaînages au sommet des murs du château. Des militaires firent s'éloigner les badauds. Il y eut des cris, des coups, on vit les chevaux se cabrer et le mur de pierre s'écrouler ; le toit du château s'effondra à grand bruit et un nuage de poussière monta lentement au-dessus des décombres, car il n'y avait pas de vent, ce jour-là, au sommet du cap Diamant. Un grand silence suivit le fracas.

Et alors Philippe l'aperçut, parmi la foule des badauds, un homme pas très grand, mais ayant de la prestance, de l'autorité, lord Durham, à n'en pas douter. Il tenta de s'approcher de lui. Un militaire l'écarta sans ménagement. Philippe le repoussa. Trois jeunes hommes qui assistaient à la scène, visiblement en colère eux aussi à la suite de la démolition à laquelle ils venaient d'assister, s'avancèrent pour défendre Philippe. Mais ils furent vite maîtrisés, de même que Philippe. L'échauffourée attira l'attention de lord Durham, qui s'approcha. Philippe lui dit en anglais qu'il avait besoin de lui parler, que son père était injustement emprisonné. Mais Lord Durham ne l'écouta pas. Il lui tourna le dos et s'éloigna en haussant les épaules, après avoir dit aux militaires qui entouraient les quatre jeunes hommes :

« *Let them go.* »

Philippe était fou de rage. *Let them go !* C'était là une suprême insulte. Comme si le puissant lord n'avait éprouvé pour eux que de la pitié, de l'indifférence, comme s'il signifiait, par ce geste, que le peuple canadien était à ce point défait qu'il n'y avait pas lieu de s'inquiéter, comme si ces jeunes hommes qui venaient d'assister à l'exécution spectaculaire du symbole de leur nation n'avaient plus aucun pouvoir et ne représentaient plus aucun danger, ni pour lui ni pour l'ordre établi. *Let them go !*

Philippe, ce soir-là, fit part à ses amis de son interprétation de la politique de Durham. Deux semaines plus tôt, le 28 juin, à l'occasion de l'anniversaire du couronnement de la reine Victoria, le gouverneur avait amnistié la presque totalité des détenus accusés d'avoir participé aux soulèvements de l'automne précédent, sauf huit, qui devaient être exilés aux Bermudes. C'était, selon Philippe, parce qu'il considérait que les forces britanniques avaient définitivement maté la rébellion, qu'il n'y avait plus de force au sein de la société canadienne, plus rien à craindre.

Ce soir-là et la nuit suivante, il noya son chagrin dans l'alcool, avec ses amis, puis tout seul, errant dans les rues, une bouteille de mauvais whisky à la main. Quand, le samedi après-midi, il voulut rendre visite à son père, on lui refusa l'entrée de la prison, parce qu'il était trop sale et trop soûl. Il insulta le gardien et fut chassé *manu militari*.

꞉꞉

Le lundi suivant, 16 juillet, fête de sainte Anne, alors qu'elle se rendait entendre la messe de cinq heures à la basilique Notre-Dame-de-la-Paix, Suzanne Allison aperçut, dans le jour encore incertain, un homme gisant, face contre terre, le long du trottoir. Elle reconnut à ses vêtements son fils Philippe, qu'elle n'avait pas vu depuis trois jours. Il était tombé là, ivre mort. Elle courut à la maison chercher l'aide de la servante Tinette et du serviteur José. Incapables de le ranimer, ils le portèrent jusqu'à la maison, où les enfants qui s'éveillaient contemplèrent, effarés, leur grand frère inconscient et leur mère en pleurs.

Philippe resta quatre jours à la maison, ne parlant pas beaucoup, pensif, amer. Tout autour de lui se délitait, se brisait. Tout ce qu'il avait entrepris avait été un cuisant échec. Il n'avait jamais terminé cet article sur le projet des gens de La Malbaie, où il s'était rendu l'hiver précédent. À quoi bon raconter ce qui serait certainement un insuccès ? Et il y avait maintenant plus d'un mois qu'il avait porté au château Haldimand la supplique qu'il avait rédigée avec sa mère. Lord Durham n'avait jamais daigné lui répondre, ni le recevoir, et ne le ferait vraisemblablement jamais. Son père resterait en prison des mois, des années peut-être. La famille continuerait de sombrer inexorablement dans la misère, dans la pauvreté, dans l'oubli. Il avait tout gâché, tout perdu, hormis la rage qui désormais ne le quitterait plus.

Grande-Baie

L'amour foudroyé

Le jour était gris, très humide et très chaud ; la pluie qui emplissait le ciel ne tarderait pas à tomber. Près de la rive, on sentait l'air chargé d'odeurs de pulpe et de résine, de bran de scie. La *Sainte-Marie* tomba en panne absolue de vent à un jet de pierre du quai tout neuf, où s'étaient massés les hommes dès qu'ils l'avaient vue paraître. Thomas Simard pestait.

Tharcile Brisson et Victoire Bouchard repérèrent leurs maris, avec lesquels elles échangèrent des saluts, des baisers, des rires. Appuyée au bastingage, Laurence cherchait Ti-Jean des yeux dans la petite foule massée sur le quai. Elle réalisa soudain que ses yeux s'étaient d'eux-mêmes attachés à François à Ange et le suivaient, et qu'un sourire frémissait sur ses lèvres. Puis elle aperçut son père Caille sur le quai. Et près de lui, Ti-Jean.

Des hommes mirent trois canots à l'eau et entreprirent de touer la goélette lourdement chargée. C'est alors qu'on entendit et qu'on vit venir la pluie, lourde, chaude, bruyante. Le débarquement se fit dans la plus grande confusion, entre les rires des uns et les jurons des autres.

Comme elle mettait pied à terre, Laurence vit du coin de l'œil Victoire Bouchard sauter sur le quai et courir retrouver son mari ; tous deux disparurent bien vite dans l'un des campements, ce qui souleva des rires gras parmi les hommes.

En moins de deux mois, ils avaient considérablement transformé les lieux et beaucoup construit. Les campes de bois ronds avaient été érigés tout au fond de la baie, à l'abri des vents dominants : un grand bâtiment où dormait le gros des troupes, trois petites cabines qu'habitaient les contremaîtres et qui, le jour, servaient de bureau, un grand réfectoire, des remises, une étable. De larges sentiers s'enfonçaient à l'intérieur de la forêt. Derrière le moulin presque achevé, on avait créé un bassin de rétention dans lequel flottaient déjà quelques centaines de billots.

La présence inopinée de quatre femmes causa des problèmes de logement et de morale. Il fut décidé que les trois couples mariés occuperaient l'un des petits campes. Laurence logerait dans l'autre avec son père. Les contremaîtres, dont Alexis Tremblay, Caille, Thomas et l'ingénieur Duchesne, avaient accepté de dormir dans le grand campe avec le gros des hommes, à condition que le séjour des femmes ne soit que d'une dizaine de jours.

Au début, Laurence se sentit plutôt mal à l'aise, cherchant sa place dans ce monde étrange. Les hommes étaient occupés d'une étoile à l'autre. Ils se présentaient à l'aube au bureau de Ti-Jean qui, consultant son agenda, formait des équipes et répartissait les tâches. Laurence ne le voyait qu'au repas du matin et à celui du soir, qu'on prenait à six heures ; les hommes sortaient ensuite fumer un peu et rentraient dormir, alors que le soleil en avait encore pour une grosse heure à jouer sur les eaux de la baie et le flanc des montagnes.

Le dimanche cependant n'était pas un jour comme les autres. Au début, les hommes se rassemblaient dans la cafétéria, vers neuf heures du matin, pour la prière dominicale. Une vieille scie de moulin suspendue à une forte branche servait de cloche et appelait à l'heure. Pour financer la construction de la chapelle, Sa Sainteté Alphonse Simard avait décrété que chacun devait payer le banc qu'il choisirait d'occuper pour la prière. Le prix variait selon la nature du siège ; coffres ou bûches, bouts de madriers, même les tables étaient louées. André Bouchard et Antoine Mailloux faisaient des lectures édifiantes et enseignaient le catéchisme. Cette pieuse habitude fut cependant de bien courte durée.

Rapidement, en effet, certains avaient exigé qu'on devance l'heure de la prière dominicale. Elle le fut, à huit heures, puis à sept heures et finalement à six heures. Et malgré cela, ils étaient de moins en moins nombreux à y assister. Chaque dimanche, plutôt que de participer aux prières, les gars partaient dès l'aube en canot ou à pied, seuls, à deux ou à trois ; ils exploraient les environs et rentraient le soir en disant : « La pointe où il y a le gros cèdre fendu en deux par la foudre, c'est ma pointe » ou « Le cap de roche qu'on voit dans l'est quand on est au milieu de la baie, c'est mon cap de roche, personne y touche », ou encore « Le deuxième ruisseau qu'on traverse derrière l'écluse, c'est mon ruisseau à moi. » Et bientôt, chacun qui en voulait avait son ruisseau, son cap, sa colline, son anse ou son île, voire sa rivière ou même sa montagne. Il y eut bien quelques frictions, mais le territoire était si vaste qu'on pouvait toujours facilement s'accommoder, faire des échanges.

Michel Simard avait pris l'habitude de quitter Grande-Baie le samedi midi, en même temps que son neveu François, beau temps, mauvais temps, le beau Gaspard jouant les figures de proue sur la pince avant de son canot. Une heure plus tard, après avoir doublé le cap à Caille, ils traversaient le Saguenay, dont ils longeaient la rive gauche jusqu'à mi-chemin de la Descente des Femmes, où se trouvait une grande anse sablonneuse adossée à de fortes montagnes lourdement boisées, bien protégée des vents d'ouest et dont le fond plat était couvert de foin et d'herbes bien grasses. Michel décréta que cette anse lui appartenait, ainsi qu'à son neveu François. Il y avait là plusieurs centaines d'arpents carrés de très bonne terre et de la forêt tout autour. Chacun s'y bâtirait un campe, y ferait ses champs, ses cultures. Thomas, lors de ses prochains voyages, leur apporterait des outils, des haches, des cognées et des scies, mais aussi des bêches, des fourches et des faux, un petit poêle en fonte ; puis, au printemps prochain, une vache et son veau, des poules, quelques cochons.

Ils pourraient même, quand ils seraient dans les chantiers et au moulin de Grande-Baie, laisser les bêtes seules dans leur pré, tout à fait libres, pendant plusieurs jours ; elles avaient de l'herbe en abondance et de l'eau, celle du torrent qui dévalait de la falaise et traversait lentement le fond plat de l'anse. Elles ne pouvaient s'enfuir nulle part, l'anse étant fermée par une abrupte falaise flanquée de deux caps rocheux qui tombaient à la verticale dans le Saguenay. Ils les nommèrent le cap Haut et le cap Bas, bien que ce dernier, celui de l'aval, soit plus élevé que le Haut.

Vers l'amont, par beau temps, ils pouvaient voir jusqu'au fond de la baie des Ha ! Ha ! et, certains soirs, les feux de Grande-Baie, à une douzaine de milles. Vers la gauche, ils avaient une vue stupéfiante sur la gigantesque falaise qui, sur la rive droite du Saguenay, s'élevait jusqu'à plus de mille pieds, une paroi de granite formant un paysage vertical, sans cesse changeant sous l'action du soleil et des nuages.

Michel aimait ce lieu plus que tout au monde. François, lui, sentait que ce rêve qu'il avait si longtemps porté en lui d'avoir un jour une terre avec du bois debout, de l'eau, de la prairie, l'avait fui, sans qu'il s'en rende vraiment compte. Il avait pourtant trouvé le lieu idéal où réaliser ce rêve. Mais quelque chose le retenait, ou plutôt le poussait à aller voir ailleurs, sous d'autres cieux. En attendant, il avait amplement de quoi s'amuser dans cette anse aux foins.

☙

Laurence attendait son dimanche au Royaume avec impatience, mais ce n'était pas pour partir explorer. Elle passerait enfin un peu de temps avec Ti-Jean, qui serait libre, comme tous les hommes.

Un samedi, dans l'après-midi, elle partit seule en canot. Elle se rendit à une anse que son père lui avait indiquée et dans laquelle un ruisseau se jetait. Elle le remonta jusqu'à une petite chute sous laquelle se trouvait une belle cuvette de pierre, où elle fit sa toilette et lava ses cheveux, qu'elle sécha au soleil. Puis elle passa des vêtements propres et rentra au campement à l'heure où les hommes, ayant achevé leur journée de travail en forêt, entamaient leur congé dominical. Certains avaient déjà sorti leurs violons, la plupart avaient déjà enfilé quelques rasades de rhum, quelques-uns s'éloignaient pour aller faire leur toilette là où ils ne risquaient pas d'offusquer la pudeur des femmes. Depuis son arrivée, Laurence avait été agréablement surprise de la délicatesse que manifestaient tous les hommes à leur égard. Les contremaîtres n'auraient pas toléré la moindre vulgarité, le geste le moindrement déplacé.

Mais ce jour-là, quand elle descendit de canot, pieds nus, relevant jusqu'à mi-cuisse sa robe légère, qu'elle ne voulait pas mouiller, le vent jouant dans ses longs cheveux châtains, elle nota que les trois violons avaient fait de faux accords et rompu leur rythme. Elle leva les yeux. Tous les hommes la regardaient, figés dans leurs mouvements, ayant de toute évidence perdu le fil de leur conversation. Et elle sentit en elle la chaleur affolante de ces désirs. Troublée, elle chercha Ti-Jean des yeux. Elle aurait tant voulu qu'il soit près d'elle, qu'ils soient seuls, et qu'il la prenne dans ses bras, la serre très fort et l'embrasse !

Elle montait vers le campement quand elle aperçut François à Ange qui venait à sa rencontre, marchant d'un pas vif, un grand sourire aux lèvres. Alors, la chaleur en elle grandit, explosa sur son visage, elle se sentit devenir toute rose et molle et tremblante. François la salua bien vite, passa près d'elle et poursuivit sa route. Après quelques pas, elle se retourna, malgré l'effort qu'elle avait fait pour s'en empêcher. Elle vit François monter dans un canot et le pousser à l'eau. Elle comprit que le grand sourire qu'il avait sur le visage n'était pas pour elle. En fait, François l'avait à peine regardée.

Ti-Jean n'était plus dans son bureau. Et Laurence n'osait aller le chercher dans le grand campe des hommes. Elle s'en fut errer sur la grève, puis sur le quai ; elle ne voulait pas s'éloigner, et restait là où on pouvait facilement la trouver, espérant que Ti-Jean se manifesterait. Elle sentait encore les regards des hommes se poser sur elle, et leur désir l'émoustillait. Elle alla s'asseoir à l'écart, sur une grosse roche encore tout imprégnée de la chaleur du soleil. Elle n'était pas que déçue ; elle était fâchée. Ti-Jean ne pouvait ignorer qu'elle était venue à Grande-Baie pour lui, d'abord et avant tout. Et il ne faisait aucun effort pour se sortir de sa torpeur et s'approcher d'elle.

Le canot de François disparaissait dans la lumière poudreuse qui couvrait les eaux de la baie quand Ti-Jean vint enfin s'asseoir près d'elle. Elle réalisa alors, si soudainement qu'elle crut d'abord que cette impression ne pouvait durer, qu'elle n'avait plus très envie de le voir. Peut-être s'en était-il rendu compte. Il fut très gentil, s'efforçant même d'être drôle et tendre. Elle se laissa embrasser, mais elle le repoussa gentiment et fermement quand il devint par trop entreprenant. Et Ti-Jean ne fit pas d'autres tentatives, il n'essaya même plus de l'embrasser, ce qui étrangement la conforta dans l'indifférence teintée d'un certain mépris qu'elle ressentait désormais à son égard.

Il voulut lui réciter des poèmes tirés des *Orientales* de Victor Hugo. Pendant un moment, elle l'écouta avec un certain plaisir, se laissant bercer et charmer, de nouveau emporter très loin, dans des déserts aux sables rose et ocre, où soufflaient des vents brûlants chargés de parfums troublants. Et puis elle cessa d'écouter. Ces poèmes qui évoquaient des paysages anciens et très lointains, des peuples étranges, presque irréels, disparus peut-être, certainement inaccessibles, lui apparaissaient soudainement dénués de sens, inutiles. Et la passion qu'ils éveillaient chez Ti-Jean, dérisoire. Au grandiose paysage qu'il avait sous les yeux, il préférait celui, désertique, écrasé de chaleur, qu'avait inventé le poète Hugo.

Quand, plus tard, il se mit à parler de la tristesse et de la petitesse de la vie qu'il était forcé de mener à Grande-Baie, elle sentit que ce qui les avait précédemment unis venait de se briser, brutalement et irrémédiablement. La vie de ce garçon était un échec, une démission et une fuite ; il était incapable d'accepter de vivre la seule vie qui s'offrait à lui. Il ne songeait qu'à s'en évader, qu'à oublier. Et la poésie, comme la musique, n'était pour lui qu'un refuge où pendant de courts moments il croyait pouvoir échapper à une réalité qui lui faisait horreur. Or, aux yeux de

Laurence, cette réalité n'avait rien de détestable. Au contraire, elle était émerveillée par ce que les hommes avaient fait à Grande-Baie ; ils avaient mis en place, au cœur de la grande nature sauvage, une formidable machine qui en quelques semaines avait transformé le paysage, et changerait profondément leur vie. Et ils avaient déjà en eux ce bonheur et cet élan que donnent l'action, le travail.

Ti-Jean, lui, se plaignait de sans cesse devoir ajuster les données de son agenda. Certaines équipes travaillaient trop vite, d'autres trop lentement. L'ingénieur changeait régulièrement ses plans, et il fallait parfois tout recommencer. Laurence découvrait qu'elle avait peut-être trop rêvé à lui, qu'elle l'avait idéalisé. Elle ne retrouvait pas ce garçon heureux qui tous les soirs venait la prendre dans son lit ou qui l'emmenait dans de longues marches, mais un homme triste, insatisfait, froid. Pour la première fois, elle remarquait cela. Et elle en éprouva un douloureux ennui. Ti-Jean était probablement, de toute la communauté de quelque cent hommes installée Grande-Baie, à l'embouchure de la petite rivière Ha ! Ha !, le seul qui ne semblait pas heureux de son sort.

Ils passèrent à la cantine chercher du pain, des œufs durs, des fèves au lard et des biscuits, qu'ils mangèrent assis sur la grosse roche chaude. Ti-Jean parlait encore des *Orientales* ; Laurence ne l'écoutait pas, réalisant qu'elle ne l'aimait plus, comme si un coup de foudre avait détruit l'amour qu'elle avait éprouvé pour lui. Et elle sentait qu'il le savait, qu'il avait compris qu'elle s'éloignerait de lui. Et il ne ferait rien pour la rattraper, elle en était sûre, il n'essaierait plus de l'embrasser. Quand il lui demanda si elle avait lu l'ouvrage de son ami Philippe, *L'Influence d'un livre*, qu'il lui avait prêté, elle lui répondit qu'elle ne l'avait pas terminé et n'en finirait sans doute jamais la lecture. « Ce livre répand de la tristesse, lui dit-elle. Ton ami Philippe aussi d'ailleurs, partout autour de lui. Regarde ce qu'il a fait à Odulie. »

Odulie avait en effet perdu de sa beauté, de son éclat ; tous les hommes qui se trouvaient à Grande-Baie l'avaient remarqué le jour même de son arrivée. La joie de vivre qu'elle respirait autrefois l'avait quittée. Elle ne souriait plus, elle ne cherchait plus à attirer les regards ; au contraire, elle semblait les fuir, et fuir la lumière. Tout comme Ti-Jean fuyait toute réalité, cherchant par tous les moyens à sortir de sa propre vie. Pour n'aller nulle part. Laurence faillit ajouter : « Regarde ce qu'il a fait de toi, ton ami Philippe », mais elle n'osa pas.

Elle aurait tant aimé lui faire comprendre qu'il devait échapper à l'emprise qu'exerçait ce garçon sur lui, échapper à la tristesse dans laquelle il se complaisait et dont il se délectait, morose et têtu, incapable de se résigner le moindrement, d'aimer ce qu'il avait à faire, ce qui lui était donné. Mais elle ne trouvait pas les mots. Elle écoutait distraitement Ti-Jean lui répéter qu'il n'aimait pas cette vie, se plaindre qu'il avait trop de travail. En plus de régir l'agenda, il était commis responsable du magasin, chargé de la distribution des outils tous les matins et de leur collecte tous les soirs. Et puis elle n'écoutait plus. Elle avait la tête et le cœur ailleurs.

◦⌒◦

Le lendemain matin, Laurence se leva très tôt, comme son père. Ils assistèrent ensemble à la prière de six heures et déjeunèrent à la cantine, déjà presque déserte. Ayant compris que sa fille cherchait Ti-Jean des yeux, Caille lui dit que celui-ci avait l'habitude de dormir très tard le dimanche, qu'il n'était à sa connaissance jamais venu à la prière, qu'il n'était jamais parti explorer les environs, qu'il ne faisait jamais de musique avec les autres violoneux. Il passait son dimanche après-midi à lire et à fumer, le plus souvent seul dans son coin. Il n'avait donc pas d'anse à lui, ni ruisseau, ni montagne, ni cap de roche.

« Tant pis pour lui », pensa Laurence.

Et elle partit avec son père voir le ruisseau et le cap qu'il s'était réservés. C'était sur une pointe élevée, un bel endroit d'où la vue portait, imprenable, sur la baie des Ha ! Ha ! et sur le fjord.

La rive était abrupte, la terre maigre reposait sur du gros roc auquel s'accrochaient des thuyas, des épinettes et des genévriers. Laurence reconnaissait bien là son père. Il avait choisi un site pour sa beauté, pour l'époustouflant panorama qu'il lui offrait, non pour les qualités agricoles de la terre.

Du haut de son cap, Caille lui indiqua les lieux que s'étaient réservés ses amis : Alexis au fond de la baie, l'anse à Benjamin tout près, là-bas la rivière de Mars, un gars de Baie-Saint-Paul.

« Résimond, lui, s'est choisi une terre qui se trouve sur l'autre rive, loin là-bas, dans l'est. Il y a de la bonne terre planche et du beau bois dans la montagne. Et surtout une vue sur le Tableau, qui est le plus bel endroit du Saguenay. C'est là qu'il veut emmener son Odulie. »

Puis Caille indiqua à sa fille, toujours de l'autre côté du Saguenay, mais vers l'ouest, deux caps entre lesquels François à Ange et son oncle Michel, à peine plus âgé que lui, avaient trouvé une grande anse bien exposée au soleil et à l'abri des grands vents et où ils avaient décidé de se faire de la terre. Et il ajouta : « Et en plus, il paraîtrait qu'il y a des petites Sauvagesses qui les attendent là-bas tous les samedis soir. »

Ainsi, pensa Laurence, c'était une Sauvagesse qui avait fait naître le sourire qu'elle avait vu la veille sur le visage de François et que, pendant un moment, elle avait cru lui être destiné. C'était pour cette Montagnaise qu'il se hâtait. Elle aurait préféré ne pas le savoir. Et elle en voulait à son père. Quel besoin avait-il de lui raconter cela ?

༄

Ils rentraient à Grande-Baie, en suivant la rive, quand ils aperçurent au loin une voile qui montait lentement vers eux, louvoyant dans le vent. Ils étaient rendus au campement quand on la vit passer sur le Saguenay et poursuivre sa route vers Chicoutimi. Thomas et Caille avaient reconnu la goélette de l'agent de la Compagnie de la Baie d'Hudson, Peter McLeod.

Persuadé que celui-ci s'apprêtait à mettre à exécution les projets dont il lui avait parlé l'hiver précédent, Thomas s'embarqua le lendemain matin sur la *Sainte-Marie*, avec Alexis et une demi-douzaine d'hommes, afin d'aller le rencontrer.

McLeod fut très agressif. Il commença même par leur refuser l'accès au quai qu'il avait construit à l'embouchure de la rivière Papaouetish. Il dit aux nouveaux venus qu'il était chez lui et qu'il ne les avait pas invités. Alexis et Thomas mirent quand même leur canot à l'eau et prirent pied sur la grève. Le Métis, qui avait une douzaine d'hommes avec lui, qu'on appelait les Chiens, se comportait effectivement comme le maître absolu des lieux, rabrouant, devant Alexis et Thomas, le vieux chef Siméon, qui ne comprenait toujours pas pourquoi il devait partir s'établir à Métabetchouan avec la poignée de vieillards qui l'entouraient. « J'ai pas besoin de vous autres ici, lui dit McLeod. Et j'ai pas envie de vous voir la face, c'est tout. »

Puis, se tournant vers Alexis et Thomas, il leur dit qu'il allait construire un moulin à scier à l'embouchure de la rivière, là même où son père en avait érigé un trente ans plus tôt.

« Et comment comptes-tu le nourrir, ton moulin ? » demanda Alexis.

Le visage de McLeod se durcit. Il s'approcha d'Alexis, qu'il dominait de plus d'une tête.

« Moi, je suis né ici à Chicoutimi, dit-il. Tu devrais le savoir. Je suis à moitié sauvage, figure-toi. Je peux faire ce que je veux ici. J'ai tous les droits. »

Il ajouta qu'il leur laissait Grande-Baie, « pour le moment » ; et qu'il prenait Chicoutimi, « pour y rester ».

Thomas était furieux. En se réservant les forêts en amont des rivières Papaouetish et Chicoutimi, McLeod aurait accès aux belles terres argileuses qui entouraient le lac Kénogami, de bonnes terres arables que Thomas connaissait bien et qu'il rêvait de s'approprier, et auxquelles la Société des Vingt-et-un avait un accès naturel et direct par les rivières qui se jetaient dans la grande baie des Ha ! Ha !.

Quand Alexis menaça de porter l'affaire devant les tribunaux, McLeod eut un méchant sourire et se contenta de hausser les épaules. Il savait bien, tout le monde le savait, que si la Société des Vingt-et-un exigeait qu'une enquête soit faite, les gars qui avaient accaparé des terres illégalement autour de Grande-Baie devraient y renoncer, que les femmes devraient redescendre à La Malbaie, avec les vaches, les cochons et les poules, de même qu'y seraient transportés les outils et les instruments aratoires apportés illégalement par Thomas au cours des nombreux voyages qu'il avait faits.

Thomas et Alexis rentrèrent au campement le soir même, chacun perdu dans ses pensées, noyé dans sa colère, inquiet. Il leur apparaissait évident que McLeod avait fait un pacte avec le chef rebelle Kakouchak. Sinon, comment aurait-il pu prétendre se maintenir à Chicoutimi ? Même si le Porc-Épic ne s'était pas manifesté de l'été, la haine à son égard n'avait cessé de grandir. En même temps que la peur qu'il inspirait. Et voilà qu'un autre ennemi, tout aussi puissant, s'opposait à leurs projets.

« Et faudrait pas oublier William Price, dit Thomas. Celui-là aussi, il nous attend. »

Sur le Saguenay

Laurence

La *Sainte-Marie* de Thomas appareilla deux jours plus tard, à l'aube, pour La Malbaie. Laurence était à bord. Des trois autres femmes, seule Victoire Bouchard avait accepté de rentrer, la vie de chantier étant trop dure, trop inconfortable à son goût. Tharcile Brisson avait tenu tête à Alexis Tremblay et à son propre mari, Ulysse. « J'y suis, j'y reste, disait-elle. À mon âge et avec l'air que j'ai, c'est pas moi qui va rendre les hommes fous. »

Dans le cas d'Odulie, c'était son mari Résimond qui avait insisté pour qu'elle reste. « Si elle doit partir, je pars avec elle. » Résimond était un homme trop capable et trop vaillant pour qu'on accepte de se passer de lui. Et Odulie ne rendrait plus les hommes fous, elle non plus.

Au cours du bref séjour qu'elle avait fait au campement de Grande-Baie, Laurence s'était à plusieurs reprises retrouvée seule avec elle. D'abord méfiante, Odulie s'était finalement confiée. Elle avait longuement parlé de Résimond, « le meilleur homme du monde », disait-elle. Elle avait raconté à Laurence comment il l'avait retrouvée, en larmes, à l'auberge de l'Albion, à Québec, où le petit seigneur de Port-Joly l'avait abandonnée, après lui avoir demandé pardon, et lui avoir dit : « Ne viens plus jamais près de moi. Ne me laisse plus jamais m'approcher de toi. Je ne t'apporterais que de la peine et du malheur. »

Dès leur retour à La Malbaie, dans la soirée du samedi saint, Résimond l'avait emmenée au presbytère pour qu'elle se confesse. Et il avait dit au curé qu'il était prêt à tout pour qu'elle redevienne heureuse. Et aussi qu'il pouvait très bien vivre avec les ragots du village. Certains lui diraient sans doute qu'il était trop bon gars. Il leur répondrait qu'on n'est jamais trop bon. Ou il ne dirait rien. Résimond ne trouvait pas son bonheur dans ce que les autres pensaient de lui.

Et puis un soir, Odulie avait fait à Laurence cette confidence bouleversante : elle était enceinte. Fatalement, Résimond saurait tôt ou tard que cet enfant n'était pas de lui, mais de ce jeune seigneur venu faire la fête à La Malbaie. De plus, il serait évident aux yeux de tous que si le couple, marié depuis plus de trois ans, n'avait pas eu d'enfants, c'était à cause de lui. C'était ce qui peinait le plus Odulie, la peine terrible qu'elle infligerait à cet homme trop bon, qui ne cherchait qu'à la rendre heureuse. Laurence avait tenté en vain de la convaincre de rentrer à La Malbaie, toute seule, même si Résimond s'y opposait. « Il le saura tôt ou tard », disait Odulie.

Quant à Laurence, elle avait décidé de ne plus revoir Ti-Jean, dont le défaitisme et la passivité l'ennuyaient. Elle avait réalisé qu'elle ne l'aimait plus, qu'elle ne l'avait peut-être même jamais aimé. Il était venu la voir au quai le jour du départ, triste, penaud, sans doute conscient qu'il avait tout gâché, mais incapable de faire le moindre effort pour réparer les pots cassés. Il était de toute manière trop tard. Il tint Laurence un moment dans ses bras, posa un baiser sur sa joue, bien chastement, froidement. Puis Laurence embrassa son père, qui la prit dans ses bras et la fit tournoyer autour de lui. Elle monta à bord, tout étourdie.

Quand elle se retourna, elle reçut en plein visage le regard bleu de François à Ange, son sourire, et elle sentit, en le regardant un court moment, la formidable énergie qui émanait de lui. Et cette chaleur encore, incontrôlable, monta en elle. Elle hésita avant de répondre à son sourire. Alors, il la salua de la main, puis il se retourna et marcha à grands pas vers le moulin. Ce garçon-là semblait toujours savoir où il allait, il avait toujours à faire ; et dans ses sourires il n'y avait que du bonheur, aurait-on dit, que de la joie. Mais il ne fallait plus penser à lui, ni à Ti-Jean. Et c'était tant mieux, ou tant pis, elle n'aurait su dire. Il fallait qu'elle ferme une fois pour toutes ce chapitre de sa vie. Et qu'elle passe à autre chose, à quelqu'un d'autre. Car il y aurait d'autres hommes, certainement, des hommes capables de l'aimer vraiment. Elle n'avait plus envie de retourner chez les sœurs, mais ne savait quoi faire, ni où aller. Comme si l'inertie de Ti-Jean était entrée en elle.

Un fort vent d'ouest poussa la goélette dans le lit du Saguenay, où elle fut happée par la marée descendante, qui la porta en quelques heures en vue de l'anse Saint-Jean. Ce que Thomas aperçut alors lui fit chaud au cœur. Le grand bassin fermé par l'estacade était déjà à demi couvert de longs billots, de quoi remplir deux navires de Price et rembourser une partie importante des emprunts que la Société avait faits auprès de lui. « Ces billots, c'est notre liberté », pensa Thomas.

Ainsi, même si l'été précédent avait été très pluvieux, la grande majorité des arbres tombés au cours de la tuerie perpétrée par les bûcherons de la Compagnie de la Baie d'Hudson étaient restés en bon état. Dès qu'il serait à La Malbaie, Thomas ferait parvenir un message à William Price pour l'informer que son navire pouvait venir prendre livraison de la précieuse marchandise.

Grande-Baie

Jude

Les premiers affrontements entre les Chiens de Peter McLeod
et les hommes de la Société des Vingt-et-un eurent lieu dès la
mi-août, peu après que Thomas fut revenu de son sixième voyage
à La Malbaie. Pendant que l'ingénieur Deschesne dirigeait les
travaux de construction du moulin et qu'on s'affairait à assembler l'estacade, un groupe de forestiers, sous la direction de Caille
et de Michel Simard, tracèrent les chemins de charroi, jetèrent
des ponceaux sur les ruisseaux, posèrent des caillebotis dans les
marécages qu'ils devaient franchir.

Un dimanche soir, rentrant de leur ronde d'exploration, les
deux Aimé, Aimé Brisson et Aimé Maltais, vinrent trouver
Alexis pour lui signaler que presque tous les ponceaux construits
sur les ruisseaux affluents de la rivière avaient été détruits. Six
hommes bien armés, parmi lesquels se trouvaient François et
Michel Simard, se rendirent dès le lendemain matin, sous la pluie
battante, constater les dégâts. Il n'y avait pas de doute possible,
on avait systématiquement saccagé leurs installations. Pire, une
rivière à pattes – sorte de large dalot soutenu par de solides étais
qui devait permettre aux billots de franchir un rapide particulièrement étroit et accidenté, et dont l'ingénieur Deschesne avait
lui-même dessiné les plans et dirigé la construction – gisait,
démantibulée, au pied du courant.

Le dur travail accompli pendant plus d'une semaine par trois
équipes de six hommes était perdu. Pour la première fois depuis
la mise en chantier, on sentit le découragement s'emparer des

troupes. On pouvait, bien sûr, reconstruire ponceaux, rivières à pattes et glissoires. Mais ce serait long et ardu, et sans doute toujours à recommencer. Et il faudrait par la suite assurer une surveillance constante des travaux accomplis.

Deux hommes armés accompagneraient désormais chacune des équipes qui travaillaient dans la forêt. Les travaux reprirent. Mais le cœur n'y était plus. Certains, Benjamin Dallaire par exemple, les deux Aimé, Antoine Bouchard et quelques autres, évoquèrent même l'idée de rentrer à La Malbaie et de reprendre la vie sur leurs pauvres petites terres.

Heureusement, certains événements inattendus se produisirent qui donnèrent aux sociétaires la chance de se maintenir à Grande-Baie et de régler leurs problèmes plus rapidement et tout autrement que prévu.

❧

Deux jours après la découverte des deux Aimé, alors qu'il patrouillait en amont de la rivière avec son équipe, Michel Simard tomba par hasard sur deux Chiens perdus. Ils étaient affamés et fatigués, trempés de la tête aux pieds. L'un d'eux, tout petit et maigrelet, très roux, semblait s'être foulé une cheville et avançait en claudiquant, avec peine. L'autre était le typique Chien, une brute épaisse, énorme, au visage et aux poings marqués de profondes cicatrices ; il était, auraient dit tous les gars de Grande-Baie, le plus grand homme jamais vu, si large d'épaules et de cou que sa tête paraissait toute petite.

Les deux Chiens n'offrirent aucune résistance. On s'empara de leurs armes, on les fit prisonniers et on les emmena au campement de Grande-Baie. Ils semblaient tous deux craindre le pire. Les méchants croient sans doute que l'humanité tout entière trouve comme eux son plaisir dans la violence et la cruauté. Totalement incapables de pitié, ils conçoivent difficilement qu'on puisse leur en manifester. Ainsi les Chiens de McLeod, s'ils avaient trouvé deux hommes de La Malbaie en train de commettre quelques méfaits sur leur territoire, les auraient certainement brutalisés, brisés, peut-être tués.

On discuta dans le grand campe, jusque tard dans la soirée, du sort des deux prisonniers. Plusieurs, surtout parmi ceux qui avaient travaillé à ériger la rivière à pattes, suppliaient Alexis de leur permettre de les frapper, ne serait-ce qu'une fois. Les deux gars avaient été solidement attachés à des piquets où ils passeraient la nuit, livrés en pâture aux moustiques et aux mouches noires qui, bien que la saison soit déjà assez avancée et le temps plutôt frais, pullulaient encore. Heureusement pour eux, la pluie avait cessé de tomber.

Alexis était fort embêté. Que faire de ces deux hommes ?

Au temps de leur grande rivalité, la Compagnie de la Baie d'Hudson et celle du Nord-Ouest faisaient elles-mêmes justice. Tout trappeur ennemi, blanc ou sauvage, surpris sur leurs territoires était désarmé, et ses pièges et ses trappes confisqués. Au mieux, il était battu et emprisonné ; le plus souvent, il était battu et laissé à lui-même en plein bois, à demi nu, sans arme, sans vivres. En 1821, les deux grandes compagnies s'étaient associées ; et depuis, en principe, ce genre de traitement n'avait plus cours. La Compagnie de la Baie d'Hudson maintenait cependant au Saguenay, comme partout ailleurs sur son territoire, qui s'étendait d'un océan à l'autre, des patrouilleurs et des gardes armés. Alexis songea que l'agent Peter McLeod ne se serait sans doute pas embarrassé de scrupules s'il avait trouvé des gars de Grande-Baie sur ses chantiers.

À Grande-Baie, cependant, on ne savait pas quoi faire des prisonniers. On ne pouvait pas les garder indéfiniment ; on n'avait pas les moyens de nourrir deux bouches inutiles, de surcroît ennemies. On ne pouvait pas non plus les laisser partir et réintégrer la meute des Chiens de Peter McLeod. Alexis pensa d'abord les envoyer à La Malbaie, où on les livrerait à la police. Mais il y aurait un procès, une enquête, ce serait long et compliqué, et possiblement désastreux pour la Société des Vingt-et-un, qui serait accusée d'avoir fait des défrichements illégaux.

On pouvait, bien sûr, comme d'aucuns l'avaient suggéré, leur attacher une pierre au cou et aller les jeter au milieu de la baie ; après tout ce qu'ils avaient fait, ils ne méritaient que ça. Mais personne, pas même ceux qui en avaient émis l'idée, n'accepterait de mettre à exécution ce sinistre projet. Ni même de le laisser accomplir par quelqu'un d'autre. Comme le disait Sa Sainteté : « On est du bon monde, c'est pas en se forçant à être méchants qu'on va gagner cette guerre-là. »

Le sort de chacun des deux nouveaux venus se régla de manière très différente et tout à fait imprévue, indépendante de la volonté des hommes d'Alexis. Ce fut François qui trouva par hasard la première solution, sans l'avoir vraiment cherchée. Au petit matin, il passait devant les deux prisonniers quand le petit rouquin boiteux l'interpella : « Je te connais, toi. » Comme François poursuivait sa marche, il répéta, en criant très fort : « Je te connais, toi. Je t'ai vu à Saint-Eustache ! »

François, troublé, revint tout de suite sur ses pas ; il le regarda intensément, sans le reconnaître. C'était un garçon tout frêle, tout roux, tout jeune aussi, peut-être même plus jeune que François. Ayant attiré l'attention, il semblait avoir perdu de son assurance. Et c'est d'une voix hésitante qu'il ajouta :

« T'étais allé chercher un gars blessé qui se traînait devant l'église. C'était toi, j'en suis sûr, je t'ai vu. »

François était bouleversé. Il n'avait jamais voulu repenser à cette terrible journée. Et voilà que tout lui revenait en mémoire, soudainement. Il revoyait avec une parfaite, une effrayante netteté le parvis enneigé de l'église de Saint-Eustache où gisait, près de ce garçon blessé dont il avait sauvé la vie, trois autres patriotes morts, l'un étendu sur le dos, les yeux grands ouverts, avec tout ce sang dans la neige auréolant sa tête blonde, les deux autres face contre terre. Il pensa à la petite Judith, à Marie et à Julien, qui avaient été ses amis, qui étaient morts tous les trois, comme la soixantaine de jeunes qui étaient entrés dans l'église sous les ordres de ce fou de Chénier. Il eut une grande envie de frapper cet homme qui venait si violemment de lui ouvrir la mémoire et le cœur.

Au cours des quelque neuf mois qui s'étaient écoulés depuis ces événements, François en avait chassé les souvenirs chaque fois qu'ils s'étaient présentés à sa mémoire. Et il pensait le moins possible à ces bagarres auxquelles il avait participé dans l'Outaouais, sur la Madawaska, sur la Dumoine et la Gatineau.

Il s'éloignait, tête basse, sans dire un mot, quand le prisonnier lui cria : « Ce gars-là, c'était mon frère. »

François revint de nouveau sur ses pas et regarda le prisonnier sans trop savoir quoi lui dire. Comme s'il avait compris ses pensées, celui-ci ajouta :

« J'étais un des morts que t'as vus, ce jour-là, devant l'église. J'étais couché à plat ventre à côté de mon frère. Je pouvais pas l'aider. J'avais reçu une balle dans le ventre, une autre m'avait traversé la cheville. »

Il y eut, entre les deux garçons, comme un silence fraternel et respectueux. Ils avaient vécu tous les deux, sans se connaître, mais très proches l'un de l'autre, des choses graves et si difficiles à oublier. Ils avaient été ensemble sous le même feu, ils avaient vu la même mort de près. François se sentit tout à coup plus lié à ce garçon qu'à tous les hommes qui se trouvaient à Grande-Baie, y compris son père et son oncle Michel, qui était son ami.

« Moi, mon nom, c'est Jude Lamarche », dit le garçon. Il tremblait. De froid, de peur, de fatigue, d'espoir peut-être. François avait peine à croire qu'un si jeune et si fragile garçon ait pu vivre de telles horreurs. Et plus encore qu'il soit devenu membre de la meute de Peter McLeod.

Quelques hommes s'étaient approchés. Ils entouraient François et les deux prisonniers, sans trop comprendre ce qui se passait. Quand Alexis sortit de son campe, il vint vers eux et entreprit de les disperser.

« On vous avait dit de pas parler aux prisonniers.

– C'est moi, c'est ma faute, dit François, qui entreprit d'expliquer ce qui se passait. On a déjà été dans le même camp patriote, lui et moi, plaida-t-il. On était ensemble à Saint-Eustache. Je veux juste savoir ce qui s'est passé après mon départ. »

Voyant Alexis hésitant, il ajouta : « Je réponds de lui. »

« Comment peux-tu avoir confiance en lui ? demanda Alexis.

– De la même façon que vous avez confiance en moi, monsieur Tremblay. Ça s'explique pas, la confiance. Ou si ça s'explique, je sais pas trop comment. »

C'était dit sans prétention, d'homme à homme. Alexis n'avait jamais dit à François qu'il avait confiance en lui. Mais François sentait cette confiance, comme il avait senti autrefois celle de Julien ; cependant il y avait autre chose chez Alexis qu'il n'avait pas connu avec le frère de Marie, une complicité vraie et quelque chose comme de la reconnaissance, presque de la gratitude. Malgré leur grande différence d'âge, ces deux hommes avaient beaucoup en commun. Et François comprenait fort bien pourquoi son père, Thomas, s'était lié d'amitié avec Alexis Tremblay.

« Allez parler dans mon campe », lui dit ce dernier. Puis, d'un geste de la main, il signifia aux autres qu'ils devaient retourner au travail.

François détacha le prisonnier, il fit un crochet par la cantine, où il lui ramassa du lard, du pain et un bol de thé, et il emmena le petit Jude dans le campe d'Alexis.

❧

Jude Lamarche avait fait le mort pendant près de deux heures sur le parvis de l'église de Saint-Eustache, croyant mourir au bout de son sang ou d'une autre balle à la tête ou au cœur. Il avait vu François accourir à la rescousse de son frère. Dans la confusion qui avait suivi l'embrasement de l'église, il avait pu se réfugier sous la galerie du presbytère, d'où il avait assisté au massacre des patriotes de Chénier. François entendit de nouveau le récit de ce qui s'était passé ce jour-là, après qu'il eut fui vers Saint-

Benoît. Jude confirma que les Britanniques abattaient à bout portant tous les patriotes qui tentaient de sortir de l'église en flammes, même ceux qui n'étaient visiblement pas armés et qui levaient les mains en signe de reddition.

« As-tu vu une femme parmi les patriotes qui sortaient de l'église ?

— Tu parles de cette grande femme brune qui habitait au manoir avec toi, Marie, la sœur de Julien Auger ? »

Ses lèvres tremblèrent, ses yeux se remplirent de larmes.

« Parle.

— Elle est sortie de l'église et elle a marché vers les soldats britanniques. Mais eux, visiblement, ils voulaient pas tirer sur une femme. Alors, elle a ramassé un fusil, le fusil d'un patriote tombé en même temps que moi, et elle l'a pointé vers eux. Elle a tiré sur eux. C'est là qu'ils l'ont tuée. »

Il était essoufflé d'avoir parlé ainsi. Encore une fois, François sentit la colère monter en lui et une peine épouvantable le submerger. Il réalisa que Marie avait tué Judith à cause de lui et qu'elle s'était ensuite donné à la mort à cause de lui, parce qu'il n'avait pas su l'aimer, ou pas pu, ou pas voulu. C'était contre lui-même qu'il était en colère, et contre Marie, et aussi contre ce pauvre garçon qui avait évoqué devant lui ces si terribles souvenirs ; contre la vie même, il était en colère.

Et puis Jude raconta à François comment des soldats s'étaient acharnés sur le cadavre de Jean-Olivier Chénier, lui défonçant la tête à coups de pioche, lui ouvrant la poitrine pour en sortir le cœur, qu'ils avaient exhibé au bout d'une pique devant les patriotes qu'ils avaient faits prisonniers. Ceux qui n'étaient pas dans l'église et qui n'étaient pas tombés sous les balles des soldats ou des volontaires loyalistes avaient en effet été épargnés, non par pitié, mais afin que, comme le souhaitait le général Colborne, ils soient témoins de la force impitoyable de la toute-puissante armée britannique.

François se souvint alors de ce que le curé de Saint-Eustache avait dit à Jean-Olivier Chénier quelques heures avant l'engagement fatal : « Tu veux sacrifier ta vie et celles de tes hommes pour que triomphent tes idées, pour faire la preuve que le gouvernement britannique écrase sans pitié le peuple canadien. »

La preuve en avait été faite, indéniablement. Mais Chénier et tous les hommes qu'il avait entraînés dans l'église ce matin-là étaient morts, des hommes jeunes que François avait côtoyés dans les derniers moments de leur vie, chez qui il avait vu de l'espoir, de la peur, de la colère aussi. Tous morts dans la fleur de l'âge. C'était cher payé, beaucoup trop cher.

« Toi et moi, on est en vie », chuchota François. L'autre lui fit un triste sourire. Et François était sûr qu'il pensait, à ce moment-là, comme lui, que rien ne valait la vie, pas même la gloire des martyrs et des héros qu'ils avaient vus mourir ce jour-là, à Saint-Eustache.

Jude avait été retrouvé inconscient par des soldats britanniques, qui l'avaient sorti de sous la galerie du presbytère et transporté au couvent de Saint-Eustache, qu'on avait transformé en infirmerie. Emprisonné plus tard à Montréal, au Pied-du-Courant, où il avait été soigné tant bien que mal, il avait recouvré sa liberté, en même temps que plusieurs dizaines de patriotes qui avaient participé aux soulèvements de l'automne précédent et que quelques prisonniers de droit commun, dont cette énorme brute en compagnie de laquelle les gars de Grande-Baie l'avaient trouvé.

« Je l'ai suivi, avoua Jude. C'est mon erreur, je le sais. Mais je ne voulais pas retourner chez nous, à Saint-Eustache. Et lui, il savait où aller. »

Il s'appelait Clément. Nom ou prénom ? Jude l'ignorait. Il savait seulement que Clément avait déjà travaillé sur les chantiers de Rivière-Noire, pour un Métis qui le payait bien. Et qu'il avait l'intention de le retrouver.

Depuis qu'il était tombé aux mains des hommes d'Alexis, le gros Clément n'avait jamais cherché d'aucune manière à s'attirer leur sympathie ou leur compassion. Bien au contraire, après la stupeur des premiers moments, il leur avait parlé avec colère et mépris, répétant qu'ils n'avaient pas le droit de les détenir ainsi parce qu'ils s'étaient perdus dans le bois, leur prédisant que McLeod serait enragé noir quand il connaîtrait le sort qu'ils faisaient subir à ses hommes et que les représailles seraient sanglantes. Il paraissait plus âgé que Jude ou François, trente ans, peut-être plus. Il avait certainement compris qu'il n'était pas tombé entre les mains de dangereux tueurs et que sa vie n'était pas en danger. Certains, en le voyant et en l'entendant, si énorme et si fort, si haineux, se laissaient impressionner et ajoutaient à la peur qu'ils avaient de Kakouchak celle que leur inspiraient désormais McLeod et ses Chiens.

Le petit Jude ne s'était joint à ces derniers que depuis quelques mois. Il avait vu à Chicoutimi comment McLeod avait agi avec le chef Siméon, comment il les avait chassés sans ménagement et sans dédommagement, lui, ses vieillards et ses chiens, qui avaient dû partir au cœur de l'été pour Métabetchouan, à pied, sans canot, presque sans vivres. Il avait assisté également, quelques jours plus tôt, à cette rencontre de McLeod avec Alexis et Thomas. Il savait donc très bien ce qui les opposait. Il avait vu McLeod leur dire qu'il leur laissait Grande-Baie, « pour le moment », mais qu'il prenait Chicoutimi, « pour y rester ».

« Et ton frère ? l'interrompit François. Qu'est-ce qu'il est devenu ?

– Il est en vie, lui aussi. Je l'ai revu à l'infirmerie de Saint-Eustache, puis en prison, une fois. Il était plus gravement blessé que moi, aux jambes et à l'épaule. Mais il a quand même réussi à s'enfuir. Il m'a fait savoir qu'il était à Montréal, bien caché. »

❧

Plus tard, devant Alexis, Jude déclara : « Vous faites de moi ce que vous voulez, mais je ne retournerai jamais à Chicoutimi. »

Il avoua spontanément avoir participé au démantèlement des ponceaux et des caillebotis, ce qui fit ricaner Thomas.

« Un gringalet comme toi ?

– J'étais guide, répondit Jude.

– Guide ?

– J'ai un don pour m'orienter dans le bois. Et j'ai une boussole. »

Alexis et Thomas se regardèrent en pouffant de rire, réalisant qu'ils faisaient de bien piètres geôliers. Depuis près de vingt-quatre heures qu'on détenait ces deux prisonniers, personne n'avait pensé à les fouiller. On trouva sur l'un une boussole de poche, sur l'autre un canif à deux lames, une pipe, un peu de tabac.

« T'avais une boussole, lui dit Alexis, tu prétends en plus avoir un don pour te retrouver dans le bois, mais vous étiez perdus quand mes hommes vous ont aperçus...

– J'étais pas perdu. »

En entendant ces mots, le gros Clément faillit briser ses chaînes. Il se tourna vers Jude et promit de lui arracher la tête des épaules à la première occasion.

« Comme ça, t'étais pas perdu ? reprit Alexis, à l'intention de Jude.

– J'étais pas perdu. Mais je commençais à avoir hâte que vous nous trouviez. »

Clément se mit alors à invectiver tout le monde autour de lui et à promettre les pires représailles. Alexis le fit enfermer dans la tasserie à foin.

On tint conseil. Alexis Tremblay, Thomas et Alphonse Simard, André Bouchard et Antoine Mailloux, les cinq hommes de plus de cinquante ans, discutèrent dans la soirée du cas du jeune Lamarche. Pouvait-on lui faire confiance ? Son histoire de défection était-elle crédible ? Selon Thomas et plusieurs autres, le libérer ne présentait pas un grand risque. Comme le disait Thomas : « Mouillé, il fait pas cent livres. Et il a une mauvaise patte, en plus. Je pense, moi, qu'il est pas très menaçant. »

Alexis n'était pas tout à fait de cet avis. « Ce garçon-là a du caractère. Ça se voit dans ses yeux, ça s'entend dans sa voix. Et moi, j'ai du respect pour un homme qui marche dans le bois pendant des jours avec une mauvaise patte et qui se plaint pas.

— Il a peur de son ombre, disait Thomas.

— Je pense pas, moi », dit Alexis.

Restait à savoir si, libéré, le petit Jude serait utile à la communauté. Alexis et Thomas interrogèrent longuement leur prisonnier sur son savoir-faire. « Dis-nous pas que tu cassais des gueules, le prévint Thomas. On te croirait pas. » Jude répondit qu'il savait lire, écrire et compter, qu'il avait agi comme commis, qu'il tenait les comptes de McLeod et une sorte de minutier, dans lequel celui-ci lui avait demandé de consigner toutes les opérations accomplies par les Chiens et les sommes dues à chacun d'entre eux pour leurs bons et loyaux services.

Il fit ensuite des révélations qui stupéfièrent Alexis. McLeod devait sa chemise à William Price. Techniquement, les installations de Rivière-Noire étaient désormais la propriété de ce dernier. Mais alors, ces vingt-trois hommes que McLeod avait avec lui ?

« Pour le moment, il lui en reste vingt-et-un, précisa Jude. Mais je sais qu'il en attend beaucoup d'autres, des renforts qui devraient arriver avant l'automne. Et il les paye avec des promesses. Il dit qu'il va leur donner des terres, un jour.

— Mais qui paye pour les chevaux, l'équipement, les armes, les vivres ? »

Alexis avait posé la question d'une voix blanche. Et il attendait la réponse comme un coup de poing imparable. Jude répondit sans hésiter :

« C'est William Price qui paye pour tout. Il a promis à McLeod de lui acheter, au meilleur prix, les quinze ou vingt mille madriers qui sortiront de la scierie de Rivière-Noire au cours de la prochaine année. Depuis six mois, il lui a fait des avances en argent et en équipement chaque fois que McLeod en a eu besoin. C'est dans les livres, j'ai tout vu. Il lui a aussi fourni un ingénieur qui va restaurer l'écluse et installer un nouveau moulin, près de Chicoutimi. »

Alexis était atterré et profondément humilié. Ainsi, William Price, qu'il croyait son allié, cet homme qu'il avait maintes fois défendu devant les membres méfiants – à juste titre – de la Société des Vingt-et-un, avait agi dans son dos. Il avait aidé et armé son pire ennemi.

« Je me suis fait rouler », répétait Alexis. Il se sentait affreusement fatigué. S'il s'était écouté, il serait allé dormir très longtemps, puis il serait rentré à La Malbaie, sur la goélette de Thomas. Et là-bas, il aurait dormi encore, dans les bras de Modeste, des jours et des jours.

« Comme c'est là, on a tout le monde contre nous, résuma Thomas. Un Sauvage, un Métis, un Anglais. »

Thomas mesurait bien sûr la déception et la peine de son ami. Pour la centième fois, il lui répéta que tout ça n'avait que peu d'importance. On pouvait toujours, avec un peu de chance, honorer le contrat de la Compagnie de la Baie d'Hudson, en sortant de la forêt douze mille billots de pin blanc par année pendant cinq ans. Et après, on aurait des milliers d'acres de terre défrichée, qui ne demandait qu'à être cultivée, on ouvrirait des villages, les jeunes auraient des fermes à eux. « Qui pourra nous empêcher de faire ça, d'après toi ? »

Encore une fois, ce fut le petit Jude qui apporta la réponse à cette question, réponse qui atterra davantage Alexis et ses hommes. Quand, à la fin de l'hiver, il était arrivé à Rivière-Noire avec Clément, il y avait là une douzaine de jeunes Montagnais, de la tribu du Porc-Épic. Leur chef, Kakouchak, était venu rencontrer McLeod. Jude ignorait le but précis de cette rencontre. Ne parlant pas du tout montagnais, il n'avait rien saisi de ce que se disaient les deux hommes, mais selon lui tout portait à croire qu'ils étaient en très bons termes. Et il avait vu Kakouchak et les deux hommes qui l'accompagnaient quitter Rivière-Noire avec en main des fusils tout neufs que McLeod leur avait donnés. Dans l'esprit de Jude, il n'y avait aucun doute, le Métis avait armé les Sauvages pour qu'ils fassent la guerre à la Société des Vingt-et-un. Et laissent en paix les gars de la Compagnie de la Baie d'Hudson.

François était lui aussi abasourdi. Ainsi, quand au printemps dernier il était monté à Métabetchouan, où il n'avait trouvé que des femmes et des enfants, Kakouchak et sa bande se trouvaient à Rivière-Noire en train de faire une alliance avec McLeod. Et les femmes qui lui avaient alors offert l'hospitalité le savaient. Cette jolie Sauvagesse qui lui avait dit s'appeler Touche-Pas avait ri de lui, elle ne lui avait rien dit. S'il était vrai que, comme l'affirmait Jude, la bande de Kakouchak s'était associée à la meute de McLeod, ces deux hommes pourraient exercer un contrôle absolu sur tout le Royaume, ils y feraient la loi, leur loi. Et alors, disait Alexis, il ne serait certainement plus possible pour la Société des Vingt-et-un de se maintenir au Saguenay. Mais François et Thomas avaient peine à croire qu'une telle alliance soit possible. Bien sûr, il y avait les liens du sang. McLeod était à moitié sauvage, et sa femme, Josephte, était une pure Montagnaise. Mais il travaillait pour Price, il s'était emparé de Chicoutimi, en avait chassé le vieux chef Siméon et tous les Montagnais qui s'y trouvaient.

« Il est comment, Kakouchak ? demanda François au petit Jude, qu'il enviait presque d'avoir pu rencontrer cet homme insaisissable.

– Je ne l'ai pas beaucoup vu, disait Jude. Et je ne lui ai pas vraiment parlé. »

Mais comme François insistait, il ajouta : « Il n'est pas très grand. Il parle toujours d'une voix feutrée, tout bas, si bas qu'il faut souvent tendre l'oreille pour comprendre ce qu'il dit. Il ne sourit jamais. »

Alors François n'eut plus de doute. Il savait qui était Kakouchak. Et qui étaient ces deux hommes qui l'accompagnaient partout. Ils avaient été tous les trois ses amis d'enfance, de très chers et très proches amis, qu'il brûlait de revoir.

❧

François plaida la cause de Jude devant les vieux sages de Grande-Baie. Après mûre réflexion, et après qu'on se fut assuré qu'il savait effectivement lire et écrire, qu'il pourrait ainsi seconder Ti-Jean qui, depuis des semaines, se plaignait d'être débordé, on prit la décision de le libérer. Il dormirait au milieu du grand campe. Tous auraient l'œil sur lui, du moins pendant les premiers jours.

Restait le problème que posait l'autre prisonnier, le gros Clément, qui faisait peur à tout le monde et en qui personne n'avait confiance. Il trouva lui-même la solution. Une nuit, il brisa ses liens, força la porte de la tasserie où on l'avait écroué et s'enfuit en canot. Il ventait très fort, cette nuit-là. Le dimanche suivant, en se rendant à son anse, Benjamin Dallaire retrouva le canot qui flottait entre deux eaux ; rentrant de son cap, en fin de journée, Caille aperçut un aviron sur la grève. On conclut, comme de raison, que l'ogre s'était noyé, sûr et certain.

On ne vit plus de Chiens de tout l'automne dans le bassin de la rivière. On put récupérer une partie des matériaux, on rafistola la rivière à pattes, on posa de nouveaux ponceaux sur les ruisseaux.

Jude était donc devenu l'adjoint de Ti-Jean. En quelques jours, fort de l'expérience acquise chez McLeod, il avait compris le travail, qui semblait d'ailleurs le passionner. Bientôt, il faisait presque tout ce qui incombait normalement à Ti-Jean. Et celui-ci se laissait couler, morose, indifférent, dans l'oisiveté et la solitude.

⁂

Quand Alexis se surprit à lorgner la croupe tombante et la maigre poitrine de Tharcile Brisson et qu'il vit les regards lubriques que posaient les hommes sur elle, il comprit qu'il serait salutaire pour leur moral et leur santé mentale d'aller à tour de rôle passer quelques jours à La Malbaie avant d'entreprendre la longue campagne de bûchage de l'hiver. Avant que s'installe la neige hivernante et que gèlent les eaux de la baie et du fjord, Thomas et sa *Sainte-Marie* feraient trois voyages à La Malbaie, emmenant chaque fois une quinzaine d'hommes, qui iraient serrer leurs femmes et leurs enfants dans leurs bras. Et ceux qui voulaient les ramener avec eux seraient libres de le faire. Encouragés à le faire, même.

Le premier « convoi » partit fin septembre. Et le 12 octobre, un vendredi, sous un gros soleil et un bon vent, la *Sainte-Marie* quittait La Malbaie pour rentrer à Grande-Baie. Thomas avait toujours aimé négocier l'embouchure du Saguenay, où il y avait énormément d'action, un jeu très rude de courants, de vents, de marées, dont la géométrie variait toujours. Il se rendrait devant Tadoussac, sur la rive gauche du Saguenay, où il prendrait sur tribord le vent du nord-ouest qui, s'il manœuvrait bien, le porterait contre le courant jusqu'aux Petites Îles et à l'anse au Cheval, peut-être même jusqu'à l'anse Saint-Jean, sans qu'il ait à tirer d'autres bordées.

Il se trouvait encore à un bon mille de Tadoussac quand les hommes à bord aperçurent un bouillonnement à la surface de l'eau, juste à l'entrée du fjord. Des baleines, sans doute, des marsouins, qui venaient en grand nombre droit vers la goélette. Mais très vite, on découvrit avec effroi qu'il s'agissait de centaines de gros billots flottants qu'emportait le Saguenay dans son furieux courant. Sans chercher à comprendre ce qui s'était passé, mais pressentant le pire, Thomas vira de bord et se laissa porter par le vent et le courant du Saguenay vers le milieu du fleuve, les billots formant une longue traîne derrière sa goélette. Il dut tirer quelques bordées pour remonter un peu le courant du fleuve et se retrouver en eaux libres. Pendant tout le reste du jour, ils regardèrent les billots sortir du Saguenay par centaines et prendre le large.

Tous avaient compris ce qui s'était passé : l'estacade de l'anse Saint-Jean avait cédé, et tous les grands pins rescapés de la tuerie d'arbres, ébranchés, charroyés, sciés et équarris, étaient emportés par les courants.

Quand le jour se leva, quelques billots épars dansaient encore sur les flots. La goélette put cependant atteindre l'anse Saint-Jean avant la tombée de la nuit. La dizaine d'hommes que comptait l'établissement étaient massés sur le quai, silencieux, atterrés. Deux jeunes garçons aidèrent Thomas à s'amarrer. Puis Thomas s'avança sur le quai, entre ces hommes taciturnes qui semblaient être restés là, debout, à contempler le désastre, depuis la veille au matin. Vraisemblablement, personne n'avait rien fait d'autre. Thomas se dirigea vers Adjutor Morin, le chef de chantier. Celui-ci avait les traits tirés, les yeux rougis. En voyant Thomas, il fit de grands gestes d'impuissance, il ouvrit la bouche, mais aucun son n'en sortit. Puis il fit violemment de la tête des signes de dénégation. Et il se mit à pleurer. Thomas resta près de lui, la tête basse, au bord des larmes lui aussi.

« Tu sais pas le pire, dit finalement Adjutor. Tu sais pas le pire, mon Thomas. »

Thomas ne pouvait imaginer ce qui pouvait être pire que ce qu'il avait sous les yeux : les deux longues branches de l'estacade flottant mollement dans le courant comme deux bras grands ouverts ne retenant plus rien.

Un jeune garçon entraîna Thomas sur l'une des branches de l'estacade. Il n'eut pas besoin de parler. Thomas se rendit compte qu'à vingt pas de là, la cheville liant la mortaise au tenon de l'autre branche avait été enlevée et posée de travers sur le dernier tronçon. En entendant les jurons de Thomas, les hommes qui rentraient avec lui à Grande-Baie s'engagèrent l'un après l'autre sur l'étroite jetée. Craignant une bousculade, Thomas leur ordonna de retourner sur leurs pas.

Il était atterré. L'estacade n'avait pas cédé à la pression, elle avait été de toute évidence déverrouillée intentionnellement par une main criminelle. D'ici quelques jours, le navire des Entreprises Price arriverait à l'anse Saint-Jean pour embarquer les billots rescapés de la tuerie d'arbres ; il repartirait finalement à lège. Price exigerait sans doute un dédommagement, que la Société serait bien incapable de lui verser. Et elle s'endetterait encore davantage auprès de lui. Comme l'avait fait McLeod. Price deviendrait, plus tôt que prévu, le véritable maître des lieux. C'était ce que Thomas avait toujours craint ; c'était ce que son père, pestant contre Alexis quand celui-ci gérait les moulins des Entreprises Price, avait toujours dit.

Thomas songea à la peine qu'il infligerait à Alexis en lui apprenant cette terrible nouvelle. Et à tous ces hommes qui se désâmaient à Grande-Baie et aux alentours.

Tous accusaient Kakouchak, évidemment. Certains cependant disaient que les Chiens malfaisants de McLeod pouvaient très bien avoir fait le coup.

« Le pire, c'est que ça arrange tout le monde, concluait Adjutor Morin, le chef de chantier. Tous nos malheurs font le bonheur des autres, de tous les autres : les Sauvages, McLeod, la Hudson's, Price. Même si c'est pas lui qui a fait ça, c'est encore lui qui va en profiter le plus. »

Thomas regarda au loin les hautes falaises où était encaissé le fjord, comme s'il espérait repérer, quelque part dans cet immense paysage, l'ennemi. Qui était-il ? Où était-il ?

Automne 1838
L'anse aux Foins

Michel

Il faisait encore nuit noire quand François, au sortir de la baie des Ha ! Ha !, sentit que le courant du Saguenay qu'accompagnait un petit vent d'ouest s'était emparé de son canot. Il dut quand même avironner ferme pour contrer la marée montante. Deux heures plus tard, il accostait dans cette anse herbeuse où son oncle avait commencé à se faire un coin de terre. Michel avait quitté Grande-Baie quelques jours plus tôt avec l'intention de n'y revenir qu'une fois la neige bien installée, juste avant que les glaces empêchent toute circulation sur le Saguenay ; il entreprendrait alors, avec ses hommes et ses chevaux, le transport des grumes vers la rivière des Ha ! Ha ! et le long des chemins de charroi, d'où elles flotteraient ou seraient transportées en bobsleigh jusqu'au bassin qu'on avait aménagé à l'embouchure de la rivière.

François échoua son canot au fond de l'anse, entre les joncs, près de celui de Michel et face au campe qu'ils avaient construit ensemble, lors de leurs sorties dominicales de l'été et du début de l'automne. Avant même de mettre pied à terre, il sentit que quelque chose de grave s'était produit. Gaspard, le labrador de Michel, d'habitude si exubérant, était resté couché au haut de la grève. En approchant, François vit qu'il était gravement blessé : il avait la gueule en sang et semblait avoir les reins brisés. Il fit entendre une longue plainte quand il tenta de se dresser sur ses pattes de devant. François retourna à son canot chercher son fusil et s'avança vers le campe sans chercher à dissimuler sa présence ou à atténuer le bruit de ses pas. Si quelqu'un se trouvait là, il l'avait certainement vu venir. Il vit une pelle ronde étendue par terre. Et juste devant l'entrée du campe, ce qui lui sembla être des traces de sang, beaucoup de sang. En approchant, il perçut une odeur étrange, un mélange de paille, de laine, de plumes, de bois brûlés. La porte du campe était légèrement entrouverte ; il la poussa du pied. Avant d'entrer, il appela.

« Michel ! »

Il n'y eut pas de réponse. Il jeta un regard tout autour, derrière lui, de chaque côté du campe. Il ne vit personne. Il entra. Il remarqua tout de suite, même si l'ameublement des lieux était extrêmement sommaire, qu'il y avait des traces de lutte et de saccage. Le petit poêle de fonte avait été renversé, ses cendres répandues à la grandeur du campe. La paillasse n'était plus qu'une mince couche de cendre couvrant le châlit ; les quelques vêtements de rechange qu'avait Michel étaient à demi consumés par le feu. Il y avait plusieurs foyers d'incendie. Et par terre, encore beaucoup de sang.

Gaspard s'était traîné derrière lui, tremblant. Mais il ne put suivre François quand celui-ci se rendit au fond de l'anse, où il trouva des traces de pas qui conduisaient tout droit à la falaise. Il n'y avait pas vraiment de sentier, juste une trouée désordonnée à même le sous-bois de l'épaisse forêt où, en voyant des branches cassées et des galets renversés, François se dit encore une fois qu'il y avait eu de la bagarre. Les Sauvages, pieds nus ou chaussés de mocassins, marchaient dans le bois, même dans le bois le plus dense, sans y laisser la moindre trace, sans y faire le moindre bruit. François conclut que son oncle Michel avait été fait prisonnier, et qu'il s'était débattu pendant qu'on l'emmenait. Ses ravisseurs cherchaient sans doute à rejoindre un sentier là-haut, le sentier qui longeait le fjord depuis Tadoussac et qu'il avait lui-même emprunté l'hiver précédent pour se rendre à Chicoutimi. Entre le fleuve et le lac, les Sauvages voyageaient en effet à pied tout autant qu'en canot.

François retourna au campe. Gaspard avait de l'écume rougeâtre sur la gueule. Il le prit dans ses bras et le porta sur la pointe aval de l'anse, près du cap Bas, où il le déposa parmi les joncs. Il sortit son couteau, pensant l'achever. Il en fut incapable. La bête le regardait de ses grands yeux effarés. François le connaissait depuis des années, il l'avait vu grandir, jouer, se battre. Il avait maintes fois chassé avec lui. Il savait de plus que Michel, qui ne s'en séparait jamais, serait inconsolable de sa mort. Quand il s'éloigna, Gaspard se mit à couiner, il se traînait péniblement parmi les joncs. François revint vers lui son fusil à la main. La détonation remplit tout l'espace et resta figée, énorme masse sonore écrasant tout autre bruit. François s'assit sur la pointe de l'anse, ravalant sa rage et sa peine.

Plus tard, il enterra Gaspard, là même où il était mort. Il revint vers le campe. Pendant qu'il réfléchissait à ce qu'il importait de faire, il redressa le petit poêle de fonte, nettoya le plancher, porta dans le campe la viande fumée, les sacs de pois séchés, de thé, de farine, qu'il avait apportés pour Michel. La poudre et les plombs, de même que les deux pièges à renard et les trois pièges à castor qu'il apportait, il les laissa à l'avant de son canot, où ils faisaient contrepoids. Le soleil était bien haut dans le ciel quand il poussa son embarcation dans la baie de la Descente des Femmes.

Les lieux étaient totalement déserts. Quelque chose qu'il n'aurait su définir le retenait de mettre pied à terre. Il maintint son canot en mouvement dans l'eau vive, cherchant des yeux, au creux de l'étroite vallée qui s'enfonçait dans la montagne, un signe, quelque indice. Le faible vent était tout à fait tombé. Rien ne bougeait, pas même les hautes têtes des grands pins qui couvraient les versants, ne laissant çà et là que quelques pans de roche à découvert auxquels s'accrochaient des touffes de genévrier et de petits cèdres rouges au milieu desquels, ouvrant le paysage comme une longue et vive blessure, un torrent tombait de la falaise, se perdait sous les frondaisons et venait traverser, devenu tout doux, tout sage, le fond de l'anse, pour aller se jeter dans le Saguenay. Et tout était étrangement calme et silencieux. Trop peut-être.

François allait pousser son canot sur la berge quand il aperçut un objet flottant que le courant portait lentement vers lui. Il crut d'abord qu'il s'agissait d'un homme, bras en croix, un couteau planté dans le dos, sa longue chevelure déployée par les vaguelettes autour de sa tête, un Sauvage, vraisemblablement. En approchant, il constata que ce n'était qu'une touffe de fougère et de genévrier arrachée aux berges. Il ne put cependant se défaire de la sinistre impression qu'avait laissée en lui sa première vision.

Toujours assis dans son canot, tout près du fond de la berge, où venait mourir le courant, il se laissa couler dans une rêverie inquiète, tentant de chasser de son esprit les horribles images qui l'avaient assailli. Quelque chose clochait dans ce paysage, une erreur, une fausse note brisant l'harmonie des lieux.

Et soudain, il comprit. Juste devant lui, sur la plage, il vit, entre les joncs, bien claire, bien nette, la marque laissée dans le sable blond par la pince d'une barque qu'on avait échouée là, tout récemment. Les Sauvages n'utilisaient jamais de barque, ni de chaloupe. Dans ce vaste pays qui était le leur, mieux valait en effet voyager léger, et sans bruit. Tout chez eux était éphémère, mobile et léger : leurs canots, leurs raquettes, leurs maisons, leurs armes, leurs outils, leurs vêtements. Ils pouvaient ainsi être toujours en mouvement. Et partout où ils allaient, ils savaient trouver de quoi se vêtir, s'armer, s'outiller, se nourrir, se soigner. Ils savaient marcher en forêt sans être vus ni entendus, sans laisser de traces. Ils pouvaient toujours portager leurs canots, leur tente, leurs armes et leurs outils ; ils pouvaient partout les réparer ou même les remplacer, s'en fabriquer de nouveaux, avec des matériaux, racines, écorces, qu'ils trouvaient ou cueillaient, ou os, dents, peaux des animaux qu'ils abattaient, partout sur leur chemin.

Plus haut, sur la plage, après qu'il se fut résolu à y tirer son canot, François repéra des empreintes de bottes, certaines démesurément grandes. Des Blancs étaient donc venus à la Descente des Femmes, ce lieu sacré que de tout temps s'étaient réservé les

Montagnais de la bande des Porcs-Épics. Il entra, hésitant, sous les grands arbres dont les fûts se dressaient, bien droits, vertigineusement hauts, formidables colonnes soutenant l'immense voûte d'un vert très profond qui tamisait la lumière du soleil et au travers desquelles ses regards se perdaient dans des allées de grande obscurité, où il crut apercevoir des formes pâles s'agiter, s'enfuir sans bruit.

Il marcha lentement, attentif et inquiet, jusqu'à l'emplacement où vraisemblablement les Sauvages posaient leur campement, un grand replat dominant le fjord derrière lequel un sentier bien net partait à l'assaut de la montagne. Là encore, il vit les empreintes de bottes des Blancs. Ils étaient trois, selon lui, dont un homme sans doute de très grande taille et très lourd, à en juger par l'espace entre ses pas, les dimensions et la profondeur de ses empreintes. Il pensa à Peter McLeod, l'agent de la Compagnie de la Baie d'Hudson, cet homme qui se disait à la fois blanc et sauvage, qui parlait aussi bien le français que l'anglais et le montagnais, qui prétendait être le plus pur produit de ce pays et avoir par conséquent tous les droits.

François n'était pas aux funérailles de son grand-père Ange, décédé l'automne précédent. Mais on lui avait souvent raconté comment, ce jour-là, son oncle Michel avait apostrophé McLeod à l'auberge Chaperon, qu'il avait lancé Gaspard sur lui et que le Métis, blessé à la main, mais surtout dans son orgueil, avait juré de se venger. Mais pourquoi l'aurait-il fait maintenant ? Et pourquoi serait-il venu ici ? Était-ce avant ou après être passé à l'anse aux Foins ? Mille questions se bousculaient dans la tête de François. Pourquoi les Sauvages n'étaient-ils pas là ? Qu'étaient venus faire chez eux ces hommes blancs ?

Il suivit le sentier qui longeait la petite rivière ; bientôt, celle-ci s'agitant, celui-là devint très raide. Il montait certainement rejoindre cet autre sentier qui courait sur les crêtes, entre Tadoussac et le lac Saint-Jean. Ayant remarqué que les Blancs n'avaient pas laissé de traces sur ce sentier, François renonça à le suivre et redescendit vers le campement et son canot. Il retournerait à l'anse aux Foins et suivrait les traces laissées là-bas par les ravisseurs de Michel.

Il lui fallut plus de trois heures pour remonter le courant, sans pouvoir prendre le moindre repos ; entre les deux anses, celle des Foins et celle de la Descente des Femmes, la paroi de granite très lisse ne permettait nul accostage, sauf dans de petites criques très étroites et peu profondes. En cherchant bien, il retrouva, non sur la plage ni parmi les joncs et les foins, mais autour du campe et au pied de la falaise, les mêmes empreintes de bottes que celles qu'il avait découvertes à la Descente des Femmes. Dès lors, il n'eut plus beaucoup de doutes : Peter McLeod, accompagné de deux de ses Chiens, avait déverrouillé l'estacade de l'anse Saint-Jean, profané le lieu sacré des Sauvages et fait Michel prisonnier. Celui-ci était un formidable bagarreur. Trois hommes de taille normale n'auraient pu en venir à bout. D'autant plus qu'il avait avec lui son fidèle Gaspard.

La nuit tombait, froide et noire. Comme son grand-père, qui avait acquis cette habitude du temps qu'il fréquentait les Sauvages, François ne prenait, lorsqu'il était dans les bois, que deux repas par jour ; le matin, dès qu'il ouvrait l'œil, et le soir, quand le travail, marche, portage, bûchage, chasse ou avironnage, était terminé. Alors, la faim venait, subite, pressante et exigeante.

Il raccorda le poêle à son tuyau, le nourrit de bois sec et prépara la banique, qu'il mangea bien vite avec de la viande fumée, assis sur le pas de la porte ouverte. Il éteignit la lampe à l'huile et laissa mourir le poêle. Son fusil entre les bras, il s'étendit sur le châlit, qu'il avait recouvert de branches de cèdre fraîches. Il partirait au matin sur les traces de Michel, ils trouveraient McLeod et ses Chiens, ils leur feraient payer cher ce qu'ils avaient fait.

Des images lui vinrent en tête alors qu'il sombrait dans le sommeil, lumineuses et heureuses, celles de ces Métis, ces hommes libres et insouciants qu'il avait croisés parmi les cageux en ce beau jour de l'automne dernier, quand tous les rêves étaient encore possibles. Ils sautaient ensemble, encore et encore, les rapides du Long-Sault. C'était avant la mort de Marie, de Judith, de Julien, avant le grand, le terrible désastre de Saint-Eustache, avant la mort d'Eucher, avant la mort du grand-père Ange…

❧

Il se réveilla en sursaut, avec encore en tête une voix familière qui, dans son rêve, l'avait appelé par son nom.

« François ! »

Il s'assit sur le châlit, son fusil entre les mains. Il faisait grand jour.

Il s'approcha de la porte qui donnait sur la grande rivière. La voix résonnait encore dans ses oreilles.

« François ! »

Il sortit. Sans s'éloigner du campe, il scruta longuement le paysage, du côté de la rivière d'abord. Puis il se tourna vers la forêt. Il vit clairement une ombre s'agiter entre les arbres. Comme il épaulait, la voix se fit encore entendre.

« Tire pas, c'est moi ! »

François abaissa son arme. Michel sortit de sous le couvert des arbres et s'avança vers lui en claudiquant. Il était couvert de boue, de sang. Il avait les yeux tuméfiés, les lèvres fendues, de profondes coupures à l'arcade sourcilière.

Il entra dans le campe, regarda à gauche et à droite.

« Je vois que t'as fait le ménage ! »

Il s'étendit sur le châlit. Et s'endormit.

François passa une partie de la journée assis devant le campe, son fusil à portée de la main. Quand le soleil commença à décliner, il mit de l'eau à chauffer pour que Michel, à son réveil, puisse laver ses blessures et manger un peu.

Quand il émergea de son long sommeil, Michel ne pensait pas à ses blessures mais à Gaspard, qu'il chercha des yeux avant de demander à François, inquiet déjà, pressentant le pire, où il était. Alors François lui raconta qu'il avait trouvé Gaspard la mâchoire et le dos brisés. Et qu'il avait choisi d'abréger ses souffrances.

Ils restèrent silencieux un long moment. Michel se rendit à l'endroit où Gaspard était enterré. Il lui parla, des larmes plein la voix. Puis François prépara à manger.

Plus tard, la nuit venue, Michel lui raconta ce qui s'était passé.

❧

« J'ai cru qu'ils étaient tombés du ciel », dit-il.

Il s'était éloigné du campe avec une bêche et une pelle ronde, et avait entrepris de détourber un coin de terre où il voulait faire un potager l'été suivant.

À plusieurs reprises, Gaspard avait aboyé, mais Michel avait pensé chaque fois que quelque bête, un chevreuil ou un ours, rôdait dans la forêt voisine, et il ne s'était pas inquiété. Il travaillait avec plaisir.

Ils avaient déboulé de la falaise au milieu de l'après-midi, trois hommes, dont un monstrueusement grand, un petit râblé, chauve, complètement édenté, qui seul portait un fusil, et un véritable paquet d'os, surnom dont il l'affubla immédiatement, portant un long manteau de cuir dépenaillé qui lui battait les chevilles. Ils se tenaient tous deux de chaque côté du géant.

Michel avait imprudemment laissé son fusil appuyé contre le mur du campe, juste à côté de la porte d'entrée. Il avait vu Paquet d'os courir pour s'en emparer et savait qu'il ne pourrait le rattraper. Alors, il était allé vers les deux autres, sa pelle ronde à la main, Gaspard à ses côtés.

« Je me suis arrêté sec quand j'ai reconnu le géant qu'on avait fait prisonnier l'été passé et qu'on pensait mort noyé.

— Clément !

— Le gros Clément. Il est toujours en vie, figure-toi. Le gros Clément, avec deux gars que j'avais jamais vus. »

Celui qui était resté près du géant, le chauve édenté, avait dit à Michel qu'il n'avait pas le droit d'être là, que cette terre appartenait à la Compagnie de la Baie d'Hudson, dont ils étaient les représentants. Et qu'ils étaient venus lui dire de quitter les lieux.

« Cette terre-là est à moi, avait répondu Michel, très agressif. C'est moi qui l'ai faite. »

Clément avait souri d'un air satisfait, méchant, savourant sans doute le plaisir qu'il aurait à écraser Michel, vers qui il s'avançait d'un pas ferme. Gaspard avait bondi et l'avait mordu au bras droit. Clément, toujours souriant, l'avait fait tournoyer au-dessus de sa tête, puis projeté violemment sur le sol. Il l'avait frappé au corps et à la tête à grands coups de pieds. Gaspard était resté étendu sur l'herbe, inerte, là bouche en sang. L'édenté, qui assistait à la scène, avait fait entendre un gloussement qui avait infiniment déplu à Michel. Pivotant sur lui-même, il lui avait asséné un coup de pelle sur le côté de la tête. L'homme était tombé comme une masse.

« Double erreur de ma part, avoua Michel. J'aurais dû le frapper au cou, avec le tranchant plutôt qu'avec le plat de la pelle. L'animal serait mort sur place, à moitié décapité. Et j'aurais mieux fait de frapper Clément en premier. »

Quand Michel s'était tourné pour frapper ce dernier, il était trop tard. Clément avait vu venir le coup et s'était emparé de la pelle. « D'une main, précisa Michel, presque admiratif. Il m'a soulevé de terre d'une seule main, avant que j'aie pu lâcher le manche. J'ai juste eu le temps de me pencher, j'ai senti la pelle passer à deux doigts de ma tête. Et lui, il était plus efficace que moi, il frappait pour tuer, avec le tranchant. »

Roulant sur lui-même, Michel s'était emparé dans son mouvement de l'homme qu'il venait d'assommer, et il s'en était servi comme bouclier, le couchant sur lui. La pelle qu'avait de nouveau brandie Clément s'était enfoncée si profondément dans la poitrine de l'homme qu'elle était restée plantée solidement entre ses côtes. Et quand Clément avait voulu l'en retirer pour frapper de nouveau, le corps tout entier avait été soulevé, secoué, jusqu'à ce qu'il parvienne à en extirper la pelle. Profitant de l'hébétude du géant, qui réalisait l'erreur qu'il avait commise, Michel s'était relevé, dégoulinant de sang. Tenant toujours le cadavre à bras-le-corps et laissant sur le sol une traînée de viscères sanguinolents, il avait reculé de quelques pas, jusqu'à se trouver sur le seuil du campe, où l'autre homme de Clément, Paquet d'os, avait entrepris de tout saccager.

En apercevant le corps éviscéré de son compagnon dans les bras de Michel, celui-ci avait poussé un cri de stupeur. Michel avait plaqué son sinistre fardeau contre lui et l'homme était tombé à la renverse, sa tête heurtant durement la bavette du poêle, en même temps que le canon de son arme qui, sous son poids combiné à ceux du cadavre et de Michel, s'était détaché de la crosse. Du sang avait jailli de la bouche du Paquet d'os, dont l'œil, exorbité, noyé de sang, avait une étrange fixité, sous l'arcade sourcilière brisée. Les deux hommes de Clément étaient restés ainsi, inanimés, étroitement embrassés. Michel avait rampé vers la sortie, s'était emparé de son fusil, que Paquet d'os avait laissé contre le mur, tout près de la porte, et avait tiré, sans viser. Clément avait reçu la décharge dans le haut de la cuisse. Mais il était déjà sur Michel, qui n'avait pas eu le temps de réarmer son fusil. Il avait à peine conscience qu'on le lui avait arraché des mains. Il avait reçu un formidable coup sur la tempe. Il n'avait pas vu venir le second, tout étant déjà devenu noir.

« Et après ? » demanda François.

Un nuage de fumée opaque flottait au-dessus de Michel quand il était revenu à lui. Heureusement, les feux que Clément et son homme avaient allumés aux quatre coins du campe s'étaient rapidement épuisés après avoir consumé la paillasse et quelques vêtements, et ils étaient trop faibles pour s'attaquer au bois encore vert du plancher et des murs.

Ayant repris ses esprits, Michel avait rampé lentement vers l'extérieur du campe. Il avait alors aperçu les deux agresseurs, qui s'étaient laissés choir au pied de la falaise, espérant refaire leurs forces et regarder flamber le campe où, croyaient-ils, Michel gisait, inconscient, peut-être déjà mort, tué par les coups de Clément ou asphyxié par la fumée.

Quand il l'avait vu sortir du campe, Paquet d'os avait tiré sur lui deux fois, coup sur coup, sans l'atteindre. « Cette fois, c'est eux qui ont fait une erreur », dit Michel. D'abord, le tireur était trop éloigné ; il ne l'aurait pas vraiment blessé, même s'il l'avait atteint. Et Michel savait qu'ils n'avaient pas d'autres munitions ; ils s'étaient emparés de son fusil, mais pas de ses munitions, qui se trouvaient toujours dans son canot. Seule la peur avait pu les pousser à agir ainsi, s'était-il dit.

Lui, par contre, avait une arme dont il avait bien l'intention de se servir : une fourche à trois branches en acier trempé, une vraie fourche de forgeron qui se trouvait à portée de main. Faisant le mort, il avait attendu, il s'était reposé, comme eux. Il les avait vus du coin de l'œil, tous deux éclopés, se relever péniblement pour entreprendre l'ascension de la falaise. Clément grimpait à quatre pattes ; l'autre se tenait la tête à deux mains.

Plus tard, après avoir estimé qu'ils devaient être rendus à mi-falaise et qu'il pourrait les atteindre rapidement parce qu'ils étaient tous deux blessés, Michel était parti, sa fourche à la main, sans penser que de l'intérieur de la forêt ils pouvaient facilement le voir venir. Ils s'étaient embusqués en haut de la falaise. Quand il était arrivé à leur hauteur, ils l'avaient frappé tous les deux en même temps ; Paquet d'os lui avait lancé une pierre qui l'avait atteint à l'épaule, et le gros Clément lui avait balancé un coup de pied en pleine poitrine. Il avait déboulé, sa fourche à la main, entre les maigres arbres qui s'accrochaient au roc. Il était resté coincé une partie de la nuit dans un massif de thuyas.

« J'ai plutôt mal dormi », dit-il.

Et il eut un petit rire. Puis il pleura encore en parlant de Gaspard.

« Comment savais-tu que j'étais ici ? demanda François.

— J'ai vu ton canot à côté du mien. Je t'ai appelé.

— Et le mort ?

— Aucune idée. Je pense qu'il n'était plus là quand j'ai repris connaissance. Le gros Clément et son Paquet d'os l'ont sûrement pas emporté avec eux. Ils ont dû le jeter à l'eau. Les poissons l'ont probablement déjà mangé. »

∽

Avant de dormir, ils firent des plans pour le lendemain. Dès l'aube, ils partiraient en canot vers l'amont du Saguenay, jusqu'en face de Chicoutimi, où aboutissait le sentier que Clément et son homme de main devaient avoir emprunté. Ils avaient une bonne journée d'avance, mais dans leur état ils ne devaient pas avancer bien vite. Avec un peu de chance et l'aide de la marée montante, qui allégeait considérablement le courant du Saguenay, Michel et François seraient là avant eux. Ils les attendraient, embusqués. Et, comme le disait Michel, ils leur feraient un sort bien mérité.

Ils ne purent s'embusquer. Ils approchaient, en fin de journée, de la confluence des rivières et du sentier quand ils aperçurent les deux hommes qui s'apprêtaient à mettre un canot à l'eau dans le but de traverser à Chicoutimi. Ils avaient dû marcher une bonne partie de la nuit, ce qui, dans leur état, avait de quoi soulever l'admiration, car ils semblaient tous deux fort mal en point. Une grande tache de sang ruisselait sur la cuisse du géant ; quant à l'autre, il avait le visage si enflé qu'on distinguait à peine ses yeux.

Quand il les vit approcher, Clément ramassa une roche grosse comme la tête d'un homme et la lança vers eux. D'un rapide coup d'aviron, François put l'éviter ; Michel ne vit pas venir la roche, qui tomba presque au milieu de son canot, et celui-ci coula sous lui en un rien de temps. Il nagea vers le canot de François pendant que Clément courait en claudiquant sur la grève, une autre roche à la main. Voyant que François ne parvenait pas à s'éloigner, Michel lâcha prise et plongea. Dès qu'il refit surface, Clément lui lança sa roche, qui l'atteignit à l'épaule. En même temps qu'il entendit le cri de douleur de son oncle, François vit l'avant de son canot se déchirer sur une pointe rocheuse. Il put cependant, en quelques coups d'aviron, s'échouer sur la grève. Mais déjà, le gros Clément courait vers lui, malgré sa blessure et la douleur, qui le faisait grimacer. Il tomba plusieurs fois, mais eut le temps de refermer son énorme main sur la cheville de François, qu'il retint fermement en reprenant son souffle. François vit son visage hideux tourné vers lui, sa main libre qui cherchait à tâtons une autre roche avec laquelle il tenterait de l'assommer, de le tuer. Il se tourna et étira le bras pour prendre son fusil à l'arrière du canot ; il fut incapable de l'atteindre. Puis il aperçut le piège à renard resté au creux de la pince avant du canot, où il servait toujours de contrepoids ; il s'en saisit, pivota sur lui-même, appuya le fond du piège sur son genou, en écarta les mâchoires des deux mains et le poussa, grand ouvert, contre la figure du géant, qui fit entendre un cri de douleur et d'horreur. Le piège, dont François avait lâché les mâchoires, s'était refermé sur le côté de sa tête, lui arrachant l'oreille et lui lacérant profondément le cuir chevelu. Le géant roula sur la grève, hurlant, tenant sa tête à deux mains, le sang giclant entre ses doigts.

François aperçut Michel qui, trop fatigué, incapable de lutter, se laissait emporter par le courant. Blessé à l'épaule, portant de lourdes bottes et des vêtements de laine imbibés d'eau, il peinait à se maintenir à la surface et ne parvenait pas à se rapprocher du bord. François se déshabilla, sauta à l'eau et ramena son ami à terre. Paquet d'os se tenait toujours debout sur la grève, hébété, sans doute trop brisé de fatigue et de douleur pour entreprendre quoi que ce soit. Il ne semblait pas vraiment savoir où il se trouvait. Il avait laissé tomber le fusil qu'il avait pris l'avant-veille à Michel et tendait les bras devant lui, balayant l'air comme un aveugle, appelant Clément d'une voix étonnamment aiguë. S'approchant de lui, François remarqua qu'en plus d'avoir l'arcade sourcilière défoncée, il avait eu la bouche brisée et avait perdu plusieurs dents. Après qu'il eut repris son souffle, Michel marcha vers lui et de son bras valide l'assomma net. François s'empara de son arme. Puis il fouilla les poches de Paquet d'os, y trouva de l'étoupe, un silex. Il fit un feu, près duquel Michel mit ses vêtements à sécher et se réchauffa.

De temps en temps, Clément semblait revenir à lui ; il rampait alors sur les galets, faisait quelques pas à genoux, en geignant. À deux reprises, il ramassa de gros galets mais fut incapable de les lancer. Quand sa main s'écartait de sa tête, son oreille et un grand pan de cuir chevelu pendaient mollement sur son épaule. Le corps de Paquet d'os, toujours inconscient, était par intermittence secoué de soubresauts nerveux. Michel et François ne parlaient pas. Chacun pensait à ce qui était à faire, se demandant lequel des deux les achèverait d'une balle dans la tête. Sans s'être consultés, ils mirent le canot à l'eau, abandonnant Clément et Paquet d'os à leur sort. Ils étaient tous deux gravement blessés. La nuit allait bientôt tomber. Un loup viendrait, un carcajou peut-être ou un ours.

Le canot glissa doucement dans le courant qu'accompagnait le jusant. Il restait encore un peu de clarté dans le ciel quand ils entrèrent dans la baie des Ha ! Ha !. Bien que perclus de fatigue, affamés et transis, les deux hommes étaient fiers de leur coup. Ils avaient défendu leurs biens avec succès.

Sa Sainteté posa un cataplasme chaud sur l'épaule de Michel, qu'il immobilisa au moyen d'une attelle. Dans le grand campe, les deux Simard racontèrent leurs aventures. Ayant compris que Clément et Paquet d'os gisaient, gravement blessés et sans armes, sur la grève de galets, quelques hommes furent pris de pitié. La nuit d'automne était froide, sans lune ; Sa Sainteté émit l'idée qu'on ne pouvait, en bons chrétiens, les abandonner ainsi. Il parla de miséricorde et de compassion, et rappela que les plus grands pécheurs, frappés par la grâce, se repentaient parfois. Michel pensa à Gaspard, à son campe incendié, à son épaule cassée ; il crut bon de prévenir son grand frère qu'il lui casserait la gueule s'il ne la fermait pas.

Clément avait démontré hors de tout doute que ses hommes et lui étaient capables de tuer. Fort probablement qu'il avait lui-même brisé l'estacade de l'anse Saint-Jean. Mais pour qui travaillait-il ? Qu'était-il allé faire à la Descente des Femmes ? Agissait-il de la part de McLeod ? Et celui-ci était-il vraiment associé à Kakouchak, comme l'avait laissé entendre Jude Lamarche ?

Plus que jamais François voulait rencontrer Kakouchak et lui parler. Il savait maintenant que ce n'était pas lui qui avait mené cette attaque à l'anse aux Foins. Ce n'était probablement pas lui non plus qui avait déverrouillé l'estacade de l'anse Saint-Jean. Mais Kakouchak, son ami d'enfance, avait fait un pacte avec McLeod, qui lui donnait des armes. Il était, d'une certaine manière, associé à Clément. Et, jusqu'à un certain point, solidaire de ses actes.

La Malbaie

Philippe

Laurence passait l'automne, à La Malbaie, entourée de femmes. Plus d'amour, plus de peine, pensait-elle. Qu'un ennui profond où elle se laissait couler tout doucement, engourdie, passant parfois des jours entiers sans mettre le nez dehors, laissant de nouveau le désordre grandir et s'imposer autour d'elle.

Certains jours, elle se disait : « Je ferai comme Constance, je me tiendrai le plus loin possible de l'amour. » D'autres jours, elle pensait : « Quel dilemme absurde ! L'amour est peut-être ce qu'il y a de plus beau et de plus grand dans la vie. Et c'est ce qu'il faudrait fuir ? »

Elle s'était remise au violon et à la lecture, sans beaucoup de plaisir, pour s'occuper. Elle avait repris ses visites chez la veuve Ange et ses sorties avec Constance, elle fréquentait les sœurs Dallaire de temps en temps. Et ensemble, elles faisaient des travaux de couture, de la broderie et du petit point pour l'église. Laurence pensait avec effroi qu'elle serait un jour une vieille femme solitaire qui passerait son temps à ressasser et à tisonner de mornes souvenirs. Elle n'aurait eu dans sa vie que des désirs, que des rêves inassouvis. Ti-Jean l'avait déçue ; elle ne l'aimait plus. C'était là sa plus grande peine : ne plus aimer.

Et pourtant, quand, un beau matin, on vit paraître la goélette de Thomas sous le cap à l'Aigle, tout lui échappa. Elle courut sur le quai comme toutes les femmes du village. Dès qu'elles virent qu'une quinzaine d'hommes se trouvaient à bord, chacune se mit à espérer que le sien se trouvait parmi eux.

Laurence n'attendait personne, bien sûr. Et elle ne voulait surtout pas que celui qu'elle n'attendait pas soit là. Elle n'avait aucune envie de le voir. Mais ses yeux, comme son cœur et comme sa raison, lui avaient échappé et le cherchaient parmi les hommes qui se trouvaient à bord de la goélette. Et quand elle réalisa qu'il n'était pas là, elle sentit de nouveau la tristesse entrer en elle. Elle vit des couples se former sur le quai. Simone Maltais, radieuse, courant vers son Aimé, Alexis serrant Modeste dans ses bras.

Thomas exhiba un paquet de lettres, « pour celles qui ont pas leur homme en chair et en os », disait-il. Quand il demanda qui pouvait les distribuer, Laurence lui prit le paquet des mains. Elle regarda tout de suite à qui chacune des lettres était adressée. Elle n'en attendait pas, bien sûr. Mais son cœur se mit à battre la chamade quand elle reconnut sur la plupart des enveloppes l'écriture de Ti-Jean, à qui les gars avaient dicté leurs mots d'amour. Elle ne voulait surtout pas qu'il lui ait écrit à elle. Elle ne voulait pas que l'amour la blesse encore. Elle passa tout de même toutes les enveloppes en revue, à deux reprises, pour bien s'assurer qu'il ne lui avait pas écrit. Et tenta de se répéter que c'était bien ainsi. Le lendemain matin, Laurence, la fille seule qui n'avait rien à faire et que personne n'aimait, sellerait son cheval et irait porter des mots d'amour qu'un homme qu'elle avait déjà aimé ou cru aimer avait écrits à d'autres femmes.

Elle rentra chez elle à pied avec son paquet de lettres sous le bras, le cœur gros, terriblement seule. Ce ne fut qu'une fois à la maison qu'elle pensa à Odulie, qui devait maintenant être enceinte de plus de six mois. Elle avait sans doute réussi à cacher son état, puisque ni Alexis, ni Thomas, ni les autres n'en avaient parlé tout à l'heure sur le quai, quand ils avaient déballé en vrac les nouvelles de Grande-Baie. À moins qu'elle n'ait fait une fausse couche, Odulie accoucherait là-haut, parmi tous ces hommes qui ne pourraient l'aider. Heureusement, Tharcile Brisson était là ; elle avait eu plusieurs enfants, elle saurait quoi faire.

Laurence avait laissé traîner les lettres sur la table de la cuisine. Elle était tentée de les ouvrir, de lire ces mots d'amour qu'avait écrits Ti-Jean à d'autres femmes qu'il connaissait à peine, qu'il n'aimait certainement pas. Car Ti-Jean n'aimait pas beaucoup de monde. Et quand il aimait, c'était d'un amour tiède et pauvre.

Au fond, elle était contente qu'il ne lui ait pas écrit. Qu'aurait-il pu lui dire ? Qu'il s'ennuyait ? Elle lui avait signifié, quand ils s'étaient vus à Grande-Baie, qu'elle ne voulait plus entendre ses plaintes et ses récriminations. Qu'il pensait à elle ? Elle ne l'aurait pas cru. Ti-Jean ne pensait jamais qu'à lui seul, à son mal, à sa situation qui ne le satisfaisait jamais, à ses rêves brisés. Ce qu'elle avait éprouvé pour lui, depuis ce soir de fête chez Thomas Simard, tenait sans doute plus de la pitié que de l'amour. Elle avait ensuite rêvé de lui si fort et si longtemps qu'elle s'était inventé un Ti-Jean qui en fin de compte avait bien peu en commun avec le vrai Jean Tremblay, à part le nom, un beau visage, une grande, trop grande, sensibilité. Le reste, la force, l'audace, la générosité, toutes ces qualités dont elle l'avait paré, il en était totalement dépourvu. Elle le savait maintenant ; elle l'avait sans doute toujours su.

Le lendemain, elle se réveilla très tôt, habitée par une joie radieuse, dont elle ignorait l'origine, mais qu'elle goûta et savoura avec grand plaisir. De la fenêtre du salon, elle regardait le fleuve couler ses eaux grises sous le ciel limpide. Le vent d'automne faisait pleuvoir des feuilles rouges et jaunes tout autour de la maison. Et de tout cela se dégageait, lui semblait-il, une parfaite, une joyeuse, une inaltérable harmonie. Elle fit de l'ordre, récura, lessiva. Vers midi, elle sella Froufrou et partit sous le beau soleil distribuer les lettres que Thomas Simard lui avait remises. Comme elle revenait du cap à l'Aigle, une grande goélette entrait dans la baie et venait accoster au quai. Laurence s'y rendit. Le père Chaperon était déjà là avec Louis-Marie, son garçon d'auberge. Ils prenaient livraison de marchandises et de fournitures qui seraient mises en magasin pour l'hiver : de gros ballots, des barils et des tonneaux, des caisses, qu'ils transportaient dans une voiture à cheval avec l'aide d'un jeune matelot. Le capitaine leur cria d'accélérer. La marée commençait à baisser, dans moins d'une heure la goélette serait sortie de la baie. Laurence descendit de cheval et entreprit d'aider au transbordement quand elle entendit son nom.

« Laurence. »

La voix venait d'une frêle et sombre silhouette qui se tenait à l'avant de la goélette. Laurence s'approcha. Elle reconnut ce garçon étrange, fascinant et inquiétant, Philippe Aubert de Gaspé, qui était passé à La Malbaie l'hiver précédent, qui l'avait tant fait rire, et qui avait fait tant de mal autour de lui. Elle fut de nouveau frappée par la saisissante tristesse qui émanait de lui. Il la regarda, un pâle et amer sourire aux lèvres, sans dire un mot, comme s'il ne voulait qu'exhiber cette tristesse, comme un drapeau, comme une arme. Elle lui demanda où il allait. Il répondit qu'il était en route pour Halifax, où il occuperait un poste d'instituteur dans un orphelinat, le Poors' Asylum. Ainsi donc, songea Laurence, Philippe avait renoncé à ses grands projets de journaliste rêvant de visiter les communautés de Canadiens à travers tout le continent. Il avait renoncé à ses rêves d'écrivain.

Elle crut qu'il lui parlerait d'Odulie et demanderait des nouvelles de Ti-Jean. Il n'en fit rien. Comme s'il savait tout, ou comme s'il ne voulait rien savoir, pensa-t-elle. Il n'ignorait sans doute pas qu'il avait semé dans le cœur de l'un et de l'autre un grand froid, une insondable et inaltérable tristesse.

Ses amarres larguées, la goélette glissa lentement vers le large où le courant la saisit et l'emporta. Et lui, il restait debout à l'avant, tout frêle, tout noir. Laurence le suivit du regard, longtemps. Quand la goélette vira de bord pour prendre le vent du large et qu'il fut sur le point de disparaître derrière la voile, il fit un grand signe de la main. On aurait dit un appel au secours. Laurence eut alors le pressentiment très net qu'elle ne le reverrait jamais, la poignante certitude que ce garçon à l'avenir prometteur, si intelligent, Philippe Aubert de Gaspé, mourrait bientôt. Parce qu'il ne voulait plus vivre, ne voulait plus se battre, ne voulait plus rêver. C'était une vie perdue, un élan brisé, un échec.

Et elle avait l'impression qu'il savait, lui aussi, il savait qu'il courait à sa perte, qu'il était perdu déjà.

Bien qu'elle ait le cœur serré en pensant à lui, elle sentait toujours rayonner en elle cette joie inattendue qui l'habitait depuis le matin. Et elle avait l'intime conviction qu'elle connaîtrait tôt ou tard un grand bonheur.

Hiver 1839
Grande-Baie

Ephrem

Le 8 décembre, fête de l'Immaculée Conception, Odulie accoucha d'un garçon fragile et maigre qu'on entendit à peine pleurer ; deux jours après sa naissance, il refusait encore le sein de sa mère. Il mourut le jour des Rois, sans que cette dernière manifeste beaucoup de peine. Tharcile Brisson, qui avait agi comme sage-femme, se désolait ; elle avait su délivrer Odulie de son enfant, mais pas de sa peine. Résimond, inconsolable, avait baptisé dès sa naissance celui qu'il considérait comme son fils Ephrem Villeneuve.

On enveloppa l'enfant dans une couverture de caribou et on le mit dans un coffre de bois, qui fut recouvert de solides madriers et d'une bonne couche de neige afin que son petit corps soit conservé au froid et protégé des bêtes sauvages. Dès qu'Odulie serait remise de ses couches, Résimond partirait avec elle pour La Malbaie, où leur enfant serait inhumé en terre bénie.

Ce pauvre Résimond n'était cependant pas au bout de ses souffrances.

Début novembre, Aimé Maltais était rentré de son séjour à La Malbaie avec une mauvaise grippe qui ne passait pas. Tharcile Brisson et Victoire Bouchard, revenue auprès de son mari à bord de la dernière goélette de l'automne, celle-là même sur laquelle avait voyagé Aimé, l'avaient soigné et avaient rapidement contracté son mal. Bientôt, ils toussaient tous les trois à s'arracher les poumons. Ils avaient de violentes poussées de fièvre, ne pouvaient garder le moindre aliment, s'affaiblissaient de jour en jour.

Aimé mourut à la mi-janvier, sans le réconfort des derniers sacrements.

Odulie, elle, revenait à la vie. Elle se rendait tous les jours dans le campe où gisaient les deux femmes malades. Elle tentait de leur faire avaler quelques gorgées d'une décoction de fleur de vinaigrier censée, selon Alphonse Simard, guérir de la grippe. Elle leur lavait le visage, nettoyait leurs vêtements. Bientôt, elle se mit à tousser elle aussi. Fin janvier, l'une après l'autre, les trois femmes moururent. Et la peur descendit sur Grande-Baie, massant ses armées tout autour des campements, sur les hauteurs, sur les glaces de la baie et dans les abattis. Chaque fois que la mort frappait, quelqu'un prétendait avoir aperçu, un peu auparavant, une silhouette quelque part dans la proche forêt, sur la rive ou même debout sur la banquise, au beau milieu de la baie, immobile, immense, un géant regardant les campes de Grande-Baie. Les hommes partis bûcher rentraient le soir en disant qu'ils avaient entendu des rires dans la forêt. Était-ce Kakouchak ? Était-ce le gros Clément encore vivant ou, pire, ressuscité d'entre les morts ? Ou quelque autre Chien de McLeod ? Ou le diable en personne ? L'un ou l'autre, c'était pareil, c'était l'ennemi. Et il était partout.

Les corps des cinq morts furent placés dans des cercueils de pin. Le 14 février au matin, toute la communauté de Grande-Baie vint saluer le plus lugubre équipage jamais réuni. La veille au soir, on avait arrimé les quatre cercueils sur de longues traînes sauvages ; on avait placé sur celui d'Odulie le petit coffre contenant le corps de son fils. Toute la nuit, les hommes s'étaient relayés pour veiller les corps et prier pour le salut des âmes des défunts.

Jusque tard dans la nuit, François avait parlé avec son père de l'avenir de la Société. Jude Lamarche l'avait informé quelques jours plus tôt qu'au train où allaient les choses, la Société des Vingt-et-un pourrait difficilement rembourser William Price et qu'elle se verrait peut-être même acculée à la faillite. Harcelés par les Chiens de McLeod et les Sauvages rebelles, les bûcherons avaient considérablement réduit leur production au cours des semaines précédentes.

« Qu'on rembourse pas Price, c'est le moindre de mes soucis, disait Thomas Simard. Ce que je trouverais terrible, c'est qu'on soit pas capable de s'établir ici. »

⁓

À l'aube, devant toute la communauté réunie, recueillie et silencieuse, les trois veufs s'attelèrent aux traînes sur lesquelles gisaient les dépouilles de leurs femmes. François à Ange, qui avait accepté de guider ce funèbre cortège, s'était chargé de celle d'Aimé Maltais. Pendant six jours, ils firent route, presque toujours en silence. Autour d'eux, qu'ils soient sur le fjord ou sur les hauteurs, tout était coulé, inerte, dans le froid le plus intense. Ils ne virent ni bête, ni fantôme, ni ennemi, ni oiseau dans le ciel, où il y avait très peu de vent. Qu'un grand vide glacé, dur comme du roc sur lequel crissaient leurs raquettes et les traînes qu'ils tiraient. Même le soir, quand ils montaient leur campement, ils ne se parlaient pratiquement pas. Ils laissaient les cercueils à une vingtaine de pas, les couvrant de neige au besoin, afin que les corps qu'ils contenaient ne souffrent pas de la chaleur du feu si douce, si réconfortante pour les vivants. À aucun moment ils ne se sentirent épiés. Ils étaient seuls, dans un monde vide, sans amis, sans ennemis. Il n'y avait plus de danger. Ils n'avaient plus peur. Les morts n'ont pas peur. Et par moments, autant le jour, quand chacun marchait perdu dans ses pensées, la tête basse, que la nuit, quand ils dormaient les uns contre les autres, il leur arrivait à tous les quatre de penser qu'ils étaient déjà morts, puisqu'ils étaient sans voix, puisqu'ils croyaient qu'ils ne finiraient jamais par arriver, qu'ils iraient toujours ainsi, tête basse, tirant la mort derrière eux.

Ils finirent pourtant par arriver à La Malbaie, au milieu du sixième jour. Comme s'ils ne voulaient pas laisser paraître leur peine devant les villageois ou parce qu'ils ne voulaient pas se séparer de l'être cher qu'ils avaient chacun porté pendant toutes ces journées, les veufs ralentirent le pas au fur et à mesure qu'ils approchaient du village, si bien que François arriva au presbytère plus de deux heures avant eux. Il entra chez le curé, à qui il remit le paquet de lettres que lui avaient confiées les gars de Grande-Baie, et il lui dit tout de suite qu'il apportait de bien tristes nouvelles ; il ignorait alors que le curé lui en donnerait de tout aussi terribles. Il remarqua cependant que celui-ci avait les traits tirés et qu'il semblait accablé.

François parla le premier. Il expliqua qu'il avait transporté le corps d'Aimé Maltais. Et que quatre autres morts, dont un nouveau-né, arriveraient sous peu de Grande-Baie. Le curé envoya sa bonne dire à Louis Martel, le bedeau, qu'il devait sonner le glas. Il fit asseoir François dans le salon du presbytère, il lui servit du thé et des biscuits à la mélasse, auxquels aucun des deux hommes ne toucha. Comme s'il ne voulait pas penser aux morts et aux veufs dont il devrait s'occuper bientôt, le curé demanda à François d'autres nouvelles du Royaume, d'Alexis, de Caille, d'Alphonse et de Thomas Simard. François ne lui parla pas de tous les dangers qui pesaient sur Grande-Baie. Il l'informa cependant que la campagne de bûchage, malgré les bonnes conditions climatiques, ne serait pas aussi productive qu'on l'avait espéré. Il ajouta que les hommes étaient fatigués et inquiets, par moments très démoralisés.

Le curé l'écouta en hochant la tête. Après un silence, il dit : « C'est partout que le monde a peur, de nos jours. » Et, pendant que sonnait le glas, il raconta à François que quelques jours plus tôt, le 15 février, douze patriotes avaient été pendus, à Montréal. Ce n'était pas la première fois. Deux autres avaient été exécutés déjà, juste avant les fêtes, puis cinq, à la mi-janvier.

Ainsi, lord Durham avait eu tort de croire que la rébellion avait été matée quand, en juin de l'année précédente, il avait libéré les prisonniers politiques ; il y avait eu un deuxième soulèvement fomenté par les patriotes qui s'étaient enfuis aux États-Unis après la bataille de Saint-Eustache. La répression avait été tout aussi violente et sanglante, sinon plus, qu'à l'automne 1837.

Le curé Pouliot qui, un an auparavant, avait été très dur à l'égard des patriotes, dont il désapprouvait les projets et les manières, affirmait maintenant que par leur mort ils rendaient leur cause juste, et faisaient la preuve que le gouvernement britannique était inique, violent, terriblement répressif. Abasourdi, tant par les nouvelles que lui apprenait le curé que par le tourment qu'il sentait dans sa voix, François avait peine à comprendre ce qu'il disait. Il écoutait distraitement le curé parler de ses regrets de n'avoir pas appuyé plus tôt la cause patriote, de n'avoir pas vu la grandeur de ce projet de libération.

« Et il est trop tard, maintenant », dit-il.

Et il se demanda s'il n'était pas en train de pécher par désespérance, s'il y avait encore des raisons d'espérer un changement. C'était comme si l'homme de Dieu se confessait à l'homme des bois. Ce qui le révoltait le plus, disait-il, c'était que ces hommes qu'on avait privés de leur vie étaient tous dans la force de l'âge, tous capables, valeureux, des hommes de bonne volonté, des notaires, des cultivateurs, des médecins, des avocats. Il récita leurs noms, Cardinal, les frères Sanguinet, Daunais, Narbonne… comme une litanie triste, désolée, que scandait le glas de l'église.

Puis, il prononça un nom qui sortit brutalement François de sa torpeur.

Chevalier de Lorimier !

François sentit alors une irrépressible colère monter en lui. Il n'entendait plus la voix du curé. Sans qu'il sache comment, il se retrouva sur la galerie du presbytère, seul, avec une formidable envie de frapper, de tout briser.

Ainsi, quelques jours plus tôt, pendant qu'il cheminait sur les glaces du fjord en compagnie des trois veufs, Chevalier de Lorimier, cet homme qu'il avait connu si vivant, si généreux, si désireux de changer le monde, avait été mis à mort. François pensa à ses enfants, à sa femme, dont il lui avait si souvent parlé ; il pensa à lui, Chevalier, si jeune encore, montant sur l'échafaud, mis à mort, exécuté, pour avoir trop ardemment désiré le bien de son pays, le bonheur et le bien-être des siens. Et François se souvint de ce que lui avait plusieurs fois répété De Lorimier pendant leur fuite de Saint-Benoît à Nicolet, qu'un jour, même si tout tournait mal pour lui, ses enfants vivraient, dans ce pays qu'il aimait tant, libres et heureux. Et voilà que François désormais en doutait.

Le curé était sorti derrière lui. Il lui demanda s'il voulait se confesser, mais François refusa en disant qu'il avait trop envie de tuer du monde, qu'il était trop triste, trop en colère. Le curé le bénit quand même, et François se signa. Ils restèrent ainsi, debout devant le presbytère, à attendre que les trois veufs arrivent. Le ciel, si bleu encore lorsque François était entré dans La Malbaie, se couvrait.

Dès qu'ils s'arrêtèrent devant l'église, où une dizaine de personnes étaient déjà massées, silencieuses et recueillies, Ulysse Brisson et Résimond Villeneuve éclatèrent en sanglots. Tous avaient compris que trois femmes étaient mortes. Et en voyant Résimond debout près de la traîne sur laquelle étaient posés un grand et un petit cercueil, on comprit également que sa femme, Odulie, avait eu un enfant; et qu'elle était morte et l'enfant aussi. « Ce qu'on sait pas et qu'on saura peut-être jamais, osa murmurer Ti-Gros Sauvageau entre ses dents, c'est qui était le père. » On fit comme si on ne l'avait pas entendu.

Le curé récita une courte prière. Et, des sanglots dans la voix, il demanda à Dieu de l'aider à trouver les mots pour annoncer à Simone que son époux était mort. C'est ainsi qu'on sut que le quatrième grand cercueil était celui d'Aimé Maltais.

☙❦❧

La Malbaie

La veuve Ange

Cette fois, plutôt que de se rendre chez sa grand-mère, où il aurait été accueilli avec joie et traité aux petits soins, François s'installa dans la maison de son père, où il n'y avait eu âme qui vive depuis des mois. Il y passa la nuit, puis toute la journée du lendemain, seul, ne faisant rien d'autre que nourrir le poêle, dormir, regarder passer les nuages par la fenêtre qui donnait sur le fleuve. Il commençait à faire nuit quand sa tante Constance vint lui dire que le souper était prêt et qu'il aurait affaire à sa grand-mère s'il n'était pas à table dans la demi-heure.

À sa grand-mère, il raconta tout, les malheurs qui s'étaient abattus sur Grande-Baie, les bagarres à l'anse aux Foins et à l'embouchure de la Shipshaw, la naissance et la mort du petit Ephrem. Elle voulait tout savoir. Il lui parla ainsi de la blessure que son fils Michel avait eue à l'épaule et de la guerre sans merci que ce dernier avait l'intention de mener contre McLeod, Price, Kakouchak et même contre le gros Clément, s'il n'était déjà mort.

« Et toi, l'interrompit la veuve Ange, à qui as-tu l'intention de faire la guerre ? »

François ne répondit pas.

« Dis-toi une chose, mon garçon, ajouta sa grand-mère, ton Kakouchak, s'il était ton ami quand vous étiez petits, peut pas être devenu ton ennemi. Continue de le chercher. Tu vas finir par trouver.

– Peut-être qu'il veut pas que je le trouve. »

De tous les ennemis de la Société des Vingt-et-un, le jeune chef Kakouchak était certainement le plus mystérieux. On savait ce que voulaient McLeod et ses Chiens. Personne n'ignorait où se trouvaient les intérêts de Price et de la Compagnie de la Baie d'Hudson. On avait toujours su à quoi s'en tenir avec le gros Clément. Tous s'étaient clairement manifestés. Kakouchak, lui, restait insaisissable, invisible. En fait, on ne le connaissait que par ouï-dire. Jusqu'à ce que Jude raconte qu'il l'avait rencontré à Rivière-Noire, chez Peter McLeod, certains avaient même douté de son existence, prétendant qu'il n'était qu'une légende inventée par ce vieux fou de Siméon. Et il y en avait pour croire encore que Jude était un affabulateur ou, pire, un suppôt de McLeod, qui faisait tout pour déstabiliser et démoraliser les gens de Grande-Baie.

« Moi, je suis sûre d'une chose, dit encore la veuve Ange. Vous avez besoin des Sauvages pour venir à bout de la Compagnie de la Baie d'Hudson.

– Mais Kakouchak a fait un pacte avec McLeod, qui lui donne des armes.

– Justement. Faut que tu le trouves et que tu lui fasses comprendre qu'il se trompe. Sinon vous allez tout perdre. Et lui aussi. »

François savait qu'elle avait raison. Tant et aussi longtemps que durerait cette union des Sauvages et des Chiens de McLeod, la Société des Vingt-et-un serait en position de faiblesse au Saguenay. Il fallait briser ces liens. Il allait donc retourner là-haut, non seulement pour échapper à la police, mais aussi pour retrouver ce Kakouchak, comme il avait promis de le faire.

Le lendemain, il accompagna sa grand-mère et sa tante aux funérailles. Mis à part Ti-Gros Sauvageau, Étienne Dallaire, qui tenait la ferme de son père, Louis Martel, le bedeau, que ses fonctions et son infirmité retenaient au village, les trois veufs et François, l'église était remplie presque exclusivement de femmes et d'enfants. On versa des torrents de larmes, même le curé qui, dans son sermon, parla des malheurs qui s'abattaient sur tout le pays et qui alla jusqu'à demander pardon à ses ouailles parce qu'il ne parvenait pas à trouver les mots qui consolaient.

À l'issue de la messe, pendant que Constance et la veuve Ange présentaient leurs condoléances aux veufs et à Simone Maltais, Laurence alla trouver François pour lui demander des nouvelles de son père. François lui fit un grand sourire et lui demanda qui était son père. Médusée, un peu froissée qu'il ne l'ait pas reconnue, alors qu'ils s'étaient vus plusieurs fois au cours de l'été précédent et qu'il était même venu souper chez son père un soir d'hiver, Laurence lui dit que son père s'appelait François Guay.

« Tu parles de Caille ?

– Caille, oui. C'est mon père. »

Elle omit volontairement de lui dire son prénom. En fait, il n'avait même pas semblé vouloir le connaître. Il lui répondit que Caille allait bien, qu'il travaillait très fort. Et il ajouta que, si elle voulait plus de nouvelles, il y avait peut-être une lettre pour elle dans le paquet qu'il avait remis au curé. Il allait s'éloigner quand il se ravisa. Elle sentit alors son regard bleu pénétrer en elle et y répandre une douce chaleur. Ils restèrent ainsi un long moment debout, face à face, comme s'ils étaient seuls au monde. François secoua la tête, ouvrit la bouche comme s'il allait dire quelque chose, hésita. Elle eut l'impression qu'il approchait son visage tout près du sien et faillit fermer les yeux. Elle remarqua la petite cicatrice qu'il avait sur la lèvre supérieure, tout près de la commissure. Et ses dents, si blanches ; son teint cuivré, le bleu intense de ses yeux. Elle resta bouche bée, le visage levé vers lui. Puis il ne fut plus là. Elle regarda autour d'elle, étourdie. Le ciel était tout bleu, lui aussi, sans aucun nuage. Elle aperçut, parmi la foule, le visage sérieux d'Étienne Dallaire, qui la regardait intensément. Il lui fit un triste sourire. Et il se détourna, sans attendre de réponse, sans lui offrir de monter à bord de sa carriole, sachant pertinemment qu'elle était venue au village à pied. Comme s'il avait compris qu'elle voulait être seule. Elle pensa qu'il était le plus gentil garçon du monde.

Elle marcha d'un pas rapide, savourant ces images qui s'étaient fichées en elle, ces lèvres pleines, cette cicatrice, l'éclair bleu de ses yeux, ce sourire. Elle se disait cependant qu'elle ne le reverrait pas de sitôt, peut-être même jamais. Il retournerait tôt ou tard là-bas, à Grande-Baie, ou ailleurs, retrouver ses Sauvagesses. Tout le monde disait en effet que François à Ange ne pouvait pas rester à La Malbaie. On était encore au plus fort de l'hiver; les chemins étaient beaux, solides, bien balisés. La police de Young pouvait arriver n'importe quand. Elle avait déjà arrêté des jeunes gens un peu partout à travers tout le pays. Ils étaient mis en prison, jugés par un tribunal britannique, parfois mis à mort.

❧

François avait préparé son sac, ses raquettes. Malgré le danger qui pesait sur lui, malgré la promesse qu'il avait faite à son père de rentrer le plus rapidement possible à Grande-Baie, il ne semblait pas pressé de partir. On le vit traverser le village deux ou trois fois, pour se rendre voir le curé, se confesser peut-être, ou entendre les confidences et les doléances de l'homme de Dieu. Le reste du temps, il restait assis près du poêle, chez sa grand-mère.

Laurence ne pouvait s'avouer qu'elle avait envie de le revoir. Elle travaillait bien fort à tenter de se convaincre qu'elle était absolument indifférente à cet homme qui, croyait-elle, ne la troublait d'aucune manière, et au fond ne l'avait jamais vraiment intéressée. Elle ne s'empêcherait donc pas d'aller comme d'habitude prendre le thé et jouer aux dames avec la veuve Ange et Constance, même si elle savait qu'elle ne manquerait pas de le croiser.

Il lui apparut, dès la première rencontre chez sa grand-mère, moins fanfaron qu'elle le croyait. Tout le monde au village, même Ti-Gros Sauvageau, qui ne l'aimait pas beaucoup, disait qu'il était le plus capable des hommes de La Malbaie. Et qu'il ferait sans doute un jour de grandes choses, à moins que les miliciens ne viennent l'arrêter et qu'on le pende. Mais Ti-Gros ajoutait qu'il avait toujours eu la tête un peu enflée et que, comme son grand-père, il n'aimait pas le monde.

La veuve Ange ne parlait que lorsqu'elle le voulait bien ; elle pouvait passer des jours sans adresser la parole à qui que ce soit. Mais quand elle avait décidé de s'ouvrir la trappe, personne ne savait la faire taire. Devant François et Constance, elle commença à dire que Laurence était une bien belle jeune fille, pas une maigrichonne et une desséchée comme les sœurs Dallaire ou comme cette pauvre Tharcile Brisson, mais une fille bien bâtie, qui serait sûrement capable de faire de beaux enfants, si elle se trouvait un mari convenable. Laurence avait entendu cent fois ce discours. Jamais devant François, cependant, à qui la vieille était en train de dire : « Regarde comme elle est bien tournée, cette fille-là. » Et pire, elle ajouta : « Tu l'as dit toi-même, pas plus tard que la semaine passée, quand on rentrait des funérailles, que Laurence à Caille était une belle fille. Viens pas me dire le contraire aujourd'hui. »

François riait, bien qu'il soit lui-même un peu mal à l'aise. Il regardait Laurence en hochant la tête, souriant, acquiesçant en silence aux dires de sa grand-mère. Laurence avait rougi jusqu'à la racine des cheveux. Constance souriait elle aussi et rappelait à sa mère que tout le monde disait ça, dans le village. « Tout le monde le sait, maman, que Laurence est une belle fille. » Et Laurence était, en ce moment précis, assise devant le jeu de dames, face à la veuve, plus belle qu'elle n'avait jamais été, rose et lumineuse. Il y eut un court moment de silence, pendant lequel Constance, François et la veuve Ange regardaient la pure beauté du visage de Laurence, où perlaient de fines gouttelettes de sueur, comme une fraîche rosée. Elle s'imagina alors qu'elle était, à ce moment, laide à faire peur. Et elle aurait voulu se trouver à cent lieues de La Malbaie.

« T'as vu comme il est beau, lui aussi ! »

Cette fois, la vieille s'adressait à Laurence. Et elle parlait de François. Les mettant tous les deux au supplice.

« Réponds. Tu le trouves beau, mon petit-fils ? »

Laurence leva les yeux vers François et sentit de nouveau cette grande chaleur descendre en elle quand elle répondit dans un souffle que oui, François était beau garçon.

En rentrant chez elle à cheval, Laurence se dit qu'elle aurait dû savoir que la mère Ange parlerait de sa beauté devant François et le forcerait à dire qu'elle était belle et lui ferait avouer qu'ils formeraient ensemble un beau couple. Comme si elle s'était confessée à elle-même, elle finit par admettre qu'elle y avait pensé, qu'elle savait tout cela, qu'elle avait désiré et cherché tout cela, au fond. Elle s'était rendue chez la mère Ange en sachant que François y serait probablement et que la vieille agirait exactement comme cela.

« Ce qui m'est arrivé, je l'ai cherché », se disait-elle. Et elle ajouta, tout haut, comme si elle parlait à Froufrou : « Pourvu qu'il parte au plus vite, celui-là. » Mais une voix, tout au fond de son cœur, si loin au fond de son cœur, qu'elle l'entendit à peine, disait : « J'espère qu'il va rester ici encore un bout de temps, que je le reverrai une fois encore. »

Grande-Baie

Ti-Jean

Ti-Jean Tremblay n'était sûr que d'une seule chose dans la vie : il ne serait jamais heureux. Et c'était très bien ainsi ; il n'attendait rien de personne, il n'avait rien ni personne à protéger, à respecter, à aimer. Peut-être avait-il déjà été un chercheur de trésors désireux de changer de vie, de transmuer l'immense tristesse dans laquelle il baignait en pur bonheur ; il avait heureusement cessé de chercher, cessé de croire qu'il trouverait un jour. Il se disait parfois qu'il aurait pu disparaître sans qu'on s'inquiète de lui. Et, parce que justement il avait cette certitude qu'il ne serait jamais heureux nulle part, il avait cessé de vouloir quitter Grande-Baie pour vivre ailleurs, dans ces grandes villes lumineuses qu'il avait tant rêvé de connaître avec son ami Philippe Aubert de Gaspé.

Selon lui, Philippe ne serait probablement jamais heureux lui non plus, où qu'il aille et quoi qu'il fasse. Ti-Jean lui enviait cependant son indignation, sa révolte, toute cette colère qui le poussait à agir, qui le portait. Il ne ressentait, lui, qu'une grande indifférence envers toute chose et toute personne. À Grande-Baie, il vivait comme un étranger parmi les hommes de son village. Sa mère avait raison qui, depuis qu'il était tout petit, disait toujours à tout le monde que son Ti-Jean n'était pas comme les autres, auxquels il ne se mêlait jamais volontiers. Il ne l'avait jamais fait. Et ne le ferait sans doute jamais.

Il y avait à Grande-Baie deux violoneux, des gars de Baie-Saint-Paul, pas très habiles, pas très brillants, selon lui. Ils jouaient toujours les mêmes airs, des reels simples et n'exigeant aucune virtuosité. Malgré leur pauvre répertoire, leurs fausses notes et leurs hésitations, ils mettaient de la joie dans le cœur des hommes chaque fois qu'ils sortaient leur violon. Ti-Jean, lui, ne faisait toujours qu'exprimer les désordres et les désenchantements de son âme, et sa musique éveillait plus de tristesse et de mélancolie qu'autre chose. C'était beau ; c'était, comme l'avait dit un jour Résimond Villeneuve, « à fendre l'âme ». Or les gars n'avaient pas souvent envie de se faire fendre l'âme après une journée de dur travail, ni même le dimanche après-midi, quand le mauvais temps les tenait enfermés dans leurs campes. Ti-Jean ne faisait donc pratiquement plus jamais de musique. Parfois, il ouvrait un des livres qu'il avait apportés, *Les Orientales*, de Victor Hugo, ou, faute de mieux, il lisait des passages de la vieille bible que lui avait prêté Alphonse Simard, ou encore relisait le petit livre de Philippe Aubert de Gaspé, qui chaque fois le confortait dans son impuissance et son insignifiance, sa morosité, sa solitude, la certitude qu'il ne connaîtrait jamais le bonheur, estimant tout simplement qu'il n'y en avait pas ou qu'il n'y en avait plus en ce bas monde.

Il s'entendait bien, heureusement, avec le jeune Jude Lamarche, avec qui il tenait les livres de comptes et gérait le magasin où étaient conservées les provisions et rangés les outils. Le petit rouquin lui avait raconté un jour le geste héroïque que François Simard avait posé au péril de sa vie, lors de la bataille de Saint-Eustache. Ti-Jean avait alors réalisé qu'il avait toujours envié François à Ange, un peu comme il enviait Philippe, mais pour de tout autres raisons. François avait une formidable énergie, beaucoup de force, mais aussi une assurance et, lui semblait-il, un bonheur ou au moins un plaisir de vivre et d'agir. Ti-Jean aurait bien aimé avoir lui aussi cette force, cet élan, ce pouvoir que François exerçait naturellement sur les autres. Il l'enviait donc tout autant qu'il le détestait. Et à bien y penser, même le petit Jude était, à bien des égards, enviable.

Jude s'angoissait lorsqu'il se rendait compte que certaines provisions allaient bientôt manquer au magasin, quand des bûcherons rapportaient un godendart abîmé ou que l'un d'entre eux avait perdu une cognée ou un coin dans la neige ; Jude prenait à cœur tous les travaux d'intendance qui lui incombaient. Ti-Jean, lui, ne faisait que constater, noter, n'allant jamais jusqu'à souhaiter, comme il l'avait fait autrefois, au début de son séjour à Grande-Baie, que les choses empirent afin qu'on vive quelque drame irréparable, mais ne se désolant pas pour autant lorsque la situation se détériorait. Il voyait le petit Jude s'affairer, refaire les comptes, disputer au cuisinier la moindre livre de graisse, de farine ou de pois, restreindre ou parfois même interdire, par esprit d'économie, les rasades de rhum auxquelles les gars avaient droit le samedi soir. Jude, tout petit, tout nerveux, encore considéré par certains comme suspect parce qu'il avait appartenu à la bande de Chiens de Peter McLeod, était capable, quand il le fallait, de tenir tête aux plus farouches des fiers-à-bras. Il avait même de l'autorité, constatait Ti-Jean. Il prenait des initiatives qui lui valaient la sympathie et le respect des dirigeants de la Société des Vingt-et-un. Alexis était même venu quelques fois au magasin le consulter, saluant froidement son fils, s'adressant à Jude, dont il semblait apprécier les opinions.

Ainsi, Ti-Jean observait chez les autres ces qualités qui lui manquaient, ces passions qu'il ne parvenait pas à éprouver, à commencer par cette absence de désir qu'il ressentait de plus en plus, même du désir de posséder justement ces qualités, de vivre ces passions qui rendaient les autres, à ses yeux, plus vivants, sans doute plus heureux, ou moins malheureux. Il percevait chez lui ces manques, ces vides, ces creux, sans en éprouver vraiment de peine. Car s'il enviait ces qualités qu'il découvrait chez autrui, il ne faisait rien pour les développer chez lui.

Même Charles Amand, le pitoyable héros de *L'Influence d'un livre*, était enviable. Il avait soif et faim de bonheur. Et il remuait ciel et terre, il était prêt à vendre son âme au diable pour étancher cette soif, assouvir cette faim, trouver quelque part ne serait-ce qu'une miette de bonheur. Ti-Jean ne faisait qu'attendre. Attendre quoi ? Il l'ignorait. Mais il savait, sans pouvoir dire pourquoi, que ce serait terrible et douloureux.

⌇

Quand, à l'automne, Michel Simard et son neveu François étaient revenus à Grande-Baie, racontant qu'ils avaient laissé le gros Clément à moitié mort sur la grève du Saguenay, en face de Chicoutimi, Jude n'avait pas manifesté beaucoup d'émoi, même lorsque pour s'amuser à ses dépens les gars lui avaient dit qu'ils n'auraient pas aimé être à sa place. « Même à moitié mort, il pourrait t'arracher la tête des épaules », disaient-ils. Et ils riaient à s'en décrocher les mâchoires, imaginant un combat singulier opposant Jude Lamarche à cette énorme brute qui le dépassait de deux têtes et faisait bien quatre fois son poids. Mais le petit homme, s'il avait peur, n'en laissait rien paraître. Ou il ne croyait pas au danger, ou il avait bon espoir qu'on le protégerait, ou il croyait qu'une rencontre avec le gros Clément était tout à fait improbable, ou, plus incroyable, qu'il aurait été capable, par quelque miracle, de le vaincre, sinon d'esquiver ses coups et de lui échapper. Toujours est-il qu'il proposa d'inspecter lui-même les abattis après qu'ils eurent découvert, Ti-Jean et lui, que les plans établis par Alexis et Thomas ne se réalisaient pas.

Ces plans prévoyaient que les quelque soixante bûcherons et la quarantaine de manœuvres à l'emploi de la Société devaient produire, entre la mi-octobre et la mi-avril, douze mille billots, soit autour de quatre-vingt-dix par jour, six jours par semaine. À la mi-février, quand François et les trois veufs étaient partis pour La Malbaie avec leur sinistre chargement, Jude avait informé Alexis qu'on avait déjà pris un sérieux retard : à mi-saison, en quatre mois, moins de quatre mille pins avaient été couchés, ébranchés, tronçonnés et charroyés sur les rivières et le long des chemins de bois, où ils attendaient le printemps. Et la situation, semblait-il, ne s'améliorerait pas.

Il y avait eu, bien sûr, ce terrible fléau qui avait emporté quatre adultes et un bébé, et semé l'effroi et le découragement dans la communauté. En plus, les pourvoyeurs affectés à la pêche blanche et à la trappe étaient sans cesse harcelés par des inconnus qu'on soupçonnait être des Chiens de McLeod, qui leur volaient leurs pièges et leurs filets. Les bûcherons ne s'éloignaient plus qu'en groupe et exigeaient que chaque équipe soit protégée par des hommes armés qui devaient surveiller et patrouiller dans les alentours, ce qui réduisait considérablement les effectifs affectés au bûchage, à l'ébranchage et au charroyage du bois. Les hommes travaillaient dans des conditions difficiles. La ressource était abondante, le temps était beau, froid et sec, mais la peur et l'inquiétude alourdissaient tout.

Afin de stimuler les hommes, Jude eut l'idée d'afficher dans le grand campe les chiffres du rendement de chacune des équipes, en tenant compte du nombre et du volume des grumes produites. La semaine suivante, la première de mars, on amena sept cent onze billes à la rivière, près de cent vingt par jour en moyenne, soit plus du double de la production quotidienne des quatre mois précédents.

Fort heureusement, le printemps ne semblait pas trop pressé de venir. Alexis avait décidé qu'on bûcherait passé le 1er avril, voire tant et aussi longtemps que les chemins de charroi et les ponts de glace seraient praticables et les rivières pas trop dangereuses. Jude avait calculé que si on maintenait un bon rythme, on aurait mis au printemps quelque dix mille billots à l'eau. « Presque quatre-vingt-cinq pour cent de notre objectif », disait-il doctement.

Mais au début de la deuxième semaine de mars, un malheureux incident se produisit qui refroidit de nouveau les ardeurs.

Les gars travaillaient toujours deux par deux pour abattre les arbres qu'un affectateur leur désignait chaque matin. Les pins, blancs, gris ou rouges, étaient des arbres bien équilibrés; comme tous les conifères, leurs branches se déployaient généralement de façon parfaitement symétrique, de sorte que les bûcherons pouvaient facilement déterminer l'orientation de leur chute, en tenant compte du vent, évidemment. La structure des feuillus était beaucoup plus complexe. Les frênes, les érables ou les chênes, même les bouleaux, avaient parfois des branches plus lourdes d'un côté que de l'autre, ou ils grandissent très inclinés ; il était donc plus difficile de prévoir l'endroit de leur chute. Mais au Saguenay, les gars abattaient presque exclusivement des pins blancs très sains, sans défauts, bien structurés.

Le pin blanc, qui couvrait alors de vastes espaces du Royaume, tout le sud du lac Saint-Jean, tout le pourtour de la baie des Ha! Ha!, tout ce grand plateau qui s'étendait jusqu'au lac Kénogami, était le plus grand des pins. Certains individus atteignaient des dimensions extraordinaires : jusqu'à plus de trois cents pieds, avec un diamètre à la base approchant les huit pieds. Le bois du pin blanc, léger, homogène, très résistant à la décomposition, ne gauchissait pas et ne se fendillait pas en séchant. Il était donc propre à une infinité d'usages : charpenterie, menuiserie, tonnellerie, tournage, etc. C'était principalement à la construction des navires de l'Amirauté britannique que la production de la Société des Vingt-et-un était destinée. Et l'Amirauté voulait de très longues et très grosses billes, de quoi faire des madriers de trois pouces d'épaisseur par onze de largeur, de treize pieds de longueur. Les affectateurs, qui marquaient les arbres aux couleurs des équipes de bûcherons, ne retenaient donc que les pins de très haute taille, dont le fût était bien droit et sans aucun défaut.

Avant d'abattre un arbre, les bûcherons commençaient par bien dégager les alentours ; ils créaient à la pelle à neige une zone de sécurité dans laquelle ils pouvaient circuler librement et rapidement, sans avoir les raquettes aux pieds. Puis ils pratiquaient à la hache une large entaille à la base de l'arbre, du côté où ils désiraient le voir tomber. Ils tiraient ensuite, un peu plus haut sur le côté opposé, un trait de godendart, en oblique. Lorsque la lame avait pénétré assez profondément et atteint le cœur de l'arbre, on entendait une forte détonation : l'arbre venait de casser.

Les bûcherons s'écartaient. Ils regardaient chanceler le grand pin blanc, qui lentement vacillait, sa cime décrivant un long arc dans le ciel, puis s'abattait dans un puissant fracas, qui soulevait des nuages de neige. Alors, les bûcherons entreprenaient de couper les branches au ras du tronc tout autour de l'arbre, qu'on retournait ensuite à l'aide des chevaux, pour pouvoir couper les moignons des autres branches.

Ce matin-là, deux jeunes bûcherons, des jumeaux, les frères Harvey, Luc et Daniel, originaires des Éboulements, s'attaquèrent à un véritable monstre, un doublon en fait, deux pins qui semblaient provenir de la même souche, se soudaient à mi-hauteur, se séparaient de nouveau en deux fûts bien droits. Ils mirent plus de trois heures pour dégager et faire leur encoche à la hache pour que le pin tombe du côté de la pente, vers la rivière. L'arbre était si gros qu'ils durent pratiquer plusieurs autres encoches sur l'amont et autant de traits au godendart. Il était passé midi quand se fit enfin entendre la détonation signalant que l'arbre venait de casser. Les deux jeunes tentèrent de retirer leur godendart, mais celui-ci se coinça dans son trait. L'arbre avait porté son poids sur la scie, du côté opposé à la pente. Ils s'écartèrent le plus rapidement possible, mais ils n'eurent pas le temps de chausser leurs raquettes et, dès qu'ils furent sortis de l'espace dégagé, ils entrèrent dans la neige folle jusqu'à la ceinture. L'arbre vacilla encore, une autre détonation le secoua et il commença à tomber en tournoyant. L'un de ses fûts heurta dans sa chute un autre très grand arbre, qui le fit dévier davantage vers la pente où s'étaient réfugiés les frères Harvey.

Daniel, fouetté au passage par l'extrémité d'une branche, tomba à la renverse dans la neige. Quand il se releva, il ne vit plus son frère Luc, qui se trouvait quelques secondes plus tôt en plein dans la trajectoire de l'arbre, lequel, en tombant, avait soulevé un tel nuage de neige que Daniel ne trouvait plus sa pelle. Il appela au secours. Heureusement, Caille et deux de ses hommes se trouvaient tout près, avec leurs chevaux de trait. En moins de cinq minutes, ils retrouvèrent Luc couché dans la neige, indemne.

Il était tombé dans l'étroit espace qui séparait les deux fûts, lesquels s'étaient profondément enfoncés dans la neige, de chaque côté de lui. Il n'avait reçu aucun coup, sauf de la pelle de Caille qui, en le cherchant, l'avait frappé à la jambe et lui avait tiré un juron. Il commença à rire quand on l'extirpa de son trou de neige. Plus tard, en revanche, quand il réalisa qu'il avait réellement frôlé la mort, il fut très secoué, il finit par fondre en larmes et fut incapable de travailler le restant de la journée. Son frère aussi fut très perturbé. Et il fallut que Caille et ses hommes l'aident à ébrancher et à tronçonner le monstre qu'il avait abattu avec son frère.

L'affectateur fut blâmé pour avoir confié l'abattage de cet arbre difficile à des jeunes de dix-sept ans. Il le fut encore quand l'affûteur constata que la lame du godendart, qui était restée coincée dans le trait que les frères Harvey avaient fait dans le pin, avait été faussée et qu'elle ne serait sans doute pas récupérable. Quant à Luc Harvey, difficilement remis de ses émotions, il dut, au cours de la soirée, raconter encore et encore son aventure, qui prit bien vite des proportions épiques. Alexis, tant pour fêter l'événement que pour calmer les hommes, demanda alors au petit Jude de distribuer une rasade de rhum et une pincée de tabac noir à ceux qui en voulaient. Et les deux gars de Baie-Saint-Paul sortirent leurs violons, à la grande joie de tous.

Vers neuf heures, Jude rapporta au magasin son cruchon de rhum et son sac de tabac à moitié vides. Le poêle étant presque mort, il ramassa une grosse bûche de bois vert qu'il posa sur les braises, où elle se consumerait lentement pendant la nuit. Il remarqua alors que la porte de l'armoire où était rangée la barrique de rhum, habituellement fermée à clé, était restée grande ouverte. Du rhum avait été répandu sur le plancher.

Il se rappela qu'on n'avait pas vu Ti-Jean Tremblay depuis le moment de la première rasade de rhum, deux heures plus tôt. Il mit son capot, il fit le tour des campes, s'informa à gauche et à droite : personne n'avait revu Ti-Jean. Jude se résolut à en informer Alexis Tremblay ; il lui dit que son garçon était dehors et que d'après lui il avait beaucoup bu.

Alexis convoqua tous les hommes. On organisa une battue. Il n'avait pas neigé depuis plus d'une semaine et les abords du campement étaient partout piétinés, couverts de pistes qui partaient en tous sens. On découvrit rapidement une flasque vide, qui sentait encore le rhum. Et plus loin, le foulard rouge que portait habituellement Ti-Jean. Puis on repéra des pistes fraîches qui s'écartaient des chemins battus et descendaient du côté de la baie. C'est là qu'on le retrouva, recroquevillé, roide, mais respirant encore.

La Malbaie

Étienne

Un matin, début mars, Étienne Dallaire entra en coup de vent chez Laurence encore au lit. Il grimpa l'escalier en courant et entra dans sa chambre. Il eut un moment de stupeur. Laurence était assise dans son lit, tenant les couvertures d'une main contre sa poitrine, laissant ses épaules découvertes. Laurence était nue dans ses draps. Étienne dut retrouver ses esprits pour lui annoncer que deux étrangers étaient arrivés à La Malbaie pendant la nuit, des policiers, selon lui.

« Ils cherchent François, c'est sûr. »

Il dit à Laurence de s'habiller pendant qu'il sellait Froufrou. Et il sortit. Elle comprit qu'il voulait qu'elle aille prévenir François. Elle comprit mille choses, en fait. Qu'Étienne savait ce qu'elle-même s'était caché de toutes ses forces, que celui qui désormais faisait battre son cœur était François Simard. Étienne aurait très bien pu aller lui-même chez la veuve Ange prévenir François ; et François serait parti sain et sauf. Ou, pire, il aurait pu ne rien faire ; et François aurait été arrêté. D'une manière ou d'une autre, Laurence ne l'aurait plus revu, peut-être même qu'elle n'aurait jamais su ce qui ce matin-là, pendant qu'elle chevauchait vers lui, le cœur battant, lui semblait si lumineusement évident, qu'elle ne désirait que lui, qu'être avec lui. Pourquoi Étienne avait-il voulu que ce soit elle qui prévienne François, elle qui par ce geste lui signifierait qu'elle pensait à lui, qu'elle voulait le protéger, qu'elle l'aimait ?

Elle prit par-derrière le village le chemin qui courait à flanc de montagne, plus facile et plus sûr parce que la neige ne s'y accumulait pas beaucoup, et qu'il était bien caché par un épais rideau d'épinettes et de thuyas.

Elle pensa aussi qu'Étienne, ne pouvant ignorer que François partirait de toute manière, voulait peut-être prendre la mesure de l'affection que Laurence éprouvait pour lui. Si, quand il était venu dans sa chambre lui dire que des policiers cherchaient François, elle avait refusé d'aller le prévenir, si elle était restée indifférente, Étienne aurait pu conclure qu'elle n'aimait pas François et avoir tous les espoirs. Mais elle s'était habillée en un rien de temps, avait couru à l'étable et s'était même impatientée en voyant qu'Étienne n'avait pas fini de seller Froufrou. Il était encore en train d'ajuster la sangle ventrale qu'elle était déjà montée en selle et avait pris les rênes en main. « Va, Froufrou ! »

Elle se trouvait cruelle, injuste. Et elle pensa que l'amour était un égoïste et un sans-cœur. Elle avait ainsi fait savoir à Étienne qu'il n'avait plus aucune chance. Mais peut-être qu'Étienne espérait qu'avec le temps Laurence oublierait cet homme vers qui elle chevauchait, qu'elle aiderait à fuir loin d'elle et éloignerait peut-être à tout jamais de La Malbaie, le laissant retourner dans les bras de sa Sauvagesse, sa rivale, qu'elle imaginait belle, farouche, rompue aux jeux de l'amour.

François était derrière la maison de sa grand-mère, en train de fendre du bois. Avant même d'avoir mis pied à terre, Laurence l'informa que la police était après lui et qu'il devait fuir le plus rapidement possible. Elle lui parla avec autorité, presque froidement. « Tu vas prendre mon cheval. Tu vas te rendre le plus loin possible sur le chemin des Marais. Tu t'inquiéteras pas pour Froufrou. Il est capable de rentrer chez nous tout seul. »

François lui obéit. Il courut embrasser sa grand-mère, arrima son sac et ses raquettes derrière la selle, prit son fusil en bandoulière. Froufrou se cabra et se mit à piaffer quand il monta en selle. Laurence lui parla doucement, le calma. Alors François se pencha vers elle, saisit son visage à deux mains, la regarda dans les yeux, et il y eut un moment semblable à celui qu'ils avaient connu le jour des funérailles, quand le temps s'était arrêté. Puis il l'embrassa sur la bouche. Et il partit.

～

Laurence entra chez la veuve Ange. Elle aurait bien aimé raconter à Constance ce qu'elle venait de vivre, mais celle-ci était déjà partie à l'école. Les policiers, un Anglais et un Canadien, mirent du temps à arriver. Ceux qu'ils avaient interrogés au village avaient tout fait, semblait-il, pour les retarder. Le curé leur avait même dit que si, comme ils le prétendaient, François Simard était à La Malbaie, il devait se trouver selon lui chez son père. Les policiers avaient trouvé la maison de Thomas déserte, sans feu, visiblement n'ayant pas été fréquentée depuis les dernières neiges. Ils visitèrent systématiquement le voisinage et se présentèrent finalement chez la veuve Simard. Celle-ci ne les laissa pas entrer. « Ben sûr que je connais François Simard, leur dit-elle, fièrement. C'est mon petit-fils. Et c'est moi qui l'ai élevé. » Quant à savoir où il était, elle n'en avait aucune espèce d'idée. « On l'a pas vu depuis quasiment deux ans. »

Quand l'un des policiers l'informa qu'il était recherché pour avoir participé à la rébellion de Saint-Eustache, où il y avait eu soixante morts, elle dit qu'elle était au courant, qu'elle trouvait qu'il avait bien fait et que si le bon Dieu avait voulu qu'il sorte indemne de ce carnage, ce n'était certainement pas pour qu'il tombe aux mains des Anglais, ses ennemis. Et elle ajouta que ces soixante morts, ce n'était certainement pas son petit-fils qui les avait tués ; ils étaient ses amis. Cette brutale franchise eut pour effet d'amener les policiers à croire la vieille dame. Une grand-mère inquiète et désireuse de protéger son petit-fils aurait été moins agressive, plus cauteleuse, se dirent-ils.

Ils remarquèrent cependant les pistes de chevaux toutes fraîches dans la cour arrière. « C'est mon cheval, expliqua Laurence. Je l'ai renvoyé chez nous tout seul. Mon père en a besoin. »

Mais les policiers regardaient, perplexes, les copeaux de bois qui jonchaient le sol, les bûches fraîchement fendues et les empreintes de pas, qui n'étaient certainement pas celles de Laurence, étant plus grandes, et qui ne menaient nulle part.

« C'est ma tante Constance, dit encore Laurence. Elle est maîtresse d'école. Elle a fait un bout de chemin avec mon cheval. »

À ce moment-là, elle fut sûre qu'elle pouvait leur tenir tête tant et aussi longtemps qu'il le faudrait. Le sang-froid de la veuve Ange l'avait amusée et confortée. Ayant compris qu'ils utiliseraient la force si elle leur refusait l'accès à sa maison, la veuve les laissa entrer. Ils fouillèrent les lieux, de la cave au grenier, puis la remise, la grange et l'étable. Quand ils furent partis, les deux femmes se regardèrent en riant. D'un geste tendre, la vieille pinça la joue de la jeune fille.

« Je l'ai vu t'embrasser, dit-elle. T'aurais dû venir plus tôt, tu penses pas ? »

Mais Laurence n'avait pas de regrets, même si François était parti, même si elle pensait par moments qu'il ne la serrerait peut-être jamais plus dans ses bras et que dans quelques jours il dormirait sûrement dans les bras d'une autre. Il n'était plus en danger. Et au fond de son cœur, un sentiment grandissait, exaltant, la certitude qu'elle ne l'avait pas vraiment perdu et qu'ils se retrouveraient un jour, elle et lui. Il ne reviendrait peut-être pas à La Malbaie de sitôt. Mais rien ne l'empêcherait, elle, de monter un jour le retrouver à Grande-Baie. Rien, sauf la peur de le trouver là-bas dans les bras d'une autre. Et cette peur, elle n'était pas certaine de pouvoir la vaincre.

Grande-Baie

Ti-Jean

Il fallait que quelqu'un le dise. Alexis n'osait pas, ni Alphonse, qui s'était réfugié dans la prière et avait placé un lampion à la tête de Ti-Jean, allongé depuis deux jours sur un lit du grand campe. Tout le monde avait compris ; personne n'osait parler. Comme si en se taisant on espérait éviter l'horreur. C'est Ti-Jean lui-même qui affirma, d'une voix étonnamment ferme :

« Il faut couper ma jambe. »

Alexis ne put réprimer un sanglot. Il tourna le dos à son garçon en remuant la tête en signe de dénégation.

Au cours de la dernière journée, la jambe droite de Ti-Jean avait bleui jusqu'au genou. Deux nuits plus tôt, après qu'on l'eut retrouvé endormi dans la neige, son père et son oncle s'étaient relayés pour lui masser et lui frictionner bras et jambes. Il n'était revenu à lui qu'au milieu de la journée suivante. Et il était resté longtemps l'air hagard, hébété, regardant ces deux hommes penchés sur lui, sans comprendre, apparemment sans souffrance, bien qu'il soit continuellement traversé de frissons.

Il avait de nombreuses engelures. Des cloques s'étaient rapidement formées sur ses oreilles, son nez et ses joues. D'autres étaient plus tard apparues sur son pied droit, dont les orteils restaient insensibles. Le lendemain, il pouvait à peine bouger la cheville. Et bientôt, presque à vue d'œil, on avait pu suivre la progression du mal. Malgré les cataplasmes qu'avait appliqués Alphonse, la gangrène nécrosait les chairs, les gonflant, les bleuissant.

« Si on ne fait rien, dans deux jours, il sera trop tard, dit Ti-Jean. Il faut couper ma jambe. »

Alexis se tourna vers lui. Après un moment de réflexion, il dit à Alphonse :

« Fais ce qu'il faut. Vite.

– La seule chose que je peux faire, dit Alphonse, c'est couper au joint. »

Alexis lui fit remarquer que son garçon avait encore un bon bout de jambe en dessous du genou.

« En bas du genou, faudrait scier deux os, dit Alphonse. C'est plus compliqué. Et je sais pas comment ça guérirait. Tandis qu'au genou, j'ai juste à couper les tendons au couteau. J'ai fait ça des milliers de fois sur des pattes d'animaux de boucherie. Ça prend pas une minute.

– Dans ce cas-là, va chercher ce qu'il faut », dit Alexis.

Il resta seul, debout, les bras ballants, au chevet de son fils. Celui-ci lui saisit la main, lui demandant pardon. Alexis pleurait à chaudes larmes quand Alphonse revint, son couteau de boucherie à la main, suivi de Caille et de Jude, qui portaient des linges mouillés, une bouteille de rhum, un grand bac rempli de neige.

Ils lièrent solidement les bras et les jambes de Ti-Jean aux pattes de la table sur laquelle ils l'avaient transporté. Il restait étrangement calme. Il refusa le verre de rhum que lui tendait son père, après qu'on lui eut posé un garrot sur le haut de la cuisse. Alexis se plaça à la tête de son garçon et inséra dans sa bouche une branche de saule grosse comme le pouce, dans laquelle Ti-Jean mordit. D'un signe de tête, il signifia à Alphonse qu'il était prêt. Celui-ci se recueillit, fit une courte prière et un signe de croix sur le genou de Ti-Jean.

« Prends une grande respiration, mon garçon. Ça va durer le temps d'un acte de contrition. »

Conduit par la main experte de Sa Sainteté, le couteau se faufila entre les os du genou de Ti-Jean, dont le corps se tendit et s'arqua, mais qui ne cria pas. Caille, qui assistait à la scène, s'évanouit quand il vit la cuisse de Ti-Jean s'agiter, alors que le bas de sa jambe restait inerte sur la table.

La jambe étant bien garrottée, il y eut peu de sang répandu. Par précaution, Alphonse tira le tisonnier du poêle et cautérisa la plaie sur laquelle il versa ensuite du rhum. Il appliqua sur le moignon une compresse froide, avec laquelle il enveloppa très fermement une bonne partie de la cuisse.

∽

Il faisait nuit quand Ti-Jean revint à lui. Une main ferme promenait un linge trempé d'eau froide sur son visage et dans son cou. Il mit beaucoup de temps à comprendre qu'il était étendu sur la table du grand campe et que cet homme qui prenait soin de lui était son père. Alphonse était là aussi. Avec des gestes prudents et délicats, il enleva les compresses dont il avait enveloppé la cuisse de Ti-Jean et défit le garrot. Il n'y eut pas d'épanchement de sang.

« Tout est beau. Il te reste plus rien qu'à guérir, mon garçon. »

Ti-Jean sentit d'amers souvenirs entrer en lui, pêle-mêle, douloureux, et des sanglots monter, le submerger. Son père lui parlait. Ce qu'il disait lui semblait confus, mais sa voix était douce et son regard apaisant. Ti-Jean se rappela vaguement que quelque chose de terrible lui était arrivé, puis il sombra dans un sommeil peuplé de voix, sans avoir pu se souvenir vraiment de ce qui s'était passé.

❦

Chemin des Hauteurs

Dominique

François était seul. De nouveau en fuite. Et chaque pas l'éloignait de ce qu'il désirait le plus au monde. Pourtant, il croyait bien être le plus heureux des hommes. Il portait dans son cœur, dans tout son être, le troublant souvenir du baiser échangé avec Laurence ; il sentait encore la palpitante et fraîche douceur de ses lèvres, son souffle tout chaud contre son oreille, comme pour dire : « C'est toi que j'aime, va-t'en loin d'ici, loin de moi. »

Il savait bien qu'elle aussi, après ce qu'ils avaient vécu ce matin-là, ne pensait qu'à lui et n'oublierait jamais, elle non plus, ce chavirant vertige qu'ils avaient connu, à deux reprises, quand leurs regards s'étaient mêlés, et que tout s'était arrêté : devant l'église d'abord, à la sortie de la messe du dimanche, puis tout à l'heure, juste avant qu'il s'enfuie monté sur Froufrou, quand il s'était penché vers elle et qu'elle avait levé vers lui ses yeux qu'emplissait la tendre lumière du ciel.

Il ne s'éloignait pas d'elle, en fait, puisqu'elle était tout entière dans ses pensées, et lui dans les siennes, il en était sûr. Malgré les horribles nouvelles que lui avait données le curé Pouliot, malgré les menaces qui pesaient sur la Société des Vingt-et-un, il rentrait à Grande-Baie le cœur léger. Parce qu'il avait cette certitude qu'il retrouverait Laurence tôt ou tard, après avoir rencontré Kakouchak et écarté la menace qui pesait sur Grande-Baie en brisant l'alliance entre les Sauvages et les Chiens de McLeod. C'était ce qu'il avait promis de faire. Il marchait donc vers Laurence, le sourire accroché aux lèvres, sous le ciel limpide. Son ombre dansant devant lui sur la neige sèche.

❧

Cette fois, pour se rendre à Grande-Baie, il avait décidé de ne pas emprunter le chemin des Marais. Dès qu'il eut chaussé ses raquettes et renvoyé Froufrou chez Laurence, il s'engagea au nord, directement. Il suivrait la rive gauche de la rivière Malbaie jusqu'à ses hautes gorges, où il s'était quelques fois rendu avec son grand-père et ses oncles.

La rivière était là-haut, dans ce secteur qu'il atteignit en fin de journée, extrêmement vive et rapide, profondément encaissée dans des parois rigoureusement verticales creusées à même le plateau de granite, et faites d'eaux si blanches et si écumantes, de cascades et de chutes si vertigineusement hautes que même les Sauvages la considéraient comme impraticable, quelle que soit la saison. François se souvenait, non sans appréhension, d'un sentier frôlant dangereusement le rebord de cette haute paroi. Il ferait comme son grand-père et ses oncles, qui avaient peur des hauteurs eux aussi : il ne regarderait pas en bas, au fond du gouffre.

Décrivant une large boucle depuis l'arrière de Baie-Saint-Paul, la rivière venait frôler le massif montagneux, se nourrissait des torrents issus de ses flancs, avant de redescendre vers La Malbaie, où elle irait se jeter dans le fleuve. François croyait que les rivières qui descendaient vers la baie des Ha ! Ha !, de même que celles qui rejoignaient le Saguenay à Chicoutimi, prenaient leur source de l'autre côté de ce même massif, véritable château d'eau dominant toute cette région. Il franchirait donc la hauteur des terres, comme l'avait fait autrefois son grand-père quand il montait braconner dans les parages du petit lac Ha ! Ha !. En cheminant du matin au soir, il serait, en moins de quatre jours, à la tête de la rivière du même nom, qu'il n'aurait qu'à suivre jusqu'aux chantiers de Grande-Baie. Il éviterait ainsi le détour par l'anse Saint-Jean et la longue marche sur le fjord. Il devrait cependant traverser une région très densément boisée, très accidentée aussi, mais totalement dépeuplée.

Il mit une journée entière pour atteindre l'immense table de granite presque parfaitement horizontale, venteuse et sèche, quasiment nue, posée comme un couvercle sur ce château d'eau. Le temps étant toujours aussi clair, il distinguait à perte de vue et de tous côtés l'infini moutonnement montagneux d'où émergeaient ici et là de plus hauts sommets, le cap Tourmente très loin derrière, le cap Trinité au nord-est. C'est en regardant de ce côté que François aperçut, au loin, une fumée montant bien droite dans le ciel bleu. Il pensa tout de suite qu'il ne pouvait s'agir que de Kakouchak et de sa bande. Aucun Blanc en effet n'aurait été assez téméraire pour s'établir sur ces hauteurs, que les Sauvages eux-mêmes fréquentaient uniquement quand ils avaient besoin de savoir ce qui se passait sur leur territoire. Kakouchak avait posé son campement sur le plus haut sommet du Royaume, d'où il pouvait tout voir.

Quelques jours plus tôt, François et les trois veufs étaient passés avec leurs morts sous le cap Trinité. Kakouchak les avait sans doute suivis des yeux. Pourquoi ne s'était-il pas manifesté ? Que cherchait-il ? Qu'attendait-il ? L'avait-il reconnu, lui, François Simard ? Se souvenait-il lui aussi de ces belles journées d'été qu'ils avaient passées ensemble à canoter sur la rivière, il y avait maintenant si longtemps ? C'était avant que tout sombre dans le désordre, la violence, la folie. Le monde était si paisible alors, si doux, si bon à vivre !

Un souvenir soudain s'imposa à François. C'était celui d'une journée pluvieuse de fin d'été, un peu à l'écart de la rivière Sainte-Marguerite, à une petite heure de marche de sa confluence avec le Saguenay. Ils avaient aperçu une femelle orignal pataugeant dans un marécage. Ils s'étaient déployés sous le vent et embusqués à bonne distance les uns des autres, Dominique et Raphaël, Louis, Germain, François, Gros-Pierre. Ils n'avaient qu'un vieux fusil, que portait Raphaël. Et des pieux, des arcs, des couteaux. Le mâle était bientôt arrivé sous la pluie battante, grand, lumineux, porteur du plus large panache jamais vu.

Sans s'être consultés, ils avaient décidé de ne l'abattre qu'après l'accouplement. Ils avaient donc assisté à la scène. Puis Raphaël avait épaulé et tiré. Le grand mâle avait frémi, il avait fait quelques pas, le sang jaillissant de son flanc. Raphaël avait tiré encore. Et le bel animal était tombé. Les garçons s'étaient recueillis, l'avaient remercié et avaient entrepris de le dépecer.

Puis ils avaient marché à la queue leu leu vers le bas de la rivière, chacun portant un gros quartier de viande sur son dos. François venait derrière Dominique, qui ouvrait la marche. Quand ils avaient aperçu deux oursons qui jouaient ensemble près d'un rocher, ils avaient tous deux laissé tomber leur charge. Mais il était trop tard. L'ourse avait bondi sur Dominique et l'avait griffé si fort au bras qu'il avait échappé son couteau. L'énorme patte s'était abattue de nouveau sur son épaule et l'avait renversé. S'étant approché, François avait pu enfoncer son couteau dans le cou de la bête, qui s'était tournée vers lui. Il avait senti ses terribles griffes lui effleurer les côtes. Dominique heureusement avait pu ramasser son couteau ; et ils avaient tous deux frappé la bête à tour de bras. Quand les autres, alertés par les grognements et les cris, étaient arrivés sur les lieux, ils avaient trouvé l'ourse morte, les deux hommes riant aux éclats. Les oursons pelotonnés l'un contre l'autre avaient été tués, écorchés, dépecés et portés, de même que la dépouille de leur mère, et la viande et la peau de l'orignal, jusqu'aux canots.

Les blessures de Dominique n'étaient pas bien graves. Mais il devait en avoir gardé des marques, des cicatrices qui sans doute lui rappelaient ce jour heureux entre tous où, avec François, son ami blanc, il avait frôlé la mort. François, lui, se souvenait de tout. Plus que jamais, il voulait revoir celui avec qui il avait partagé les plus beaux moments de son enfance.

෨

420

Au soir du quatrième jour de marche, il vit vaciller au loin la cime d'un grand pin, puis il entendit des clameurs et des cris. Les chantiers de Grande-Baie, vers lesquels il descendait, étaient en pleine effervescence. Sur un chemin de halage, il aperçut Caille conduisant l'attelage d'un bobsleigh chargé de billots. Il monta avec lui. La première question que lui posa Caille, bien qu'elle soit tout à fait naturelle, le laissa stupéfait, ébahi, heureux :

« As-tu vu ma fille ? »

François fit un large sourire avant de répondre.

« Ta fille, elle m'a sauvé la vie. »

Caille s'était tourné vers lui.

« J'ai hâte de la revoir, dit-il.

— Moi aussi, je m'ennuie d'elle », ajouta François.

Ils se regardèrent en souriant tous les deux. Caille fit claquer les cordeaux sur les fesses des chevaux et le bobsleigh glissa doucement entre les épinettes sur la neige durcie.

Au campement, on se jeta sur François pour avoir des nouvelles. Il raconta les funérailles d'Aimé, de Tharcile, de Victoire, d'Odulie et du petit Ephrem, parla des patriotes qui avaient été pendus et écouta les réactions de colère des hommes. Plusieurs d'entre eux avaient espéré qu'il apporterait des lettres de leur femme et de leurs enfants ; ils furent cruellement déçus. Et François dut expliquer qu'il était parti à la hâte, que des policiers étaient à ses trousses. Caille ajouta, fièrement, que c'était sa fille Laurence qui l'avait aidé à fuir. Il n'avait pas posé de questions à François sur ce qui avait pu se passer entre eux, mais il semblait fort heureux.

Michel Simard, lui, sitôt rétabli de la blessure à l'épaule que lui avait infligée le gros Clément, était parti pour l'anse aux Foins, sachant que la débâcle imminente l'empêcherait de rentrer à Grande-Baie. En fait, ce n'était un secret pour personne, Michel s'était volontairement et avec grand plaisir constitué prisonnier des éléments. Les Papinachois descendraient bientôt de leurs quartiers d'hiver. Et la belle Béthanie, comme convenu, s'arrêterait quelque temps à l'anse aux Foins. C'était donc pour elle que Michel était parti, chargé des admonestations et des anathèmes de son grand frère Alphonse, qui lui avait rappelé que le péché de la chair était mortel et qui lui avait vertement reproché de quitter Grande-Baie au moment où la communauté, menacée de toutes parts, sombrait dans la plus profonde morosité.

Quant à Ti-Jean, il était hors de danger, bien que son état nécessite des soins constants. Son père avait exigé qu'il y ait toujours quelqu'un avec lui, Jude, Alphonse, Thomas ou Caille. Tous les jours, Alexis passait lui-même plusieurs heures à son chevet. Et tous les jours, Ti-Jean demandait pardon à son père. Et ils pleuraient parfois ensemble en pensant à Modeste qui, au printemps, verrait son garçon dans cet état, infirme, diminué. Ti-Jean pensait à la peine qu'il lui infligerait le jour où il débarquerait, où on le débarquerait, de la goélette de Thomas Simard, sur le quai de La Malbaie.

Le lendemain de son arrivée, François se rendit le visiter quand il tomba sur son oncle Alphonse, qui venait de quitter Ti-Jean et semblait fort embêté.

« Il veut que je lui fasse une jambe de bois, mais son moignon est même pas tout à fait guéri, dit Sa Sainteté. Et en plus, je sais pas vraiment comment la faire tenir, sa jambe de bois. »

Mais Ti-Jean insistait, semblait-il, disant qu'il avait besoin de marcher et que les béquilles que lui avait fabriquées Alphonse ne suffisaient pas.

« Tu le reconnaîtras pas, disait Alphonse. Pas juste parce qu'il lui manque une patte et qu'il a maigri. Mais parce que c'est plus du tout le même homme. »

François avait hâte de le rencontrer. Ils n'avaient jamais été amis, Ti-Jean et lui, jamais proches. Ils s'étaient même querellés à quelques reprises. Et il était de notoriété publique que Ti-Jean n'aimait pas beaucoup François Simard, envers qui il avait entretenu déjà et proclamé bien haut une agressive jalousie. Mais il avait fait partie de la vie de Laurence. François n'ignorait pas en effet qu'elle avait déjà été amoureuse de Ti-Jean Tremblay. Sa grand-mère, bien renseignée par sa fille Constance, lui avait raconté tout ce qui s'était passé et tout ce qui, au grand désespoir de Laurence et au grand soulagement de la veuve Ange, ne s'était pas passé entre eux. Cette dernière n'avait jamais aimé ce Jean Tremblay, qu'elle trouvait inconstant et paresseux. « C'est pas un vrai homme, à mon avis, disait-elle. Il est pas fait pour elle. » Elle avait depuis longtemps ce projet de faire de son petit-fils et de Laurence des amoureux. C'était chose faite, se disait François. Quelques regards, un furtif baiser et quelques mots échangés avaient suffi. Il souhaitait que Ti-Jean sache ce qui s'était passé ; il voulait lui parler de Laurence, lui dire qu'il avait envie de la revoir, qu'il pensait sans cesse à elle.

Ti-Jean, toujours confiné au grand campe, accueillit François avec chaleur. Sur son visage émacié, ses yeux brillaient, son sourire était franc et lumineux. Il était assis devant une longue table où étaient posés son agenda et de grandes feuilles de beau papier blanc sur lesquelles il avait cartographié tout le territoire qu'occupait la Société des Vingt-et-un : les rivières, leurs méandres, leurs gués et leurs sauts, tout le littoral de la baie, les caps, les abattis, les chemins de charroi, les glissoires, les ponceaux. Lui, Ti-Jean, l'éclopé, l'homme immobile, connaissait le terrain autant sinon mieux que les bûcherons qui le parcouraient chaque jour en long et en large.

Il savait déjà, par son père et Alphonse Simard, que François était venu à Grande-Baie par un nouveau chemin. C'était ce qui l'intéressait plus que tout. Avant même de prendre des nouvelles des gens de La Malbaie, c'était le parcours de ce chemin qu'il voulait connaître. Sur une feuille vierge, il avait déjà dessiné sommairement la rive nord du fleuve et la droite du Saguenay, se rencontrant à l'angle aigu de la baie Sainte-Catherine, en face de Tadoussac. Il avait indiqué l'emplacement de La Malbaie au bas de la feuille et, plus haut, celui de Grande-Baie, puis du petit lac, de la rivière et de la baie des Ha ! Ha !. Il avait déjà son idée en tête mais voulait en vérifier l'exactitude auprès de François. À sa demande, celui-ci lui décrivit minutieusement le chemin qu'il avait emprunté. Et Ti-Jean le questionna longuement sur le temps qu'il lui avait fallu pour parcourir ce chemin, les accidents de terrain et les obstacles qu'il avait rencontrés, la végétation, les paysages traversés. Il était très excité par tout ce que lui disait François, posait mille et une questions, prenait des notes et, tout en écoutant François, faisait courir son crayon de plomb entre La Malbaie et Grande-Baie.

Savoir que le chemin qu'avait emprunté François était plus court que celui qui passait par l'anse Saint-Jean l'émerveillait. Apprendre qu'il était plus facile, qu'il n'y avait pas d'importantes rivières à traverser, pas de gros portages, pas besoin de canoter pendant des jours comme on devait le faire sur le Saguenay, tout cela faisait son bonheur.

Transportés par goélettes depuis La Malbaie, les chevaux et les bœufs arrivaient à Grande-Baie à moitié morts de fatigue et de peur ; on les ferait désormais monter par ce chemin. Le soir même, Ti-Jean suggérerait à son père d'utiliser cet itinéraire dès la fin du printemps. Il lui dirait que selon François, deux équipes de quatre hommes, l'une partant de La Malbaie, l'autre de Grande-Baie, pourraient en moins d'une semaine bien définir le tracé de ce chemin, jeter des ponceaux et des ponts sur les ruis-seaux, des caillebotis sur les marécages. Les hommes se rencon-treraient au sommet du massif, sur cette vaste table de granite que François avait décrite à Ti-Jean en lui disant que ça ressem-blait au toit du monde.

De temps en temps, toujours penché sur ses cartes, Ti-Jean demandait presque distraitement des nouvelles de La Malbaie, de sa mère, de la vieille Tina Bouchard, du curé Pouliot. Il écou-tait François, souriant, l'air détaché cependant, comme s'il eût été ailleurs, comme s'il eût appartenu désormais à un autre monde. Même quand il fut question de Laurence, il garda cet air serein. Il finit cependant par demander à François si elle était toujours aussi belle. Et François comprit que Ti-Jean avait deviné ce qui s'était passé, comme si tout cela allait de soi, comme si Ti-Jean, qui connaissait bien Laurence, savait qu'ils étaient faits l'un pour l'autre.

Alors François lui avoua qu'il ne pensait qu'à partir la retrouver à La Malbaie, et qu'il l'aurait fait tout de suite s'il n'avait promis à son père de trouver Kakouchak et de faire une entente avec lui.

« Je suis content pour toi », lui dit Ti-Jean.

Et il ajouta qu'il lui enviait non seulement l'amour que lui portait Laurence, mais autant sinon plus celui qu'il éprouvait pour elle, avouant qu'il ne savait pas aimer, pas encore. Mais au moins, il s'était découvert une passion, lui aussi. Sa vie avait dorénavant un sens.

« Avant, j'étais mort, disait-il à François. C'est maintenant que je suis vivant. »

François fut le premier à qui il divulgua son grand projet, dont la carte qu'il préparait si soigneusement faisait partie. Ce projet avait, au fond, le même but que celui auquel travaillait François : sauver la Société des Vingt-et-un.

Printemps 1839
Cap Trinité

François

Malgré l'arrivée imminente du printemps, qui rendrait bientôt les chemins difficiles, François partit pour le cap Trinité, où il espérait rencontrer enfin Kakouchak. Les vallons étaient très humides, souvent inondés. Il y avait encore de grandes plaques de neige sur les versants à l'ombre ; les sommets pierreux et venteux étaient cependant bien asséchés. Et sur le fjord, la glace avait commencé à pourrir.

Il suivit la rive est de la baie des Ha ! Ha !, puis le rebord de la haute falaise de la rive droite du Saguenay. Il trouva, au fond de la baie Éternité, un sentier très récemment fréquenté qu'il emprunta, le cœur battant. Il rencontrerait bientôt Kakouchak, quel qu'il soit, il retrouverait ses amis d'enfance. Peut-être le considéraient-ils maintenant comme un ennemi. Mais ils ne pouvaient avoir oublié. Ils ne pouvaient refuser de l'entendre, lui, qui jadis avait été leur frère.

Or il n'y avait personne au sommet du cap Éternité. Que le vent ! Et une odeur ténue mais tenace de cendre chaude et de banique qui semblait monter de la paroi. Il trouva sur un replat bien abrité un petit âtre, des braises, un pain banique, de la viande séchée, du poisson fumé, du tabac. Mais personne ! Il fit lentement le tour du sommet pour découvrir qu'un seul sentier y menait, celui qu'il avait lui-même emprunté. Il ne pouvait croire que Kakouchak se soit jeté en bas du cap après lui avoir servi ce repas. Il devait donc y avoir un sentier à même la paroi. Mais jamais, au grand jamais, François Simard ne pourrait se résoudre à l'emprunter. Il s'était avancé à quelques pas du bord, jusqu'à voir en bas la glace grise qui couvrait tout le fjord. Il posa le pied sur une motte de lichen humide et faillit glisser. Il eut l'impression très nette d'avoir reçu une poussée de vent dans le dos. Il ne put réprimer un cri. Il se jeta à terre de tout son long et s'éloigna du bord à quatre pattes, le cœur au bord des lèvres.

Étendu sur le dos, sous le ciel blanc, vide, il se souvint. C'était une journée d'été très chaude, dans un petit brûlé près du lac Kénogami où, avec un ami, il avait suivi deux filles qui cueillaient des bleuets. Elles riaient beaucoup et s'étaient laissé embrasser. Au retour, ils avaient emprunté un sentier qui par moments frôlait une falaise abrupte. Malgré les sarcasmes de son ami et les rires des filles, François avait refusé de s'y engager, préférant faire un long détour en pleine forêt. Cet ami, c'était Dominique. Il n'y avait désormais plus de doute : Dominique était le chef des rebelles montagnais. Et il savait que François était à sa recherche depuis longtemps. Il lui avait fait signe déjà, un an plus tôt, quand François avait remonté le Saguenay seul en canot, qu'il s'était arrêté sous ce même cap et avait découvert, comme aujourd'hui, à l'entrée de la grotte où il allait passer la nuit, des cendres et des braises, du pain banique, de la viande d'orignal séchée, du poisson salé, un peu de tabac.

Ainsi, tout ce temps, partout, où qu'il ait été, quelqu'un l'épiait et l'attendait, quelqu'un qui ne lui voulait pas de mal, qui avait même été autrefois son ami, mais qui refusait de le rencontrer, considérant sans doute qu'il faisait désormais partie de ses ennemis. Et ce quelqu'un savait que François Simard avait peur des hauteurs et ne s'aventurerait pas sur une paroi abrupte.

Il cria de toutes ses forces à l'intention de Kakouchak, qui devait s'être accroché à cette paroi. « Je vais te trouver, Dominique. Tu vas avoir besoin de moi. Je vais te trouver ! » Mais dans cette immensité, sa voix se perdait. Il doutait fort que Kakouchak, même s'il n'était qu'au début de sa descente, puisse l'entendre. Il songea que c'était peut-être mieux ainsi. Car lui aussi avait besoin de Kakouchak. C'était d'ailleurs ce qu'il aurait dû lui crier.

Il redescendit vers la baie Éternité. Puis il marcha sur le fjord jusqu'au pied du cap Trinité. À l'entrée de la grotte où il s'était arrêté au printemps précédent, il trouva, comme il s'y attendait, un bon feu et de quoi manger et fumer.

Le surlendemain soir, il se trouvait à l'anse Saint-Jean, en route pour La Malbaie.

La Malbaie

Amour

Laurence dormait. La lumière de la lune entrait par la fenêtre de sa chambre, dont elle ne fermait jamais les rideaux. Le vieux Rex, qui ronflait au pied de son lit, n'entendit pas japper les autres chiens qui passaient la nuit dehors, ni la voix de l'homme qui les fit taire. Laurence, elle, s'étant réveillée, crut avoir rêvé. Tout était si parfaitement calme ! Le poêle ronronnait tout doucement et, par moments, le vent griffait la fenêtre et y jetait de légers chuintements, des soupirs. Elle allait sombrer de nouveau dans le sommeil quand il y eut, légers et soyeux, à peine perceptibles, des crissements de pas tout près de la maison. Elle se leva. Et par la fenêtre, dans la clarté opalescente de la lune, elle aperçut un homme penché sur les chiens, qu'il caressait. D'un geste rapide, elle croisa les bras sur sa poitrine et elle s'éloigna bien vite de la fenêtre, comme si elle avait craint que l'homme, s'il levait la tête, la voie toute nue.

Ses vêtements de jour étaient éparpillés sur le plancher de la chambre. Elle fouilla dans une armoire, en sortit une jaquette de flanelle qu'elle enfila rapidement. Quand elle retourna à la fenêtre, elle ne vit plus que les chiens. Mais elle entendit bientôt grincer la porte d'entrée. Et elle sut que l'homme était dans la maison. Il resta debout en bas un long moment, dans le grand salon, sans bouger. Puis il enleva ses bottes et son manteau. Elle fit quelques pas, s'arrêta en haut de l'escalier. Elle pensa qu'il devait entendre ses halètements et les battements son cœur.

« Viens », dit-elle dans un murmure.

Il la tint doucement serrée contre lui, jusqu'à ce que leurs cœurs se calment et qu'ils retrouvent leur souffle.

« Viens. »

Et ils entrèrent dans le lit encore tout chaud, toujours baigné par la clarté de la lune.

⁓

Personne, à part Laurence à Caille, ne sut que François à Ange était venu à La Malbaie et qu'il y était resté une nuit, un jour et encore une nuit. Il partit avant l'aube, avec Froufrou. En plus de ses raquettes, son fusil et ses vivres, il emporta une petite scie et une hachette, car il voulait dégager un peu et baliser le chemin des Hauteurs vers Grande-Baie, comme il avait promis à Ti-Jean de le faire.

Laurence aurait tant voulu qu'il reste. La fonte des neiges rendrait bientôt les routes impraticables et les rivières infranchissables ; la police ne reviendrait pas le chercher de sitôt à La Malbaie. Il aurait très bien pu rester en effet dans la douce étreinte de ses bras, de ses jambes. Mais ç'aurait été abandonner la Société des Vingt-et-un au moment où elle avait besoin de tout son monde. Il devait retourner à Grande-Baie, il devait trouver Kakouchak.

Alors, elle voulut partir avec lui.

« Je voudrais être toujours avec toi », dit-elle. Elle le couvrit de baisers.

« Plus tard, lui dit-il. Quand j'aurai trouvé Kakouchak. Alors, je reviendrai et on partira, toi et moi. »

Il lui fit comprendre qu'il ne serait pas libre, ni à La Malbaie ni à Grande-Baie, tant et aussi longtemps qu'il n'aurait pas parlé à cet homme.

« Je t'attendrai, disait-elle. Et si tu n'arrives pas, j'irai te trouver.

– Je voudrais être toujours avec toi », lui dit-il.

❦

Chemin des Hauteurs

Paquet d'os

François se trouvait sur les hauteurs venteuses et sèches qui dominent les gorges de la rivière Malbaie quand il remarqua des empreintes de pas toutes fraîches, qui montaient vers le haut plateau. Ils étaient plusieurs, cinq ou six, des Blancs certainement. Il les entendit. Puis il les aperçut, enfin, à un détour du sentier qui longeait la rive escarpée de la rivière. À leurs barbes et leurs cheveux longs, à leurs chapeaux de cuir et leurs grosses bottes cloutées, il reconnut des hommes de McLeod, qui montaient sans doute de Rivière-Noire, leur quartier général sur le fleuve. Une fois là-haut, ils entreraient dans une région très dénudée et François ne pourrait les contourner pour poursuivre sa route sans être repéré.

Ainsi, les Chiens de McLeod avaient découvert eux aussi le plus court chemin entre les villages du fleuve et les chantiers du Saguenay. François pensa un moment que quelqu'un de Grande-Baie leur en avait peut-être parlé, mais il ne pouvait imaginer qui aurait pu agir ainsi. En y réfléchissant, il se dit qu'ils avaient sans doute trouvé par eux-mêmes. Ils n'avaient qu'à emprunter le sentier des crêtes depuis Rivière-Noire, et suivre ensuite, comme il l'avait fait, lui, la rive gauche de la rivière Malbaie pour se retrouver sur ce haut plateau, vaste carrefour de chemins d'eau d'où descendaient non seulement les rivières qui se jetaient dans la baie des Ha! Ha!, mais aussi la Papaouetish et la Chicoutimi.

François cependant s'impatientait. Ces hommes qui se trouvaient sur son chemin ne semblaient pas pressés, ou alors ils ne savaient pas marcher en forêt. Ils s'arrêtaient souvent, revenaient sur leurs pas, cherchaient leur chemin, ce chemin qu'il s'ingéniait à baliser derrière eux. Il les entendait discuter, s'engueuler. Ils étaient bruyants et voyants, marchant devant lui avec une désespérante lenteur. Ils suivaient, sans doute de peur de se perdre, le sentier qui longeait le sommet des hautes gorges de la rivière.

La pénombre commençait à peine à envahir les bois quand ils s'arrêtèrent. François comprit à son grand désarroi qu'ils préparaient leur campement de nuit. À moins de revenir sur ses pas et de faire un grand détour, qui exigerait plusieurs heures de marche, il ne pouvait passer outre. Aurait-il essayé qu'il n'aurait pu aller très loin. La nuit viendrait bientôt ; elle serait sans lune, et les abords étaient très accidentés.

Il dormit dans le bois, sans faire de feu, afin de ne pas attirer leur attention. Il faisait doux et il y avait peu de vent, heureusement. Il se trouvait si près d'eux qu'il pouvait saisir des bribes de leurs conversations. L'un d'entre eux parlait avec un fort accent anglais. François crut comprendre qu'il s'appelait Wilson. Un autre avait une voix très basse, et un troisième, le plus volubile, parlait avec un débit extrêmement saccadé, d'une voix très aiguë que François avait vaguement l'impression d'avoir déjà entendue, et il zozotait comme s'il lui manquait des dents. Il dénombra une demi-douzaine de voix, mais il pouvait y en avoir plus ; dans un groupe, il y avait toujours des hommes qui parlaient peu, ou même pas du tout.

Il crut comprendre qu'ils avaient tous l'intention de s'établir dans la région et qu'ils s'étaient déjà réservé des lopins de terre près de Chicoutimi. Il entendit clairement l'un d'entre eux parler des belles terres entourant le lac Kénogami et le pourtour de la grande baie des Ha ! Ha ! et dire qu'il fallait en déloger la bande de La Malbaie.

Ainsi, songea François, contrairement aux ententes qu'il avait signées avec la Société des Vingt-et-un, aux promesses qu'il avait faites aux Sauvages, et même aux devoirs qu'il avait envers la

Compagnie de la Baie d'Hudson, Peter McLeod laisserait ses hommes faire des défrichements au Saguenay et s'y établir.

Le lendemain matin, il partit avant l'aube, bien résolu à contourner et à devancer le groupe le plus rapidement possible. En marchant d'un bon pas, il aurait traversé le haut plateau avant la fin du jour. Et alors, leurs chemins bifurqueraient. Le sien descendrait tranquillement vers le petit lac Ha! Ha!. Le leur irait plus à l'ouest, vers les rivières qui aboutissaient à Chicoutimi.

Il s'éloigna quelque peu du sentier pour marcher parallèlement à eux dans la forêt. Au milieu du jour, n'entendant plus de voix et de cris, il crut les avoir suffisamment devancés et il s'aventura sur le sommet dénudé d'où il avait aperçu, lors de son précédent passage, des fumées du côté du cap Trinité.

Il s'arrêta un moment, scrutant l'horizon de ce côté. Mais le ciel était gris et fermé; la vue ne portait pas si loin. Il entendit alors derrière lui le déclic d'un fusil qu'on armait. Et une voix qui dit:

« Qu'est-ce que tu fais là, toi? »

Il allait répondre: « Je vous attendais, les gars » quand il fut durement frappé à la tête à deux reprises. Il fit tomber son fusil en s'écroulant, mais il roula sur le côté et put ainsi esquiver le troisième coup, se retourner, saisir les deux jambes de son agresseur et le faire tomber à la renverse. Un deuxième homme avait pointé son arme sur lui et l'obligea à lâcher son adversaire puis à se relever, les mains en l'air. Quand l'autre réussit à se mettre debout, il entreprit de frapper François. Mais il s'était visiblement fait très mal au dos en tombant. Et François put facilement esquiver les coups qu'il tentait mollement de lui porter. Il lui fit un grand sourire et demanda:

« Qu'est-ce qu'on fait, les gars? »

C'étaient deux hommes dans la trentaine, sales, hirsutes, barbus, portant des chapeaux de cuir d'où dépassaient de longues mèches de cheveux gras, deux typiques Chiens de McLeod.

« Ça va, Wilson? » demanda François à l'intention de celui qu'il avait blessé et dont il avait reconnu la voix et l'accent.

L'autre, stupéfait, fit une hideuse grimace, découvrant ses dents jaunies.

« Je te connais ? demanda-t-il à François.

– Approche, tu vas me connaître », répondit celui-ci.

Wilson leva de nouveau le poing pour le frapper. Mais l'autre homme, celui qui tenait le fusil, le fit taire. Il était plus calme, plus posé, plus solide aussi que cet amas de graisse aux yeux exorbités qui avait le premier frappé François.

Ils le désarmèrent et l'emmenèrent auprès des autres qui, ayant entendu des cris et des bruits, s'étaient arrêtés et attendaient sous le couvert des arbres. Parmi eux, François reconnut Paquet d'os, qui avait attaqué l'anse aux Foins avec Clément, celui qui avait signifié à Michel qu'il devait quitter les lieux appartenant, avait-il répété, à la Compagnie de la Baie d'Hudson. Ainsi, il avait survécu à ses blessures et les loups ne l'avaient pas mangé. Mais il faisait peine et peur à voir. Il n'avait plus de dents. Et avait un œil crevé.

Dès qu'il vit François, Paquet d'os s'empressa de dire aux autres qu'ils venaient de mettre la main sur le gars qui avait arraché l'oreille du gros Clément avec un piège à renard. Et que ce serait un beau cadeau à lui faire que de le lui apporter, à Chicoutimi.

◦⌒◦

François passa la nuit pieds et poings liés, et de surcroît attaché à un arbre, à quelques pas du feu autour duquel s'étaient pelotonnés ses ravisseurs. Il n'eut rien à manger. Malgré le froid, il réussit cependant à dormir un peu. Il rêva qu'il marchait seul en pleine forêt. Une voix l'appelait au loin, au cœur de la nuit, une voix qu'il ne connaissait pas. Il entendait des rires aussi. Dans un autre rêve, il aperçut un huard volant sous la pluie. C'était l'été. Puis, dans une grande plaine de hautes herbes, il aperçut trois hommes à cheval : c'étaient ces métis rencontrés une première fois dans l'Outaouais, à bord de la grande cage,

Blondeau et ses fils, Gabriel et Benoît. Ils ne parlaient pas, ils ne le regardaient pas, ils passaient simplement, souriants, comme dans tous les souvenirs qu'il avait gardés d'eux, heureux et libres, confiants en la vie, à croire que rien ne pouvait les atteindre. Au réveil, il était content et rassuré d'avoir rêvé à eux. Quelque chose de leur liberté, de leur force, de leur courage était passé en lui et, il le sentait, le porterait quelque temps encore, toute la journée peut-être.

Malgré l'opposition de Wilson, qui voulait encore le frapper et qu'il fallut contenir, l'un des hommes le libéra et lui tendit un morceau de lard et un bout de pain. Paquet d'os, qui semblait se donner de l'importance du fait qu'il avait reconnu François, disait qu'il fallait le garder frais et dispos, que Clément serait déçu et très fâché si on lui apportait un prisonnier à moitié mort déjà. Et tous s'esclaffèrent, même Wilson, qui répéta à François qu'il ne perdait rien pour attendre. Quand ce dernier eut mangé, on lui attacha de nouveau les mains derrière le dos et on se mit en marche.

Ils traversèrent en moins d'une heure la grande table rocheuse en direction du nord-ouest, pour entrer dans la forêt, un peu à l'ouest du chemin qu'avait suivi François quelques jours plus tôt, après qu'il eut quitté Grande-Baie et remonté la rivière des Ha ! Ha !. De toute évidence, ses ravisseurs cherchaient les sources de la Papaouetish, qu'ils appelaient entre eux la rivière du Moulin. S'il y avait un sentier y conduisant, ils ne semblaient pas le connaître ou ne parvenaient pas à le trouver. Ils suivaient simplement la pente descendante, probablement sans trop savoir vers quelle rivière elle les conduirait. Ils traversèrent plusieurs gros ruisseaux dont les eaux gonflées par le printemps étaient effroyablement glacées. Le terrain était partout très instable et souvent glissant, encore lourdement enneigé par endroits. Ayant les mains liées derrière le dos, François peinait à garder son équilibre et ne pouvait écarter les branches qui lui fouettaient le visage. Il restait calme cependant. Il pensait aux Métis aperçus dans son rêve, il pensait à Laurence ; partout, parmi les nuages, dans les ombres qui se levaient sur les champs de neige fondante, qui se faufilaient à travers les arbres nus, il voyait son visage ; le vent, le doux vent de fin d'hiver, portait sa voix jusqu'à lui ; il retrouvait sur sa bouche la saveur de ses lèvres. Il était convaincu que son désir de la revoir et de la tenir dans ses bras était si fort qu'il l'aiderait, le protégerait. Un homme porté par de grands désirs ne pouvait être en grave danger ; la chance était avec lui et il avait en lui la force et le courage de vaincre tous les obstacles. De plus, l'énervement et la peur qu'il sentait naître chez ses ravisseurs le rassuraient et l'amusaient ; il les sentait faibles et inquiets. N'ayant pas trouvé la rivière au milieu du jour, ils se disputèrent et, après d'âpres discussions, revinrent sur leurs pas, après avoir réalisé qu'ils étaient probablement entrés dans le bassin versant d'une rivière qui les aurait conduits droit à la baie des Ha ! Ha ! plutôt que dans celui de sa voisine, la Papaouetish, qui devait les amener chez eux, à Chicoutimi.

Ils trouvèrent enfin un sentier de portage, que l'un d'entre eux prétendit reconnaître. Rassurés, ils s'y engagèrent l'un derrière l'autre ; et bientôt, ils découvrirent un étroit chemin de charroi qui longeait la Papaouetish. Wilson, loin derrière, se plaignant d'avoir mal au dos, répétait à François qu'il aurait bientôt affaire à lui.

« Dès que Clément en aura fini avec toi, je vais me charger des restes, s'il y en a. Je vais t'achever, tu m'entends ? Tu vas appeler ta mère, tu vas pleurer toutes les larmes de ton corps, tu m'entends ? »

François se retournait et le regardait en souriant. L'autre vociférait, pressait le pas, en grimaçant, François le laissait s'approcher ; quand il était sur le point de le frapper, il allongeait le pas et s'éloignait, laissant Wilson à sa douleur au dos et à sa rage au cœur.

Sitôt descendue du grand plateau, la Papaouetish se fit méandreuse et paresseuse, coulant calmement ses eaux noires dans une belle vallée à fond plat, où la marche était aisée. Bien qu'il ait les mains attachées et soit entouré d'hommes armés et agressifs,

François se sentait tout à fait calme et confiant. Il pensait avec reconnaissance aux Métis qu'il avait vus en rêve pendant la nuit. Et il se laissait conduire par ses ravisseurs, ne prenant pas leurs menaces au sérieux, persuadé qu'ils ne cherchaient qu'à éveiller la peur en lui. Il s'ingéniait donc à leur démontrer qu'il n'en éprouvait pas. Peter McLeod était un dur, il encourageait chez ses hommes tous les excès, toutes les violences, mais il avait une tête sur les épaules. Il n'aurait aucune raison et aucun droit de garder François prisonnier à Chicoutimi. Il connaissait François, il connaissait son père, Thomas Simard, avec qui il avait déjà été en bons termes, même si leurs intérêts divergeaient.

À un tournant de la rivière, le sentier, jusque-là bordé de denses forêts, s'ouvrit sur une vaste clairière. En y débouchant, les hommes se mirent à rire et à parler haut et fort. Ils s'arrêtèrent pour contempler fièrement ce que François, en les entendant, eut vite fait d'identifier comme leur œuvre : les sinistres décombres d'un petit campement sauvage. Les trois tentes de peaux tendues sur des perches entrecroisées à la manière montagnaise avaient été incendiées. De même que deux petits canots, dont on distinguait vaguement les membrures parmi les cendres, où gisaient également les canons déformés de vieux mousquets dont la crosse était totalement calcinée. Une marmite de cuivre à moitié immergée brillait et chatoyait, comme un soleil rouge, sous l'eau vive de la rivière. Devant ce spectacle, François ressentit une profonde tristesse, de la colère, de la peur. Ses ravisseurs, eux, riaient à s'en décrocher les mâchoires, se remémorant les détails de cette nuit d'horreur où ils avaient mis ce campement à sac, et en avaient molesté et chassé les occupants.

Le site était d'une beauté remarquable. Entre deux larges boucles de la Papaouetish se trouvait une grande terre plate et bien drainée, une presqu'île que ni les pins blancs ni les épinettes noires n'avaient colonisée. De l'eau vive, de la forêt, un beau mélange de bois dur et de bois mou, de la prairie très planche faite de bonne terre noire... On ne pouvait que rêver de bâtir une ferme à cet endroit bien protégé des vents.

« Ça ici, tu vois, c'est à moi », lança fièrement Wilson par son immonde bouche.

François fit comme s'il ne l'avait pas entendu, ce qui amplifia la colère que Wilson ressentait déjà à son égard. Ainsi, ces bandits s'étaient emparés de ce lieu par la force. Et ce, malgré l'entente conclue entre McLeod et les Sauvages. La pluie s'était mise à tomber, froide et hostile. Ils reprirent leur marche en silence.

Et bientôt, ils entendirent un air de violon et des bruits de ferraille que transportait le vent depuis Chicoutimi. Et le sourd vacarme du moulin régulièrement traversé par les stridulences de la grande scie monta vers eux. Ils traversèrent d'immenses abattis, bien dégagés, où ne subsistaient que des arbres chétifs et des centaines de souches de très gros pins, qui émergeaient de la neige fondante et pourrissante. Ils s'arrêtèrent un moment sur une hauteur d'où la vue découvrait les installations de Chicoutimi et, plus à l'ouest, les eaux turbulentes sortant du grand lac Piékouagami pour se jeter dans le Saguenay, qui charriait dans ses énormes bouillons des blocs de glace gros comme des maisons.

En quelques mois, Peter McLeod avait bâti, à la confluence du Saguenay et de la rivière Papaouetish, un important complexe forestier : une grosse scierie, un quai d'embarquement, des magasins, des entrepôts, une forge, des remises, une grande écurie, de beaux campes de bois rond dégageant un doux éclat jaunâtre qui contrastait avec le vert sombre de la forêt, le gris sale des champs de neige, l'éclatante blancheur des eaux tumultueuses de la rivière. Le bassin contenait sans doute autant de billots que celui de Grande-Baie, peut-être plus, de belles billes bien droites mesurant toutes plus de deux pieds et demi de diamètre.

Chicoutimi ressemblait à une véritable forteresse. Des hommes armés faisaient le guet sur les quais, tout autour du moulin, le long de l'estacade, à l'entrée des chemins qui montaient vers la forêt. Ici aussi donc, on avait peur. Mais de qui ? Et pourquoi ? Le pacte entre la Compagnie de la Baie d'Hudson et les Sauvages était-il vraiment rompu ?

Plutôt que d'emprunter le large chemin qui conduisait aux bâtiments jouxtant le moulin, où vraisemblablement McLeod devait avoir son bureau et autour duquel il semblait y avoir beaucoup d'animation, on fit passer François derrière de hautes piles de madriers de pin, puis derrière une écurie et un abri où étaient remisés les bobsleighs et les harnais des chevaux. On l'amena ainsi tout au bout du quai d'embarquement, en prenant soin de n'être remarqué par personne. Il reçut une ultime bourrade et, sans qu'on lui détache les mains, fut jeté dans une cabane exiguë, sans fenêtres, faite de madriers grossièrement équarris.

Chemin des Hauteurs

Raphaël

Lorsque ses yeux se furent habitués à la pénombre, François constata qu'il y avait quelqu'un d'autre dans cette cabane, un jeune Montagnais ayant de graves blessures au visage. Il semblait dormir, allongé sur le dos à même le sol, les bras posés le long de son corps. François songea qu'il devait faire partie de la bande menée par le jeune chef Kakouchak. La présence d'un Sauvage prisonnier et blessé dans un tel endroit venait confirmer l'idée que la paix était rompue entre McLeod et les Montagnais. Mais cela avait pour François quelque chose de rassurant. Les Montagnais ne supporteraient certainement pas que l'un des leurs soit retenu de force par un groupe de Blancs. Même Siméon, le vieux chef pleutre et cauteleux, ne laisserait pas faire cela. Tôt ou tard, Kakouchak et ses hommes viendraient le délivrer.

La cabane où se trouvait François était protégée des vents dominants par des empilements de madriers, mais de minces filets d'eau de pluie tombaient du toit en plusieurs endroits. François laissa se mouiller un pan de sa chemise qu'il avait fait glisser de ses épaules et, tant bien que mal, s'étant assis à ses côtés, en humecta les lèvres et le visage du Sauvage. S'il parvenait à le réanimer, celui-ci pourrait l'aider à dénouer les lacets qui lui liaient les poignets. Sans ouvrir les yeux, sans dire un mot, le jeune garçon tenta de s'emparer du vêtement mouillé, mais ses gestes étaient imprécis et hésitants. François lui parla tout doucement, en montagnais. Il n'obtint pas de réponse.

Peu avant la nuit, la pluie cessa. Un homme apporta du poisson séché et de la banique, qu'il laissa tomber sans un mot sur le plancher de la cabane. Avant que François ait pu demander qu'on lui détache les poignets, la porte était déjà refermée et barrée. À genoux, les mains dans le dos, il mordit dans le poisson et secoua vivement la tête pour en tirer une bouchée. Le poisson se détacha et aboutit à l'autre bout de la cabane. Quand il eut mâché et avalé sa bouchée, François entreprit de se déplacer pour récupérer le poisson. Il posa un genou sur la tête d'un clou mal enfoncé. La douleur fut si vive qu'un cri lui échappa.

Il ne se déplaça plus qu'à reculons, après avoir minutieusement exploré le plancher de ses mains jointes. Il trouva d'autres clous, dont la tête dépassait suffisamment pour qu'il puisse espérer les retirer du bois en tirant dessus. Il les secouait donc dans l'espoir que l'un ou l'autre céderait. Il dut se rendre à l'évidence qu'il ne parviendrait pas à en retirer un seul. Même s'ils n'y étaient parfois enfoncés qu'à moitié et tout de travers, les clous étaient solidement retenus par le bois ferme et vert, d'où suintaient par endroits de grosses dégoulinades de résine.

Il réussit cependant à en plier quelques-uns, et même à en casser deux à ras le bois, mais les bouts qui lui restaient en main étaient trop courts pour servir d'armes ou d'outils. Il entreprit alors d'user les liens qui retenaient ses poignets sur la tête aux rebords acérés du premier clou, sur lequel il s'était déchiré le genou. Il travailla longtemps, ne s'interrompant que pour prendre quelques bouchées du poisson et du pain de banique, dont il répandit des miettes dans toute la cabane.

À plusieurs reprises, œuvrant sans voir son métier, il fit de faux mouvements et s'écorcha les doigts et les poignets sur la tête du clou. Le sang coulait sur ses mains, chaud, poisseux. Bientôt cependant, il sentit, du bout des doigts, que des effilochures se détachaient des cordes. Il continua donc son travail de râpe.

La nuit tombait lorsque le Sauvage, toujours étendu sur le dos, se mit à parler tout bas et de manière très confuse. Puis il haussa soudainement le ton ; sa voix monta, s'enfla, remplie de colère. Le jeune garçon semblait mener un dur et long combat contre un esprit malveillant, qu'il invectivait à tue-tête, le corps secoué de spasmes. Plus tard, il se mit à rire tout doucement et s'apaisa. Puis il chanta une lente mélopée, dont François eut peine à saisir les paroles. Le Sauvage s'endormit de nouveau, sans avoir eu conscience de la présence de François. Sans doute qu'il avait vaincu l'esprit qui l'avait assailli.

François était sûr qu'il parviendrait tôt ou tard à briser ses liens. Mais que ferait-il par la suite ? Une fois les mains libres, aurait-il quelque moyen de sortir de cet endroit ? Cette cabane avait été de toute évidence très vite et très mal bâtie. Elle constituait néanmoins une cache sûre. Deux côtés donnaient sur la rivière aux eaux glacées, qu'on entendait chuinter furieusement autour des piliers qui soutenaient la jetée et contre lesquels se butaient des glaçons qui secouaient toute la structure du quai. De lourds madriers étaient empilés contre un autre côté. Restait le mur où se trouvait la porte, solidement barrée, qui donnait sur le quai, où un homme ne pouvait s'avancer de trois pas sans être vu. Le plancher était constitué de gros madriers sur lesquels étaient posés les murs de la cabane. Et tant qu'il aurait les mains liées dans le dos, François ne pourrait atteindre le plafond et tenter d'en soulever les planches. S'il y arrivait, il pourrait alors grimper sur les piles de madriers... Et alors, tout serait possible.

Cependant, une idée inquiétante se précisait dans son esprit. Cette prison était sans doute une geôle secrète, où les hommes du gros Clément écrouaient des prisonniers à eux, à l'insu de Peter McLeod. Wilson et les autres avaient pris mille précautions pour le dissimuler aux regards et le soustraire à l'attention générale avant de l'enfermer dans cette cabane, qui se trouvait à l'écart, si loin du moulin et des campes que personne ne pouvait les entendre. Le jeune Montagnais avait eu beau hurler dans son rêve, personne n'était venu.

La situation dans laquelle se trouvait François était, à bien des égards, alarmante. Mais il pouvait toujours s'en sortir;

McLeod, s'il avait connaissance de son emprisonnement, ne pouvait risquer de faire face à la justice des Blancs. Il pouvait cependant laisser discrètement le gros Clément exercer sa vengeance. Mais connaissait-il les intentions de celui-ci ? Avait-il laissé ses hommes s'emparer des terres appartenant aux Montagnais ?

Ti-Jean avait peut-être raison quand il avait dit que McLeod avait créé une meute de chiens enragés dont il pourrait bien perdre le contrôle un jour. Il avait en effet réuni autour de lui des fous furieux comme Clément, comme Wilson, comme Paquet d'os et plusieurs autres, des aventuriers sans scrupules, des hommes méchants et terriblement violents, issus de la lie du monde ; grâce à eux, il faisait régner la terreur dans tout le Royaume. Mais cette force aveugle et brute pouvait bien lui avoir échappé. Si c'était déjà chose faite, Clément et son groupe agissaient donc en toute impunité. Et pour François, comme pour ce jeune Montagnais, pour les gens de Grande-Baie comme pour la bande de Kakouchak, tout était alors à craindre.

Tout à ces sombres pensées, François ne s'était même pas rendu compte qu'il avait cessé de râper ses liens. Son genou lui faisait affreusement mal ; il avait des coupures et de profondes écorchures aux pouces et aux poignets. Il était fatigué, inquiet, maussade, il avait les doigts et la paume des mains tout gommés de résine de pin. Malgré l'inquiétude, la douleur et l'inconfort, il sombra finalement dans un sommeil agité. À son réveil, le temps était au beau fixe. La lumière bleutée de la pleine lune entrait par les interstices du mur donnant sur la rivière et traversait la cabane de part en part.

Il y eut des bruits de pas désordonnés sur le quai. On fit glisser la barre et la porte s'ouvrit brutalement. Levant les yeux, François aperçut, penché sur lui, le visage hideux et familier du gros Clément, son oreille gauche sans pavillon et, sur le même côté de la tête, une plaque de peau bistrée grande comme la main. Clément n'aurait pu tenir debout dans la cabane, ni même franchir la porte, trop étroite. Il était donc resté sur le seuil, et avait dû se plier en deux pour passer sa petite tête aux yeux chassieux à l'intérieur. Son visage s'illumina de satisfaction quand il reconnut François.

« C'est bien lui », confirma-t-il, à l'intention des hommes restés derrière son énorme masse, qui bloquait entièrement la porte. Des rires fusèrent. François reconnut la voix de fausset de Wilson et aperçut sa tête, qu'il était parvenu à glisser sous le bras de Clément.

« Qu'est-ce que tu vas en faire ? demanda Wilson.

– Pour commencer, je vais lui arracher les deux oreilles avec mes mains, répondit Clément. Après, je vais lui décoller la peau de la tête au complet. Pis je vais le casser en morceaux. Vous allez voir. »

D'autres éclats de rire se firent entendre. Clément, lui, ne riait pas. Sans un mot à François, sans un regard au Sauvage, il referma la porte, replaça la barre. Comme ils s'éloignaient, François l'entendit qui ajoutait, sans doute à l'attention de Wilson :

« En tout cas, tu peux être sûr d'une chose : celui-là, on lui reverra jamais la face à l'anse aux Foins. »

Ce qui fit s'esclaffer plus encore Wilson et les autres.

Voilà donc ce qui avait motivé l'attaque menée par le gros Clément et ses hommes à l'anse aux Foins ! Ils voulaient s'emparer des lieux. Clément n'avait pas agi au nom de la Compagnie de la Baie d'Hudson, comme l'avait prétendu Paquet d'os. Wilson non plus, qui s'était approprié ce bel endroit de la rivière Papaouetish où quelques Sauvages avaient établi leur campement.

McLeod savait-il cela ? Était-il complice ?

Clément avait toutes les raisons du monde de haïr François et de vouloir se débarrasser de lui qui, en plus de s'être établi sur la terre qu'il convoitait, l'avait blessé et humilié. Mais pour François, il n'était pas question d'abandonner ne serait-ce qu'une infime parcelle de son anse. Cette terre était à lui, elle était son trésor et sa liberté. Il y vivrait bientôt avec Laurence, la femme dont il rêvait tous les jours et toutes les nuits. La perspective d'un combat singulier avec Clément, cette énorme brute, faisait froid dans le dos. Mais, en même temps que la peur, François sentait monter en lui, vivifiante et stimulante, presque rassurante, la colère.

« *Nuitsheuakan tan eshinikashuin ?* »

François sursauta. La voix était toute douce, pourtant. Les Montagnais élevaient très rarement la voix, comme tous les hommes de la forêt.

Il se tourna vers le Sauvage, toujours étendu sur le dos, les yeux fermés, les bras allongés de chaque côté du corps.

« *Nuitsheuakan tan eshinikashuin?* » Qui es-tu, mon ami ? Quel est ton nom ? demandait-il.

Il ne sut trop quoi répondre. Dire : « Je m'appelle François Simard » n'aurait sans doute pas été une réponse satisfaisante. Dans la langue et dans l'esprit innus, on se définissait non par un nom, ni par un lieu d'origine, et encore moins par un titre ou en se situant hiérarchiquement au sein d'une société, mais en faisant état de ce qu'on vivait et de ce qu'on ressentait en ce moment présent.

« Qui es-tu ? » voulait dire « Comment te sens-tu ? As-tu peur ? As-tu faim ou froid ou soif ? Es-tu fâché ? », mais aussi : « Comment se fait-il que tu sois ici ? Qu'as-tu fait pour être ici ? Que t'ont-ils fait, à toi ? »

« Je suis prisonnier », répondit finalement François.

C'était le commencement d'une réponse. Il était prisonnier lui aussi, mais il n'avait pas été battu, pas encore. Et il était blanc, ce qui pouvait faire une énorme différence. Il y avait des lois dans ce pays qui protégeaient les Blancs partout, où qu'ils soient.

Une pensée frappa soudainement François. Il était blanc, certes, mais il était recherché par la police. Il était hors-la-loi. Peter McLeod le savait certainement. Clément aussi peut-être. François n'était pas encore blessé, mais il était peut-être bien tout aussi démuni que ce jeune Montagnais. Il était comme lui, sans droits, sans secours. Réalisant cela, il ressentit une fraternelle sympathie pour le jeune Sauvage étendu dans la pénombre près de lui.

Il répéta d'une voix douce : « Je suis un prisonnier, comme toi. » Et après un moment, il demanda : « *Nuitsheuakan tan eshinikashuin ?* »

Et le garçon répondit qu'il s'appelait Raphaël.

« Moi, c'est François.

– Je sais. Je me souviens de toi. »

Alors, François sentit un sourire lui monter aux lèvres. Soudain, tout lui revint en mémoire, avec tant de netteté qu'il crut sentir sur ses épaules la chaleur du soleil et le doux vent des étés d'autrefois, quand ils étaient libres et insouciants, qu'ils avaient tout le Saguenay à eux, toute la vie devant eux.

« Moi aussi je me souviens de toi », dit-il.

Lorsque plus tard François lui demanda de l'aider à se défaire de ses liens, Raphaël lui fit voir ses mains, paumes tournées vers le haut. Elles étaient horriblement désarticulées, certaines jointures étaient si enflées qu'il ne parvenait pas à bouger les doigts qui pendaient, inertes. Voilà pourquoi on ne s'était pas donné la peine de l'attacher.

Il raconta à François qu'il était de passage dans le campement sur la Papaouetish la nuit où il avait été mis à sac par Clément et ses hommes. Ils avaient chassé tous les occupants et tout détruit. Ils avaient violé deux jeunes femmes. Surpris dans leur sommeil, les Sauvages n'avaient pu se défendre, ni rien emporter, pas même leurs armes. Le lendemain matin, Raphaël était revenu seul sur les lieux, espérant récupérer son canot. Il l'avait trouvé sur la grève, défoncé, incendié. Les avirons, les vêtements, les armes, tout ce que possédaient la dizaine de Sauvages qui habitaient ce campement avait été brûlé ou volé. Raphaël errait parmi les décombres du campement quand les bandits étaient revenus. Ils lui avaient dit qu'il n'était pas chez lui dans cet endroit et qu'il devait déguerpir. Comme il refusait d'obtempérer, ils l'avaient tabassé, l'avait fait prisonnier et emmené ici, à Chicoutimi. Un géant était venu le voir. Il était si gros et si grand qu'il ne pouvait entrer dans la cabane. Il avait tendu le bras et l'avait pris par les cheveux pour le tirer dehors. Et là, devant les hommes qui le regardaient faire en l'encourageant et en riant très fort, il lui avait broyé les mains.

Si le gros Clément avait si gravement blessé ce pauvre garçon qu'il ne connaissait probablement pas et qu'il n'avait aucune raison de haïr, que serait-il capable de faire à François, qu'il avait toutes les raisons de détester et qu'il devait détruire s'il voulait s'emparer de l'anse aux Foins ?

François se demandait quand Clément mettrait à exécution ses sinistres projets. S'il voulait lui arracher les oreilles et le cuir chevelu, pourquoi ne l'avait-il pas déjà fait ?

❧

Les quatre hommes qui avaient fait François prisonnier sur le chemin des Hauteurs vinrent le chercher au milieu du jour. Ils lui jetèrent sur la tête une peau de caribou qui lui couvrait les épaules et le sortirent sans ménagement de la cabane. Ainsi encagoulé, François respirait avec peine et ne voyait pas bien où il posait les pieds. Sa blessure au genou dans lequel il s'était enfoncé un clou l'élançait à chaque pas. Il s'efforça de penser à Laurence, mais il ne parvenait plus à revoir son visage.

Il eut conscience qu'on le faisait passer de nouveau derrière les piles de madriers, les écuries, la remise. Les hommes parlaient tout bas. À deux reprises, ils s'arrêtèrent, sans doute de peur d'être aperçus ou entendus. Puis, ils le poussèrent dans un sentier qui semblait bien dégagé quoique fort étroit et, par endroits, très accidenté. Chaque fois qu'il tombait, François recevait des coups.

Après une marche qui lui parut avoir duré une demi-heure, ils s'arrêtèrent de nouveau. Il entendit grincer une porte vers laquelle on le poussa. Voyant le sol à ses pieds couvert d'une épaisse couche de sapinage très sec, François comprit qu'ils étaient entrés dans une cabane sauvage, sans doute abandonnée. Il fut jeté par terre. On le laissa se défaire de la couverture de caribou dans laquelle il avait été enveloppé. Lorsqu'il parvint à s'en extirper, il vit les quatre hommes debout autour de lui, un mauvais sourire aux lèvres. Il reconnut la cabane du vieux chef Siméon, de Chicoutimi. En voyant les pièges à castor qui pendaient encore au mur, la croix de tempérance, un vieux tambour à la peau flasque, il comprit que Siméon était parti précipitamment.

Il songea également qu'ils étaient trop loin des campements de la rivière du Moulin pour qu'il puisse espérer avoir du secours de ce côté. De toute manière, McLeod n'était sans doute pas au courant de sa capture et de sa présence à Chicoutimi. Clément le gardait pour lui. Il était son trophée, sa proie. Ou plutôt un présent que lui offraient ses amis. Et c'était certainement lui que les gars attendaient en fumant et en buvant du rhum. Ils assirent François sur une bûche au milieu de la cabane.

Clément arriva enfin. Il dut se courber pour passer la tête dans la cabane. Son regard torve fit le tour de la pièce avant de se poser sur François. Il tendait son bras vers lui quand on entendit un ahan suivi d'un bruit sourd. La brute lâcha un cri de stupeur et se redressa brusquement. Sa tête disparut au-dessus de la porte et, pendant un moment, on ne vit plus que sa poitrine énorme, qui obstruait complètement l'entrée. Le même bruit se fit de nouveau entendre; le géant vacilla et tomba sur les genoux. Dans la cabane, les hommes, stupéfaits et inquiets, s'étaient levés et regardaient le visage hébété du gros Clément, qui resta ainsi à genoux jusqu'à ce qu'un troisième coup lui soit asséné. Alors, il s'écroula mollement face contre terre, sa tête heurtant durement le genou blessé de François qui, levant les yeux, aperçut, debout dans l'embrasure de la porte, un homme, un Sauvage, enveloppé dans une longue peau de castor, la tête à demi rasée, qui le regardait, un tomahawk à la main, visiblement surpris de ce qu'il voyait. Dominique !

Et alors, tant chez l'un que chez l'autre, des souvenirs d'enfance refluèrent du fond de leur mémoire; ces étés, les plus beaux du monde, quand ils avaient à eux tout le fjord, tout le ciel et ses oiseaux, toutes les forêts, et les filles, la liberté. Ils avaient vécu ensemble dans le même bonheur, comme des frères. Ils avaient été des frères.

Chicoutimi

Kakouchak

Dès que le gros Clément fut terrassé, des cris se firent entendre tout autour de la cabane, aigus, terrifiants, mêlés à des cliquetis d'armes et des bruits de pas.

Kakouchak enjamba le géant. Il ordonna aux hommes de rendre leurs armes. Se sachant entourés, ils jetèrent leurs fusils et leurs couteaux par terre. Au-dehors, les cris de guerre cessèrent. Deux jeunes Sauvages vêtus et coiffés comme leur chef vinrent ramasser leurs armes. François reconnut Louis et Gros-Pierre. Eux aussi avaient été ses amis autrefois, il avait voyagé et chassé avec eux, ils avaient aimé les mêmes filles. Ils feignaient maintenant de ne pas le reconnaître, le considérant sans doute désormais comme un ennemi. Ils contemplaient, ébahis, l'énorme Clément, qui gisait, toujours inerte, monstrueux, face contre terre, du sang coulant de sa bouche, de son nez et d'une large blessure que lui avait faite à la tête le dernier coup de tomahawk administré par leur chef.

Celui-ci était visiblement perplexe. Il était venu délivrer son frère Raphaël. Il trouvait à la place ce prisonnier blanc, cet homme seul que ses frères avaient quelques fois aperçu et suivi de loin au cours de l'hiver et qui, au printemps dernier, pendant que Kakouchak, Raphaël et Gros-Pierre se trouvaient chez McLeod, à Rivière-Noire, s'était rendu à Métabetchouan, où étaient restés les femmes et les enfants, cet homme seul qui avait été autrefois son ami, François. Il était maintenant un ennemi, lui aussi. Il était venu au Saguenay avec l'intention de s'y établir, comme tous ces Blancs qui construisaient partout des cabanes et des maisons en dur, qui tuaient des animaux qu'ils ne respectaient pas et dont ils ne se nourrissaient pas, qui dévastaient les forêts, qui ouvraient partout de trop larges chemins, jetaient des ponts sur les rivières. Ils étaient tellement lourds, tellement bruyants ! Ils laissaient partout leurs traces, leurs marques.

« Je sais où est Raphaël », lui dit François.

Kakouchak ne le regarda même pas, se demandant sans doute s'il pouvait lui faire confiance.

« Je sais où est ton frère Raphaël », répéta François, en montagnais. Cette fois encore, Kakouchak n'eut aucune réaction. Les Sauvages qui l'accompagnaient – ils étaient une douzaine environ – venaient à tour de rôle contempler le géant. Ils l'avaient certainement déjà aperçu. Cette année-là, au Saguenay, personne ne passait inaperçu à leurs yeux, à plus forte raison un homme de cette taille. Mais le voir ainsi, de près, terrassé, constituait pour eux tous une formidable attraction.

François fut tenté de dire à Kakouchak que ce monstre et les quatre Blancs qui l'entouraient avaient détruit le campement sauvage établi sur la Papaouetish. Mais il vit du coin de l'œil que Paquet d'os, à qui Kakouchak, imprudemment, tournait le dos, avait glissé la main dans sa ceinture et en avait sorti un couteau. François fit un signe de tête à Kakouchak. Celui-ci, en se retournant, frappa Paquet d'os d'un grand coup de tomahawk en plein visage, lui brisant le nez et ce qu'il lui restait de dents. Avant qu'il ne tombe, il lui asséna un coup de revers qui lui fracassa le crâne, faisant jaillir le sang de sa bouche, de son nez, de ses oreilles. Kakouchak leva de nouveau le bras pour frapper les autres Blancs, mais il retint son geste. Il sortit. François, toujours attaché, assis par terre au milieu de la cabane, put le suivre des yeux par la porte restée ouverte. Il le vit ainsi descendre au bord de la rivière, dont les eaux furieuses faisaient entendre, en se frottant aux berges, un mugissement assourdissant. Kakouchak n'avait pu se résoudre à tuer trois Blancs de sang-froid. Ses hommes et lui avaient maintes fois tué des bêtes, jamais d'humains cependant. Pour un Montagnais, tuer une bête dont on allait manger la chair et utiliser la peau, les crocs et les os était un acte de vie. Tuer un homme, par contre, n'était qu'un acte de mort qu'on ne posait jamais impunément.

Kakouchak revint finalement vers la cabane, tenant toujours à la main son tomahawk maculé de sang. Le géant blessé s'était mis à quatre pattes et geignait en se tenant la tête à deux mains. Sans un regard pour lui, Kakouchak fit signe à François de se lever et de le suivre. Il coupa lui-même ses liens d'un coup de couteau.

« Où est mon frère ? »

François expliqua à Kakouchak où se trouvait Raphaël. Et le plan auquel il avait pensé pour le libérer. Ils prendraient, Kakouchak et lui, le canot le plus grand et le plus souple qu'ils trouveraient. François n'ignorait pas qu'à l'automne, les Montagnais rebelles avaient remisé des canots à l'embouchure de plusieurs des affluents du Saguenay, comme l'avaient fait autrefois leurs ancêtres. Une fois le canot radoubé, ils se laisseraient porter par le courant jusque sous le quai de McLeod, y grimperaient, délivreraient Raphaël, qu'ils prendraient avec eux. Ils se laisseraient ensuite emporter par le courant. Ils seraient pendant tout ce temps en très grand danger. Même s'ils échappaient aux Chiens de McLeod, ils devraient se lancer sur une rivière déchaînée dont les eaux charriaient d'énormes blocs de glace et des débris, parfois des bouquets d'arbres entiers arrachés aux berges, contenant de gros cailloux enfermés dans le réseau de leurs racines.

Pour créer une diversion, François proposa que deux hommes se rendent à Chicoutimi par voie de terre et mettent le feu à la tasserie à foin, peu après la tombée de la nuit. Gros-Pierre et Louis partirent immédiatement, afin de préparer leur opération.

La cache de canots la plus proche se trouvait sur la rivière Chicoutimi. Deux hommes s'y rendirent et revinrent, moins d'une heure plus tard, avec un très bon canot qui fut rapidement radoubé, sa coque d'écorce humidifiée, assouplie, ses coutures recousues de ouatapi et enduites de gomme d'épinette à laquelle on avait mêlé de la graisse d'ours pour lui donner plus de viscosité. Ils fixèrent à l'avant une longe de ouatapi, afin qu'ils puissent l'amarrer au quai, le temps d'embarquer Raphaël.

Sans que personne n'ait eu à donner d'ordre ou n'ait fait de plan, sans que personne n'ait dirigé les opérations, sans même que les hommes ne se soient consultés, ils avaient travaillé dans une parfaite harmonie, sans jamais se nuire, leurs gestes se complétant avec une fascinante facilité. Comme s'ils avaient rafistolé des canots ensemble chaque jour de leur vie ! Quand tout fut prêt, il y eut des jeux de tambour et des chants.

Personne ne s'étant porté volontaire pour tuer les prisonniers, on avait décidé de les laisser dans la cabane, pieds et poings liés, et sous bonne garde. On ne pouvait courir le risque qu'ils préviennent les gens de Chicoutimi.

Kakouchak s'était assis à l'écart sur un rocher, face à la rivière blanche d'écume. Il ne leur faudrait, une fois leurs canots mis à l'eau, que quelques minutes pour se rendre au quai de McLeod. Les courants pouvaient démantibuler leur embarcation, la broyer contre les berges, l'écraser entre deux blocs de glace ou contre le quai. Les deux hommes seraient alors emportés, broyés eux aussi, roulés, avalés par cette formidable gueule.

Ils emportaient chacun un couteau. Une arme à feu, dans toute cette eau, serait embarrassante et sans doute de peu d'utilité. Si jamais, ayant réussi à s'accrocher au quai, ils étaient repérés par les hommes de McLeod, ils devraient se battre au corps à corps, et s'enfuir à pied. François décrivit à Kakouchak le chemin qu'ils devraient alors emprunter, celui par lequel on l'avait emmené plus tôt dans la journée, qui passait derrière les piles de madriers, la remise des bobsleighs, l'écurie et la tasserie à foin qui, si tout se passait bien, serait alors en feu. Ils devraient ensuite courir à découvert pendant un bon moment, jusqu'au sentier qui montait vers le vieux village, où ils retrouveraient leurs amis. Mais Raphaël pouvait-il courir ? Quand les hommes de Clément étaient venus chercher François, quelques heures plus tôt, il était conscient, mais terriblement affaibli. Et eux, François et Kakouchak pourraient-ils le porter sur une aussi longue distance ?

Même si tout se passait bien, s'ils réussissaient à délivrer Raphaël et à l'amener au canot, ils ne savaient pas ce qui se produirait par la suite. Ils auraient fort à faire pour maintenir leur embarcation à l'eau. Le courant était si puissant, si rapide que, même s'ils évitaient les obstacles, ils ne pourraient peut-être pas toucher terre avant de longues heures. L'idéal, pensait François, serait qu'ils soient emportés par des courants qui, après s'être frottés à la rive droite du Saguenay, leur permettraient d'entrer dans la grande baie des Ha ! Ha !, beaucoup plus calme et dont les berges, très escarpées à l'entrée, étaient bordées tout au fond de longues plages sablonneuses où ils pourraient facilement échouer leur canot. Kakouchak n'avait sans doute pas très envie de se retrouver parmi les Blancs de Grande-Baie, qu'il considérait non sans raison comme ses ennemis. Il devait cependant savoir lui aussi que c'était là que se trouvait leur seule chance de salut.

La lune s'était levée dans un ciel encore clair. À la nuit tombée, elle présenterait un danger, certes, en les rendant plus visibles. Sa lumière les aiderait, par ailleurs, à voir et à éviter les obstacles, et à repérer plus facilement le quai de McLeod. S'ils ne parvenaient pas à s'y accrocher et passaient outre, ils ne pourraient certainement pas remonter le courant pour porter secours à Raphaël.

Le soleil disparaissait à l'horizon et la lune était déjà haute quand ils mirent leur canot à l'eau, laissant le gros Clément et ses Chiens aux mains de deux jeunes Sauvages. Ils furent durement happés par le courant, qui les secoua si fort qu'ils faillirent tous deux être projetés hors du canot.

Ils heurtèrent très durement l'un des piliers. Mais François, qui se trouvait à l'avant, put amortir le coup et agripper à deux bras une pièce transversale de la charpente. Kakouchak s'accrocha à lui d'une main, retenant de l'autre la longe du canot, qu'il ramena vers eux une fois qu'ils se furent bien établis sur les poutrelles de soutènement.

Au-delà du rugissement assourdissant des eaux, ils entendirent alors des clameurs, des cris. Une fois montés sur le quai, ils virent, de l'autre côté du moulin et des piles de madriers, de gigantesques lueurs qui chassaient les ombres de la forêt. Gros-Pierre et Louis avaient mis le feu à la tasserie à foin. Pendant que Kakouchak maintenait l'avant du canot contre le quai et tentait de le soulever afin de le soustraire à la poigne du courant, François courut vers la cabane où était enfermé Raphaël. Il entendait hennir les chevaux qu'énervaient les lueurs et les crépitements de l'incendie, l'âcre odeur de la fumée, les cris des hommes.

Raphaël était inconscient. François le hissa sur son épaule et courut vers Kakouchak qui, le voyant s'approcher, remit le canot à l'eau et le maintint fermement tout contre le pilier, juste sous eux. François déposa Raphaël sur le dos au bord du quai, de manière à ce que ses jambes pendent dans le vide. Il descendit dans le canot, s'y assit et fit lentement glisser le corps inerte de Raphaël, qu'il déposa dans la pince avant de l'embarcation.

Il n'entendit pas la longe se rompre, mais soudain, tout enveloppé de l'écume étincelante qu'irisaient la clarté de la lune et les lueurs ambrées de l'incendie, le canot se mit à danser sur les flots porteurs d'énormes blocs de glace qui, s'entrechoquant, étaient parfois projetés hors de l'eau, où ils retombaient dans un grand fracas. François eut juste le temps de s'emparer de son aviron et de redresser l'embarcation, qui s'éloigna rapidement du quai, où Kakouchak était resté seul.

Les eaux de la Papaouetish, elles-mêmes grossies par le printemps, poussèrent le canot vers le milieu du Saguenay, où les courants des deux rivières se bousculaient, formant un énorme bouillonnement dont les embruns empêchaient François de voir les rives. Ainsi emportés, ils ne pourraient sans doute toucher terre avant d'atteindre des eaux plus calmes, à la hauteur de la baie des Ha ! Ha !, peut-être. À chaque grosse vague qui le soulevait, le canot se tordait, mais il tenait bon. François distinguait à peine le visage blafard du jeune Sauvage, étendu à l'avant de l'embarcation. L'un de ses bras pendait hors du canot, qu'il déstabilisait. Tout occupé à pagayer, François ne pouvait le remettre en place. Il n'avait pas le temps non plus d'écoper. Pagayer le gardait au chaud, heureusement; il s'inquiétait cependant pour Raphaël, toujours inconscient, trempé lui aussi jusqu'aux os.

Chaque fois que c'était possible, il tentait de se rapprocher de la rive droite, espérant qu'après qu'il aurait franchi le cap à Benjamin les courants molliraient un peu et le pousseraient vers l'intérieur de la baie des Ha ! Ha !. S'il passait outre, cette course aveugle pouvait durer encore très longtemps, jusqu'au matin. Elle pouvait même ne jamais cesser, et ils vogueraient infiniment, jusqu'au bout de cette nuit blanche et glacée.

Et Kakouchak resté sur le quai de Chicoutimi était tout autant en danger que lui. Les hommes de McLeod n'étaient peut-être pas aussi pervers et méchants que ceux de Clément, mais après cet incendie dont ils le tiendraient responsable, ils ne seraient certainement pas tendres à l'égard de Kakouchak s'il fallait qu'il tombe entre leurs mains. Et qu'avaient fait ses hommes du gros Clément, de Wilson et des autres ? Avaient-ils su les maîtriser ? N'auraient-ils pas mieux fait de les tuer ?

Kakouchak et François s'étaient à peine parlé. Mais ils avaient retrouvé ensemble cette complicité heureuse qu'ils avaient connue autrefois. Dans l'action, ils s'étaient entendus à merveille, formant une machine magnifique, bien rodée, comme en ces temps heureux, quand ils chassaient ensemble avec Gros-Pierre. Ils n'avaient pratiquement pas échangé un mot pendant toute l'opération, ni même pendant qu'ils la préparaient, mais ils avaient retrouvé cette parfaite concorde qui rendait tout possible.

Il pagayait maintenant comme en rêve, sans mémoire, ayant perdu toute notion du temps et de l'espace, ne pensant qu'à maintenir l'embarcation dans le courant. Puis le courant mollit peu à peu. L'écume aveuglante tomba. Le canot entra en eaux calmes. Des nuages couvrirent la lune. Et bientôt, François ne vit plus rien, au bout de la nuit, que du noir opaque. Il entendait toujours, derrière lui, les rugissements du monstre, le Saguenay qui courait vers la mer, ses houles se ruant sur la marée montante comme des hordes de chevaux fous. Dès que François cessa de pagayer, le froid le saisit. Ne sachant exactement où il était, il lui serait bien difficile d'accoster dans cette obscurité. Mais il ne pouvait attendre ; il continua de pagayer, pour se tenir au chaud, pour se rapprocher du fond de la baie, où il pourrait par chance s'échouer sur une petite plage de sable, y tirer son canot, mettre Raphaël à l'abri, faire un feu et dormir.

Il aperçut au loin, minuscule, une petite lumière dansante et vacillante, comme la flamme d'une chandelle de cire. Il pointa le canot dans cette direction. Il heurtait parfois de lourds objets flottants, sans doute des glaçons détachés des rives. Le canot, qui avait embarqué beaucoup d'eau, était très lourd, il faisait froid, François sentait l'engourdissement l'envahir. Il pensait à Laurence. Et pour elle, encore et encore, il plongeait son aviron dans l'eau, il tirait son eau, de toutes ses forces, s'approchant peu à peu de la minuscule lumière dansante au loin, qui ne pouvait être que Grande-Baie.

Il y eut un choc, un craquement. L'avant du canot, déjà fragilisé, se défit. François réussit à s'accrocher d'une main à l'obstacle qu'ils avaient heurté, retenant Raphaël de l'autre. Bien qu'il soit déjà trempé jusqu'aux os, il sentit la poigne de l'eau glacée se refermer sur lui. Il ne pouvait monter sur l'obstacle sans lâcher Raphaël, qu'il avait peine à maintenir hors de l'eau. Puis il entendit des voix dans le noir. Des hommes couraient vers eux avec de grands cris, certains portant des lampes-tempête. Les hommes les hissèrent un à un sur la jetée, portèrent Raphaël dans le grand campe, où il fut remis aux bons soins de Sa Sainteté. Ils étaient arrivés à Grande-Baie.

François se rendit au grand campe, où les hommes, encore tout ensommeillés, le regardèrent avec stupéfaction. Parti à pied vers l'aval de la rivière dans le but de retrouver Kakouchak, il réapparaissait une dizaine de jours plus tard, en canot, avec un jeune Montagnais gravement blessé à son bord. Ils ne pouvaient venir que de l'amont, à l'opposé de La Malbaie. Personne en effet, en cette saison de l'année, n'aurait pu remonter, ne serait-ce que d'une seule brasse, le courant déchaîné du Saguenay. Le descendre, comme ils avaient fait, était déjà extrêmement périlleux. Qu'est-ce qui avait bien pu pousser François à Ange à se lancer dans cette aventure ? Quel terrible ennemi avait-il dû fuir ? À quel danger avait-il échappé ? Et ce jeune Sauvage, était-il son prisonnier ou son ami ?

Alexis fit taire les questions et ordonna qu'on donne à François des vêtements chauds, qu'on lui serve un bon repas et qu'on lui laisse le temps de se reposer un peu avant de raconter son histoire.

Grande-Baie

Alexis

Il faisait grand jour quand Raphaël reprit conscience. Il entendait des voix et des rires de Blancs qui semblaient venir de l'extérieur de la cabane où il était étendu. Il avait froid et très mal, et il était si confus qu'il ne savait où, dans quelles parties de son corps, le mal et la douleur s'activaient. Dans sa tête, son dos, ses jambes ? Il voulut porter ses mains à son visage, mais ne put plier son bras droit. Et sa main gauche, quand il la posa sur sa joue, était rugueuse et rigide. Il se souvint comment un géant lui avait broyé les doigts pour faire rire ses amis. Et il crut pendant un moment qu'il était toujours leur prisonnier, à la merci de ces ravisseurs déments qui le tortureraient encore, le mettraient peut-être à mort. Alors, il se mit à chanter pour lui-même, tout doucement.

> *nipimutenan*
> *katak' nututenan*
> *niminuenitenan ute etaiat*
> *minuat e uapamitat*

L'ayant entendu, les Blancs se turent. L'un d'eux vint près de lui et dit, à l'intention des autres, restés dehors : « Il s'est réveillé. » Raphaël continua de chantonner. D'autres hommes s'approchèrent. Celui qui avait parlé posa sa main sur son front.

« Allez me chercher Alphonse », dit-il. Il parlait d'une voix autoritaire, qui n'était pas celle du géant fou. Raphaël eut l'impression très nette qu'il s'agissait plutôt de la voix d'un homme sage et bon. Et il cessa de chanter. Ce n'était plus nécessaire. Il n'y avait pas de mauvais esprit autour de lui. Il y en avait eu un, bien sûr. Peut-être même plusieurs. Raphaël sentait encore en lui le froid que laissaient les mauvais esprits dans le cœur et le corps des hommes dont ils s'approchaient. Mais il avait compris, sans trop savoir comment ni pourquoi, qu'il était sain et sauf.

Un autre homme était entré dans la cabane et mit lui aussi la main sur son front.

« La fièvre est en train de tomber. On peut l'abrier. »

Il tira sur lui une couverture de laine. Puis il lui souleva la tête et lui fit boire un liquide amer et chaud. Et bientôt, Raphaël sentit que la douleur se retirait de lui. Avant de sombrer de nouveau dans le sommeil, il entendit l'homme à la voix sage dire :

« Je pense que tu l'as sauvé. »

Et celui qui l'avait fait boire, qui devait être Alphonse, répondit :

« Oui, je l'ai sauvé. Mais c'est un miracle du bon Dieu qu'il soit encore en vie.

— Pas juste du bon Dieu, ajouta l'autre homme. Je dirais, moi, que François à Ange y est pour beaucoup. »

François ! Sans qu'il sache trop pourquoi, Raphaël fut rassuré par ce nom.

Alphonse passa la journée à soigner le jeune Montagnais. Il nettoya ses plaies avec une eau tiède dans laquelle il avait fait tremper la seconde écorce d'un jeune pin. Il lubrifia ses doigts luxés et enflés avec des rognons de castor, il posa sur ses mains des cataplasmes chauds faits d'herbes, de graisse et de gomme et immobilisa le tout au moyen d'éclisses de thuya et de fines lanières de cuir. Quand, à la tombée du jour, Raphaël émergea de nouveau, il semblait tout à fait reposé et rassuré, mais il n'avait aucune mémoire des derniers événements qu'il avait vécus. Il semblait même ne pas savoir où il était ni qui étaient ces gens qui l'entouraient de tant de soins.

Ce n'est que lorsqu'il reconnut François, parmi les hommes entrés dans la cabane, qu'il sortit de son mutisme. Il voulut d'abord savoir ce qui s'était passé. Une fois éclairé par le récit que fit François de leur folle équipée, sachant enfin chez qui il se trouvait, et par où il était passé, il put parler à son tour. Avec force détails, il raconta comment il avait été fait prisonnier après le saccage du village où il se trouvait, sur la Papaouetish. Il confirma ainsi ce dont on se doutait depuis quelque temps, à savoir que la guerre avait repris entre les Montagnais et Peter McLeod. Et on en connut enfin les raisons. D'abord, les armes que le Métis devait donner aux Sauvages en échange de leur collaboration s'étaient révélées de très mauvaise qualité. C'étaient de vieux fusils de traite mal montés. Les crosses de bois mou n'étaient pas vernies, ni même polies. Plusieurs armes n'étaient pas fonctionnelles. On les utilisait le moins possible, parce qu'elles étaient dangereuses, et qu'on avait très peu de munitions. De plus, McLeod n'avait pas livré, comme promis, des vivres et des vêtements aux vieillards de Chicoutimi ; au contraire, il les avait encore une fois chassés de chez eux. Ils étaient maintenant campés sur la Métabetchouan.

Loin de respecter l'entente qu'il avait conclue avec Kakouchak et sa bande, McLeod encourageait ses hommes à s'établir au Saguenay. Il les payait en lots de terre, promettant d'aller chercher à Québec les titres de propriété nécessaires. Parce qu'il était Métis, qu'il était l'agent de la Compagnie de la Baie d'Hudson et de surcroît un partenaire d'affaires du très puissant William Price, ses hommes le croyaient capable de réussir. Ils se choisissaient donc des terres sur les plus beaux sites de la région et s'y établissaient. Certains avaient même mis à sac le campement que des Montagnais avaient établi sur la Papaouetish. François le confirma. Il avait vu ces ruines.

Comment et pourquoi McLeod en était-il venu à rompre le pacte qu'il avait fait l'hiver précédent avec les Sauvages ? On ne voyait qu'une explication : il n'avait plus l'appui financier de William Price. Il était incapable de payer ses hommes autrement qu'avec des promesses de titres de propriété.

Ainsi, en plus de nuire aux gens de La Malbaie, à qui il avait vendu une licence de coupe, et de trahir ses frères montagnais, il agissait dans le dos de la Compagnie de la Baie d'Hudson, dont il était l'agent. Il voulait lui aussi, comme la Société des Vingt-et-un, tirer profit des forêts du Saguenay, et y créer ensuite des établissements permanents dont il serait le fournisseur et le maître. Mais en fin de compte, il était tombé dans le même piège qu'Alexis Tremblay ; il s'était surendetté auprès de William Price et se retrouvait désormais à sa merci. Et en plus, il avait créé un monstre qui, de toute évidence, lui avait échappé : le gros Clément, qui avait promené sa rage et sa bande de fous sanguinaires d'un bout à l'autre du Saguenay.

Raphaël s'inquiétait maintenant pour son frère Kakouchak. Avait-il réussi à s'enfuir ? Avait-il pu neutraliser définitivement le gros Clément et sa bande ? Le jeune Montagnais répétait que dès qu'il serait guéri, il partirait à pied pour Chicoutimi.

François, lui, était déchiré. Il rêvait jour et nuit de se retrouver dans les bras de Laurence. Mais il devait porter secours à Kakouchak. Il devait aider Raphaël dans son entreprise. Ce dernier pouvait marcher, certes, mais il serait encore longtemps incapable de pagayer, de tenir un fusil ou un couteau dans ses mains, de se battre.

De toute manière, tant et aussi longtemps que les eaux seraient hautes, personne ne pourrait sortir de la baie des Ha ! Ha ! et s'embarquer sur le Saguenay. On ne pouvait non plus circuler sur les chemins de terre, la plupart étant transformés en ruisseaux. Il fallait donc attendre. Et François rongeait son frein.

On entrerait bientôt dans cette période de l'année où les durs travaux de chantier seraient forcément interrompus. On ne bûchait plus, on ne charroyait plus de billots. On faisait de l'ordre dans le campement, on affûtait, on limait, on réparait les outils. Presque tous les soirs, les violoneux de Baie-Saint-Paul faisaient de la musique. Bientôt, les hommes déserteraient les abattis. On acheminerait les derniers billots vers le bassin, près du moulin à scie et du quai d'embarquement. Et on laisserait s'activer la nature, qui ferait rapidement fondre les champs de neige qui s'étaient formés pendant l'hiver, assécherait les flancs de montagnes, gonflerait les rivières. C'était ce qu'on appelait au Saguenay le « temps mort ».

On ne faisait pas vraiment de drave sur les rivières qui se jetaient dans la Grande Baie, dont le débit restait plutôt médiocre, même au printemps. On les utilisait, bien sûr, sur les portions les moins accidentées de leurs cours, pour le transport des billots. Mais on n'y faisait pas de drave sur de grandes distances, comme dans la Gatineau ou la Mauricie, ce qui désolait François. Une partie importante du bois abattu n'était pas « flotté » mais transporté, au cours de l'hiver, au moyen de bobsleighs tirés par des chevaux jusqu'au moulin à scier.

À la mi-avril, près de six mille billes dormaient dans le bassin que fermait la grande estacade, dont on faisait une minutieuse inspection tous les jours. Les longues pièces de bois aux bouts mortaisés avaient de surcroît été liées par de solides chevilles d'épinette et renforcées par de doubles ou triples chaînages. Jour et nuit, des gardes armés patrouillaient dans les alentours.

Bien que les jours se soient allongés d'une bonne heure, les hommes gardaient leurs habitudes d'hiver, ne se mettant au travail qu'une grosse demi-heure après le lever du soleil, rentrant au campement bien avant qu'il ne se couche. Ti-Jean avisa son père qu'on perdait ainsi une bonne centaine d'heures de travail par jour et que cette perte irait grandissante au cours des prochaines semaines, à moins qu'on adopte de nouveaux horaires. Alexis lui confia la mission d'informer les hommes que désormais la journée de travail durerait d'une étoile à l'autre. Lever à cinq heures, donc, de manière à ce que chacun se trouve, au plus tard à sept heures du matin à son poste, au moulin à scier, dans l'abattis, sur les chemins de charroi ou encore au quai d'embarquement, poste qu'on ne quitterait pas avant six heures, puis sept heures du soir à partir du début de mai. Afin d'atténuer le mécontentement, Ti-Jean obtint que des gratifications soient accordées au mérite. Il rencontrait lui-même les contremaîtres et les hommes, il leur soumettait ses idées, en discutait avec eux, imposait ses vues, sans jamais se trouver, au cours de ce printemps très animé, irrémédiablement coincé dans un conflit ou une querelle.

Il était inquiet cependant. Avec Jude, il avait fait et refait les calculs. Les billes étaient comptées et mesurées dès qu'elles étaient mises en cordes près du bassin ; ils tenaient ainsi un compte très précis du nombre de madriers qui seraient empilés sur les navires de William Price. Quand il voulut faire part à son père de ses inquiétudes, celui-ci eut un mouvement d'humeur. Alexis Tremblay refusait de voir la réalité telle qu'elle était.

Or, malgré les efforts de tous, malgré un bel hiver très neigeux qui, cette année-là, avait longtemps duré et permis jusqu'à la mi-avril l'abattage des pins et le transport des billots par bobsleighs, la Société des Vingt-et-un était très loin d'avoir atteint son objectif. Selon Ti-Jean et le petit Jude, qui tenait les livres, elle était même au bord de la faillite.

En fait, la grande majorité des hommes, même s'ils s'en doutaient bien un peu et avaient, par conséquent, moins le cœur à l'ouvrage, ignoraient que les affaires étaient aussi mal en point, pour la bonne et simple raison que, ne sachant pas compter, ils ne pouvaient savoir qu'on n'avait récolté, au cours de l'hiver, que six mille billots de pin blanc, soit moitié moins que prévu. On ne pourrait donc pas rembourser William Price ; bien au contraire, on devrait s'endetter davantage auprès de lui.

Alexis, lui, savait fort bien compter. Mais pendant des semaines, il s'était ingénié à ignorer l'affligeante réalité. Et un jour, soudainement, comme une estacade cédant sous la pression des glaces, sa raison s'ouvrit, libérant toutes les certitudes qu'elle s'était efforcée trop longtemps de contenir. Alexis se sentit alors amer et triste ; il regrettait d'avoir entraîné des dizaines d'hommes dans cette aventure, réalisant que ces billots qui dormaient dans le bassin en attendant de passer au moulin appartenaient désormais à William Price, tout comme le moulin, la grande scie, les campes, les chevaux, les outils. Comme les travailleurs eux-mêmes, qui seraient avant longtemps les hommes de Price, à qui ils devaient tous leur chemise même s'ils s'étaient désâmés à travailler pour lui pendant tout un automne, tout un hiver, tout un printemps.

Depuis deux ans, ils avaient été portés par ce beau grand rêve d'une entreprise autonome dirigée et possédée par les gens de La Malbaie et des villages de la côte. Encouragés et menés par Alexis, ils avaient cru pouvoir devenir des entrepreneurs ; or ils redeviendraient tous, sans exception, et resteraient à jamais des hommes engagés.

Alexis se reprochait d'avoir été naïf, d'avoir trop rêvé, d'avoir cru qu'un homme d'affaires comme William Price se laisserait séduire ou attendrir par le beau projet de la Société des Vingt-et-un. Son fils Ti-Jean, qui avait effectué, deux ans plus tôt, un long séjour au sein des Entreprises Price, l'avait pourtant averti, au tout début de cette aventure, que tôt ou tard l'entrepreneur anglais prendrait le contrôle de la Société des Vingt-et-un, corps et biens. Ce jour-là, qui semblait maintenant si lointain, Alexis avait fait une sainte colère, avec gros mots et coups de poing sur la table, traitant devant tous son garçon d'ivrogne et de flanc-mou. Ti-Jean n'avait plus jamais osé parler devant son père de l'échec éventuel de la Société, mais celui-ci ne pouvait ignorer que son garçon ne croyait pas à son succès. Et il l'avait rangé à cette époque parmi les pires ennemis de la Société, les défaitistes, les hommes de peu de foi. Et voilà qu'il pensait maintenant comme lui, voilà qu'il admettait enfin que les jeux étaient faits, qu'il avait perdu et que son fils avait raison.

Il persistait cependant à dire qu'ils auraient peut-être fait leurs frais n'était la perte des billots de l'anse Saint-Jean, dont l'estacade avait été brisée l'automne précédent par une main criminelle, celle de l'immonde Clément ou celle de Kakouchak, qui restait un mystère pour tous, même si François à Ange l'avait finalement rencontré et jurait qu'il n'était pour rien dans les malheurs qui s'étaient abattus sur Grande-Baie et sur l'anse Saint-Jean. Pour Alexis, Kakouchak ne représentait cependant plus vraiment une menace.

« Il peut bien faire ce qu'il veut, disait-il, il peut même mettre le feu au moulin et déverrouiller l'estacade, si le cœur lui en dit. Ça peut pas nous faire de mal. Pas plus que la jambe droite de mon garçon le fait souffrir. Mon garçon a plus sa jambe. Et le moulin qu'on a bâti est plus à nous. »

Le seul qui n'était pas de mauvaise humeur était Ti-Jean Tremblay. « Cet enfant-là fait toujours tout à l'envers des autres », disait Alexis, non sans fierté. Il était étonné par le comportement, la vitalité, la combativité, la bonne humeur de son garçon. S'il était diminué physiquement, celui-ci était sorti, de l'avis de tous, moralement grandi de la terrible épreuve qu'il avait subie. Malgré son infirmité et la douleur qu'il devait encore ressentir, il semblait être devenu, lui auparavant si amer et si sombre, le plus heureux des hommes, continuellement habité par une joie radieuse. Il était à son poste avant l'aube, ses inventaires étaient à jour, ses livres étaient impeccablement tenus, et il s'entendait toujours parfaitement bien avec le jeune Jude Lamarche, qui l'assistait avec plaisir et compétence dans toutes ses tâches. En quelques semaines, Ti-Jean avait su s'imposer comme un meneur qu'on écoutait, qu'on respectait.

Il était en effet heureux, soulagé, comme s'il avait été purgé des sombres pensées qui l'avaient habité autrefois. Il n'aurait su dire pourquoi. Ça lui semblait, d'une certaine manière, monstrueux. Comment pouvait-il se sentir mieux malgré cette douleur, cette horreur, ce manque ? Pourtant, c'était un fait indéniable : il se sentait plus fort, infiniment moins malheureux. Comme si, en même temps que sa jambe, on avait arraché de lui toute morosité, toute amertume. Son âme guérissait en même temps que sa jambe cicatrisait.

Il ne se plaignait jamais. Quand on changeait ses pansements et qu'on l'aidait à faire sa toilette (c'était Jude, le plus souvent, qui se chargeait de ces tâches), il supportait sans rechigner la douleur, l'humiliation, il remerciait, il souriait. Tous les jours, son père prenait son souper avec lui. Et Ti-Jean insistait pour qu'il lui raconte sa journée dans les moindres détails. Lui autrefois si indifférent au sort de la Société des Vingt-et-un voulait maintenant tout savoir : combien d'arbres avaient été abattus dans la journée, qui avait fait quoi, quand le moulin serait mis en marche.

༄

Quand Thomas Simard commença à parler de remettre sa goélette à l'eau, Ti-Jean prépara la liste de ceux qui partiraient les premiers, les hommes mariés pères de jeunes enfants. Et il fit savoir qu'il serait du premier embarquement. Il avait un plan, un projet dont il avait parlé à son père. Bien sûr, il appréhendait ce moment terrible où sa mère le verrait. Mais il était stimulé par la mission qu'il s'était donnée. Il fonçait, tout entier pris par ce projet qui, s'il le menait à bien, pouvait sauver la Société des Vingt-et-un. Il était peut-être encore mal assuré sur les béquilles et sur la prothèse de bois que lui avait fabriquées Sa Sainteté, mais il avait par ailleurs une grande assurance et une force peu commune.

Alexis avait l'impression que l'esprit défaitiste qui avait quitté son garçon était entré en lui. Il était désormais l'hôte de l'amertume et de la rancœur qu'avait autrefois nourrie celui-ci. Et la foi qu'il avait toujours eue, la foi en la vie, en l'avenir, toutes ses certitudes et même son autorité semblaient maintenant être passées chez Ti-Jean. « Comme si on avait changé de caractère, lui et moi, change pour change », disait-il à Thomas. Ti-Jean, par exemple, ne buvait plus ; or un soir, on vit son père, homme habituellement d'une grande sobriété, sortir de son campe en titubant puis marcher d'un pas incertain sur le quai, où Jude alla le chercher ; il lui parla doucement, comme à un enfant malade, et le ramena au campe. Autrefois, c'était Ti-Jean qui voulait fuir, être toujours ailleurs ; c'était maintenant Alexis qui ne pensait plus qu'à partir. Et qui avait d'ailleurs utilisé le peu d'autorité qui lui restait pour que son fils ajoute son nom à la liste des hommes qui partiraient les premiers à bord de la *Sainte-Marie* de Thomas Simard.

Mais il fallait attendre. Les eaux étaient encore si hautes et les courants si forts et si furieux que même Thomas Simard, qui aimait prendre des risques et se battre contre les éléments, n'aurait jamais osé s'y aventurer. Alexis attendait donc que les eaux se calment pour descendre à La Malbaie, retrouver Modeste et les enfants. Et ne plus voir pendant quelque temps toute cette grisaille, ce désordre, oublier que tout cela ne serait bientôt qu'un lamentable échec.

Alexis dépasserait bientôt l'âge qu'avait son père quand il était mort, cinquante-trois ans, et il se sentait vieux et fatigué. Que pourrait-il faire maintenant ? Price lui proposerait la gérance des établissements de Grande-Baie qu'il aurait récupérés de la faillite de la Société des Vingt-et-un. Il resterait ainsi, s'il le voulait, son homme de confiance, l'un de ses hommes de confiance, en fait. Au même titre que McLeod qui, sans doute, hériterait de la gérance des chantiers de Chicoutimi. N'était-ce pas ce qui s'était passé, dix ans plus tôt, avec le moulin qu'Alexis avait construit avec son frère aux chutes de la rivière Malbaie ? Combien de fois cette histoire devrait-elle se répéter pour qu'il comprenne qu'un habitant ne pouvait gagner contre un homme d'affaires, surtout quand l'habitant était un Canadien, et l'homme d'affaires, un Anglais ?

C'était toujours le même jeu ; les mêmes perdants, le même gagnant. Price proposait à des habitants de les aider financièrement à ouvrir des chantiers et à bâtir un moulin, dont il s'engageait à acheter la production au prix du marché. Mais il avait le pouvoir d'agir sur les prix. Et il ne s'en privait pas. Quand les prix étaient au plus bas, la société qu'il avait encouragé les habitants à former manquant de fonds, il se portait acquéreur de ses établissements.

Alexis Tremblay mesurait encore une fois l'extrême habileté et l'implacable duplicité de William Price. En finançant les opérations de McLeod, celui-ci avait précipité la perte de la Société des Vingt-et-un. Dans quelques mois, il serait propriétaire des installations de l'anse Saint-Jean, de l'anse au Cheval, de

Grande-Baie et de Chicoutimi, en plus de celles qu'il possédait déjà d'un bord et de l'autre du fleuve.

Thomas Simard savait tout cela, lui aussi, mais il ne partageait toujours pas les sombres pensées de son ami Alexis. Il lui répétait que dans quelques années les besoins en bois de l'Amirauté britannique et des gros clients de Price et des autres magnats du bois établis au Bas-Canada auraient considérablement diminué. Au cours de ce long séjour qu'il avait effectué au sein des Entreprises Price, Ti-Jean avait plusieurs fois entendu le grand patron lui-même rappeler que la demande baisserait au cours des prochaines années. Les grandes forêts du Bas-Canada n'étaient pas inépuisables. Et on disait que le Brésil deviendrait bientôt, si ce n'était déjà fait, le plus important fournisseur de bois de toute l'Europe. Bien sûr, il aurait été préférable que la Société des Vingt-et-un profite davantage des récoltes forestières au Saguenay. Mais Alexis ne disait-il pas lui-même, il y a peu de temps encore, que ce qui comptait, c'était que les jeunes aient quelque chose à faire, de la terre à eux qu'ils pourraient exploiter librement ?

« C'est ton orgueil qui souffre », lui disait Thomas.

Et il lui rappelait les causes de la rébellion qui, au cours des deux années précédentes, avait bouleversé le Canada. Les jeunes voulaient de la terre. C'était là qu'était, selon lui, la vraie richesse, là qu'était l'avenir, dans le fonds de terre, pas dans la forêt.

Grande-Baie

Paradis perdu

Chaque jour, entre le matin et le soir, on voyait le paysage changer. Dès son lever, le soleil dissipait l'opaque brouillard qui était tombé sur la baie des Ha! Ha! au cours de la nuit. Et pendant tout le jour, ses puissants rayons pressaient les flancs neigeux des montagnes, faisant de partout ruisseler l'eau qui ravinait les chemins, formant dans les vallons et les coulées d'infranchissables étangs, faisant des abords du campement et de tout le terrain fraîchement défriché, qu'on appelait le désert, de véritables mers de boue, réduisant les hommes à l'inactivité. Et bientôt, la pluie vint ajouter ses trombes d'eau à celles que le soleil avait tirées des montagnes.

Un dimanche matin gris et doux de la fin avril, Alexis trouva dans le grand campe Thomas Simard et son garçon François, et quelques autres, penchés au-dessus de la carte qu'avait dessinée Ti-Jean et sur laquelle étaient indiquées les propriétés que chacun des hommes de Grande-Baie s'étaient réservé soit sur l'une ou l'autre des rives du Saguenay, soit sur le pourtour de la grande baie des Ha! Ha!, l'anse à Untel, la pointe à tel autre, le ruisseau à celui-ci, le cap à celui-là. Pour la première fois depuis des jours, il oublia ses problèmes et s'absorba, comme les autres, dans l'étude du document.

Après un moment, cependant, il exprima bien haut de nouvelles inquiétudes. Selon lui, les propriétés étaient disséminées sur un trop vaste territoire. Il aurait souhaité pouvoir réfréner cet éparpillement. Si tous les gars avaient fait leur terre au fond de la baie, de part et d'autre de la rivière des Ha ! Ha ! et à égale distance les uns des autres, ils auraient pu s'entraider, fonder un vrai village, construire une chapelle, un presbytère, avoir des bâtiments, des installations en commun. Ils auraient pu également mieux organiser l'exploitation des forêts, assurer plus facilement leur défense. Mais les gars ne voulaient pas seulement une terre ; chacun rêvait d'avoir un véritable royaume à lui, avec de la forêt, de la prairie, de l'eau, de la montagne, et de surcroît un accès au fjord et une belle vue… et pas de voisin autant que possible. Conséquemment, ils s'isolaient les uns des autres, ils se mettaient à la merci des hordes de McLeod et des rebelles montagnais.

François, lui, se demandait comment Kakouchak aurait réagi s'il les avait vus, eux, une demi-douzaine d'hommes blancs penchés sur une carte représentant le territoire de son peuple à lui qu'ils voulaient s'approprier, qu'ils étaient déjà en train de se partager. Au fond, les gens de Grande-Baie faisaient exactement ce qu'ils reprochaient aux Chiens de McLeod de vouloir faire : ils voulaient prendre possession de la terre du Saguenay. En avaient-ils plus qu'eux le droit ? Pouvait-on jamais vivre librement sur un territoire qu'on avait volé, dont on s'était emparé par la force ou le mensonge ?

François ne doutait pas que Kakouchak allait se battre jusqu'au bout pour que son territoire ne tombe pas entre les mains des Blancs, qu'ils soient de La Malbaie ou de Rivière-Noire. Mais ça se ferait quand même, il en était sûr. Il était trop tard, déjà ; les jeux étaient faits. Dans cette lutte qu'il avait entreprise, Kakouchak serait défait et écrasé. Comme Jean-Olivier Chénier l'avait été autrefois, par une force infiniment plus grande que la sienne, une force aveugle, celle d'un monde qui ne doutait jamais de ses droits.

Et alors, soudainement, François se sentit comme un intrus parmi les siens, un étranger, presque un ennemi. Il ne se battrait jamais contre Kakouchak ; et il ne ferait rien pour lui enlever ne serait-ce qu'une parcelle de son territoire. En regardant la grande carte étalée sur la table contre la fenêtre du campe, il pensait à ces jours lumineux et heureux de son enfance, quand, avec Dominique, Raphaël et les autres, il vivait librement dans ce pays comme dans un paradis. Et ces hommes qui aujourd'hui l'entouraient, Alexis Tremblay, son père Thomas, son oncle Alphonse, tous les siens, étaient en train de s'emparer de ce pays, le si beau pays de son enfance. Il ne voulait plus les aider. Il voulait partir, être ailleurs.

Dans quelques jours, les eaux du Saguenay se calmeraient. Il pourrait alors quitter Grande-Baie. Irait-il retrouver Laurence, comme le lui dictait son cœur ? Ou partirait-il avec Raphaël à la recherche et au secours de Kakouchak, comme le lui recommandaient sa conscience et sa raison ?

Il était en colère quand il sortit du grand campe. Il aurait voulu marcher, pagayer, partir, aller là-bas, tenir Laurence dans ses bras, écraser Clément, tuer ses Chiens. Il était réduit à patauger dans la gadoue et la boue. La pluie avait cessé de tomber. Il entendit cacarder des oies vers le large. En les cherchant des yeux, il aperçut au loin, barrant l'horizon d'un sombre trait, le Saguenay, plus que jamais écumant, enveloppé de brumes et d'embruns, et portant sur son dos une forêt entière, les milliers de troncs de pins abattus au cours de l'hiver par les hommes de Peter McLeod. Dans sa course aveugle, il allait les charrier jusqu'au fleuve, jusqu'à la mer.

François se surprit à sourire. Quand il vit Raphaël marchant vers lui, attelles aux mains, radieux, il éclata de rire. Il n'y avait plus de dilemme selon lui. Kakouchak avait pu échapper aux Chiens de McLeod après qu'ils eurent libéré Raphaël. Car dans l'esprit de François, personne d'autre que le chef rebelle et ses hommes ne pouvaient en effet avoir déverrouillé l'estacade de Chicoutimi. Elle était très solidement construite, surveillée jour et nuit, régulièrement inspectée.

Il n'arrivait cependant pas à imaginer comment Kakouchak et sa bande de Sauvages avaient réussi cet exploit. Il se demandait également s'ils avaient pu s'enfuir par la suite. Ou s'ils avaient été tués après avoir fait, comme Jean-Olivier Chénier et les patriotes de Saint-Eustache, un geste désespéré.

La baie des Ha! Ha!

Lune de mai

Le Saguenay convoya son bois pendant trois jours et trois nuits, râpant et ponçant ses berges, abandonnant quelques billots çà et là, au fond des anses et des criques.

« C'est à leur tour », se disait Alexis en pensant à McLeod et à ses Chiens. À bord de la *Sainte-Marie*, qui s'était avancée dans la baie des Ha! Ha!, jusqu'à une centaine de brasses du Saguenay, il regardait passer les billots, savourant cette vengeance inespérée, considérant que justice était faite, même s'il n'y était pour rien et si ça ne lui apportait rien, et même si, en son for intérieur, il se disait qu'il fallait qu'il soit devenu bien mauvais et bien malheureux pour se réjouir ainsi du malheur et du triste sort des autres.

À Grande-Baie, beaucoup soutenaient que l'épreuve qui avait frappé Chicoutimi était une punition de Dieu, comme si les hommes qui avaient bûché là-haut tout l'hiver ne méritaient pas de récolter le fruit de leur labeur, parce qu'ils étaient méchants et mécréants.

Au matin du troisième jour, le calme tomba sur la rivière qui, enfin libre de glaces et de débris, coula de nouveau, impassible. Un grand vent tiède et doux passa sur le fjord, laissant le ciel tout sec, tout bleu. La goélette de Thomas, déjà gréée, pourrait enfin appareiller pour La Malbaie avec, à son bord, près de la moitié de la population de Grande-Baie.

François à Ange était parti en canot avant le lever du jour. Il passerait quelques jours à l'anse aux Foins, où devait se trouver son oncle Michel avec sa Béthanie. Il aiderait aux travaux ; Michel devait avoir comme toujours des projets de construction ou de défrichage. Et François avait furieusement besoin de bouger.

La veille au soir, il pensait partir pour La Malbaie, en passant par l'anse Saint-Jean. Caille avait d'abord cherché à l'en dissuader en lui disant que, sur le chemin des Marais, il lui faudrait patauger, la moitié du temps, dans l'eau de fonte jusqu'aux genoux, sinon jusqu'à la ceinture. « Je passerai par les hauteurs, avait rétorqué François.

— Donne-toi pas cette peine, lui avait dit Caille. J'ai demandé à Thomas de nous ramener ma fille. »

François pensait à Laurence en pagayant au gros soleil sur les eaux moirées de la rivière, au corps de Laurence, souple, ferme, solide, qu'il serrerait bientôt dans ses bras. Et entre leurs baisers et leurs fous rires, ils se raconteraient leur vie l'un à l'autre, comme ils avaient commencé à le faire pendant ces deux nuits et cette journée passées ensemble, à La Malbaie. Jamais, de toute sa vie, il n'avait autant aimé parler à une femme, toucher, regarder, écouter, aimer une femme. Tout ce à quoi il pensait, tout ce qu'il connaissait, tout ce qu'il désirait en ce monde prenait auprès d'elle un sens nouveau. Déjà, en lui-même, pagayant rêveusement sur le fjord, il lui parlait des étés de son enfance, de Dominique et de ses amis. Cet été, ils partiraient à leur recherche, Laurence et lui.

Le paysage enchanteur qu'il traversait ce matin-là serait tôt ou tard soumis à la fureur des hommes. Et François se demandait ce que Dominique pourrait alors espérer de la vie. Savait-il que rien ni personne au monde, aucune force, aucune loi, ne pourrait empêcher les Blancs d'entrer au Saguenay, d'y abattre des forêts entières, de planter un peu partout des maisons, des moulins, des églises ? Certains, comme Alexis, Ti-Jean, Caille, disaient que, dans quelques années, il y aurait des villages remplis de monde sur tout le pourtour de la baie des Ha ! Ha !, comme au fond des grandes anses et des larges échancrures du fjord. Et les Sauvages ?

demandait François. Personne ne semblait se soucier de leur sort. Ils seraient refoulés sur les hauteurs, toujours plus haut et plus loin, jusqu'à disparaître peut-être, sans avoir laissé de traces.

Kakouchak ne pouvait ignorer cela. Il ne pouvait laisser faire cela pour autant. Mais les hommes continueraient de se battre pour posséder ce territoire et détruire cette beauté, contrôler ces rivières, exploiter ces forêts. Que ferait-il alors ? Savait-il que sa lutte était vouée à l'échec ?

François prenait alors peu à peu conscience que le beau rêve qu'il avait eu si longtemps en lui, le rêve d'avoir une terre entre la montagne et la mer, où il vivrait en homme libre avec femme et enfants, l'avait quitté au moment même où il était devenu réalisable. N'en subsistait que la femme, Laurence. Et la liberté. Car c'était auprès d'elle, où qu'ils soient dans ce monde, qu'il se sentirait réellement libre. Un jour peut-être, plus tard, ce rêve leur reviendrait ; ils s'arrêteraient alors quelque part dans un beau coin de pays doux et facile à vivre.

Il prit de travers le courant du Saguenay alourdi par les grandes eaux du Piékouagami, de la Shipshaw, de la Chicoutimi, de la Papaouetish, et des rivières venues du fond de la baie des Ha ! Ha !. Il glissait tout doucement dans le grandiose paysage qui s'ouvrait avec majesté devant lui. Et pendant un long moment, tout lui apparut aussi beau, pur et calme qu'autrefois ; un monde intouché, un paradis.

La *Sainte-Marie* disparaissait à l'horizon quand, au milieu du jour, il poussa son canot sur la grève de l'anse aux Foins, avec en tête le souvenir de ce jour terrible où il avait trouvé Gaspard, le labrador de Michel, gravement blessé. Cette fois, nulle trace de désordre ou de bagarre. Michel et Béthanie vinrent l'accueillir, hilares et excités. Ce qu'ils racontèrent à François lui arracha un cri de joie.

Trois jours plus tôt, un matin, Béthanie avait aperçu au loin sur la rivière un trait sombre qui allait s'épaississant au fur et à mesure qu'il se rapprochait. Ils avaient cru d'abord qu'il s'agissait de la plateforme d'un très grand quai ou d'un pont gigantesque, ou encore d'un immense pan de glace flottante chargée de terre et de boue qui s'était détaché de la rive. Au milieu du jour, ils virent passer devant eux, tassés les uns contre les autres, formant un épais tapis, des milliers de billots ondoyant sur les flots et poussant devant eux une sorte d'embarcadère, un ponton étroit et très long, sur lequel ils aperçurent des hommes étendus. « Du monde vivant, insistait Michel. On les a vus grouiller. Mais ils ont pas répondu quand on leur a envoyé la main. »

Michel disait qu'il aurait donné cher pour aller voir de plus près cette étrange embarcation. Mais il n'avait pas de canot. Et même s'il en avait eu un, il lui aurait été bien difficile de le manœuvrer dans le fort courant du Saguenay avec un bras qui n'avait pas encore retrouvé toute sa force et sa souplesse. Il avait quand même grimpé sur le cap Bas pour suivre des yeux la fantastique épave, qui avait bientôt disparu, tout enveloppée de brouillard.

« Ils ont dû flotter de même jusqu'à la mer, dit-il. On les reverra jamais. »

François n'était pas de cet avis. « Je pense savoir où ils vont aboutir, disait-il. Demain, j'irai voir. »

Le lendemain matin, il se laissa pousser par les courants vers la Descente des Femmes. La baie était, d'un cap à l'autre, presque entièrement couverte de billots. François exultait. Il courut sur les billots, son fusil à la main, et prit pied sur l'estacade qui épousait les contours de la plage. Il n'avait désormais plus de doute sur la manière dont Kakouchak et ses amis avaient fui Chicoutimi. Ils avaient sans doute remarqué déjà que les courants du Saguenay entraient profondément dans cette baie de la Descente des Femmes et qu'ils y pousseraient l'estacade qu'ils avaient déverrouillée et à bord de laquelle ils voyageaient, poussés par les milliers de billots qu'ils avaient libérés.

Il y avait des fumées tout au fond de la baie. François fit quelques pas dans cette direction. Soudain, s'étant tourné vers le fjord, il fut de nouveau assailli par cette image qu'il avait aperçue ou cru apercevoir, quand il était venu à la Descente des

Femmes un an plus tôt et que, cherchant son oncle Michel, il avait repéré pour la première fois les traces de pas du gros Clément et de ses tueurs. Il revit avec une sidérante netteté ce corps flottant, cheveux épars, bras en croix, un couteau planté bien droit au milieu du dos, que le courant amenait tranquillement vers lui. Ce n'était en fait qu'un bois d'épave arraché à la berge. Mais il ne put s'empêcher de penser à Kakouchak et de l'associer à cette vision d'horreur. Il reprit sa marche vers le fond de la baie, sous les grands pins blancs, incapable de se défaire de cette inquiétante impression.

Il ne doutait pas qu'on le voyait venir. Il avait toujours apprécié cette façon qu'avaient les Sauvages de laisser les gens amis s'approcher d'eux et de les accueillir sans cérémonie, comme s'ils avaient toujours été là, au sein de la bande, comme s'ils en faisaient intimement partie. Cet accueil intelligent et respectueux l'émouvait chaque fois. Ils étaient tous assis autour des feux au-dessus desquels étaient pendus les chaudrons de cuivre où fumait la sagamité. En s'approchant, François fut saisi par le lourd silence qui régnait en ce lieu. Kakouchak, Gros-Pierre et Louis n'étaient pas seuls. Il y avait une vingtaine d'hommes avec eux, en plus des femmes et des enfants, qui jouaient avec les chiens un peu à l'écart.

Kakouchak fit asseoir François près de lui. Et pendant un long moment encore, tous restèrent silencieux et recueillis. Quand le jeune chef rompit le silence, il le fit d'une voix tellement basse que François dut se pencher vers lui pour entendre ses paroles.

« Raconte-nous ce qui est arrivé à notre frère Raphaël. »

François l'informa qu'il était sain et sauf à Grande-Baie. Puis il entreprit de raconter leur folle équipée nocturne sur le Saguenay déchaîné. Mais Kakouchak n'écoutait pas. Personne, semblait-il, n'écoutait. Chacun restait prostré, pétri dans un douloureux silence.

Voyant que François promenait ses yeux autour d'eux, Kakouchak lui dit :

« Ne la cherche pas. Ils l'ont tuée, elle aussi. »

Et il se tut. François alors réalisa que Dominique savait qu'il était allé l'autre printemps à Métabetchouan et qu'il avait essayé de coucher avec cette fille si jolie qui lui avait dit s'appeler Touche-Pas. Et il comprit qu'elle était la femme de son ami.

« Elle s'appelait Catherine », ajouta Dominique, comme s'il devinait ses pensées.

Et il pleura. François aussi.

◦⌒◦

Après un long moment, une femme rompit le silence pour raconter ce qui s'était passé une nuit à Métabetchouan. À deux reprises, elle fit, dans les mêmes mots, le récit de cette nuit d'horreur. Par moments, d'autres femmes joignaient leurs voix à la sienne. Elles referaient sans doute maintes fois ce récit à l'avenir, afin que personne n'oublie, que tous se souviennent que le soir tombait quand Clément et ses hommes atteignirent, cette nuit-là, les rives de la rivière Métabetchouan. Le Piékouagami dormait sous la lune basse quand ils s'approchèrent des six cabanes et y entrèrent, les armes à la main. Ils frappaient tous ceux qui tentaient d'en sortir, femmes, enfants, vieillards. Ils ne trouvèrent pas celui qu'ils cherchaient. Et ils frappaient encore et encore les gens qui ne voulaient pas ou ne pouvaient pas leur dire où il était allé, ni quand il reviendrait. Ils mirent le feu aux cabanes. Et quittèrent Métabetchouan la nuit même.

Quand Kakouchak et ses hommes arrivèrent, tard dans la journée du lendemain, ils ne trouvèrent à Métabetchouan que désolation. Dans les décombres encore fumants de l'une des cabanes, les cadavres calcinés de deux femmes et de deux enfants, leurs femmes, leurs enfants.

François était écrasé par la colère et le regret de ne pas avoir tué Clément, ce chien immonde, quand il l'avait eu à sa merci.

Jusque tard dans la nuit, il conversa avec Dominique, Louis et Gros-Pierre. Ils évoquèrent à quelques reprises les beaux étés de leur enfance. Et François comprit que celui qui se faisait désormais appeler Kakouchak n'avait rien oublié. « Mais j'ai pensé par moments que tu n'étais plus notre frère, dit le jeune chef. Je croyais que tu étais avec eux, avec ces Blancs qui veulent tout nous enlever, qui agissent comme si ce pays n'appartenait qu'à eux. »

François se tut. Il savait bien que les Sauvages auraient tout partagé avec les Blancs si seulement ceux-ci n'avaient pas voulu tout avoir, tout leur enlever.

Comme s'il avait suivi sa pensée, Kakouchak ajouta : « Vous êtes l'arbre, nous sommes l'écorce. Sans nous, vous mourrez. L'arbre qui perd son écorce finit toujours par mourir. En se débarrassant de nous, les Blancs courent à leur perte. C'est ma seule consolation. »

François n'aurait su dire si Kakouchak avait raison de penser ainsi. Mais il comprenait tout à fait sa colère. Et il se dit que cette colère ne serait jamais assouvie, parce que les Sauvages, tôt ou tard, seraient implacablement écrasés. Il pensa encore à Jean-Olivier Chénier ; comme lui, Kakouchak irait jusqu'au bout de son combat, sachant qu'il le perdrait et y laisserait sa vie. Mais, contrairement à Chénier, le jeune chef sauvage n'avait pas le choix. Même s'il ne faisait rien, même s'il restait bien sagement encabané avec sa bande à la Descente des Femmes, des Blancs viendraient et prendraient sa place, sa forêt, son pays, sa vie.

« Je vais aller là où ils sont et me battre avec eux jusqu'à la mort, disait Kakouchak. Je suis devenu méchant, moi aussi. La méchanceté de ceux qui ont tué nos femmes et nos enfants est aujourd'hui en moi. Nous sommes devenus comme eux, comme les Blancs ; c'est notre plus grand malheur. »

୶

Le lendemain, dans la journée, au moment où François s'apprêtait à quitter la Descente des Femmes, on vit apparaître la goélette de McLeod en amont de la rivière. La baie étant totalement encombrée de billots et de madriers, elle ne pourrait y jeter l'ancre. Si des Chiens s'avisaient de courir sur les billots comme l'avait fait François, ils ne pourraient utiliser leurs armes et seraient des cibles parfaites que les hommes de Kakouchak abattraient facilement, même s'ils ne possédaient en tout et pour tout qu'une demi-douzaine de mauvais fusils.

La goélette s'approcha jusqu'à frôler la nappe de billots, écrasant contre son flanc le canot de François. Puis, elle vira de bord, prit le vent d'ouest par tribord et s'éloigna en direction des hautes murailles qui bordaient le fjord vers l'aval. Sans doute McLeod ne voulait-il pas tenter un affrontement qu'il savait périlleux. L'abordage était difficile, voire impossible. Et les Sauvages, même s'ils n'étaient pas aussi bien armés que les Blancs, avaient l'avantage du terrain.

François voyait une autre raison à l'inaction de McLeod : le Métis laissait derrière lui le gros Clément et sa bande de chiens enragés, Wilson, entre autres, sachant fort bien qu'ils exerceraient à travers tout le Royaume une vengeance aveugle et implacable. Il y avait tout au plus une trentaine d'hommes à bord de la grande goélette de la Compagnie de la Baie d'Hudson, qui descendait vers Rivière-Noire. Il en restait sans doute autant là-haut, autour de Chicoutimi, des hommes barbares, féroces, lourdement armés, à qui McLeod avait dû promettre mer et monde s'ils parvenaient à le débarrasser de ses ennemis.

Des outardes passaient très haut dans le ciel, montant vers le nord. Nipinoukhe, qui pour les Sauvages se partageait le monde avec Pipounoukhe, apporterait bientôt davantage de chaleur et de lumière au Saguenay. McLeod reviendrait quand la paix, sa paix à lui, qu'aurait rétablie Clément, régnerait sur le Saguenay, c'est-à-dire quand la bande des Porcs-Épics aurait été décimée ou qu'elle se serait enfuie. Il récolterait ces billots que les courants avaient abandonnés dans la baie de la Descente des Femmes. Et, avec l'aide de William Price, il s'établirait de nouveau à Chicoutimi, où il ferait la loi, sa loi.

Kakouchak considérait qu'il valait mieux se porter à l'attaque plutôt que d'attendre que les Chiens le fassent. Ils les harcèleraient,

les piégeraient, détruiraient leurs embarcations, leurs installations, les tueraient. C'est dans ce but que les hommes de la bande
partirent à pied pour Chicoutimi, laissant femmes et enfants à la
Descente des Femmes.

Le cap Éternité

Clément

Le lendemain matin, à l'aube, après que Kakouchak et ses hommes eurent quitté la Descente des Femmes, François partit, seul, à bord d'un petit canot de rivière que lui avait donné Gros-Pierre. Il voulait passer à l'anse aux Foins, puis rentrer à Grande-Baie, où il attendait Laurence. Il dut travailler dur et longtemps contre le courant, qu'il prenait de travers, tirant des bordées, comme s'il avait manœuvré un voilier. Il avait presque atteint l'anse aux Foins, se trouvant sous le cap Bas, quand il aperçut au loin un grand canot qui descendait la rivière. Il semblait venir de Chicoutimi. S'il était sorti de la baie des Ha ! Ha !, il se serait trouvé plus près de la rive droite du Saguenay.

François entra au fond d'une étroite crique, d'où il pouvait voir sans être vu. Bientôt il distingua, assis au milieu de l'embarcation, un très grand et gros homme, Clément. Wilson à l'avant et un autre homme à l'arrière pagayaient mollement, se laissant porter dans le courant, les canons de leurs fusils appuyés contre le plat-bord, pointant vers le ciel. Le cap Bas les déroba à sa vue lorsqu'ils entrèrent dans l'anse aux Foins, chez lui. François ne pouvait s'y rendre en canot sans s'exposer. Ils l'auraient vu venir, luttant contre le courant, formant une cible parfaite sur laquelle ils n'auraient certainement pas hésité à tirer. Il regretta un moment d'avoir donné son vieux fusil à l'un des hommes de Kakouchak. Il s'apprêtait à gravir la falaise au fond de la crique pour fondre sur les agresseurs depuis les hauteurs du cap Bas quand il entendit des coups de feu et des cris. Michel et Béthanie avaient sans doute aperçu les trois brutes et ne les laisseraient pas prendre pied sur la grève de l'anse. Il revint sur la rivière et aperçut de nouveau le grand canot, qui venait vers lui après avoir doublé le cap Bas.

Ils passeraient, sans le voir, devant la crique où il s'était caché. François les laisserait s'éloigner et reprendrait sa route vers l'anse aux Foins. Mais il réalisa alors que dans moins d'une heure ils seraient à la hauteur de la Descente des Femmes, où leur canot pourrait aborder plus facilement que la goélette de McLeod. Ils s'y arrêteraient peut-être. Et s'ils constataient que les hommes de la bande ne s'y trouvaient plus, ils saccageraient tout, massacre-raient les femmes et les enfants laissés sans défense. Alors, Fran-çois changea son plan. Il attendit qu'ils soient assez près de lui, presque à portée de fusil, et il lança son canot sur la rivière, droit devant eux. Sourd à leurs cris, il pagaya de toutes ses forces vers l'aval de la rivière.

Il passa devant la Descente des Femmes, où par ses cris il s'assura qu'on l'avait vu afin qu'on aille prévenir au plus vite Kakouchak et ses amis partis pour Chicoutimi. Engagés depuis plusieurs heures dans le sentier qui courait à l'intérieur des terres, ils n'avaient pu voir le grand canot de Clément passer sur la rivière.

Ce canot lourdement chargé, en bonne partie par la masse de Clément, était bas sur l'eau, plus lent que celui de François. Les Chiens le gagnaient cependant de vitesse, jusqu'à se trouver de nouveau presque à portée de fusil, quand François obliqua vers la droite pour entrer dans la baie Éternité, au fond de laquelle il abandonna son canot. Il courut sur la grève ; quand il entendit claquer un coup de feu, il entra sous le couvert de la forêt.

Les Chiens tirèrent leur canot sur l'étroite grève de galets, tout près de celui de François. Clément et Wilson partirent à sa poursuite, l'autre homme resta au bas pour surveiller les canots. La montée devint vite très abrupte. Les deux gros hommes pou-vaient cependant suivre François facilement, sans jamais perdre sa trace. La végétation était très dense et, sur son passage, il laissait des branches cassées, des traces évidentes. Ils grimpèrent ainsi pendant plus d'une heure.

Lorsqu'il atteignit un grand replat, en haut d'une pente très raide, Clément s'étonna de ne trouver personne, juste la roche nue, le silence, un peu de vent. Il y eut alors, venant d'en bas, derrière lui, un bruit d'éboulis de pierres, un cri, la voix de Wilson. Et puis plus rien, le vide, le silence. Clément hésita, il appela : « Wilson ! » deux fois, trois fois. Il n'eut pas de réponse. Il attendit un moment. Il allait redescendre quand il entendit un froissement de feuillage, juste au-dessus le lui. Se retournant, il perçut un remuement dans le maigre feuillage qui couvrait la paroi. Il tira deux coups de feu dans cette direction. Puis il attendit encore. Après un moment, il vit François, plus haut encore, presque au sommet du premier des trois monts formant le massif du cap Trinité. Il se lança à sa poursuite.

Ils touchèrent les hauteurs longtemps après le milieu du jour, sous un soleil radieux. À perte de vue, le ciel immense, ses nuages blancs, le moutonnement des montagnes et, tout en bas, le fjord déployant ses formes opulentes. Clément hésitait. Il lui faudrait redescendre, savoir ce qui était arrivé à Wilson, retrouver son canot avant la nuit. Sans avoir abattu François, qu'il avait pourtant eu à portée de fusil à plusieurs reprises. Il allait rebrousser chemin quand il l'aperçut, tout à fait au sommet du cap Trinité, debout contre le ciel, sur la pierre nue.

Il devait, pour s'approcher, contourner un massif d'épinettes qui longeait un petit ravin. Mais quand il arriva au sommet, il ne trouva personne. Le désert, le vent, le ciel vide. Il regarda tout autour. Hésita, s'approcha du bord, et recula avec effroi. La paroi était lisse, le vide vertigineux. Il crut que François était tombé ou qu'il avait sauté en bas pour lui échapper.

Alors, il entreprit de descendre.

Il trouva, à mi-chemin, au bas de la pente abrupte, le corps désarticulé de Wilson, face contre terre. Il avait eu, dans sa chute, la peau du dos arrachée, râpée contre le roc, qui avait mis ses vertèbres à nu. Le ciel encore clair formait un dais de lumière tendu sur le fjord, où se répandait déjà la pénombre. Clément poursuivit sa descente vers ce grand trou d'ombre, inquiet, hésitant.

Il s'arrêta un moment sur un replat d'où la vue donnait tout au fond de la baie Éternité. Les galets de la grève tiraient un trait pâle entre la noirceur nacrée de la rivière et celle, mate, de la forêt. Les canots ne s'y trouvaient pas. Son homme les avait peut-être tirés plus haut, sous le couvert des arbres. Perplexe, le gros Clément arma son fusil et entreprit de dévaler la pente, fouetté par les branches des arbres. Soudain, un poids s'accrocha à son pied et le fit trébucher. Il laissa échapper son fusil, qui tomba au pied de la pente. Il se tourna, aperçut François et le frappa au visage de son autre pied. François fut déstabilisé. Clément put se rétablir. Il tendit le bras et saisit l'épaule de François.

Ils se trouvaient alors juste au-dessus de la petite plage de galets où ils avaient échoué leurs canots, tous deux gênés dans leurs mouvements par des lacis de branches et de racines. Empêtré dans cet inextricable filet, Clément ne parvenait pas à frapper François. Il tenta de le tirer vers lui, mais François s'était retenu à deux mains à une forte racine. Pendant un assez long moment, il resta sans bouger, reprenant ses forces. Puis, brusquement, au moment où son adversaire s'y attendait le moins, il lâcha prise, roula sur lui-même vers le bas de la pente, entraînant le gros Clément dans sa chute. Ils tombèrent en tournoyant, le long de la falaise, dans un bruissement de feuilles et de branches cassées. Clément atterrit, tête première, sur les galets de l'étroite plage. Il parvint cependant à se relever, chancelant, hébété, cherchant autour de lui où porter ses coups. François avait pu s'accrocher à une touffe de thuya. Il se laissa tomber de tout son poids sur le géant, qui fléchit les genoux. Puis il se retourna, ramassa un galet gros comme le poing, qu'il lança au visage de Clément. Il le distinguait mal dans l'obscurité, mais il sut qu'il avait bien visé, car il entendit un grognement et le géant chancela un moment. François chercha des yeux l'arme que Clément avait laissée tomber et qui devait se trouver quelque part sur la grève. Mais avant qu'il ait pu la repérer, le géant s'était ressaisi et s'approchait. Il leva son formidable poing pour frapper François qui, à deux reprises, parvint à l'éviter. Il ne put cependant parer le troisième coup qui, allant de bas en haut, le souleva de terre. Projeté contre la falaise, il s'effondra entre deux petits thuyas. Il fut incapable de se relever. Il distingua vaguement, contre le ciel où persistaient des restes de clarté, l'énorme silhouette qui s'avançait vers lui. Le gros Clément, lui, semblait hésiter, le chercher des yeux. François agita l'un des thuyas, vers lequel le géant se précipita et qu'il frappa de toutes ses forces. Au-dessus de sa tête, François entendit un craquement suivi d'un hurlement ; Clément venait de se fracasser le poing contre le roc de la falaise. Il reculait, titubant sur la grève, tenant sa main blessée. Rampant derrière lui, François le fit trébucher. L'énorme brute tomba à la renverse, sa tête et le haut de son corps glissant sur les galets jusqu'au ras de l'eau. François se réfugia de nouveau dans l'obscurité, tout contre la falaise. Alors seulement, il sentit la douleur entrer en lui. Il respirait péniblement. Il avait un goût de sang dans la bouche. Le coup que lui avait porté le géant lui avait dans doute cassé des côtes. Il lui avait peut-être déchiré des muscles, perforé des viscères.

Il entendit Clément qui respirait avec difficulté. Il était fatigué et blessé, lui aussi. Et ses coups, qu'il porterait maintenant de la main gauche, seraient sans doute moins précis, moins puissants. François entendit le bruit de ses pas sur les galets. Puis un pied du géant heurta un objet qui n'était pas un galet. François se précipita et s'empara du fusil, roula sur lui-même, retourna sous la falaise. Le géant cessa de bouger ; François comprit alors que l'arme qu'il avait en main était chargée. Il n'entendait plus que les battements de son cœur, le bruit des vaguelettes au fond de la baie, le chuintement tout doux du vent qui là-haut agitait les genévriers accrochés à la falaise. Pendant un moment, tout lui sembla merveilleusement paisible, et il dut lutter pour ne pas s'abandonner à un sommeil qui lui aurait été fatal. L'ennemi était là, dans le noir, à quelques pas, dix, cinq, trois pas de lui peut-être, immobile lui aussi, baignant dans sa haine et sa colère aveugle.

La pluie se mit à tomber, assez lourde et bruyante pour couvrir le bruit des pas que ferait le géant. François pointait le canon du fusil dans le noir. Il sentit soudain une main géante battre l'air, frapper le canon du fusil, qui lui échappa. Puis la main se posa sur sa tête et serra. François chercha dans le noir le bras blessé, le saisit à deux mains, le tordit de toutes ses forces, arrachant un cri de douleur à son adversaire, qui recula. Sans bien le distinguer, François se leva et fonça droit devant, tête baissée. Son épaule donna contre la hanche de Clément qui, déséquilibré, bascula de nouveau au bas de la grève, entraînant François dans sa chute. Ils coulèrent tous deux dans l'eau glacée, où François perdit pied. Ayant aspiré de l'eau dans sa chute, le géant suffoquait, s'étouffait, battait des mains et des pieds. Il lâcha prise, et François put se dégager et remonter sur la grève, où il retrouva le fusil, qu'il arma de nouveau. Il resta assis sur les galets et attendit. Clément rampait vers lui. François tira, sans voir. Il y eut un bruit mat, tout près, un cri de douleur et de rage. Il avait atteint le géant. Il put s'éloigner de lui en glissant sur le dos. Après un moment, il entendit encore des roulements de galets et des râles se rapprochant de lui. Cette fois, il attendit, il laissa Clément s'approcher, tâtonner dans le noir, lui saisir une cheville. Alors, il se redressa, pointa le fusil à ses pieds et appuya sur la détente. Il entendit un rire dément. L'arme n'était pas chargée. Il n'avait plus de balles. Et Clément l'attirait vers lui, vers le bas de la grève, dans l'eau glacée de la rivière. François saisit un galet et frappa à tour de bras, aveuglément, longtemps, mû par une colère qu'il croyait ne jamais pouvoir apaiser. Puis, de son pied libre, il poussa sur la tête et les épaules du géant, qui enfin s'immobilisa.

❦

Épilogue

La *Sainte-Marie* créa une véritable commotion en accostant au quai de La Malbaie, par une magnifique journée de la mi-mai, avec à bord une trentaine d'hommes fatigués et excités. Alexis Tremblay et son fils, Ti-Jean, furent les derniers à en descendre. Tous les regards se tournèrent vers eux. Ti-Jean, souriant, radieux, salua aimablement les gens ; son père, sombre et amer, ne parla à personne. Ils se rendirent à l'auberge Chaperon, où Alexis demanda au commis de les emmener chez eux, dans la vallée Saint-Étienne. Personne ne leur ayant posé de questions, on se perdit en conjectures sur la mauvaise mine d'Alexis et sur la bonne humeur et l'infirmité de son garçon. Très vite cependant, un essaim de rumeurs fort crédibles se mit à circuler dans tout le village : la Société des Vingt-et-un était ruinée et acculée à la faillite, ce qui expliquait et justifiait la morosité d'Alexis ; Ti-Jean avait failli mourir gelé une nuit qu'il s'était perdu, soûl, en plein bois, et on avait dû lui amputer une jambe, ce qui n'expliquait en rien la bonne humeur qu'il affichait.

Le jour même, après qu'il eut vu sa mère, et beaucoup pleuré avec elle, et aussi ses frères et sœurs, Ti-Jean fut de retour au village pour rencontrer le curé. Il lui fit un rapide récit de sa mésaventure et accepta, davantage pour l'amadouer que par réel besoin, d'être entendu en confession. Puis, sur la table du presbytère, il déroula la carte qu'il avait dressée de Grande-Baie, avec les campements, le moulin, l'îlet, les rivières, les abattis et les chemins, les caps, tous ces lieux sur lesquels le curé reconnut les noms de plusieurs de ses paroissiens, Benjamin, Caille, Alexis, Ulysse et beaucoup d'autres. Ti-Jean lui fit part de son projet d'aller à Québec rencontrer les responsables du ministère chargés d'établir le cadastre afin que soient émis les titres de propriété et que des arpenteurs dûment patentés se rendent à Grande-Baie et y fassent les relevés nécessaires.

Le curé sortit d'une armoire la pétition qu'avaient signée, une dizaine d'années plus tôt, quelque deux cent cinquante cultivateurs de la région, pétition qui n'avait toujours pas eu d'écho, même si pendant des années le député Drolet l'avait exhibée devant la Chambre d'Assemblée.

« Ils voulaient la même chose que toi, dit le curé. Ils voulaient que les gens de La Malbaie aient le droit de s'établir au Saguenay. À ce jour, personne au gouvernement ne s'est donné la peine de nous répondre. »

Au grand étonnement du curé, Ti-Jean ne sembla pas du tout décontenancé. Il dit qu'il n'attendrait pas une réponse et qu'il irait la chercher à Québec, où il resterait le temps qu'il faudrait. Il fit si bien, douta si peu, que le curé, finalement emballé, accepta d'ajouter à son prône du dimanche suivant l'annonce d'une convocation générale, afin qu'on puisse exposer ce projet aux villageois et faire circuler une nouvelle pétition. Sans même que Ti-Jean en ait fait la demande, il l'assura que le conseil de fabrique de la paroisse défrayerait les coûts de son voyage à Québec.

❧

Le bon curé faillit faire une crise d'apoplexie quand il apprit, le soir même, que Laurence à Caille avait l'intention de s'embarquer sur la *Sainte-Marie*, qui repartait quelques jours plus tard pour Grande-Baie, où l'attendait François Simard, ce mécréant.

Il fit atteler et se rendit chez elle. La maison était vide. Il monta chez Thomas Simard, où il ne trouva personne. En rentrant au village, il vit Thomas sur le pas de la porte de l'auberge

Chaperon. Sans même descendre de voiture, il lui cria qu'il avait affaire à lui.

« Je vous offre un verre, monsieur le curé. »

Ils en étaient au troisième quand Thomas termina le délicieux récit de ses péchés. Le curé lui donna l'absolution.

« Maintenant, tu vas me parler de ton garçon et de la fille à Caille. »

Thomas commença par dire que ce n'était pas son garçon qui avait demandé à Laurence de monter là-haut, mais son père à elle, Caille lui-même, qui était un bon gars.

« Thomas, ris pas de moi », dit le curé en faisant signe à l'aubergiste que leurs verres étaient vides.

Alors, Thomas dit que, selon lui, il y avait quelque chose de très sérieux entre Laurence et son garçon. Or, que ce soit sérieux entre François à Ange et Laurence à Caille ne diminuait en rien les inquiétudes du curé, bien au contraire.

« Tu vas me faire de la place à bord de ta *Sainte-Marie*, dit-il à Thomas. J'ai du monde à confesser là-bas. Et un mariage à bénir. »

ᖰᖰ

Quand, le jour de son arrivée, Thomas était venu lui dire que son père Caille l'attendait à Grande-Baie et qu'il lui gardait une place à bord de sa goélette, Laurence avait été profondément perturbée. La voyant hésiter, Thomas avait ajouté que son garçon François serait l'homme le plus triste du monde si elle n'était pas du voyage. Elle avait rosi, sa poitrine s'était soulevée très joliment. Elle était plus belle que jamais. Thomas enviait son garçon qui, d'ici quelques jours, serrerait ce si beau corps dans ses bras et embrasserait ce charmant visage.

Pour faire durer le plaisir et voir s'amplifier toute cette beauté, il avait raconté à Laurence, qui ignorait tout de cela, comment François, en rentrant de La Malbaie, après lui avoir déclaré son amour, avait été fait prisonnier, s'était évadé et, au péril de sa vie, avait sauvé un jeune Sauvage que les brutes de Chicoutimi avaient torturé.

« Je te dis qu'il t'attend », avait répété Thomas. Il savait bien qu'elle partirait. Mais il voulait encore et encore voir la joie illuminer le visage de la jeune fille.

☙

L'avant-veille du départ, dans l'après-midi, Laurence passa chez la veuve Ange.

« Tu vas enfin te marier, lui dit celle-ci, au comble de la joie. Tu vois bien que j'avais raison. Vous étiez faits l'un pour l'autre, mon François et toi. »

Elle parla de lui faire essayer la robe qu'elle avait portée à son mariage, le 24 mai 1777, ce qui fit éclater de rire et Laurence et sa fille Constance. Même avant d'être rapetissée par l'âge, la mère Ange avait une bonne tête de moins que Laurence et des formes bien moins généreuses. Par ailleurs, celle-ci, qui avait toujours été un peu garçonne, un peu négligée, n'était pas du tout certaine d'avoir envie de porter des falbalas, des froufrous et des bijoux.

« Tu peux pas te marier sans robe de mariée, dit la grand-mère. Ça se fait pas. Entre nous deux, c'est aussi nécessaire que la bénédiction du curé. »

Constance eut l'idée de faire appel aux sœurs Dallaire. Chacune s'était confectionné une robe de mariée, ce n'était pas une légende. Aline, la plus jeune, était comme Laurence, grande et forte. Mais Laurence n'osait lui demander de la lui prêter ; cela lui semblait trop cruel, cela aurait été comme arracher à cette pauvre Aline les dernières miettes d'espoir qu'elle pouvait avoir conservées. Ce fut Constance qui se rendit chez les Dallaire et fit la demande, qui fut tout de suite acceptée. La robe était blanche, ornée de perles, de paillettes, de broderies, cintrée à la taille, décolletée. Quand elle vit Laurence dans sa robe, Aline fondit en larmes.

La future mariée était si belle que Thomas en eut le souffle coupé quand il passa voir sa mère le lendemain, dans l'après-midi, et l'aperçut, debout au milieu du salon, dans la robe longue que Constance et les sœurs Dallaire achevaient d'ajuster à la taille. Elles lui avaient gonflé les cheveux, qui tombaient en boucles sur ses épaules nues. La mère Ange riait, imaginant la réaction des hommes de Grande-Baie quand ils verraient Laurence paraître dans ces atours.

Thomas fit signe à sa future belle-fille de s'approcher de la fenêtre. Il lui montra un lilas en fleur qu'il transporterait avec sa motte de terre à bord de la goélette. « Le cadeau de noce de ton beau-père, dit-il à Laurence. Tu le planteras à Grande-Baie, il va faire des petits.

– J'en mettrai partout », dit Laurence.

Cet ouvrage a été composé en Cochin 12,25/14,7
et achevé d'imprimer en janvier 2010 sur les presses de
Marquis imprimeur, Québec, Canada.

certifié   procédé   100 % post-   archives   énergie
           sans   consommation permanentes biogaz
           chlore

Imprimé sur du papier Enviro 100 % postconsommation,
traité sans chlore, accrédité Éco-Logo et fait à partir de biogaz.